La biblia del embarazo

La biblia del embarazo

Bajo la dirección de la

Dra. Anne Deans

Grijalbo

Publicado originalmente en 2003
por Carroll & Brown Publishers Limited, Londres.
Esta edición ha sido revisada y actualizada
en otoño de 2010.

Editor del proyecto: Kirsten Chapman,
Alison Mackonochie y Debbie Musselwhite
Diseño y maquetación: Emily Cook
Fotografía: Jules Selmes

Título original:
YOUR PREGNANCY BIBLE

Décima edición actualizada, octubre de 2012

ISBN: 978-84-253-4657-6

Fotocomposición: Revertext, S.L.
Reproducción de color: Colourscan, Singapur
Impreso en China

Nota del editor: La información de este libro debe ser usada como referencia genérica y no sustituye, ni lo pretende, al especialista médico o legal. Consulte a su médico antes de iniciar cualquier tratamiento o ejercicio citados en esta obra.

G R 4 6 5 7 6

ÍNDICE

ASESORES Y COLABORADORES

Lenore Abramsky
Adjunto de Genética, North Thames Perinatal Public Health Unit, Hospital Northwick Park, Londres.

Patricia M. Barnes, PNNP, MS, CNM
Enfermera comadrona titulada en el Nativity Women's Health and Birth Center, Houston, Texas.

Jane Butler, RN, CNM, BS, MPH
Enfermera comadrona titulada en el Hospital Mageee Women's, Pittsburgh, Pensilvania.

Stuart Campbell, DSc, FRCP, FRCOG
Catedrático y Adjunto de Create Health Clinic, Centre for Reproduction and Advanced Technology, Londres.

Kathleen Capitulo, DNSc, RN, FACCE
Directora del Maternal-Child Health Care Center y Directora Adjunta Hospitalaria, del hospital Mount Sinai, Nueva York.

Eve R. Colson, MD
Profesora Adjunta de Pediatría de la Yale University School of Medicine, Directora de Well Newborn Nursery del Hospital Yale-Newhaven, Connecticut.

Anne Deans, DCH, MFFP, MRCGP, MRCOG
Especialista de Obstetricia y Ginecología en el Hospital Frimley Park, Surrey.

Wendy Doyle, SRD, PhD
Dietista de la London Metropolitan University, Londres.

Keith Eddleman, MD
Profesor Adjunto de Obstetricia, Ginecología y Ciencia Reproductiva y Director del Departamento de Medicina Materno-Fetal en la Escuela de Medicina Mont Sinai de Nueva York.

Gavin Evans
Periodista, escritor con Duncan Fisher del The National Childbirth Trust y con el grupo de apoyo Fathers Direct.

Marilyn Graham, PhD, MD
Profesora Adjunta de Obstetricia y Ginecología Clínica, Indiana University, Indianápolis, Indiana.

Kate Harding, MRCOG
Especialista de Obstetricia del Hospital Guys and St. Thomas, Londres.

Peter Hepper, PhD, FBPsS, CPsychol
Catedrático de Psicología, Jefe de la Escuela de Psicología y Director del Fetal Behaviour Research Centre, Queen's University, Belfast.

David K. James, MA, MD, FRCOG, DCH
Catedrático de la Division of Feto-Maternal Medicine, Academic Division of Obstetrics & Gynaecology, Universidad de Nottingham, Nottingham.

Jeanne Langford, PGCE
Preparadora y Tutora Prenatal de The National Childbirth Trust, Londres.

Michelle F. Mottola, PhD
Profesora Adjunta y Directora de la R. Samuel McLaughlin Foundation-Exercise and Pregnancy Lab., School of Kinesiology, Universidad de Western Ontario, Canadá,

Alison Murdoch, MA
Fue redactora y editora de una revista dedicada a los padres.

Debbie Musselwhite
Redactora *freelance* y editora de artículos de una revista dedicada al embarazo y la paternidad.

Mary Nolan, PhD, MA, RGN
Preparadora Prenatal del The National Childbirth Trust, Londres.

Christine Obremski, CNM, MS, RN
Directora de Comadronas en el Hospital Mount Sinai, Nueva York.

Joanne Stone, MD
Profesora Adjunta de Obstetricia, Ginecología y Ciencia Reproductiva y Directora de Ultrasonidos Perinatales, Escuela de Medicina Mount Sinai, Nueva York.

June Thompson, RGN, RM, RHV
Enfermera de la Seguridad Social, encargada de las visitas a domicilio y escritora *freelance* sobre temas de salud.

Gayla Vanden Bosche, MA
Escritora y Directora Adjunta, del Magee Women's Hospital National Center of Excellence in Women's Health, Pittsburgh, Pensilvania.

James J. Walker, MD, FRCP, FRCOG
Catedrático del Departamento de Obstetricia y Ginecología de la Universidad St. James, Beckett St., Leeds.

Richard Woolfson, PhD, FBPS
Escritor, periodista y psicólogo que trabaja con niños y familias.

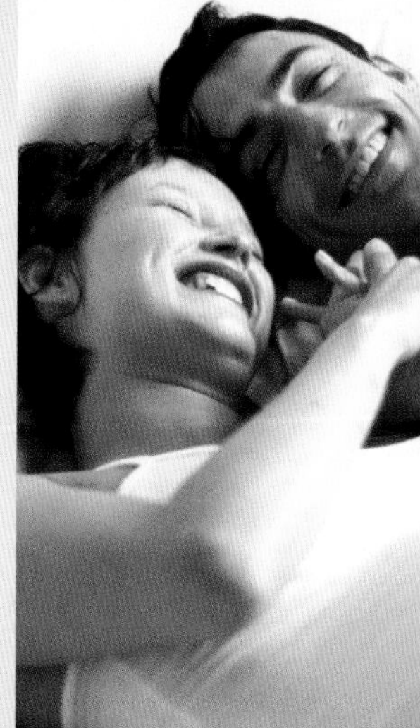

INTRODUCCIÓN

Desde que se publicó por primera vez en 2003, *La Biblia del embarazo* ha demostrado ser un recurso valiosísimo para las madres embarazadas y los padres que adquirieron un ejemplar. El embarazo es una experiencia única de la que usted querrá disfrutar al tiempo que procura hacer lo mejor para su hijo. Hoy se han hecho grandes progresos, no solo para comprender los riesgos que existen en el desarrollo normal de un feto, sino también para saber qué necesita una mujer para hacer frente con éxito a las dificultades del embarazo y el parto. Es raro que un solo médico, por bien preparado que esté y por mucha experiencia que tenga, conozca toda la información de que disponemos hoy en día. Este es el motivo por el que, para ofrecer una información investigada a fondo, se redactó *La Biblia del embarazo* junto a un equipo de expertos en todos los campos relacionados con el embarazo: la genética, la partería, la ginecología y obstetricia, la nutrición y el ejercicio durante el embarazo, la psicología, la fetología y la pediatría. Además se consultó a profesores de técnicas de parto natural, amamantamiento y cuidado del bebé. Al cabo de tres años de la última actualización, hemos vuelto a consultar a los expertos para publicar una nueva edición revisada y ampliada.

Esta nueva edición de *La Biblia del embarazo* sigue abarcando todos los aspectos del embarazo, el alumbramiento y la nueva paternidad. Aunque no sustituye el cuidado y la atención que usted recibirá de los profesionales de la salud, que la conocen personalmente, este manual puede complementar sus consejos, explicar los procedimientos, proporcionar ideas útiles y responder a muchas preguntas que quizá no se ha planteado.

Esta edición recoge todas las características del libro original, como las ilustraciones a tamaño natural, fotografías en color, imágenes en tres dimensiones que permiten seguir el desarrollo de su bebé semana a semana o páginas desplegables con una guía donde podrá consultar rápidamente lo que puede esperar en cada trimestre del embarazo. Además, se ha añadido un glosario de terminología neonatal y del embarazo.

Las secciones detalladas sobre nutrición, ejercicio y lo que debe hacer para mantenerse con buena salud le ayudarán a culminar un embarazo sano y a prepararse para el tipo de parto que elija. También encontrará consejos sobre los aspectos emocionales del embarazo, tanto para usted como para su pareja. Una vez haya nacido su bebé, le serán de utilidad otros capítulos donde se recoge información sobre cómo cuidarse usted misma, cómo tratar a su hijo recién nacido y establecer vínculos afectivos con él y cómo alimentarlo, bañarlo, cambiarlo, vestirlo y transportarlo.

Además, el libro ofrece una guía exhaustiva sobre las pruebas y procedimientos que pueden llevarse a cabo durante el embarazo y sobre el tratamiento de las afecciones y problemas médicos que puedan afectarla a usted o al recién nacido.

Y lo que es más importante, *La Biblia del embarazo* ha sido pensada para ayudarla a tener una actitud positiva, la cual, según se ha demostrado, es uno de los factores que más pesan para que la experiencia del alumbramiento sea gratificadora. Con información y comprensión, puede afrontar el embarazo y la paternidad con confianza.

Anne Deans

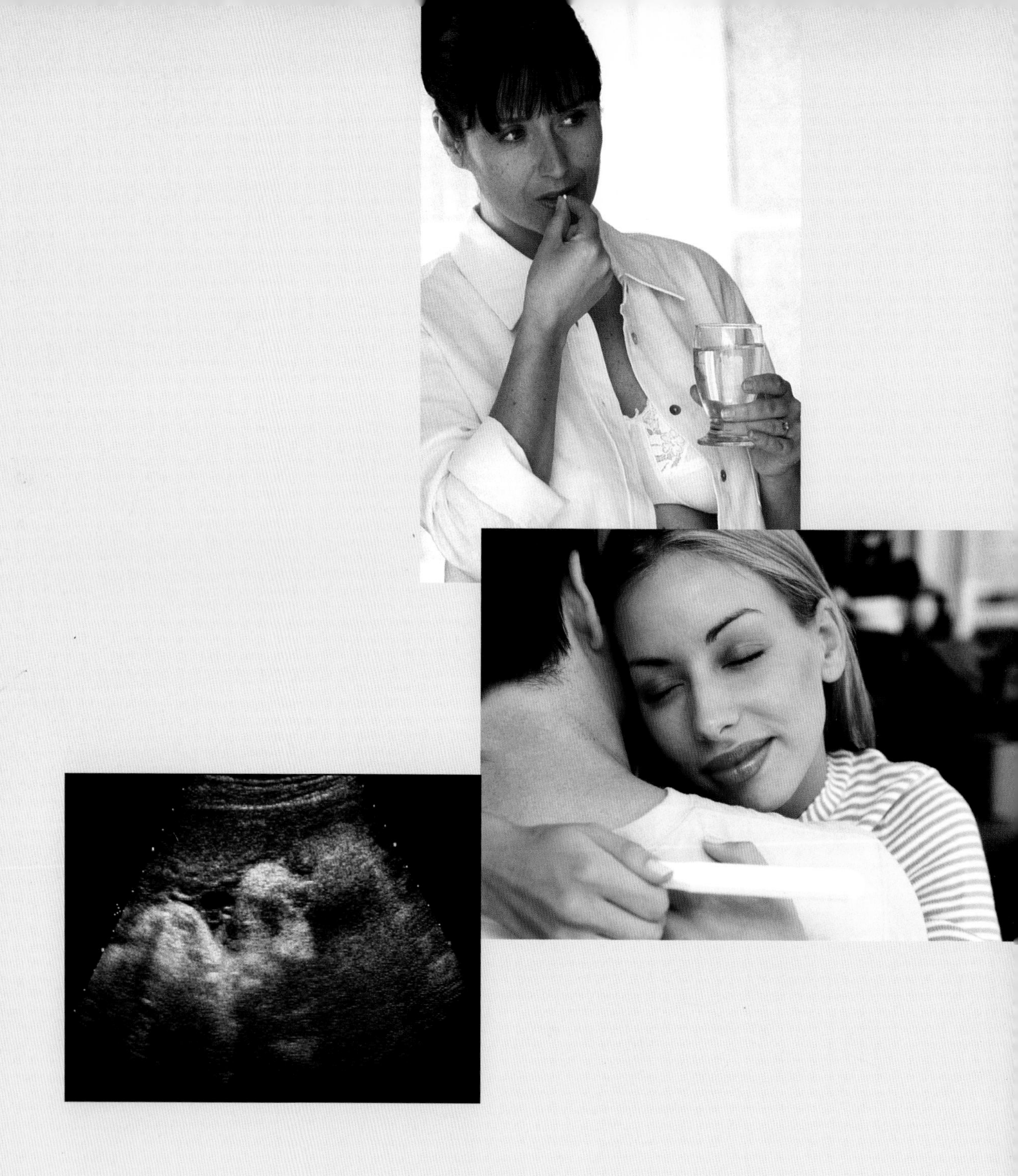

PARTE I UN PRINCIPIO MILAGROSO

LA HISTORIA DEL EMBARAZO

Cuando una mujer concibe, solo es el principio de un proceso asombroso. Este capítulo cuenta la historia de cómo el óvulo fertilizado llega al útero, cómo su hijo hereda sus características y cómo él o ella se desarrollan de semana en semana. También explica los principales cambios externos del cuerpo de la madre y los momentos más importantes de los siguientes nueve meses.

EL ESPERMATOZOIDE SE ENCUENTRA CON EL ÓVULO

El principio de la vida se produce en un nivel microscópico, cuando un óvulo no mayor que una mota de polvo se une con un espermatozoide, vencedor único en la carrera contra varios millones de competidores.

Para encontrarse, el óvulo y el espermatozoide emprenden unos viajes asombrosos y arduos que están erizados de fracasos. No obstante, si tienen éxito, su unión tiene como resultado la creación de una única célula que contiene información genética de ambas partes. Este proyecto único es la base de una nueva vida.

La concepción se produce en tres etapas básicas: ovulación, fertilización y división del óvulo fertilizado, que se implanta en el útero. Solo cuando esta implantación se ve coronada por el éxito, empieza el embarazo.

EL ÓVULO LLEGA PRIMERO

Una mujer nace con una provisión de unos dos millones de óvulos para toda la vida. Desde el momento del nacimiento, los óvulos empiezan a morir y cuando una niña alcanza la pubertad, solo quedan alrededor de 400.000. De estos, entre 400 y 500 madurarán a lo largo de su vida y serán liberados durante la ovulación.

En la mayoría de mujeres, la ovulación se produce cada mes en respuesta a la hormona leuteinizante (HL), que es liberada por la glándula pituitaria. Cada mes, entre 100 y 150 óvulos empiezan a madurar dentro de unos sacos protectores, llenos de líquido, llamados folículos. Por lo general, solo uno de esos óvulos alcanza la madurez y, cuando esto sucede, la hormona estrógena es liberada en el flujo sanguíneo para detener el proceso de maduración de los demás óvulos. Esta hormona hace, también, que el tejido interior del útero se espese, para formar un cojín rico en sangre, en preparación para el desarrollo de un embrión.

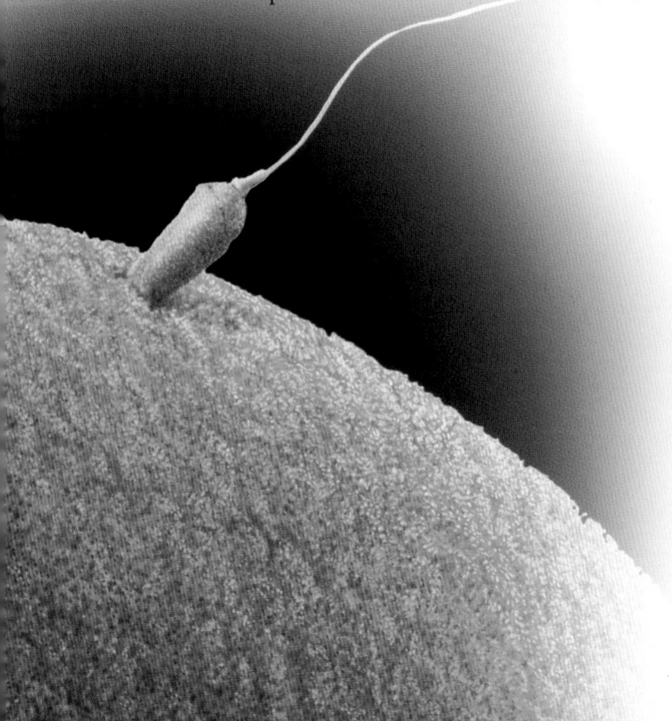

CÓMO SE PRODUCE LA OVULACIÓN

En la ovulación, que tiene lugar alrededor de la mitad del ciclo menstrual, el folículo que más ha crecido se rompe por fin y el óvulo sale. El folículo roto pasa a formar el *corpus luteum,* que significa «cuerpo lúteo o amarillo», el cual produce una hormona, la progesterona, que será el sustento del embrión que va creciendo hasta que la placenta se encargue de ese cometido. En este estadio, el óvulo no es más que un punto, apenas visible a simple vista.

Cuando el óvulo sale del ovario, es recogido por el extremo de la cercana trompa de Falopio y trasladado a lo largo de esta y hacia el útero por unas protuberancias diminutas, parecidas a pelos, llamadas cilios. Si el óvulo es fertilizado por un espermatozoide, esto tiene lugar dentro de la trompa, por lo general en el tercio de salida, cerca del ovario.

Si el óvulo no es fertilizado dentro de las doce horas que siguen a su liberación, muere, el folículo se seca, el revestimiento interior del útero es desechado y se produce el período menstrual. Todo es debido a una caída en el nivel de la progesterona. No obstante, si el óvulo es fertilizado, los niveles de progesterona aumentan y el revestimiento interior del útero continúa espesándose.

Señales de ovulación

Aunque la mayoría de mujeres no son en absoluto conscientes de que están ovulando, alrededor del 25 % experimenta dolor en la parte inferior del abdomen, por lo general en el lado del ovario que está ovulando. Este dolor recibe el nombre de *mittelschmerz* (literalmente,

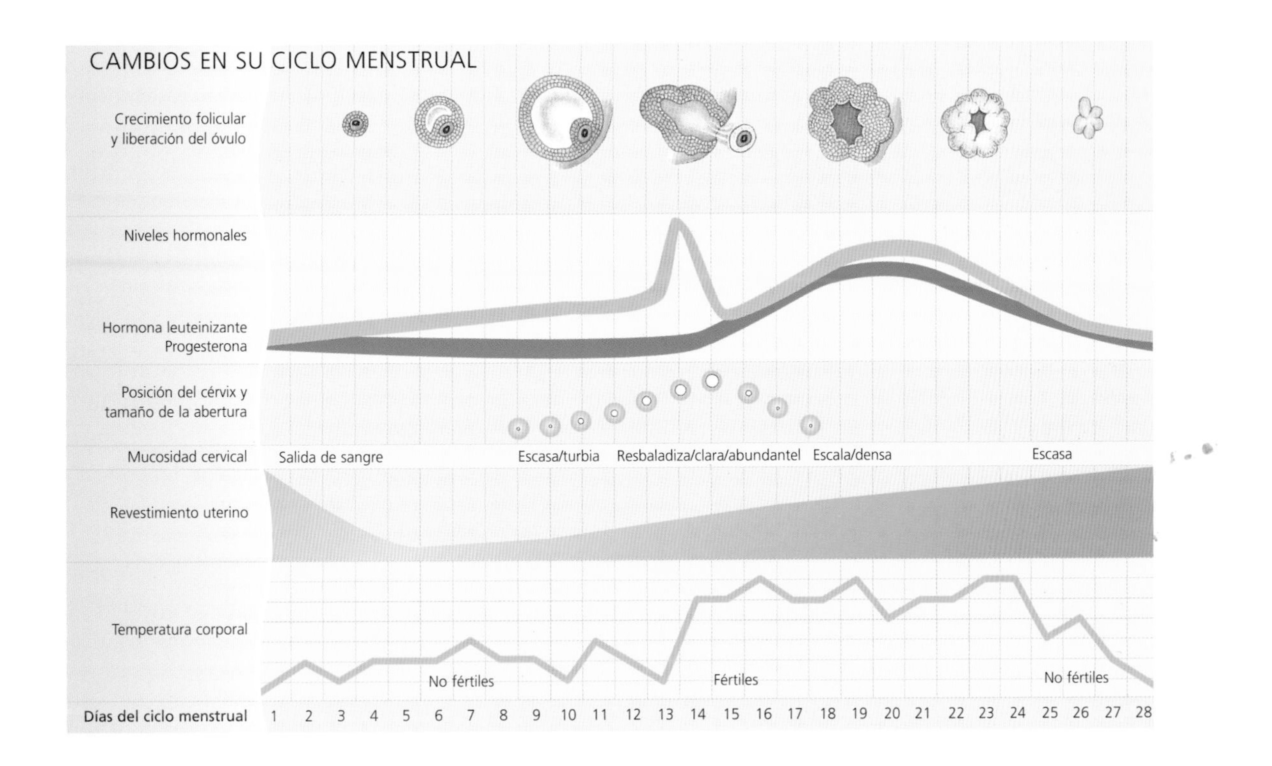

«dolor medio») y se cree que es causado por la irritación provocada por el líquido o la sangre del folículo al romperse. No obstante, este dolor no se considera un signo fiable de ovulación y no se produce en todos los ciclos.

Una señal más concreta de la ovulación es el cambio en la mucosidad segregada por el cérvix (el cuello del útero). Justo después de la menstruación, la mucosidad es escasa, espesa y pegajosa, impenetrable para los espermatozoides. Conforme se acerca el momento de la ovulación, esa mucosidad se vuelve más fina y húmeda y permite que los espermatozoides sanos la atraviesen a gran velocidad. Después de la ovulación, la mucosidad vuelve a su consistencia normal, menos acogedora. Otro signo de ovulación es la temperatura corporal. La progesterona produce un aumento pequeño, pero claro, de la temperatura desde 36,4 a 36,7 grados centígrados. El momento óptimo para la concepción es cuando un hombre y una mujer hacen el amor durante el período fértil de esta; es decir, cuando la ovulación acaba de producirse o es inminente.

GRAN CARRERA DE LOS ESPERMATOZOIDES

Al eyacular en el interior de la vagina, un hombre expulsa cientos de millones de espermatozoides a una velocidad aproximada de 16 kilómetros por hora. Esos espermatozoides están mezclados con un líquido que contiene azúcar y que les da energía para el duro viaje que les espera. Los más rápidos alcanzarán el óvulo en 45 minutos, los más lentos necesitarán 12 horas. La mayoría ni siquiera hará el viaje; se deslizarán fuera de la vagina, se perderán o será destruidos. Solo unos cientos de los nadadores más fuertes conseguirán llegar a las trompas de Falopio donde puede producirse la fertilización.

Obstáculos y ventajas

Los espermatozoides tienen que atravesar la vagina, el cérvix y el útero y nadar hasta el interior de las trompas de Falopio antes de alcanzar el óvulo. Es una distancia de entre 15 y 18 centímetros, pero equivale a lo que un humano nadaría si hiciera más de cien largos en una piscina olímpica.

Hay muchos factores en contra de que alcancen su destino. Cuando entran en la vagina, no están plenamente activos y son incapaces de realizar la fertilización. Solo se vuelven activos y capaces de fusionarse con el óvulo mientras se desplazan a través de la mucosidad de la vagina. Millones se pierden en las numerosas grietas de la vagina o llegan a la trompa de Falopio equivocada. Otros, sobre todo los débiles o dañados, son destruidos por el letal entorno ácido que los rodea. Curiosamente, parece que los espermatozoides femeninos, que contienen un cromosoma X (véase p. 18), se sienten más cómodos con las condiciones ácidas de la vagina que los masculinos, que contienen un cromosoma Y. Otros millones de espermatozoides son rechazados por las vellosidades microscópicas del interior del útero.

No obstante, otros factores les echan una mano a los espermatozoides. Se cree que cuando una mujer tiene un orgasmo durante el coito, las contracciones parecidas a olas de su vagina atraen a los espermatozoides hacia el cérvix, aunque no es necesario tener un orgasmo para quedar embarazada. Durante el período fértil de una mujer (véase diagrama p. 11), la mucosidad, que suele formar una barrera ante el cérvix, se vuelve viscosa y poco densa, lo que favorece el avance de los espermatozoides al interior del útero. Igualmente, la abertura del cérvix se hace mayor, ya que se está preparando para recibirlos. Se estima que alrededor de 40 millones de espermatozoides sanos realizan este viaje a través del cérvix y del útero. Para incrementar las posibilidades de éxito de los espermatozoides, las trompas de Falopio liberan una mucosidad alcalina que los nutre, mientras esperan a que el óvulo sea liberado.

MÁS **SOBRE** el esperma

El desarrollo del esperma empieza en la pubertad cuando un puñado de hormonas, entre ellas la testosterona, desencadenan la producción. Durante la edad adulta continúa produciéndose esperma, aunque su cantidad y calidad empiezan a decaer alrededor de los 40 años. El hombre joven y sano medio produce entre 2 y 6 mililitros de semen por eyaculación y cada mililitro contiene entre 50 y 150 millones de espermatozoides. Un espermatozoide tiene aspecto de renacuajo y mide, aproximadamente, 0,05 milímetros de longitud; tiene una larga cola, que le ayuda a nadar a lo largo de la vagina y a subir por la trompa de Falopio, y una cabeza de forma ovalada, que contiene información genética.

Una cuestión de sincronización

El momento de la concepción depende totalmente de la sincronización. La mujer debe tener un óvulo preparado cuando un espermatozoide sano llega a la trompa de Falopio. Los espermatozoides pueden sobrevivir hasta cuatro días en el cuerpo de la mujer, pero morirán si pasa más tiempo antes de que llegue el óvulo. Esto significa que si una mujer tiene relaciones sexuales dos o tres días antes de la ovulación, puede concebir igualmente. Si los espermatozoides llegan después de la ovulación, nunca tendrán la oportunidad de reunirse con el óvulo en la trompa de Falopio.

Y el ganador es...

Solo unos 200 espermatozoides consiguen llegar al lugar de la fertilización, pero la carrera todavía no ha terminado. El óvulo está rodeado de miles de células que lo nutren. Los espermatozoides luchan por abrirse paso a través de esas células, quitándolas de enmedio mediante sacudidas de la cola. Cuando llegan a la pared del óvulo, una sustancia pegajosa que hay en la superficie les ayuda a adherirse. Ahora el objetivo es taladrar la capa exterior del óvulo, denominada corona radiante, y otra capa posterior que recibe el nombre de zona pelúcida. Puede que varios espermatozoides atraviesen la capa exterior, pero solo uno suele llegar al núcleo. Cuando esto sucede, su cabeza se fusiona con el núcleo del óvulo y, al instante, este emite una sustancia química que lo rodea como una barrera para impedir que penetren otros espermatozoides.

El principio de la vida

Cuando el óvulo y el espermatozoide se fusionan, este pierde la cola y su cabeza crece. El óvulo y el espermatozoide forman una única célula que contiene 46 cromosomas de información genética, 23 del padre y 23 de la madre. El interior de la célula gira, obligando a los cromosomas a mezclarse. En cuestión de horas, esta célula única duplicará el material conocido como ácido desoxirribonucleico (ADN) y se dividirá en dos. Se están formando los componentes básicos de la vida.

SUS POSIBILIDADES DE CONCEBIR

La fertilidad varía mucho; así pues, a algunas parejas puede costarles más concebir que a otras. Por término medio, entre las parejas que tienen relaciones sexuales de forma regular, un 25 % de mujeres concebirá en un mes, un 60 %, en seis meses y un 90 %, en 18 meses.

No obstante, ciertos factores, tanto por parte del hombre como de la mujer, pueden hacer que ese plazo se alargue. Por ejemplo, fumar, tomar bebidas alcohólicas, ciertos medicamentos, la obesidad y la exposición al calor y los productos químicos pueden afectar a la cantidad y la calidad del esperma. Si el esperma es insuficiente y de baja calidad no sobrevivirá al viaje hasta el óvulo. Incluso si se encuentran, puede que los espermatozoides o los óvulos dañados no logren fusionarse con éxito o quizá produzcan un óvulo fertilizado que no consiga sobrevivir a las primeras etapas de crecimiento. En las mujeres, la calidad de los óvulos se deteriora con la edad y, a partir de los 35 años, quizá no ovulen cada mes, aun cuando sigan teniendo períodos regulares. El tabaco y el abuso de las drogas o el alcohol también pueden dañar los óvulos. Algunas mujeres pueden tener una trompa de Falopio bloqueada o dañada e impedir el progreso de un óvulo maduro. Si está usted tratando de concebir, puede mejorar sus posibilidades haciendo lo siguiente:

- *Evite fumar.* El tabaco tiene un efecto nocivo sobre muchos aspectos de la salud; puede reducir la fertilidad femenina y afectar a la calidad del esperma. Si es fumadora, déjelo antes de quedarse embarazada.
- *Controle su peso.* Las mujeres con un IMC superior a 30 (véase p. 64) pueden tener problemas de ovulación. Lo más adecuado es seguir una dieta sana con alto contenido en hierro, calcio y ácido fólico, y este último beneficiará al bebé reduciendo el riesgo de que padezca defectos en el tubo neural.
- *Consulte a su médico.* Averigüe si es inmune a la rubéola, y si cree que corre riesgo de padecer una enfermedad de transmisión sexual, hágase un chequeo.
- *Busque el momento preciso.* Tenga relaciones sexuales al menos un día sí y uno no, para mejorar la posibilidad de concebir.
- *No beba mucho alcohol.* La ingesta elevada de alcohol es perjudicial para la función reproductiva masculina, así como para su salud general. Existen menos evidencias convincentes que vinculen el alcohol con problemas de fertilidad femenina, pero más de dos copas a la semana pueden perjudicar al feto en pleno desarrollo.

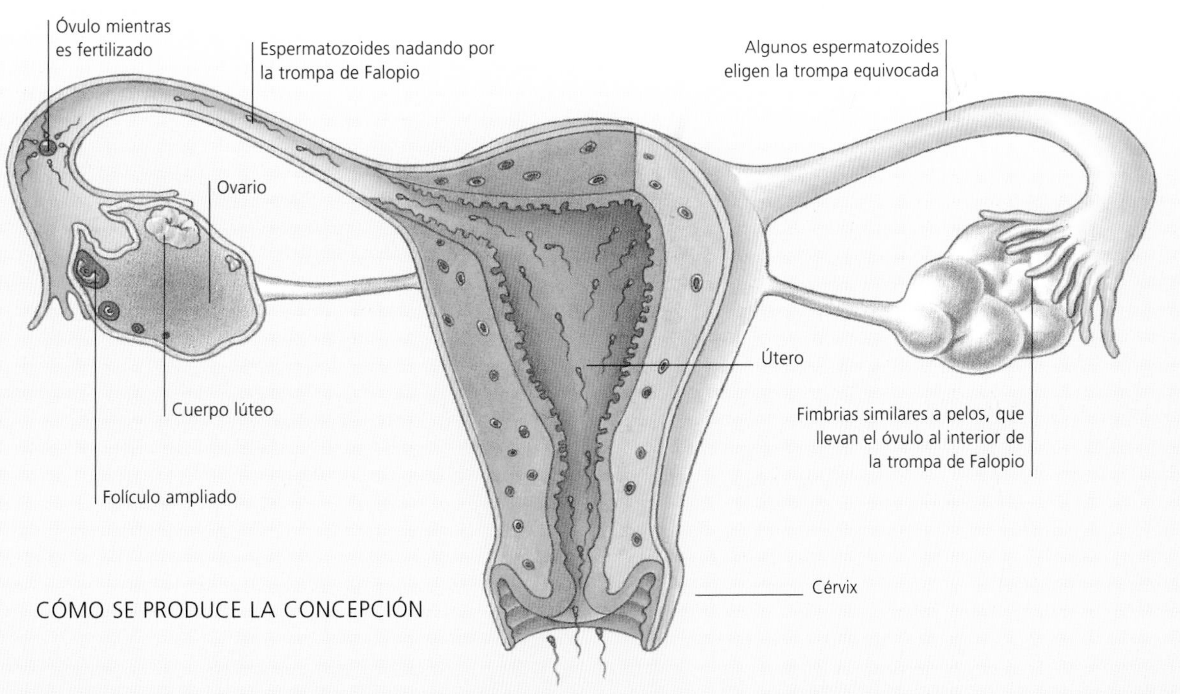

CÓMO SE PRODUCE LA CONCEPCIÓN

EL VIAJE HASTA EL ÚTERO

Entre 12 y 20 horas después de que el óvulo haya sido fertilizado, la célula que se ha formado se divide en dos, duplicando su ADN al hacerlo. Esta división continúa rápida e ininterrumpidamente, mientras el conjunto de células se dirige hacia el útero, donde crecerá el feto.

Al óvulo fertilizado le cuesta unos siete días alcanzar el útero después de salir del ovario. Este viaje a lo largo de la trompa de Falopio es facilitado por los cilios (sensores parecidos a pelos) que recubren el interior de la trompa. La trompa de Falopio nutre también las células en desarrollo y elimina los desperdicios producidos por estas al dividirse. Durante este tiempo, el óvulo fertilizado atraviesa varias etapas de desarrollo.

DE ÓVULO A BLASTOCISTO

El óvulo fertilizado se denomina zigoto y se divide y subdivide hasta que forma una esfera sólida del tamaño de la cabeza de un alfiler. Está compuesto por entre 16 y 32 células y, ahora, recibe el nombre de mórula. La mórula continúa dividiéndose a intervalos de 15 horas, de forma que cuando llega al útero, alrededor de 90 horas más tarde, tiene aproximadamente 64 células. Solo unas pocas de estas, llegarán a convertirse en el embrión; el resto pasará a formar la placenta y las membranas que rodean al feto en el útero.

La mórula pasa gradualmente de un estado sólido a convertirse en una bola de células llena de líquidos y en esta etapa recibe el nombre de blastocisto. La superficie de un blastocisto consiste en una única capa de células grandes y planas denominadas trofoblasto. Estas últimas evolucionarán hasta convertirse en la placenta. Dentro de la esfera hay una masa celular interna de la que surgirá el embrión.

En las primeras etapas del desarrollo, cuando el zigoto solo está formado por unas pocas células, cada una tiene el potencial de convertirse en un ser humano. Si el zigoto se divide en dos, se forman gemelos idénticos.

TIENE LUGAR LA IMPLANTACIÓN

Entre cinco y siete días después de producirse la ovulación, la producción de progesterona alcanza sus niveles máximos y estimula el desarrollo de los ricos vasos sanguíneos que alimentan el endometrio (el epitelio que reviste el útero). Esto coincide con la llegada del blastocisto al útero, que ya está listo para la implantación. En esta etapa, el blastocisto mide menos de 0,2 milímetros de diámetro. Flotará libremente en el útero durante unos días mientras continúa creciendo y desarrollándose. Aproximadamente unos nueve días después de la fertilización, el blastocisto se adhiere a la pared uterina por medio de unas proyecciones esponjosas de las células del trofoblasto, que se fijan en el endometrio. Estas células se convierten en las vellosidades coriónicas (véase p. 140), que más tarde evolucionarán hasta formar la placenta. En ocasiones, la implantación causa una pequeña hemorragia, conocida como goteo.

Si el blastocisto no se implanta, será arrastrado al exterior en el siguiente período menstrual y la mujer ni siquiera será consciente de haber concebido.

EVOLUCIÓN DEL EMBRIÓN

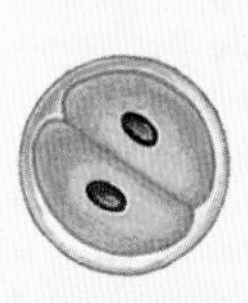

Zigoto

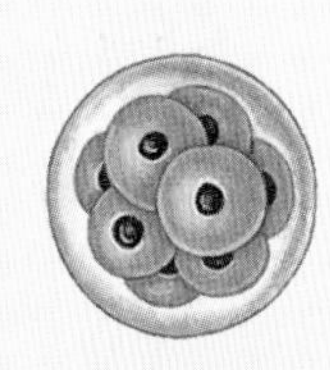

Mórula

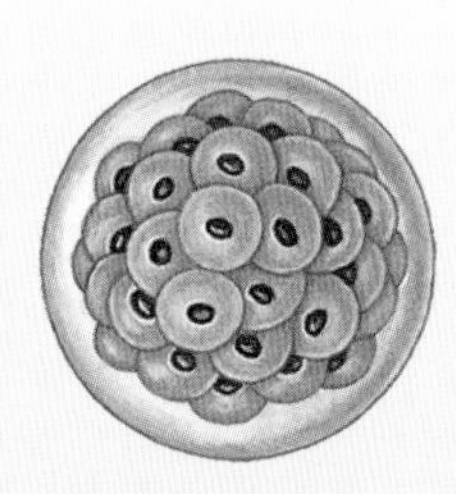

Blastocisto

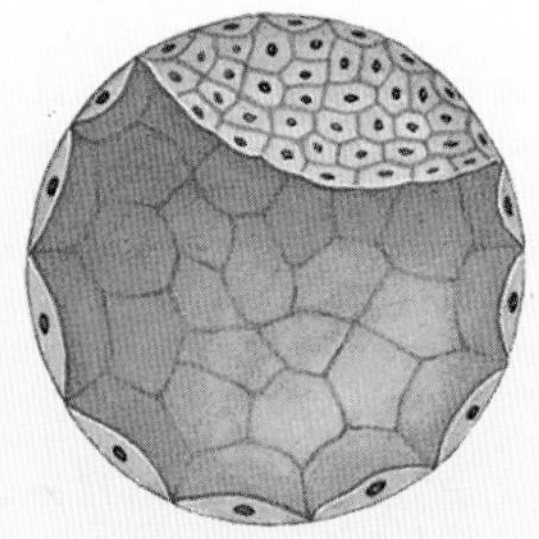

Sección transversal del blastocisto

Encontrar alimento

En el momento de su implantación, el blastocisto está formado por cientos de células y libera enzimas que penetran en el revestimiento del útero y hacen que el tejido se descomponga. Esto proporciona una mezcla nutritiva de sangre y células con la que puede alimentarse. En algunas ocasiones, el revestimiento del útero no ofrece una fuente de alimento lo bastante rica para el blastocisto. En ese caso, se produce un aborto que se parece mucho a una menstruación tardía y abundante.

Asimismo, después de la implantación la placenta empieza a desarrollarse y el embrión comienza a producir la hormona del embarazo gonadotropina coriónica humana (GCh). Esta es la hormona que se puede detectar en las pruebas del embarazo.

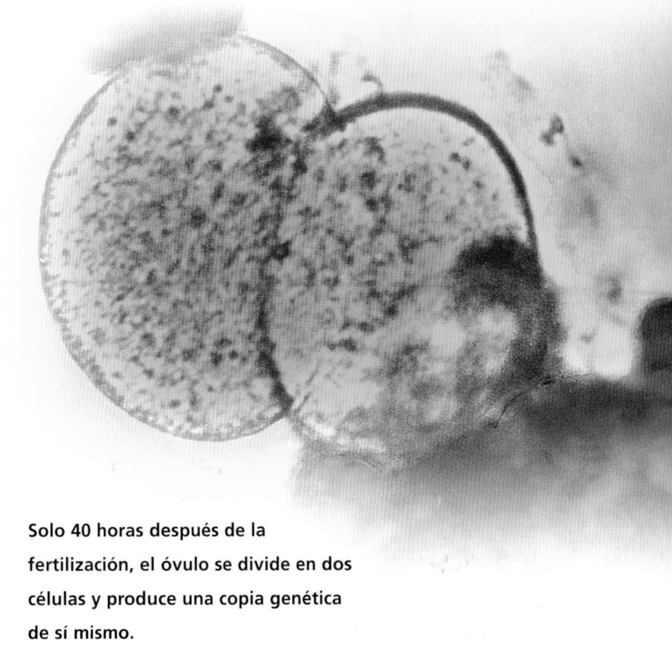

Solo 40 horas después de la fertilización, el óvulo se divide en dos células y produce una copia genética de sí mismo.

Qué pasa a continuación

Son necesarios alrededor de 13 días para que el embrión se implante firmemente en el revestimiento interno del útero. El aborto sigue siendo posible, pero mucho menos probable después de la implantación. El embrión empieza a producir su propia progesterona, estimulando al endometrio a desarrollarse. También en este estadio empiezan a formarse los primeros órganos del embrión, comenzando con el sistema nervioso y, más tarde, el corazón. Esos 13 días es el plazo máximo que tiene el embrión para dividirse en dos y convertirse en gemelos. Si la división se produce más tarde, se forman gemelos unidos (siameses).

CONCEBIR GEMELOS Y MÁS

Durante los últimos 20 años, y debido sobre todo a una mejor nutrición y al incremento de tratamientos de fertilidad, han aumentado las posibilidades de concebir mellizos... y más. En Reino Unido hay unos 12.000 partos múltiples cada año. Los gemelos se dan de forma natural en uno de cada 35 nacimientos y los trillizos, en uno de cada 4.500 nacimientos. No obstante, la mayoría de los embarazos con tres fetos o más son el resultado de los tratamientos contra la infertilidad. Durante el proceso de FIV se emplean fármacos para estimular la liberación de más de un huevo, pero las normas de la HEFA prohíben la implantación de más de tres embriones en un solo intento.

Se conciben muchos más mellizos de los que llegan a nacer. El llamado síndrome del «mellizo desaparecido» se produce cuando uno de los fetos aborta espontáneamente, por lo general durante el primer trimestre, y el tejido fetal es absorbido por el otro mellizo, la placenta o la madre, por lo que parece que el mellizo haya desaparecido.

¿SABÍA QUE...?

Es frecuente que la implantación falle. Adherirse al endometrio es una tarea arriesgada. Se estima que alrededor del 40 % de blastocistos que entran en el útero nunca llegan a implantarse, sino que mueren y son eliminadas en el siguiente período. Parece que, en parte, la sincronía es la responsable y que una llegada temprana o tardía en exceso influye negativamente en las probabilidades de que el blastocisto logre implantarse.

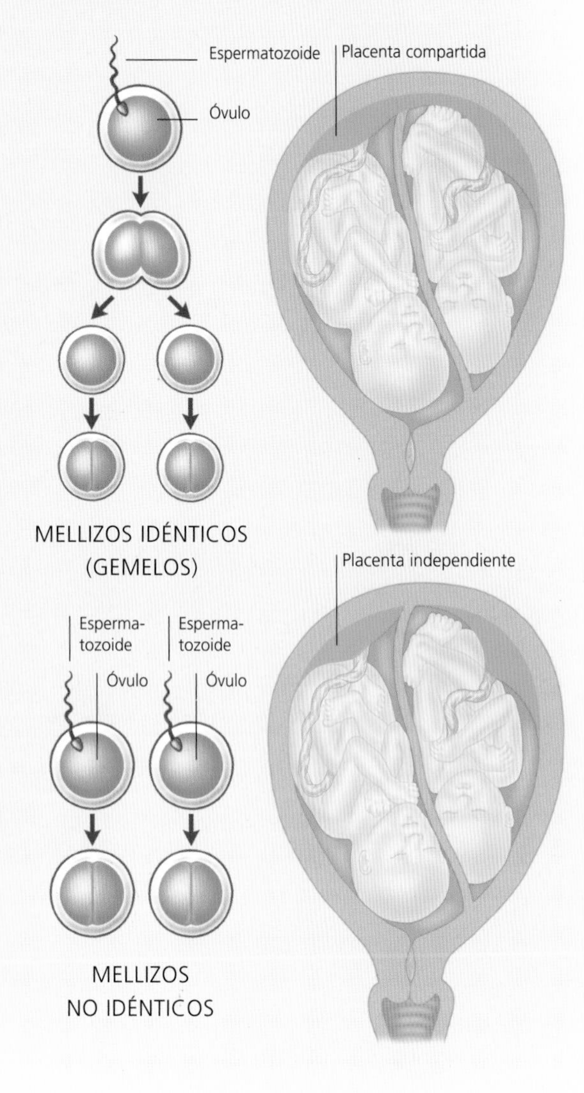

Mellizos idénticos o no idénticos

Alrededor de un tercio de los mellizos son idénticos (técnicamente monocigóticos) y dos tercios son no idénticos (técnicamente dicigóticos). Los mellizos idénticos o gemelos se producen cuando, como en una concepción normal, un óvulo es fertilizado por un único espermatozoide. El óvulo fertilizado se divide entonces en dos, haciendo que se desarrollen dos embriones separados; si se divide en tres, el resultado son trillizos, y así sucesivamente. Los gemelos pueden compartir una misma placenta y saco amniótico o no hacerlo, pero cada uno tiene su propio cordón umbilical. Estos bebés tendrán una estructura genética idéntica y serán del mismo sexo. También tendrán el mismo color de ojos y pelo y el mismo grupo sanguíneo.

Los mellizos no idénticos —llamados también falsos gemelos— se producen cuando, al ovular, una mujer libera más de un óvulo. Pueden ser los dos de un mismo ovario o uno de cada uno. Cada óvulo es fertilizado por un espermatozoide diferente y se conciben dos bebés genéticamente diferentes. Podrán ser del mismo sexo o de sexos diferentes y se parecerán tanto o tan poco como cualesquiera otros hermanos.

En el caso de trillizos, cuatrillizos y más, puede haber todo tipo de combinaciones de niños idénticos y no idénticos. Por ejemplo, tres óvulos —o cuatro o más— pueden ser fertilizados creando trillizos no idénticos. También uno de los óvulos fertilizados puede dividirse en dos gemelos y otro óvulo fertilizado completará un embarazo triple, con dos bebés idénticos y uno no idéntico. Igualmente puede suceder que un óvulo se divida en tres, creando así trillizos idénticos.

El factor hereditario

Uno de los factores que influye en la concepción de mellizos es la edad de la madre. A partir de los 35 años, las posibilidades de concebir gemelos aumentan. Sin embargo, las probabilidades de concebir mellizos no idénticos solo aumentan hasta llegar a los 35 años y, a partir de entonces, empiezan a disminuir. Esto puede ser debido a que conforme pasan los años se producen, de forma natural, más hormonas estimulantes de la ovulación, lo cual podría hacer que los ovarios liberen más óvulos cada mes.

Las posibilidades de tener mellizos aumentan también con cada embarazo y parece que las mujeres más robustas y altas tienen entre el 25 y el 30 % más de probabilidades de concebirlos. Los mellizos no idénticos pueden ser, asimismo, habituales por línea materna. Finalmente, parece haber una predisposición étnica: los mellizos son más corrientes en mujeres de origen africano y se dan con menos frecuencia entre mujeres de origen asiático.

LA HERENCIA DE SU HIJO

La dotación genética de su hijo se determina en el momento de la concepción. La mitad procede del óvulo y la otra mitad del espermatozoide. Así pues, sin importar a quién se parezca el niño o la niña, tanto usted como su pareja habrán contribuido a partes iguales a su herencia genética.

El proceso por el que transmitimos características a nuestros hijos es asombrosamente intrincado, pero las leyes naturales que lo rigen son fáciles de entender. Para comprender mejor cómo usted y su pareja influyen en las características de su hijo, primero debe tener claros algunos aspectos básicos de genética.

GENES Y CROMOSOMAS

Su cuerpo está formado por millones de células, las cuales son copias del óvulo fertilizado del que usted procede y el núcleo (centro) de cada una de esas células contiene una copia de todos sus genes. Los genes son los planos o instrucciones que instruyeron a su cuerpo sobre cómo formarse cuando era un embrión y que determinan cómo funciona ahora. Estos planos o instrucciones están codificados en unidades minúsculas de ácido desoxirribonucleico (ADN).

El ADN influye en el aspecto que tendrá su hijo. El color y el funcionamiento de los ojos, la textura del cabello, la forma de la nariz, el grupo sanguíneo, la estructura ósea y otras muchas características son determinadas por los genes, que hereda de ustedes y que ustedes heredaron de sus padres. Hay alrededor de 30.000 genes en cada uno de los millones de células del cuerpo, así que no se necesita mucha imaginación para comprender que son extremadamente pequeños, demasiado pequeños para verlos incluso con un microscopio muy potente. Todos estos genes se combinan para hacer que usted sea única.

Los genes no flotan sueltos de un lado para otro dentro de las células del cuerpo; se agrupan sistemáticamente en unas estructuras denominadas cromosomas. Normalmente, en cada célula, hay 46 cromosomas organizados en pares complementarios. En cada par, uno de los cromosomas procede de usted y el otro de su pareja. Cada uno contiene miles de genes y es lo bastante grande para que sea visible a través de un microscopio potente.

SU ESTRUCTURA GENÉTICA

¿A quién se parece usted más, a su padre o a su madre? Tiene un par de genes para cada característica: uno de su madre y otro de su padre. Para algunos rasgos, sus padres pueden haberle dado la misma versión de un gen y para otros, diferentes versiones. A veces, una versión de un gen domina sobre otra; en otros casos, ambas influyen en el resultado por igual. Lo que determina su estructura hereditaria es el efecto total de la combinación de todos sus genes.

La variedad es la sal de la vida

Hay muchos genes y todos tienen formas diferentes, igual que hay muchas recetas posibles para hacer un pastel de chocolate. Si no fuera así, todos tendríamos exactamente el mismo aspecto y el mundo sería un lu-

Su hijo puede parecerse más a usted que a su pareja debido a la forma en que se han mezclado los genes que usted le ha dado.

gar muy aburrido. Dado que hay muchas versiones de los miles de genes que heredó de sus padres, usted es genéticamente única, a menos, claro está, que tenga una gemela idéntica. Incluso sus hermanos y hermanas serán genéticamente diferentes, porque su herencia genética depende de la combinación única de los genes de un óvulo en particular con los de un espermatozoide en concreto. Esta idea es válida para el hijo que espera y para otros que pueda tener en el futuro.

Algunos genes no se forman correctamente. Si los dos genes del par son anormales, esto puede acarrear problemas como la fibrosis quística y la anemia falciforme (véase p. 240). Se dice que estas enfermedades son de herencia recesiva (véase más abajo). Otros genes anormales, dominantes, causan problemas incluso si solo uno de los dos es anormal. Es el caso, por ejemplo, de la enfermedad de Huntington (véase p. 240). Algunos genes anormales que porta el cromosoma X solo causan problemas a los chicos. Entre las enfermedades asociadas al cromosoma X está la distrofia muscular de Duchenne y la hemofilia (véase p. 240). Para obtener información sobre asesoría genética, véase la Guía prenatal.

¿A quién se parecerá su bebé?

Si tanto usted como su pareja transmitieran la totalidad de los 46 cromosomas que hay en el óvulo y en el espermatozoide, su bebé tendría 92 cromosomas en sus células y ese número se doblaría en cada generación. El sistema no funcionaría. En cambio, en la formación de los óvulos y espermatozoides, llamada meiosis o división reductora, las células experimentan una división especializada, en la cual dividen por dos el número de cromosomas que hay en cada una; así, cada óvulo y cada espermatozoide contiene solo 23 cromosomas. Por lo tanto, cada cromosoma que usted transmita a su hijo será o bien el que usted recibió de su madre o el que recibió de su padre, y lo mismo sucede con su pareja.

Su bebé recibirá algunos cromosomas que usted heredó de su padre y otros que heredó de su madre. Así pues, puede tener, por ejemplo, la constitución y el color del pelo de su padre, pero el color de ojos de su madre. Si amplía su familia en el futuro, su próximo hijo heredará una combinación ligeramente diferente y será otra incorporación única a la familia.

Genes silenciosos

El bebé puede heredar genes que usted no sabía que tenía. Por ejemplo, puede ser pelirrojo, aun cuando ni usted ni su pareja lo sean. Esto se debe a que algunos genes son dominantes y otros recesivos y, en los pares de cromosomas que se forman, los genes dominantes anulan la información contenida en los recesivos. Tanto usted como su pareja pueden portar el gen para el pelo negro, que es dominante, y el gen para el pelo rojo, que es recesivo. En ustedes dos el gen para el pelo negro domina. No obstante, si ambos pasan el gen del pelo rojo a su hijo, no hay ningún gen dominante que anule el gen recesivo y el pequeño será pelirrojo.

Cómo determinan los cromosomas el sexo.

Exactamente igual que sucede con las características físicas, el sexo de su bebé queda decidido en el momento de la concepción. De los 23 pares de cromosomas, solo un par decide si su hijo es niño o niña. Este par crucial son los cromosomas sexuales X e Y. Las niñas tienen dos cromosomas X, los niños, uno X y uno Y. Debido a la forma en que se producen los óvulos y los espermatozoides, todos los óvulos contienen un único cromosoma X. La mitad de los espermatozoides contiene un cromosoma X y la otra mitad uno Y. En el momento de la fertilización, cuando el espermatozoide y el óvulo reúnen sus cromosomas, si el espermatozoide porta un cromosoma X, el bebé será una niña y si porta uno Y, será un niño. Es irónico que, a lo largo de la historia, se haya culpado a las mujeres del fracaso para concebir chicos, cuando el sexo del bebé es determinado totalmente por cuál de los espermatozoides del padre fertilizó el óvulo.

EL PRIMER SIGNO DEL EMBARAZO

Algunas mujeres saben, intuitivamente, cuándo están embarazadas y hasta pueden señalar exactamente el momento en que concibieron. Para otras, puede que no sea algo tan evidente.

No es necesario «sentirse» embarazada para estarlo realmente y, aunque hay ciertos síntomas reveladores, quizá no los experimente todos.

PRIMEROS INDICIOS

Puede experimentar uno o dos, o todos, de los siguientes síntomas del embarazo. Las náuseas matutinas son el clásico síntoma delator, pero puede que usted sea una de las afortunadas que apenas las sientan. Igualmente, la ausencia de menstruación es otro síntoma clásico, pero si sus períodos han sido siempre irregulares, puede resultarle difícil saber si se retrasa porque está embarazada o porque tiene un ciclo irregular.

Ausencia de menstruación

Es uno de los signos más claros de que se está embarazada. No obstante, hay también otras razones para el retraso de la menstruación. El estrés, la enfermedad, unas fluctuaciones extremas de peso —aumento excesivo o anorexia— o dejar de tomar la píldora contraceptiva pueden suspender los períodos menstruales durante un tiempo. Unos períodos irregulares son un síntoma común del síndrome de ovario poliquístico, una dolencia que hace que los períodos se produzcan con separaciones de varios meses.

Sensibilidad en los senos

Los cambios en el tamaño y la sensibilidad de los pechos es uno de los signos más tempranos del embarazo. Incluso pocos días después de la concepción, sus pechos empezarán a aumentar de tamaño, preparándose para la lactancia, y es probable que note pesadez y picazón. Muchas mujeres dicen que tienen unos senos muy sensibles y que experimentan una sensación aguda de cosquilleo, aunque esto es algo que desaparece a las pocas semanas. Estos cambios en los senos pueden ser menos espectaculares en posteriores embarazos.

Náuseas y vómitos

Los mareos son la queja más corriente al principio del embarazo y los sufren la mayoría de las mujeres a partir de las cinco o seis semanas de embarazo, pero también pueden iniciarse a las dos semanas de concebir.

Aunque se les llama «mareos matutinos», pueden producirse en cualquier momento del día y variar desde una sensación ligera y ocasional hasta unas náuseas y vómitos abrumadores (véase p. 67). En general, estos síntomas desaparecen entre las 15 y las 16 semanas de embarazo.

Cansancio

Muchas mujeres dicen sentirse extremadamente cansadas durante el embarazo, especialmente al principio. Es habitual que al volver del trabajo por la noche lo único que desee es irse a la cama o quizá sienta una desespe-

Si se realizan correctamente, las pruebas de embarazo hechas en casa son fiables entre el 98 y el 99%; así pues, puede confiar en los resultados.

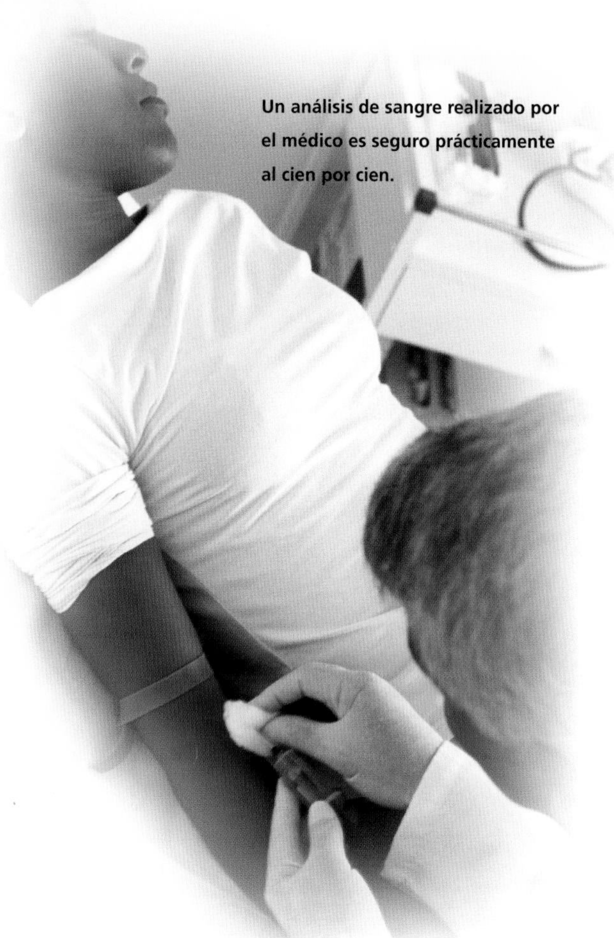

Un análisis de sangre realizado por el médico es seguro prácticamente al cien por cien.

rada necesidad de dormir la siesta después de comer. Cuando llegue a la semana 14 de embarazo, sus niveles de energía empezarán a mejorar.

Micción frecuente

Incluso a las dos o tres semanas de la concepción notará que quiere orinar con mayor frecuencia. Esto es debido a la presión que el útero, al aumentar de tamaño, ejerce sobre la vejiga, reduciendo, literalmente, la capacidad de esta. Alrededor de las 14 semanas, el útero se eleva en el abdomen, lo que suele aliviar este irritante síntoma hasta las últimas semanas del embarazo cuando la cabeza del bebé se encaja (baja dentro del útero), volviendo a presionar sobre la vejiga. Asimismo, los niveles más altos de la hormona del embarazo, la progesterona, estimulan el músculo de la vejiga de forma que usted cree que está llena incluso cuando no contiene mucha orina. Por añadidura, sus riñones están funcionando más como reacción al embarazo y añadirán entre seis y siete litros extra a su circulación para aumentar el flujo sanguíneo por su cuerpo.

Cambios en el sabor y el olor

No se sorprenda si, de repente, algunos alimentos hacen que se le revuelva el estómago o si empieza a sentir antojos por otros en particular (véase p. 99) o incluso por ciertos olores. También es posible que note un sabor metálico en la boca.

Estreñimiento

Es un síntoma temprano del embarazo muy corriente, causado por los altos niveles de progesterona, que relaja los intestinos y hace que su digestión sea más lenta (véase p. 151).

Cambios de humor

Los altos niveles de las hormonas del embarazo que inundan su cuerpo al principio del mismo hacen que se sienta más emotiva y que, a veces, tenga ganas de llorar (véase p. 151).

CÓMO CONFIRMAR EL EMBARAZO

Dos semanas después de la concepción, su hijo solo es una bola de células, no mucho mayor que la cabeza de un alfiler, y está empezando a desarrollarse en el revestimiento interno del útero. Ya se está formando la placenta y empezando a producir una hormona llamada gonadotropina coriónica humana (GCh), que pasa a la corriente sanguínea y a la orina desde el día de su primera ausencia de menstruación.

Las pruebas del embarazo en casa

Estos test, que se pueden comprar en cualquier farmacia, confirman el embarazo mediante la detección de la

¿SABÍA QUE...?

Puede tener un «período» mientras está embarazada. Algunas mujeres experimentan una ligera hemorragia alrededor de nueve días después de que el óvulo ha sido fertilizado. Esta hemorragia suele ser más ligera que un período normal y se cree que la produce la implantación, al adherirse el óvulo a la pared uterina.

GCh en la orina. Son muy precisos, así que no se sorprenda si su médico se fía de la prueba que usted se ha realizado en casa para la confirmación de su embarazo. Normalmente, los médicos solo repiten la prueba si surgen complicaciones; por ejemplo, si les preocupa la posibilidad de un aborto. No obstante, si el resultado del test es positivo, debe pedir hora para ver a su médico y concertar el adecuado seguimiento de su embarazo.

Análisis de sangre para el embarazo

Si la prueba de orina no es concluyente, su médico le puede hacer también un análisis de sangre para detectar y fechar un embarazo. Esta prueba puede darle un resultado positivo o negativo o servirle para comprobar los niveles de GCh (gonadotropina coriónica humana), dependiendo de sus síntomas e historial médico. Los análisis de sangre más avanzados pueden detectar un embarazo incluso solo dos semanas después de la concepción. Si se miden los niveles de GCh, estos ayudan a establecer las fechas, ya que los valores de esta hormona cambian conforme avanza el embarazo. No obstante, la ecografía sigue siendo el mejor medio para fechar el embarazo y quizá le propongan que se haga una en su primera visita prenatal (véase p. 87). Los análisis de sangre durante el embarazo son útiles si existe alguna preocupación de peligro de aborto o si su médico sospecha que pueda tratarse de un embarazo ectópico (véase p. 274). En estas situaciones, los niveles de GCh en la sangre no suelen aumentar tan rápidamente; es más, incluso pueden llegar a disminuir, indicando que el embarazo se ha malogrado.

Examen interno

Entre cuatro y seis semanas después de la concepción, su médico puede contar con una prueba concluyente del embarazo realizando un examen interno, si es necesario. Buscará signos reveladores como el reblandecimiento del útero y la alteración de la textura del cérvix. Los tejidos vaginales se vuelven más gruesos y producen más secreciones, con el resultado de un flujo más abundante. El útero crece tan rápidamente —a las ocho semanas tiene el tamaño de una naranja pequeña— que su medida puede ayudar a su médico a datar el embarazo con precisión. No obstante, en la práctica, si usted está segura de sus fechas y su prueba de embarazo es positiva, su médico no necesitará hacerle un examen interno.

CÓMO hacer una prueba del embarazo en casa

Se puede realizar una prueba del embarazo en casa desde el primer día de retraso de la menstruación. Hay diferentes productos en el mercado, así que lea siempre atentamente las instrucciones del prospecto.

Es mejor utilizar la primera orina de la mañana porque será la más concentrada, de forma que incluso una cantidad diminuta de GCh podrá ser detectada por el test. Más avanzado el día, la orina tiende a diluirse debido a lo que come y bebe, por lo cual los niveles de la hormona del embarazo en los primeros días pueden ser demasiado bajos para detectarlos.

En algunos test tendrá que sostener un bastoncillo en el flujo de la orina **(1)**; otros exigen que la orina pase primero a un contenedor limpio y luego se extraigan unas gotas con el gotero proporcionado **(2)** y se dejen caer sobre una ventana en un dispositivo oblongo.

Por lo general, el resultado aparece al cabo de unos minutos y puede interpretarse buscando una línea coloreada en una ranura del dispositivo. Con frecuencia, hay también una línea que indica si el test se ha realizado correctamente. Si el resultado es negativo, pero usted sigue creyendo que está embarazada, repita la prueba cinco o siete días más tarde. Puede ocurrir que el embarazo sea demasiado reciente para detectarlo y que usted quedó embarazada más tarde de lo que pensaba. Esto es más probable si sus períodos menstruales son irregulares.

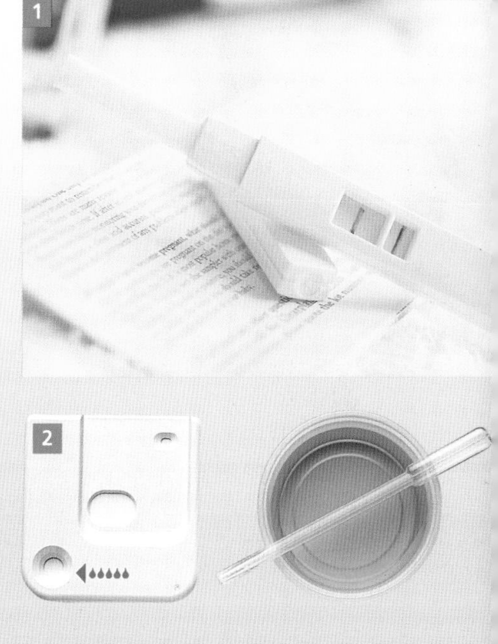

Cómo calcular la fecha del parto

Una vez haya confirmado que está embarazada, una de las primeras cosas que querrá saber es cuándo nacerá el bebé. La duración del embarazo, que suele ser de 40 semanas —según la ley de Naegele (véase el recuadro a la derecha)—, se calcula partiendo del primer día de su último período menstrual.

Si tiene un ciclo regular de 28 días y sabe la fecha del primer día de su último período, puede utilizar la ley de Naegele para calcular el término del embarazo contando nueve meses y siete días —es decir, 280 días— desde esa fecha. Puede ajustar el resultado según lo que dure su ciclo. Si tiene un ciclo de 26 días, cuente nueve meses más cinco días, es decir, 278 días. Si tiene un ciclo de 32 días, cuente nueve meses más 11 días; es decir, 284 días y así sucesivamente.

También puede utilizar el gráfico que se encuentra más abajo para averiguar la fecha estimada de parto (FEP). Primero, localice la fecha de su última menstruación entre los números en negrita. Luego mire el número situado inmediatamente en la línea de abajo, representa su FEP. Si, por ejemplo, su último período empezó el 12 de abril, entonces saldrá de cuentas el 17 de enero del año siguiente.

Recuerde, no obstante, que esto proporciona únicamente una orientación general y no se tienen en cuenta las mujeres con ciclos más largos o más cortos de 28 días. Solo un 5 % de los bebés nacen en la fecha estimada de salida de cuentas.

DATACIÓN DEL EMBARAZO

En la primera década del 1800, un tocólogo alemán llamado Naegele fijó la duración del embarazo en 10 meses lunares —nueve meses del calendario o 280 días— y ahora se calcula siempre la fecha del parto según la «Ley de Naegele». Este basó sus cálculos en el primer día del último período menstrual, pero como la concepción suele producirse dos semanas más tarde, un embarazo dura realmente 38 semanas —o 266 días—, no 40 semanas. Por ello, dos semanas después de concebir se dice que está usted en su cuarta semana de embarazo.

Enero	**1**	**2**	**3**	**4**	**5**	**6**	**7**	**8**	**9**	**10**	**11**	**12**	**13**	**14**	**15**	**16**	**17**	**18**	**19**	**20**	**21**	**22**	**23**	**24**	**25**	**26**	**27**	**28**	**29**	**30**	**31**
Oct./Nov.	8	9	10	11	12	13	14	15	16	17	18	19	20	21	22	23	24	25	26	27	28	29	30	31	1	2	3	4	5	6	7
Febrero	**1**	**2**	**3**	**4**	**5**	**6**	**7**	**8**	**9**	**10**	**11**	**12**	**13**	**14**	**15**	**16**	**17**	**18**	**19**	**20**	**21**	**22**	**23**	**24**	**25**	**26**	**27**	**28**			
Nov./Dic.	8	9	10	11	12	13	14	15	16	17	18	19	20	21	22	23	24	25	26	27	28	29	30	1	2	3	4	5			
Marzo	**1**	**2**	**3**	**4**	**5**	**6**	**7**	**8**	**9**	**10**	**11**	**12**	**13**	**14**	**15**	**16**	**17**	**18**	**19**	**20**	**21**	**22**	**23**	**24**	**25**	**26**	**27**	**28**	**29**	**30**	**31**
Dic./Ene.	6	7	8	9	10	11	12	13	14	15	16	17	18	19	20	21	22	23	24	25	26	27	28	29	30	31	1	2	3	4	5
Abril	**1**	**2**	**3**	**4**	**5**	**6**	**7**	**8**	**9**	**10**	**11**	**12**	**13**	**14**	**15**	**16**	**17**	**18**	**19**	**20**	**21**	**22**	**23**	**24**	**25**	**26**	**27**	**28**	**29**	**30**	
Ene./Feb.	6	7	8	9	10	11	12	13	14	15	16	17	18	19	20	21	22	23	24	25	26	27	28	29	30	31	1	2	3	4	
Mayo	**1**	**2**	**3**	**4**	**5**	**6**	**7**	**8**	**9**	**10**	**11**	**12**	**13**	**14**	**15**	**16**	**17**	**18**	**19**	**20**	**21**	**22**	**23**	**24**	**25**	**26**	**27**	**28**	**29**	**30**	**31**
Feb./Mar.	5	6	7	8	9	10	11	12	13	14	15	16	17	18	19	20	21	22	23	24	25	26	27	28	1	2	3	4	5	6	7
Junio	**1**	**2**	**3**	**4**	**5**	**6**	**7**	**8**	**9**	**10**	**11**	**12**	**13**	**14**	**15**	**16**	**17**	**18**	**19**	**20**	**21**	**22**	**23**	**24**	**25**	**26**	**27**	**28**	**29**	**30**	
Mar./Abril	8	9	10	11	12	13	14	15	16	17	18	19	20	21	22	23	24	25	26	27	28	29	30	31	1	2	3	4	5	6	
Julio	**1**	**2**	**3**	**4**	**5**	**6**	**7**	**8**	**9**	**10**	**11**	**12**	**13**	**14**	**15**	**16**	**17**	**18**	**19**	**20**	**21**	**22**	**23**	**24**	**25**	**26**	**27**	**28**	**29**	**30**	**31**
Abril/Mayo	7	8	9	10	11	12	13	14	15	16	17	18	19	20	21	22	23	24	25	26	27	28	29	30	1	2	3	4	5	6	7
Agosto	**1**	**2**	**3**	**4**	**5**	**6**	**7**	**8**	**9**	**10**	**11**	**12**	**13**	**14**	**15**	**16**	**17**	**18**	**19**	**20**	**21**	**22**	**23**	**24**	**25**	**26**	**27**	**28**	**29**	**30**	**31**
Mayo/Junio	8	9	10	11	12	13	14	15	16	17	18	19	20	21	22	23	24	25	26	27	28	29	30	31	1	2	3	4	5	6	7
Septiembre	**1**	**2**	**3**	**4**	**5**	**6**	**7**	**8**	**9**	**10**	**11**	**12**	**13**	**14**	**15**	**16**	**17**	**18**	**19**	**20**	**21**	**22**	**23**	**24**	**25**	**26**	**27**	**28**	**29**	**30**	
Junio/Julio	8	9	10	11	12	13	14	15	16	17	18	19	20	21	22	23	24	25	26	27	28	29	30	1	2	3	4	5	6	7	
Octubre	**1**	**2**	**3**	**4**	**5**	**6**	**7**	**8**	**9**	**10**	**11**	**12**	**13**	**14**	**15**	**16**	**17**	**18**	**19**	**20**	**21**	**22**	**23**	**24**	**25**	**26**	**27**	**28**	**29**	**30**	**31**
Julio/Agosto	8	9	10	11	12	13	14	15	16	17	18	19	20	21	22	23	24	25	26	27	28	29	30	31	1	2	3	4	5	6	7
Noviembre	**1**	**2**	**3**	**4**	**5**	**6**	**7**	**8**	**9**	**10**	**11**	**12**	**13**	**14**	**15**	**16**	**17**	**18**	**19**	**20**	**21**	**22**	**23**	**24**	**25**	**26**	**27**	**28**	**29**	**30**	
Ago./Sept.	8	9	10	11	12	13	14	15	16	17	18	19	20	21	22	23	24	25	26	27	28	29	30	31	1	2	3	4	5	6	
Diciembre	**1**	**2**	**3**	**4**	**5**	**6**	**7**	**8**	**9**	**10**	**11**	**12**	**13**	**14**	**15**	**16**	**17**	**18**	**19**	**20**	**21**	**22**	**23**	**24**	**25**	**26**	**27**	**28**	**29**	**30**	**31**
Sept./Oct.	7	8	9	10	11	12	13	14	15	16	17	18	19	20	21	22	23	24	25	26	27	28	29	30	1	2	3	4	5	6	7

23

Conforme su abdomen crece, también lo hace el efecto que esto tiene en su sistema digestivo. Para algunas mujeres el resultado es la incomodidad de la indigestión y la acidez.

Para aliviar la acidez tome varios tentempiés ligeros, en lugar de dos o tres comidas abundantes, y, siempre que sea posible, dé un tranquilo paseo después de comer para ayudar a la digestión.

24

Su siguiente examen prenatal puede tener lugar durante esta semana.

Si todavía no lo ha hecho, empiece a realizar los ejercicios de Kegel (véase p. 122) para reforzar los músculos que rodean el ano y la vagina.

Empiece a pensar en escribir su plan de parto (véase p. 184).

25

Conforme su abdomen crezca y pese más, puede tener dolor de espalda, presión en la pelvis y calambres en las piernas. La falta de aliento también puede suponer un problema. Prestar atención a la postura y descansar mucho le servirá de ayuda.

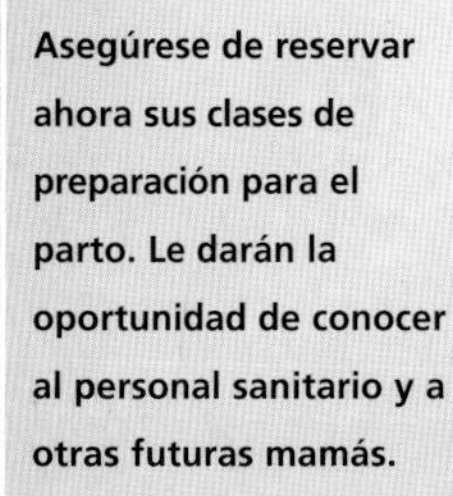

Asegúrese de reservar ahora sus clases de preparación para el parto. Le darán la oportunidad de conocer al personal sanitario y a otras futuras mamás.

26

Si van a salirle estrías, empezarán a hacerlo alrededor de estas fechas, por lo general en el abdomen y en los pechos.

27

Este es el final del segundo trimestre. Su abdomen ahora es bastante prominente, aunque el tamaño dependerá de su estatura, peso y estructura, de si ha estado o no embarazada antes y de la cantidad de líquido amniótico que rodee al bebé.

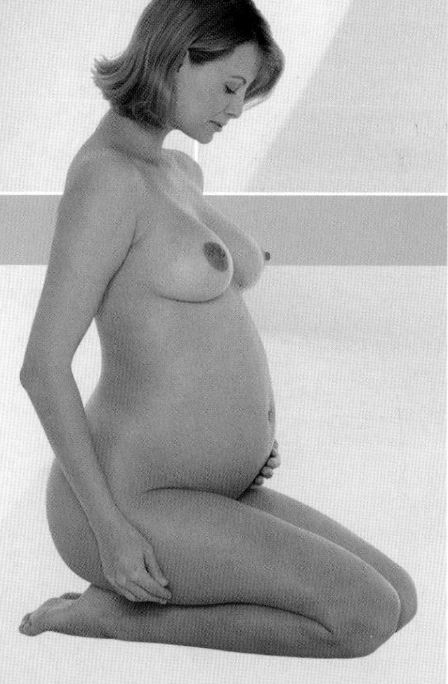

23-27

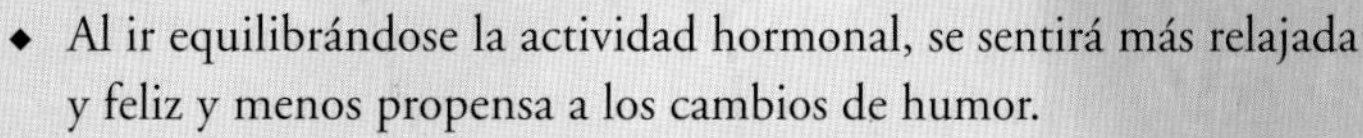

- Al ir equilibrándose la actividad hormonal, se sentirá más relajada y feliz y menos propensa a los cambios de humor.
- Los músculos de la pelvis se van estirando, lo cual puede tener como resultado la incontinencia debida a la tensión (goteo de orina al reír o toser).
- Estará acumulando reservas de grasa alrededor de los pechos y en las caderas y es probable que ya no le quepan sus vestidos de antes del embarazo.

SU HIJO SEMANA A SEMANA

EL TAMAÑO DEL BEBÉ
Durante el primer trimestre, los bebés siguen un modelo de crecimiento muy previsible y el modo más preciso para determinar su edad es medir la longitud del cuerpo, lo cual se puede hacer desde las 7 semanas. Es más fácil medirlos desde la coronilla hasta las nalgas que desde la coronilla hasta el talón, porque las piernas del bebé suelen estar dobladas. No obstante, hacia el final del embarazo, el tamaño puede variar mucho y, por lo tanto, las mediciones son menos precisas para determinar su edad.

La historia del desarrollo del feto antes de nacer es increíble; empieza la vida como óvulo fertilizado y crece y madura hasta convertirse en un ser humano hecho y derecho, dotado de todas las funciones esenciales para sobrevivir en el mundo exterior.

La concepción suele producirse 2 semanas después de una menstruación. Sin embargo, la mayoría de mujeres no saben exactamente cuándo concibieron, así que es más fácil datar el embarazo partiendo del primer día del último período. Si, por ejemplo, su último período fue hace 10 semanas, se considerará que está embarazada de 10 semanas, aunque, probablemente, su bebé solo tenga 8 semanas. Las descripciones de los apartados siguientes detallan el desarrollo de su bebé de acuerdo con cada semana de embarazo.

El embarazo dura aproximadamente 40 semanas. Los bebés nacidos antes de las 37 semanas son considerados prematuros y los nacidos después de las 40 semanas hipermaduros.

SEMANA 4

... del embarazo.
El bebé tiene 2 semanas.

El bebé mide entre 0,36 y 1 milímetros, desde la coronilla hasta las nalgas.

Es un tiempo de asombroso desarrollo para el feto. Al final de la tercera semana, el óvulo fertilizado está implantado en el revestimiento interior del útero, donde continúa multiplicándose y creciendo. Lo que era originalmente una única célula con un espermatozoide y un óvulo se ha convertido en un blastocisto (esfera llena de líquido) con varios centenares de células. Este blastocisto se divide ahora en dos, una mitad dentro de la otra. La mitad adherida a la pared del útero se transforma en la placenta. Su capa exterior forma el cordón umbilical, los sacos amniótico y vitelino y el corión (membranas protectoras del útero).

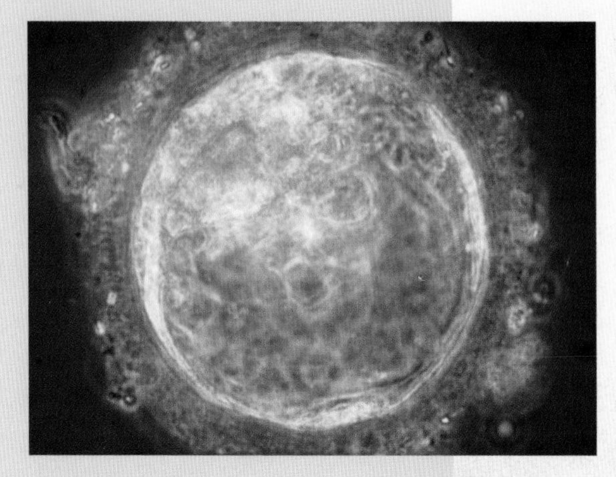

La parte interior del blastocisto se convertirá en el bebé. Se divide en tres capas, conocidas como capas germinales, que crecen para formar diferentes partes del cuerpo del bebé. La capa interior formará el hígado, el páncreas, la vejiga, la glándula tiroides y el revestimiento del tracto gastrointestinal. La capa media se desarrolla formando los músculos, huesos, cartílagos, vasos sanguíneos y riñones, mientras que la exterior se convertirá en el cerebro, el sistema nervioso, la piel y el cabello.

SEMANA 5

... del embarazo.
El bebé tiene 3 semanas.

El bebé mide unos 1,25 milímetros desde la coronilla hasta las nalgas.

Lo que era una masa redonda de células ha empezado a alargarse y ahora se distinguen una cabeza y una cola. Empieza a desarrollarse el sistema nervioso central y comienzan a formarse el cerebro y la espina dorsal.

Son discernibles indicios de los ojos y las orejas a los lados de la cabeza; el hígado y los riñones están empezando a desarrollarse, al igual que los músculos y los huesos, aunque estos todavía tardarán un tiempo en osificarse (endurecerse). Las paredes del corazón se están formando; empezará a latir hacia el final de la semana.

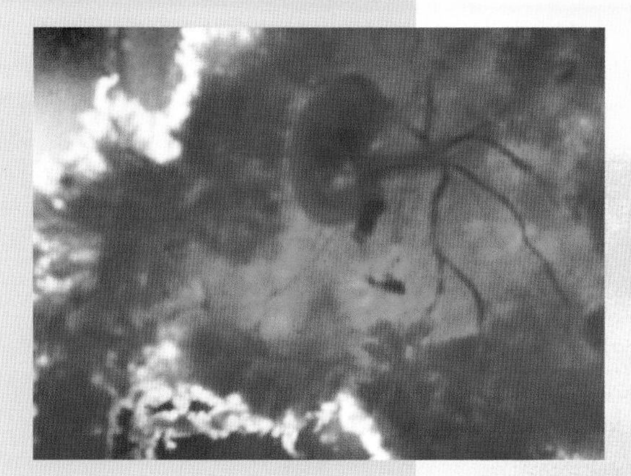

En este estadio, el bebé se nutre principalmente del saco vitelino y de los nutrientes almacenados en las paredes uterinas, pero ya desde la cuarta semana la placenta empieza a proporcionarle alimento.

SEMANA 6

... del embarazo.
El bebé tiene 4 semanas.

El bebé mide entre 2 y 4 milímetros desde la coronilla hasta las nalgas.

El crecimiento es muy rápido en esta semana. El bebé puede parecerse a un renacuajo, con la espalda curvada y la cola, pero ya tiene cerebro. Su diminuto corazón no es mayor que una semilla de amapola, pero late por sí mismo. Otros órganos importantes, como los riñones y el hígado, continúan desarrollándose y el tubo neural, que conecta el cerebro con la médula espinal, se cierra. La cabeza del bebé está tomando forma.

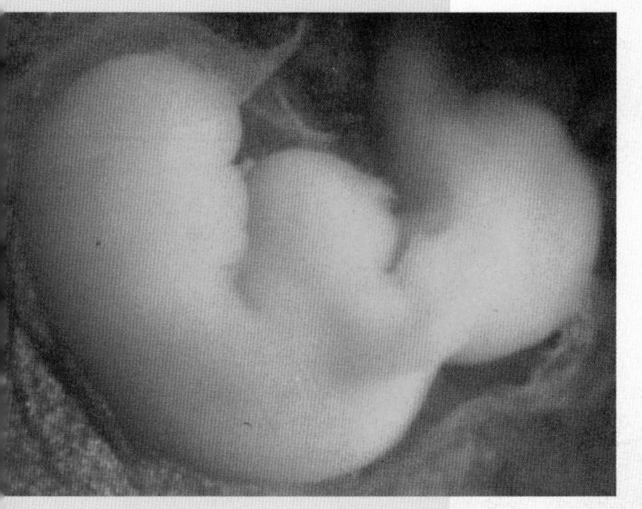

Está empezando a formarse un tracto digestivo rudimentario, junto con las cavidades abdominal y pectoral y la columna vertebral. Lo que acabará siendo los testículos o los ovarios aparece como un agrupamiento de células. Unos brazos y piernas rudimentarios surgen como brotes diminutos en el cuerpo. El bebé ya tiene su propio sistema circulatorio que ya ha empezado a funcionar.

SEMANA 7

... del embarazo.

El bebé tiene 5 semanas.

El bebé mide unos 4 o 5 milímetros desde la coronilla hasta las nalgas.

Su bebé ya empieza a parecer más humano y la cola casi ha desaparecido. No obstante, la cabeza sigue siendo amorfa y está inclinada hacia delante. Los puntos oscuros a los lados de la cabeza serán los ojos, dos agujeros forman el principio de los orificios nasales y son visibles los labios, la lengua y los primeros brotes dentales. Los brazos y las piernas se han alargado y ya tiene pies y manos rudimentarios.

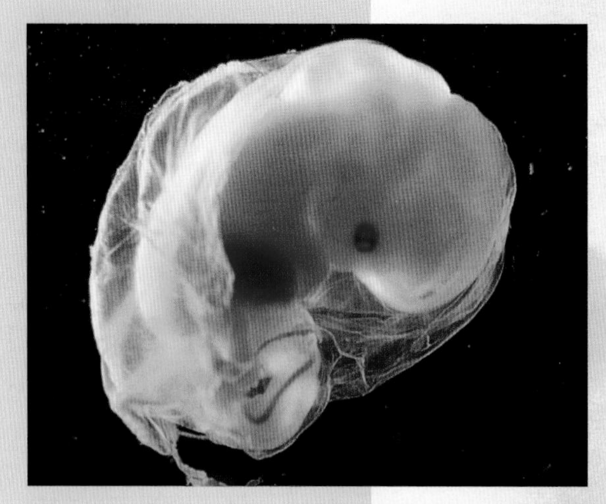

El bebé está en una etapa vulnerable, en la que se están formando los principales órganos, así que es preciso evitar cualquier posible riesgo que pudiera afectar adversamente a su desarrollo. El corazón está dividido en dos cámaras, derecha e izquierda, y late 150 por minuto, alrededor del doble que un adulto. El hígado, los riñones, los pulmones, los intestinos y los órganos sexuales internos están casi completos.

SEMANA 8

... del embarazo.

El bebé tiene 6 semanas.

El bebé mide entre 14 y 20 milímetros desde la coronilla hasta las nalgas.

La cabeza del bebé sigue siendo mayor que el resto del cuerpo y sus rasgos faciales continúan desarrollándose. Ahora tiene lengua y orificios nasales —incluso es posible empezar a verle la punta de la nariz—, mientras que la mandíbula se está uniendo para dar forma a la boca. Los próximos ocho días son cruciales para el desarrollo de los ojos y el oído interno, responsable del equilibrio y la capacidad auditiva.

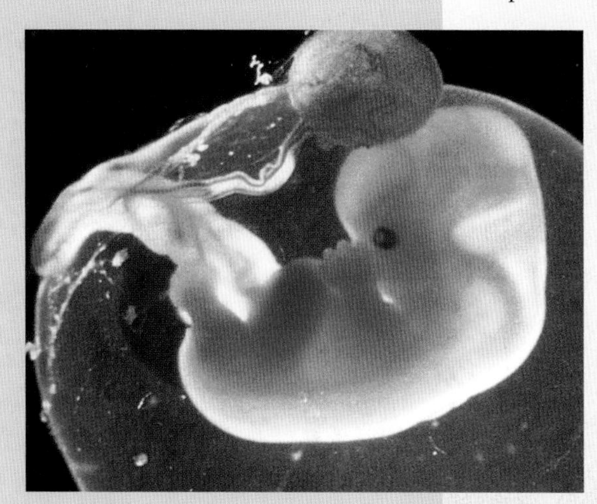

La mayoría de los órganos del bebé, como el corazón, el cerebro, el hígado, los pulmones y los riñones se han desarrollado en su forma básica. Los intestinos están empezando a desarrollarse en el cordón umbilical. Los latidos del corazón se han normalizado y ha aumentado la capacidad de bombeo. Por debajo de la piel, fina como un papel, se puede ver una red de vasos sanguíneos.

Hasta el momento, la estructura del bebé estaba hecha de cartílago. Ahora las células óseas empiezan a sustituirla. Los huesos de brazos y piernas se están endureciendo y alargando y sus articulaciones están empezando a formarse. Empieza a moverse, aunque usted todavía no lo puede percibir.

SEMANA 9

... del embarazo.
El bebé tiene 7 semanas.

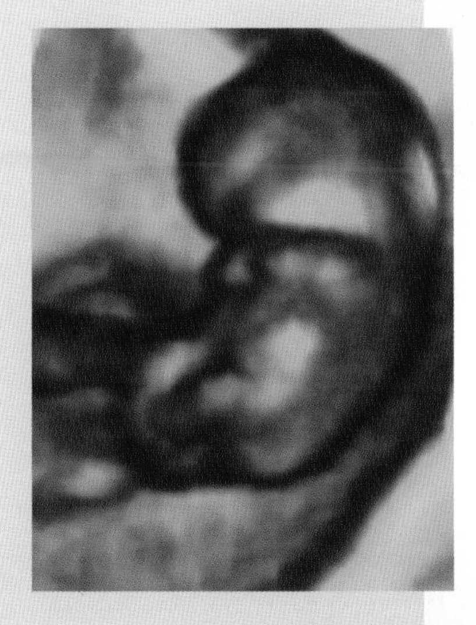

El bebé mide entre 22 y 30 milímetros desde la coronilla hasta las nalgas.

Ahora el feto ya empieza a parecer un auténtico bebé. Esta ecografía tridimensional muestra claramente la cabeza inclinada hacia el pecho y los miembros que se van desarrollando. Las manos, los pies y las extremidades están creciendo muy deprisa. Los dedos de las manos y los pies están casi completos y se forman las yemas. Los párpados casi le cubren los ojos y la nariz ha tomado forma.

Durante los próximos días se desarrollará el diafragma; es el músculo que le permitirá respirar cuando nazca. Los intestinos están empezando a salir del cordón umbilical, donde iniciaron su formación, y a entrar en la cavidad abdominal, donde el espacio aumenta conforme el cuerpo sigue creciendo.

SEMANA 10

... del embarazo.
El bebé tiene 8 semanas.

El bebé mide entre 31 y 42 milímetros desde la coronilla hasta las nalgas y pesa unos 5 gramos.

El bebé pasa de embrión a feto esta semana. El cerebro ha crecido tanto que la cabeza sigue pareciendo grande en proporción con el resto del cuerpo. Los ojos y la nariz son claramente visibles. En las encías se están formando 20 diminutos brotes dentales.

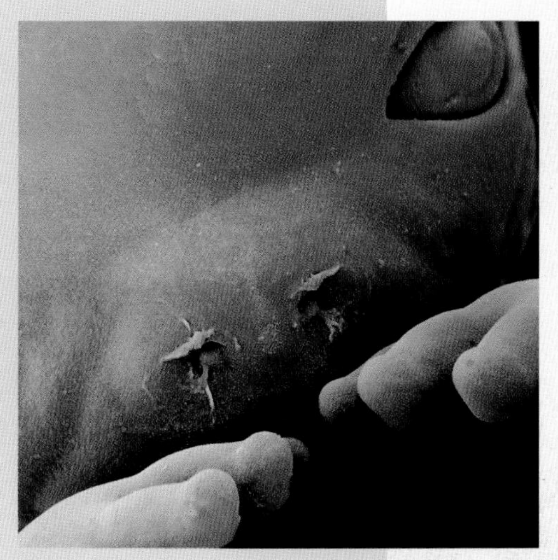

Las muñecas y los tobillos del bebé están ya formados y se pueden distinguir los dedos de las manos y de los pies. También lo están la mayoría de las articulaciones y han empezado a hacerlo los genitales, pero sigue siendo demasiado pronto para distinguir el sexo.

El sistema nervioso del bebé es sensible y muchos de los órganos internos empiezan a funcionar. Los pulmones continúan desarrollándose y, en el abdomen lo están haciendo el estómago y los intestinos. Los riñones se están desplazando a su posición definitiva en la parte superior del abdomen y el corazón casi ha alcanzado ya su pleno desarrollo.

SEMANA 11

... del embarazo.

El bebé tiene 9 semanas.

El bebé mide entre 44 y 60 milímetros desde la coronilla hasta las nalgas y pesa unos 8 gramos.

El desarrollo del bebé ha superado la etapa crucial y a partir de ahora corre menos riesgo de manifestar cualquier anomalía congénita o de verse afectado por la mayoría de infecciones y por ciertos medicamentos.

Hacia el final de esta semana, su cuerpo habrá doblado su tamaño y la cabeza será casi la mitad de la longitud del cuerpo. Debajo de los párpados pegados, que protegerán más tarde los ojos de un exceso de luz, empieza a desarrollarse el iris. No obstante, los oídos tardarán todavía un tiempo en evolucionar por completo. Incluso en este estadio temprano, el bebé puede bostezar, succionar y tragar.

Los órganos vitales —hígado, riñones, intestinos, cerebro y pulmones— están plenamente formados y empiezan a funcionar. Durante el resto del embarazo solo tienen que crecer. Empiezan a aparecer los toques finales, como las uñas y una suave pelusilla. El corazón sigue bombeando sangre a los órganos internos, así como también al cordón umbilical, que la transfiere a la placenta.

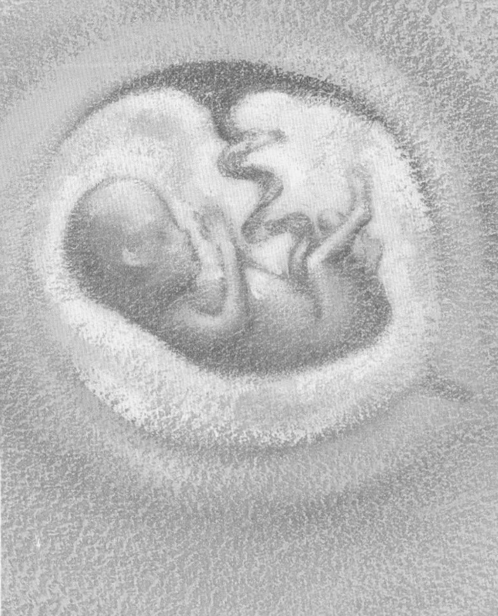

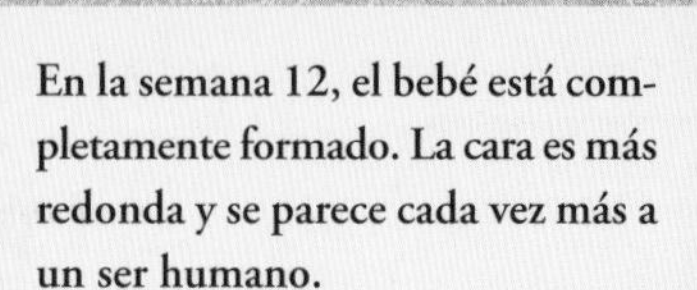

En la semana 12, el bebé está completamente formado. La cara es más redonda y se parece cada vez más a un ser humano.

SEMANA 12

... del embarazo.

El bebé tiene 10 semanas.

El bebé mide unos 61 milímetros desde la coronilla hasta las nalgas y pesa entre 8 y 14 gramos.

El bebé está completamente formado desde la cabeza a los pies, aunque sus órganos siguen desarrollándose, en especial el cerebro. Los dedos de manos y pies se han separado y el pelo y las uñas continúan creciendo. Los huesos prosiguen su endurecimiento. Los genitales empiezan a adoptar sus características sexuales. Las cuerdas vocales del bebé se están formando y en la base del cerebro la glándula pituitaria está empezando a fabricar hormonas.

Es asombroso lo que el bebé puede hacer en este estadio: puede mover los brazos y los dedos de manos y pies, sonreír, fruncir el ceño y chuparse el dedo.

Ahora el sistema digestivo es capaz de absorber glucosa (azúcar). El cordón umbilical está muy ocupado haciendo circular la sangre entre la placenta y el bebé para proporcionarle alimento y eliminar los desechos producidos por su rápido crecimiento.

SEMANA 13

... del embarazo.

El bebé tiene 11 semanas.

El bebé mide entre 65 y 78 milímetros desde la coronilla hasta las nalgas y pesa entre 13 y 20 gramos.

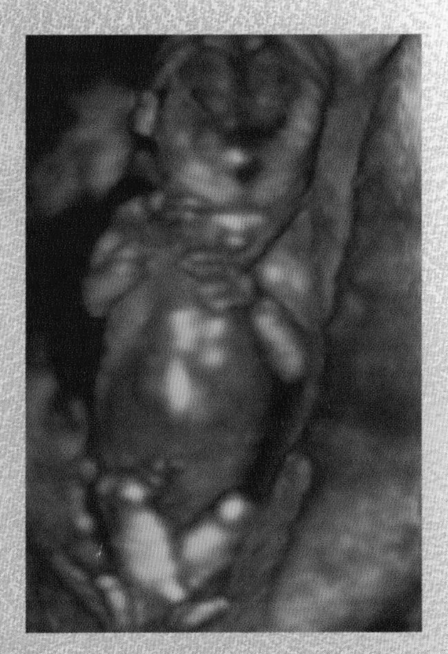

Aunque plenamente formado —como se ve en esta ecografía tridimensional— el bebé todavía no podría sobrevivir fuera del útero, ya que sus órganos internos, en especial los pulmones, aún no han madurado lo suficiente. Los intestinos se han desplazado más al interior del cuerpo, mientras que el hígado empieza a secretar bilis y el páncreas a producir insulina. Los órganos genitales externos continúan su evolución.

El cuello del bebé está plenamente formado y puede sostener los movimientos de la cabeza. Los ojos se están desplazando a su sitio en la parte frontal de la cabeza y las orejas a su lugar correspondiente. Las investigaciones indican que, ahora, el bebé empieza a percibir sonidos. Los oídos no llegan a estar plenamente formados hasta alrededor de las 24 semanas, pero se piensa que los bebés «oyen» los sonidos por medio de los receptores de vibración de su piel.

SEMANA 14

... del embarazo.
El bebé tiene 12 semanas.

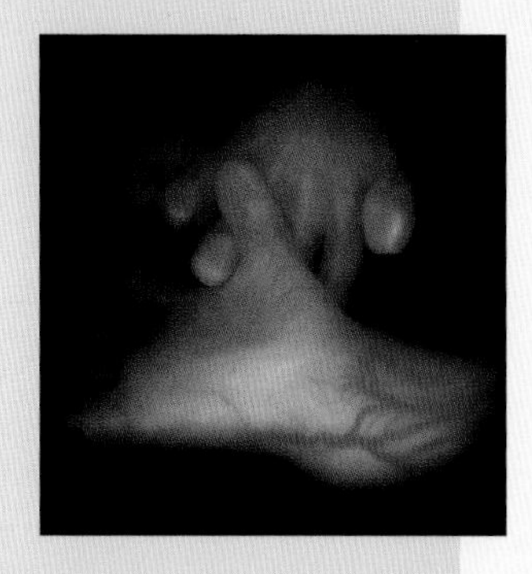

El bebé mide entre 80 y 93 milímetros desde la coronilla hasta las nalgas y pesa casi 25 gramos.

Esta semana señala el inicio del segundo trimestre. El crecimiento del bebé se acelera conforme maduran sus órganos internos. La placenta es ahora el sistema que lo sustenta, produciendo hormonas y proporcionándole los nutrientes y el oxígeno esenciales.

El bebé se mueve menos a sacudidas y puede inclinarse, flexionar y torcer los dedos de las manos, las propias manos, las muñecas, las piernas, las rodillas y los dedos de los pies. Su sistema nervioso ha empezado a funcionar. Los párpados y las uñas de manos y pies continúan desarrollándose y tiene algo de pelo en la cabeza.

El bebé «practica» los movimientos de inspirar y espirar, preparándose para la vida fuera del útero. No necesita respirar en su mundo acuoso, ya que el oxígeno le llega directamente de la madre, a través del cordón umbilical y la placenta.

SEMANA 15

... del embarazo.
El bebé tiene 13 semanas.

El bebé mide entre 104 y 114 milímetros desde la coronilla hasta las nalgas y pesa alrededor de 50 gramos.

Las costillas, los vasos sanguíneos y las retinas —que aparecen como puntos oscuros en la cabeza— son claramente visibles a través de su finísima piel, una piel que ahora empieza a estar cubierta de lanugo, un vello extremadamente fino que ayuda a regular su temperatura corporal. Este vello sigue el modelo de la piel creando dibujos que parecen huellas dactilares por todo el cuerpo. El bebé empieza también a desarrollar las cejas y el cabello continúa creciendo, aunque puede cambiar de color y textura después de nacer.

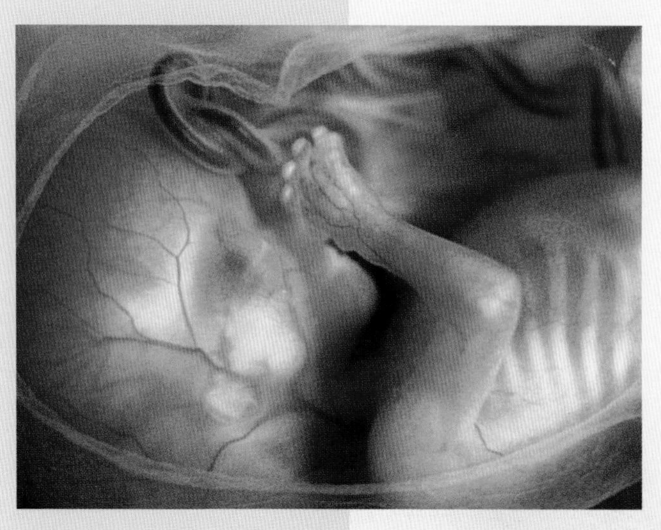

Los mecanismos que le permiten oír se están desarrollando. Unos huesos diminutos en el oído medio han empezado a endurecerse, pero como los centros auditivos del cerebro todavía no se han desarrollado, no podrá encontrar mucho sentido a los sonidos que oiga. El líquido amniótico en el que nada actúa como conductor del sonido, de forma que, con el tiempo, empezará a oír la voz y el latido del corazón de la madre.

SEMANA 16

... del embarazo.
El bebé tiene 14 semanas.

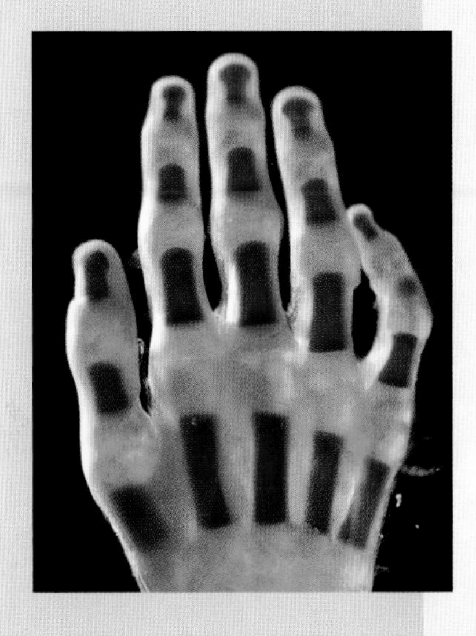

El bebé mide entre 108 y 116 milímetros desde la coronilla hasta las nalgas y pesa 80 gramos.

Los brazos y piernas del bebé están completos y las articulaciones funcionan. Los huesos ya formados se están endureciendo y acumulando calcio, un proceso conocido como osificación. En el dibujo de la izquierda, los huesos endurecidos se muestran en color rojo oscuro.

El sistema nervioso del bebé funciona y sus músculos responden a la estimulación del cerebro, de forma que puede coordinar sus movimientos. Continúa siendo muy activo en su espacio privado, girando, dando volteretas y patadas. No obstante, usted no sentirá más que un hormigueo, ya que el líquido amniótico amortigua los movimientos más vigorosos del feto. Si este es su primer hijo, no es probable que reconozca estos movimientos hasta dentro de unas semanas.

Ahora es posible saber el sexo del bebé mediante la ecografía. Además, como desecha células y secreta compuestos químicos dentro del líquido amniótico, una muestra tomada mediante amniocentesis (véase p. 243) puede revelar información importante sobre su salud.

SEMANA 17

... del embarazo.
El bebé tiene 15 semanas.

El bebé mide entre 11 y 12 centímetros desde la coronilla hasta las nalgas y pesa alrededor de 100 gramos.

La cabeza, aunque sigue siendo grande, empieza a parecer más proporcionada al resto del cuerpo. Los ojos siguen cerrados, pero son mucho más grandes y las pestañas y las cejas también han crecido. Este es un período de rápida evolución, cuando empieza a acumularse grasa bajo la piel del bebé, la cual le ayuda a mantenerse caliente y le da energía. Cada vez tiene más pelo en la cabeza, las cejas y las pestañas, así como unas diminutas uñas en los dedos de manos y pies. Su pequeño corazón bombea hasta 24 litros de sangre al día.

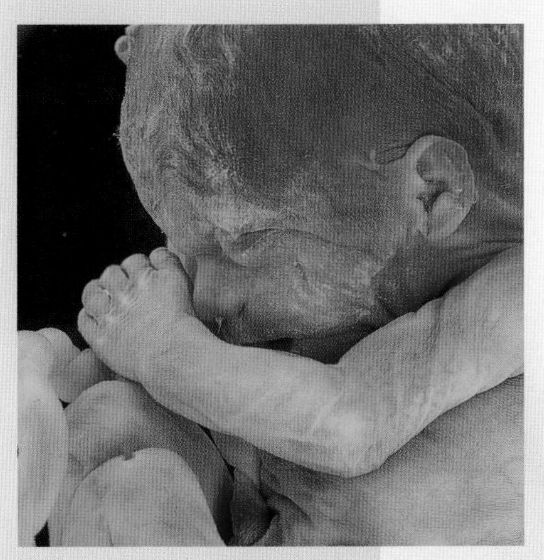

Ahora el bebé puede oír sonidos de fuera del cuerpo de la madre y algunos pueden incluso sobresaltarlo. Mientras practica la respiración, el pecho sube y baja. Los pulmones están empezando a exhalar líquido amniótico.

SEMANA 18

... del embarazo.
El bebé tiene 16 semanas.

El bebé mide entre 12,5 y 14 centímetros desde la coronilla hasta las nalgas y pesa unos 150 gramos.

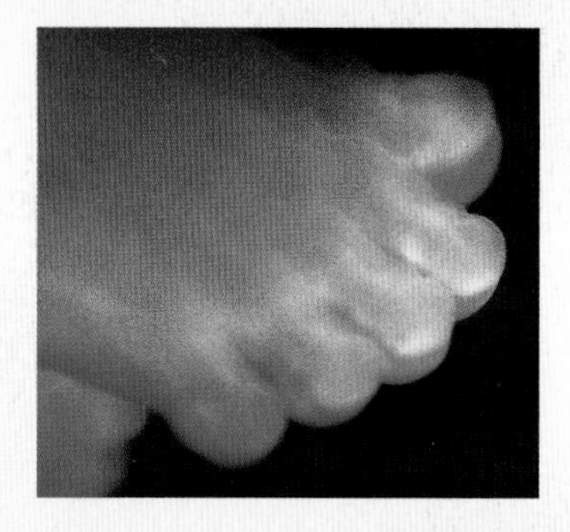

Ahora ya no hay quien pare al bebé; empieza su fase más activa. Gira, se vuelve, se retuerce, da puñetazos y patadas y, en general, ejercita a fondo sus reflejos.

Dentro de sus pulmones, que crecen muy rápidamente, empiezan a desarrollarse unas diminutas bolsas llamadas alvéolos. Se han formado las yemas en los dedos de pies y manos y empiezan a aparecer las espirales y líneas exclusivas que son las huellas digitales del futuro bebé. Los ojos se han desplazado a su posición correcta. El meconio, que es el primer excremento del bebé, se acumula en los intestinos. Si el bebé es niño, se está formando la glándula prostática.

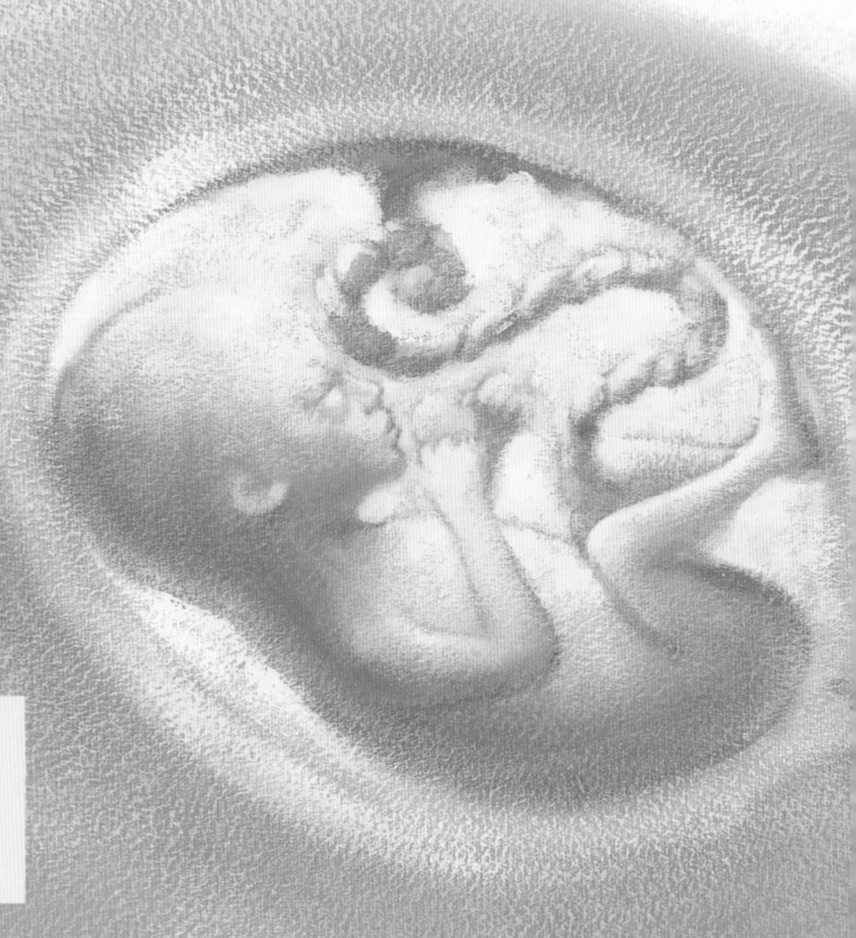

En la semana 20, el bebé todavía tiene espacio para moverse libremente. Cuando aumente de tamaño, sus movimientos quedarán más constreñidos.

SEMANA 19

... del embarazo.
El bebé tiene 17 semanas.

El bebé mide entre 13 y 15 centímetros desde la coronilla hasta las nalgas y pesa alrededor de 200 gramos.

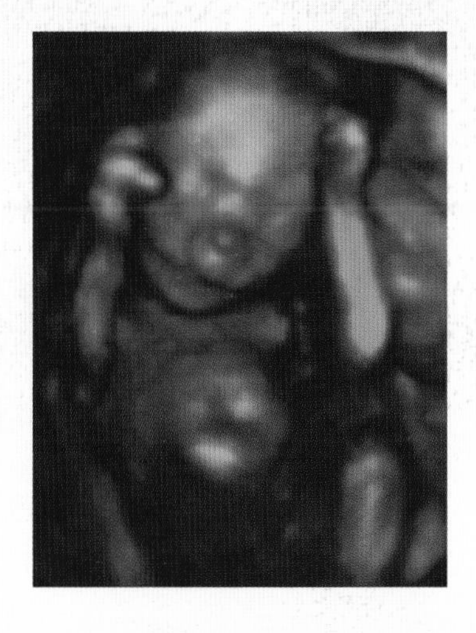

Unas glándulas en la piel del bebé empiezan a secretar una sustancia blanca, espesa y grasa, denominada vérnix caseosa, que actúa como barrera protectora para impedir que la piel se sature de agua dentro del líquido amniótico.

Por todo el cuerpo del bebé, los nervios se van recubriendo de una sustancia grasa llamada mielina, que los aísla, permitiendo el rápido y fluido intercambio de la información necesaria para unos movimientos diestros y coordinados. La mala coordinación de los movimientos de los recién nacidos —y en especial de los bebés prematuros— se debe, en su mayor parte, a su carencia comparativa de mielina.

El intestino del bebé ha empezado a producir jugos gástricos que ayudan a absorber el líquido amniótico y trasladarlo a los riñones, donde se filtra y vuelve a ser excretado al saco amniótico.

SEMANA 20

... del embarazo.
El bebé tiene 18 semanas.

El bebé mide entre 14 y 16 centímetros desde la coronilla hasta las nalgas y pesa alrededor de 255 gramos.

El bebé ha alcanzado la mitad del proceso. Todavía es diminuto, pero crece rápidamente. Esta es una etapa crucial para el desarrollo de sus sentidos; el sabor, el olor, el oído, la vista y el tacto. Ahora puede, por fin, oír y reconocer la voz de la madre. Las células nerviosas que se ocupan de cada uno de sus sentidos se están desarrollando en su propia zona del cerebro. El aumento del número de células nerviosas se va reduciendo, pero ya se forman las complejas conexiones necesarias para el desarrollo de las funciones de la memoria y el pensamiento.

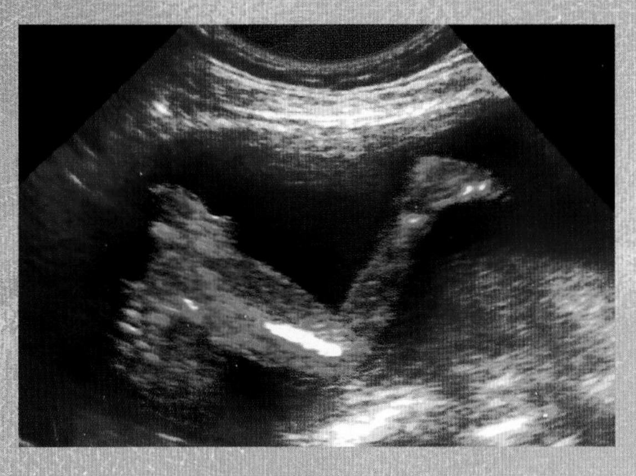

Si el bebé es niña, ya tiene alrededor de dos millones de óvulos en los ovarios. No obstante, cuando nazca, este número se habrá reducido a solo un millón.

También disfruta estirando piernas y brazos —en la ecografía de la izquierda, se ha coloreado en azul una pierna diminuta— cuando sus sistemas nervioso y muscular han evolucionado lo suficiente para permitirlo.

SEMANA 21

... del embarazo.
El bebé tiene 19 semanas.

El bebé mide unos 16 centímetros desde la coronilla hasta las nalgas y pesa unos 300 gramos.

El sistema digestivo del bebé está lo bastante desarrollado para absorber agua del líquido amniótico que traga. Al término del embarazo, el bebé puede absorber hasta 500 milímetros de líquido amniótico en veinticuatro horas. Al principio, ese líquido es producido por la placenta. Una vez que los riñones del bebé empiezan a funcionar, alrededor del cuarto mes, son ellos los que se encargan de la producción. Por otro lado, aunque eliminan algunos desechos de la sangre y producen, no hay mucha orina en el líquido amniótico. La mayoría de desechos son enviados, a través de la placenta, a la corriente sanguínea de la madre y luego filtrados a los riñones de esta.

Los sentidos que el bebé utilizará para recoger información del mundo se están desarrollando de día en día. Las papilas gustativas ya se han formado en la lengua y el desarrollo del cerebro, con las terminaciones nerviosas, está lo bastante avanzado para que perciba cosas al tacto. En las ecografías es posible ver cómo se chupa el dedo o se acaricia la cara.

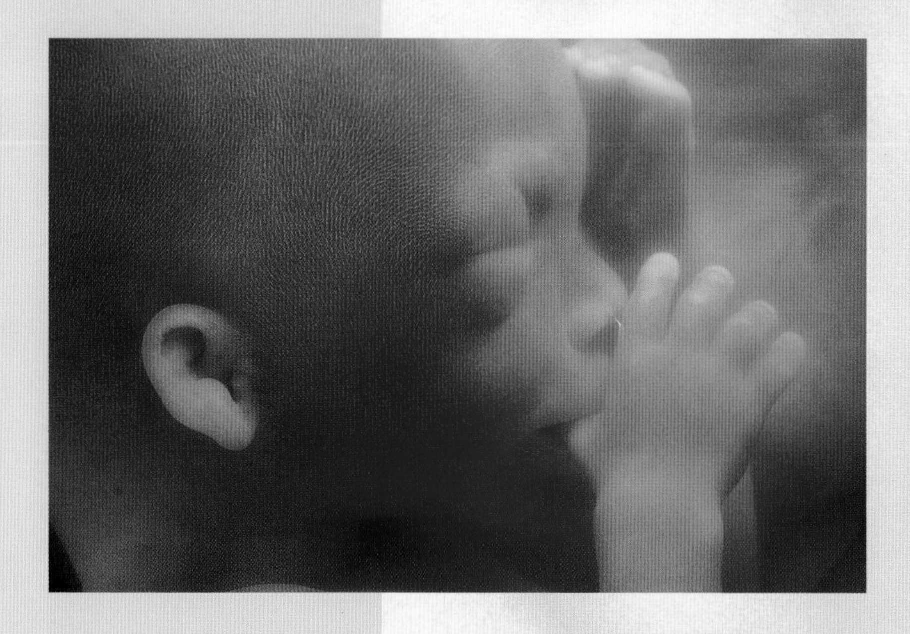

SEMANA 22

... del embarazo.
El bebé tiene 20 semanas.

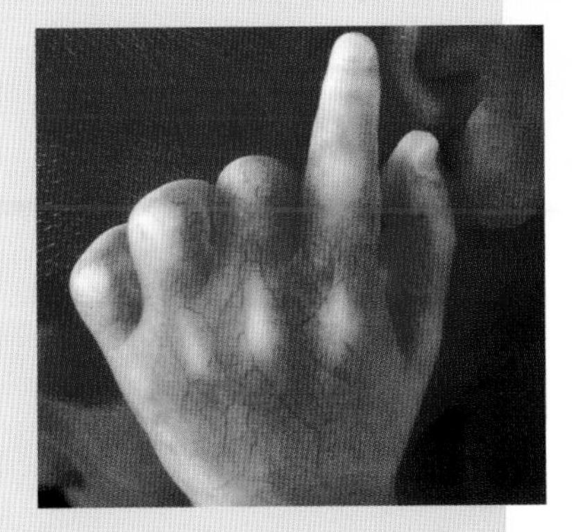

El bebé mide unos 19 centímetros desde la coronilla hasta las nalgas y pesa unos 350 gramos.

El bebé ya tiene glándulas sudoríficas y su piel es menos transparente, aunque todavía pueden verse los vasos sanguíneos. Las uñas están plenamente formadas y continúan creciendo. Si el bebé es un niño, los testículos han empezado a descender desde la pelvis al escroto. En ellos ya se ha formado un esperma primario.

El cerebro del bebé ha empezado a crecer muy rápidamente, especialmente en la matriz germinal, una estructura en el centro del cerebro que produce células cerebrales. Esta estructura desaparece antes del nacimiento, pero el cerebro del bebé continuará expandiéndose hasta la edad de 5 años.

SEMANA 23

... del embarazo.
El bebé tiene 21 semanas.

El bebé mide unos 22 centímetros desde la coronilla hasta las nalgas y pesa casi 455 gramos.

Cada día que pasa, el cuerpo del bebé es más proporcionado y se parece más a como será al término del embarazo, pero los huesos y órganos siguen siendo visibles a través de su piel transparente.

Su oído se ha hecho mucho más agudo, ya que los huesos del oído interno se han endurecido. Puede distinguir diferentes sonidos procedentes del exterior del útero y del interior del cuerpo de la madre. Se sorprendería usted de lo ruidoso que es su cuerpo, con el borboteo del estómago, los fuertes latidos del corazón y el correr de la sangre por el mismo.

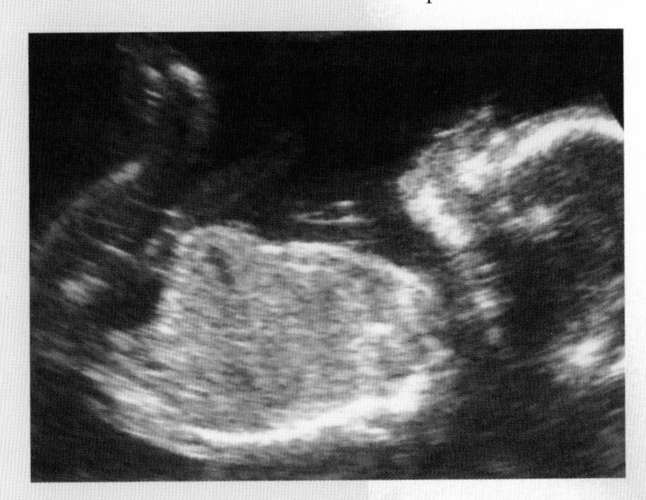

Al nacer, el bebé reconocerá la voz de su madre por su tono y cadencia, así que háblele lo máximo posible. El padre también debe hablarle. Las investigaciones demuestran que las profundas voces «masculinas» son más fáciles de oír para el bebé que las agudas voces «femeninas». Jugar a darse palmaditas en el vientre y hablar puede suscitar una patada como respuesta y ayudar a la estimulación neurológica.

SEMANA 24

... del embarazo.
El bebé tiene 22 semanas.

El bebé mide unos 21 centímetros desde la coronilla hasta las nalgas y pesa unos 540 gramos.

Si el bebé naciera ahora, tendría una posibilidad entre cuatro o cinco de sobrevivir. Pero sigue siendo muy delgado y está cubierto de una fina pelusa. El cuerpo está empezando a producir glóbulos blancos para luchar contra las infecciones.

Los pulmones se han desarrollado justo lo suficiente para darle la oportunidad de sobrevivir en una unidad neonatal de cuidados intensivos, pero sigue practicando la respiración inhalando líquido amniótico. Las vías respiratorias forman tubos a fin de absorber y expeler el aire. En los pulmones empiezan a desarrollarse vasos sanguíneos y bolsas de aire, que con el tiempo intercambiarán oxígeno y lo harán circular a todas las partes del cuerpo. En los pulmones del bebé las células empiezan a producir surfactante, una sustancia que impide que las bolsas se adhieran unas a otras.

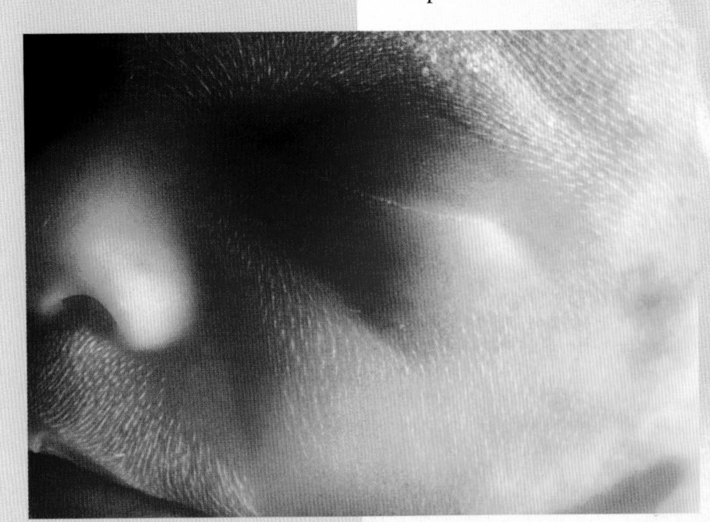

SEMANA 25

... del embarazo.
El bebé tiene 23 semanas.

El bebé mide unos 22 centímetros desde la coronilla hasta las nalgas y pesa unos 700 gramos.

El bebé puede cogerse los pies y cerrar la mano para formar un puño. Los vasos sanguíneos continúan desarrollándose en los pulmones y los orificios nasales empiezan a abrirse. En la parte superior de las encías, se esbozan los dientes permanentes del bebé. Estos dientes adultos no descenderán hasta que los dientes de leche empiecen a caerse, hacia los 6 años. Entretanto, los nervios que rodean la boca y los labios muestran mayor sensibilidad, preparando al bebé para la tarea esencial de encontrar el pezón de la madre al nacer.

El cordón umbilical, el sustento de la vida, es grueso y resistente. Lo recorren una única vena y dos arterias, revestidas de una sustancia firme, parecida a la gelatina, que impide que se enrosque y se anude y que protege la circulación sanguínea entre la placenta y el bebé.

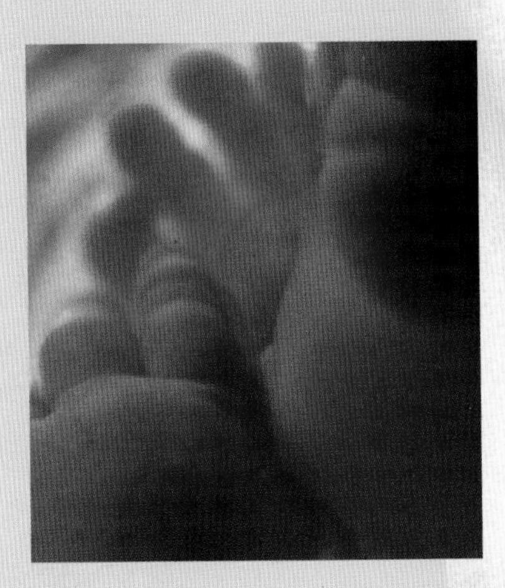

SEMANA 26

... del embarazo.
El bebé tiene 24 semanas.

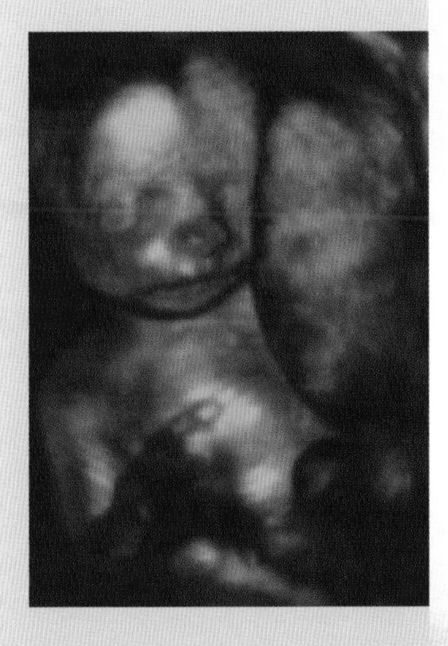

El bebé mide unos 23 centímetros desde la coronilla hasta las nalgas y pesa casi 910 gramos.

Los pulmones del bebé siguen madurando y todavía tiene que crecer. Su columna se va fortaleciendo y haciendo más flexible para sostener el cuerpo y se pueden oír los latidos de su corazón apoyando la oreja en el abdomen de la madre. El bebé puede inhalar y exhalar. Tiene los ojos completamente formados. Su pulso se acelera cuando reacciona a los sonidos; incluso se mueve al ritmo de la música. Los estudios de la actividad cerebral del feto muestran que el bebé ya puede responder al contacto.

SEMANA 27

... del embarazo.
El bebé tiene 25 semanas.

El bebé mide unos 24 centímetros desde la coronilla hasta las nalgas y pesa un poco más de 1 kilo.

El bebé va engordando y redondeándose conforme aumenta la cantidad de grasa acumulada bajo su piel. Chuparse el dedo puede ser, ahora, una de sus actividades favoritas; le refuerza los músculos de las mejillas y la mandíbula y, posiblemente, lo sosiega. Los pulmones continúan creciendo. Las papilas gustativas de la lengua y del interior de las mejillas funcionan plenamente y las funciones superiores del cerebro se vuelven más complejas.

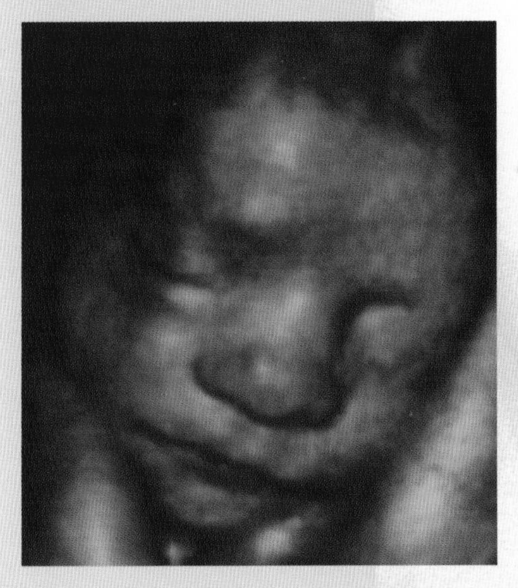

Más o menos en esta etapa, los párpados del bebé empiezan a abrirse y las retinas, a formarse. Parece ser que en este estadio los bebés son capaces de detectar los cambios de luz y los estudios han demostrado que cuando se enciende una linterna apoyada sobre el abdomen de la madre, el bebé puede acercarse o, a veces, apartarse del rayo de luz. Sus primeras impresiones visuales fuera del útero estarán clasificadas en claras y oscuras; por eso muchos juguetes diseñados para los recién nacidos son blancos y negros. Las pestañas han alcanzado su pleno crecimiento y, cuando nazca, protegerán sus delicados globos oculares de materias perjudiciales.

SEMANA 28

... del embarazo.
El bebé tiene 26 semanas.

El bebé mide unos 25 centímetros desde la coronilla hasta las nalgas y pesa 1,1 kilos.

El bebé está creciendo y desarrollándose a toda velocidad. Los pulmones son capaces de respirar aire, pero, si naciera ahora, le resultaría difícil respirar bien. Disfrutará oyendo su voz, así que siga hablando con él. La próxima semana entrará usted oficialmente en el tercer trimestre, en el cual la principal tarea de su bebé es aumentar de peso.

En los niños, los testículos están empezando a descender en el escroto. En las niñas, los labios inferiores son todavía pequeños y no llegan a cubrir el clítoris. Durante las últimas semanas del embarazo los labios crecerán y se acercarán el uno al otro.

En la semana 28, el bebé está engordando y redondeándose, y su tono muscular mejora.

SEMANA 29

... del embarazo

El bebé tiene 27 semanas.

El bebé mide unos 26 centímetros desde la coronilla hasta las nalgas y pesa unos 1,25 kilos.

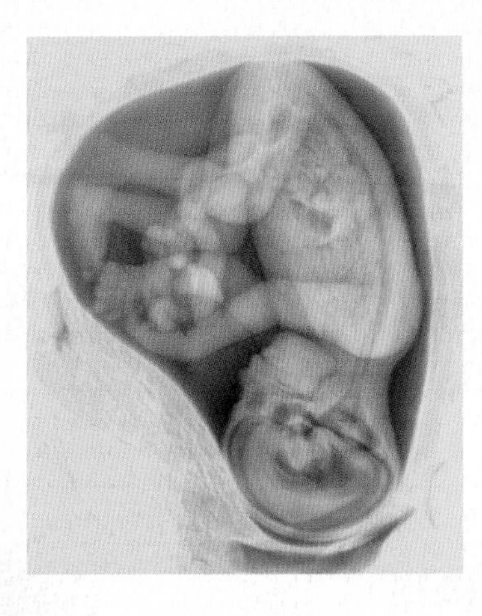

El bebé continúa engordando, mientras el cerebro y los órganos siguen creciendo. Estos tejidos blandos aparecen con claridad en una imagen obtenida por resonancia magnética (IRM), que utiliza campos magnéticos y ondas de radio. No dispone de mucho espacio, así que no puede exhibir sus habilidades acrobáticas, pero sigue arreglándoselas para estirarse y dar patadas desde el interior.

Su cerebro está creciendo con tanta rapidez que los huesos blandos del cráneo se ven presionados hacia fuera. La cabeza es ahora proporcionada al resto del cuerpo. El cerebro parece más arrugado mientras se hace más rápido y potente y construye conexiones entre las células nerviosas. El cerebro puede controlar la respiración y la temperatura corporal. Los ojos pueden moverse en las órbitas y el bebé es cada vez más sensible a la luz, el sonido, el gusto y el olor. A través de la pared del útero puede diferenciar entre luz solar y luz artificial.

SEMANA 30

... del embarazo

El bebé tiene 28 semanas.

El bebé mide unos 27 centímetros desde la coronilla hasta las nalgas y pesa unos 1,36 kilos.

El lanugo del bebé (el temprano vello corporal) está desapareciendo. Las pocas zonas que queden al nacer desaparecerán por sí solas en las siguientes semanas. El cabello es más espeso, los párpados se abren y cierran y las uñas de los pies están creciendo. La médula ósea se encarga ahora de producir glóbulos rojos desde el hígado. El esqueleto se sigue endureciendo y el cerebro, los músculos y los pulmones continúan madurando.

Muchos bebés adoptan ahora la postura cabeza abajo en el útero, la posición más corriente y fácil para el alumbramiento. Prepárese para sufrir algunas patadas fuertes en la caja torácica y presión en la pelvis cuando el bebé accione sobre ella.

SEMANA 31

... del embarazo.
El bebé tiene 29 semanas.

El bebé mide unos 28 centímetros desde la coronilla hasta las nalgas y pesa unos 1,59 kilos.

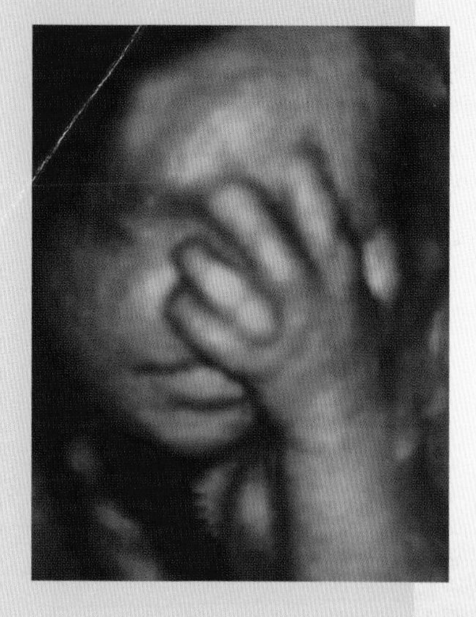

Aunque el crecimiento general del bebé empieza a disminuir, seguirá aumentando de peso. El cerebro continúa su crecimiento acelerado. Los pulmones serán el último órgano importante que madure plenamemente.

El color de los ojos empieza a aparecer, pero el verdadero color no se hará visible hasta entre seis y nueve meses después de nacer, ya que la pigmentación ocular necesita de la luz para completar su formación. Los bebés de piel oscura suelen tener ojos de color gris o marrón oscuro al nacer, que va cambiando hasta hacerse castaños o negros al cabo de seis meses o un año. La mayoría de niños caucásicos nacen con ojos de color azul oscuro y su verdadero color no será visible hasta después de varias semanas o meses. Entretanto, los ojos están preparándose para la vida después del nacimiento. Las pupilas empiezan a dilatarse como reacción a la luz rojiza que se filtra al interior del útero. Los párpados permanecen abiertos con frecuencia durante los períodos de actividad y cerrados durante el sueño.

SEMANA 32

... del embarazo.
El bebé tiene 30 semanas.

El bebé mide unos 29 centímetros desde la coronilla hasta las nalgas y pesa 1,8 kilos.

Los cinco sentidos del bebé ya están funcionando y puede exhibir una nueva habilidad: volver la cabeza de un lado para otro. Los órganos continúan madurando, las uñas de los pies están completas y el cabello sigue creciendo. Continúa practicando, abriendo y cerrando los ojos, pero duerme entre el 90 % y el 95 % del día.

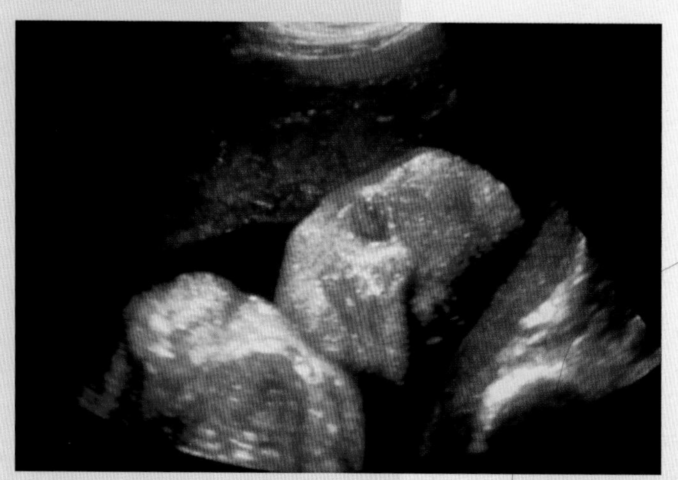

Las «clases de respiración» del bebé continuarán para ayudar a los pulmones a fortalecerse y madurar. Estudios recientes han demostrado que esta práctica vital estimula, además, a los pulmones a producir más surfactante, la proteína esencial para un sano desarrollo de los pulmones.

SEMANA 33

... del embarazo.
El bebé tiene 31 semanas.

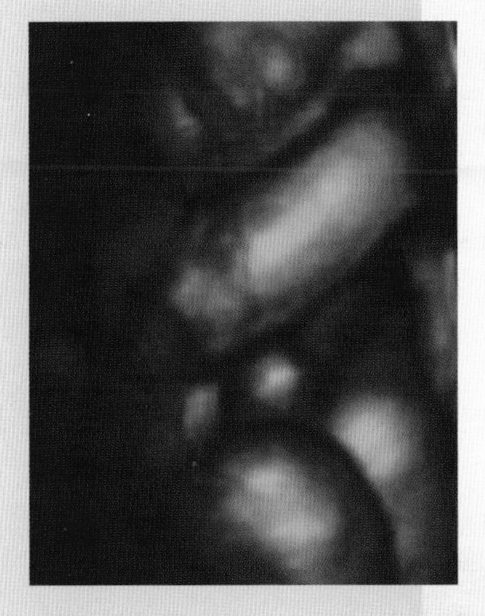

El bebé mide unos 30 centímetros desde la coronilla hasta las nalgas y pesa casi 2 kilos.

El líquido amniótico está en su nivel más alto y permanecerá así hasta el alumbramiento. El rápido crecimiento del cerebro ha aumentado el tamaño de la cabeza del bebé en casi 9,5 milímetros esta semana. La grasa continúa acumulándose y esto ha hecho que la piel pase de roja a rosada.

El bebé no tiene mucho espacio, como se puede ver en esta imagen ultrasónica tridimensional, así que sus movimientos se parecerán más a balanceos que a patadas y usted se ahorrará todos los codazos en las costillas. Quizá note que lo que usted hace afecta a los movimientos del bebé; la cantidad que come y el momento en que lo hace, su postura y los sonidos del mundo exterior pueden influir en su nivel de actividad.

Tómese algún tiempo cada día para relajarse y observar los movimientos del bebé. Su médico podrá ofrecerle orientación en cuanto a la cantidad de movimientos que debe sentir; por ejemplo, puede que le diga que espere unos seis movimientos en una hora, pero no durante todas las horas del día.

SEMANA 34

... del embarazo.
El bebé tiene 32 semanas.

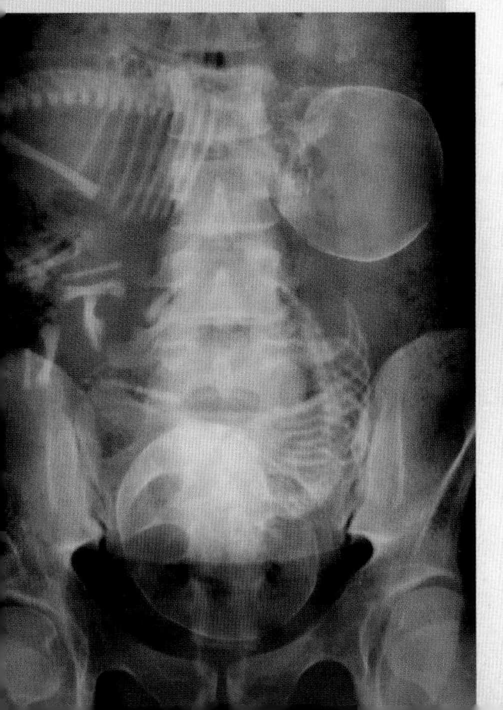

El bebé mide unos 32 centímetros desde la coronilla hasta las nalgas y pesa casi 2,275 kilos.

El bebé está desarrollando su sistema inmunológico para hacer frente a las infecciones ligeras. Los extremos de los dedos son diminutos, pero tiene las uñas afiladas.

Es demasiado grande para flotar en el líquido amniótico y sus movimientos son más amplios y más lentos. Puede que se haya asentado en su postura cabeza abajo, aunque entre el 3 y el 4 % de los bebés descansará con las nalgas o las piernas hacia el cuello uterino en una «presentación de nalgas». A veces, el médico puede intentar que el bebé se coloque en la posición correcta mediante un procedimiento denominado «versión fetal externa», que consiste en manipular al bebé a través del abdomen con las manos y que es mejor realizarlo en el hospital para que tanto la madre como el bebé puedan ser controlados en todo momento.

Con los mellizos, como se puede ver en la radiografía coloreada de la izquierda, es posible que solo uno de los bebés pueda encajar en la posición cabeza abajo, mientras que el otro se acomoda alrededor lo mejor que puede.

SEMANA 35

... del embarazo.
El bebé tiene 33 semanas.

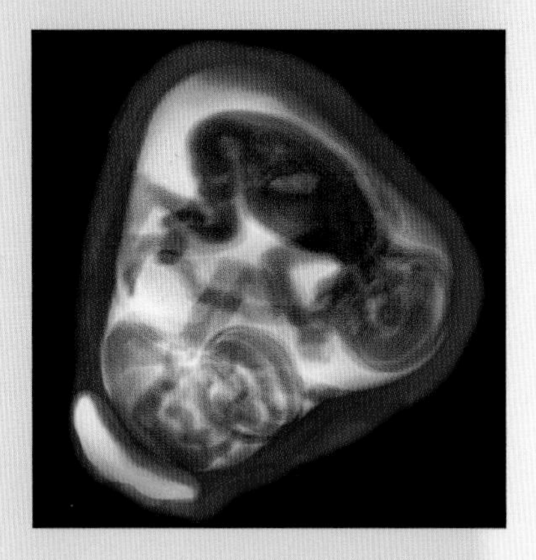

El bebé mide unos 33 centímetros desde la coronilla hasta las nalgas y pesa más de 2,55 kilos.

Un 99 % de los bebés que nacen durante esta semana sobrevive sin problemas de importancia. El sistema nervioso central está madurando, el sistema digestivo está casi formado, los pulmones suelen estar totalmente maduros y es mucho menos probable que se produzcan problemas respiratorios si el bebé nace prematuramente en esta etapa.

Los brazos y piernas del bebé están engordando; en realidad, ya es lo bastante grande para ocupar la mayor parte del útero y le queda menos sitio para moverse. En el caso de gemelos, están todavía más apretados, como se puede ver en esta imagen por resonancia magnética; la zona rosa es la placenta compartida.

SEMANA 36

... del embarazo.
El bebé tiene 34 semanas.

El bebé mide unos 34 centímetros desde la coronilla hasta las nalgas y pesa unos 2,75 kilos.

Sin duda ya habrá notado un cambio en los movimientos del bebé, dado que el espacio libre del útero es ya muy reducido. Es posible que se mueva menos debido a este constreñimiento, pero sus movimientos serán, generalmente, más fuertes y definidos. Quizá pueda ver usted el contorno de ciertas partes del cuerpo de su hijo, como un codo o un talón que se «vislumbran» por un instante debajo de su piel.

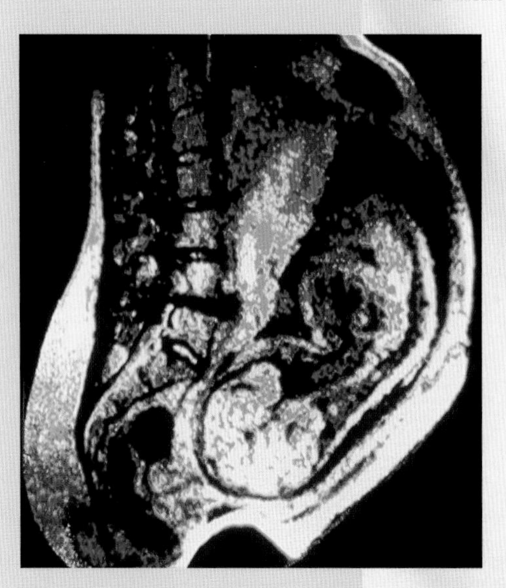

En este estadio, la mayoría de bebés habrá adoptado la postura cabeza abajo, listos para el alumbramiento. Esta imagen por resonancia magnética muestra al bebé descansando con la cabeza en la parte inferior del útero.

SEMANA 37

... del embarazo.
El bebé tiene 35 semanas.

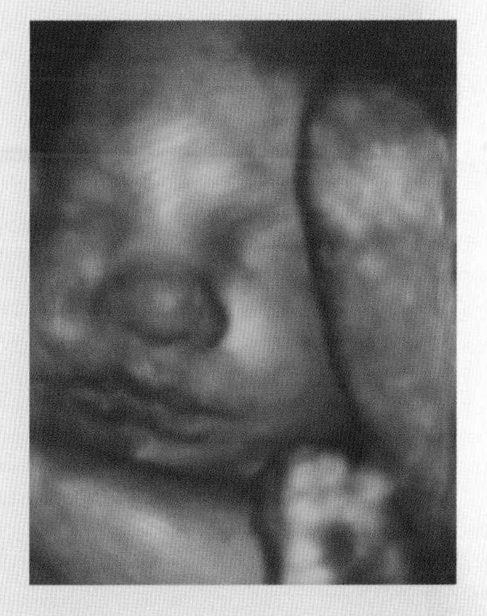

El bebé mide unos 35 centímetros desde la coronilla hasta las nalgas y pesa casi 2,95 kilos.

Se considera que el bebé ha alcanzado su término, lo cual significa que puede nacer en cualquier momento. Como mostramos en la imagen ultrasónica tridimensional, tiene el aspecto de un recién nacido. Si se presenta de nalgas, el médico puede proponer a la madre realizar la versión fetal externa (véase p. 205). Si el parto empieza en esa semana, no se hará nada para retrasarlo. Las investigaciones indican que, en realidad, es el bebé quien inicia el alumbramiento, produciendo hormonas como reacción a la estrechez en que se encuentra.

A lo largo de la mayor parte del embarazo, el bebé ha confiado en usted para que lo protegiera contra las infecciones, pero gradualmente su propio sistema inmunológico ha empezado a desarrollarse y continuará haciéndolo después del parto. La leche materna aumentará su inmunidad. Al principio, los pechos producen calostro, una sustancia rica en nutrientes y anticuerpos. La leche que viene a continuación es nutricionalmente equilibrada y ayudará a proteger al bebé de infecciones y potenciará su inmunidad.

SEMANA 38

... del embarazo.
El bebé tiene 36 semanas.

El bebé mide unos 35 centímetros desde la coronilla hasta las nalgas y pesa unos 3,1 kilos.

El bebé está clínicamente maduro y listo para nacer en cualquier momento. Todos sus sistemas corporales se han desarrollado y es posible verlos en una imagen por resonancia magnética. Los intestinos han ido acumulando material de desecho, una sustancia de color verde negruzco y pegajosa denominada meconio, que puede expulsar antes o después del alumbramiento. La cabeza y el abdomen tienen ahora la misma circunferencia.

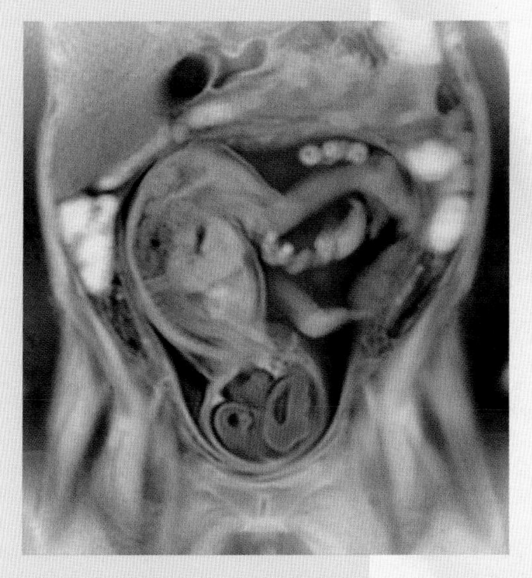

Probablemente su médico podrá darle una idea del tamaño del bebé en este momento, pero piense que eso es solamente una estimación; nadie sabe exactamente lo grande que será un bebé hasta que nace.

La placenta empieza a envejecer, ya que su tarea de sustentar al bebé toca a su fin. Se vuelve menos eficaz al transferir los nutrientes y empiezan a verse coágulos de sangre y zonas calcificadas.

SEMANA 39

... del embarazo.
El bebé tiene 37 semanas.

El bebé mide unos 36 centímetros desde al coronilla hasta las nalgas y pesa poco más de 3,25 kilos.

Casi todo el lanugo ha desaparecido en el momento en que se prepara para nacer. El bebé se lo tragará, junto con otras secreciones, y lo almacenará en los intestinos. Todo se incorporará a la primera evacuación del bebé, un desecho de color negruzco llamado meconio. Los pulmones están madurando y aumentan la producción de surfactante. Quizá no sienta usted los movimientos del bebé en este estadio. Con 51 centímetros de longitud, el cordón umbilical es casi tan largo como el bebé de la cabeza a los pies.

Las hormonas del embarazo, producidas por su cuerpo, pueden hacer que tanto niños como niñas tengan los pechos hinchados al nacer e, incluso, que produzcan pequeñas cantidades de leche. Los genitales —los labios en las niñas y el escroto en los niños— también pueden ser más grandes. Todos estos efectos secundarios deben desaparecer poco después del nacimiento, cuando el bebé sea independiente del suministro de sangre de la madre. En el momento de nacer, el bebé tiene por lo menos 300 huesos, un número superior a los adultos, que tienen 206. Algunos de estos huesos se fusionan al crecer.

En la semana 40 el bebé está completamente formado y listo para nacer en cualquier momento.

SEMANA 40

... del embarazo.
El bebé tiene 38 semanas.

El bebé mide entre 37 y 38 centímetros desde la coronilla hasta las nalgas y su longitud total es de unos 48 centímetros.

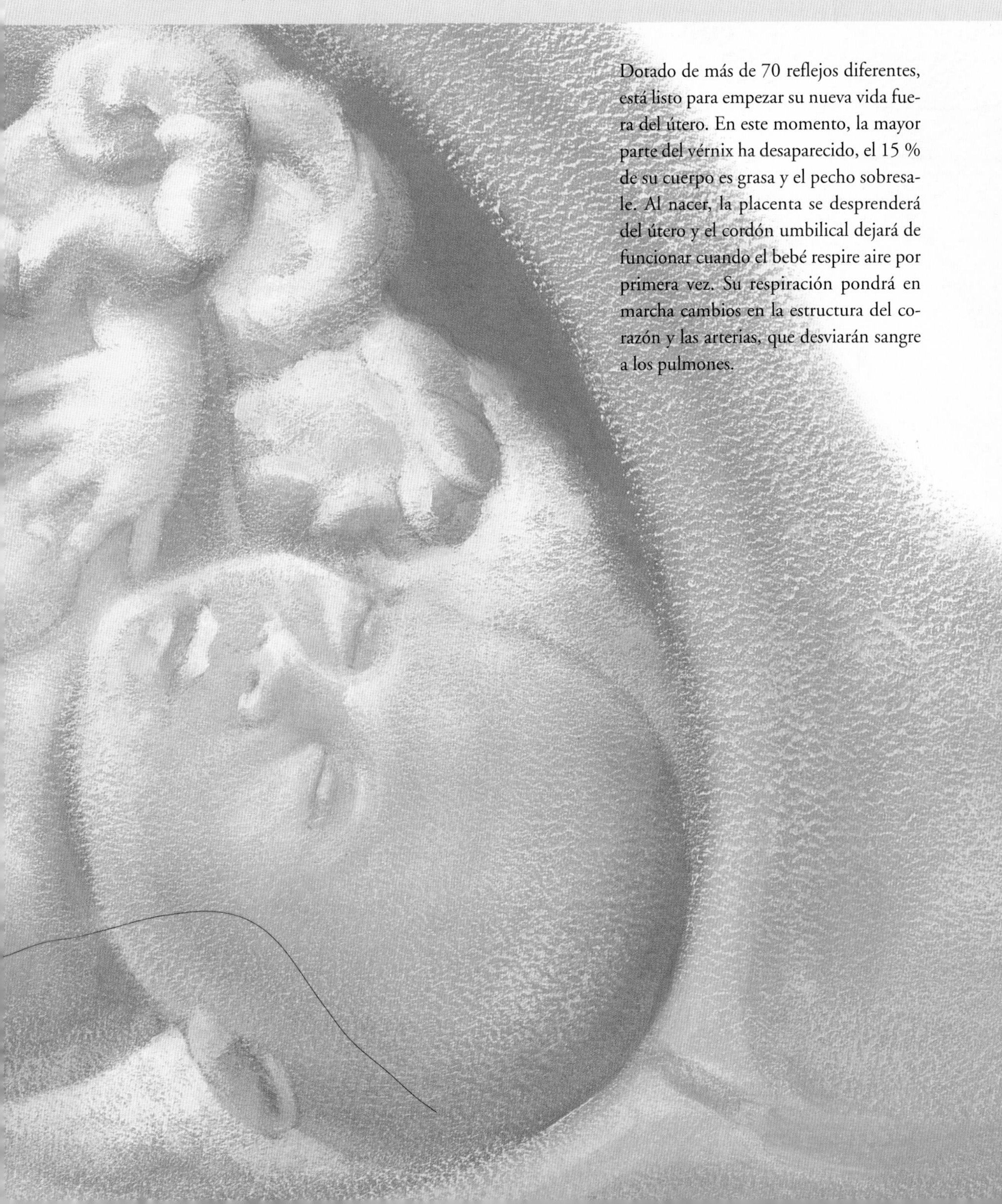

Dotado de más de 70 reflejos diferentes, está listo para empezar su nueva vida fuera del útero. En este momento, la mayor parte del vérnix ha desaparecido, el 15 % de su cuerpo es grasa y el pecho sobresale. Al nacer, la placenta se desprenderá del útero y el cordón umbilical dejará de funcionar cuando el bebé respire aire por primera vez. Su respiración pondrá en marcha cambios en la estructura del corazón y las arterias, que desviarán sangre a los pulmones.

3 SU CUERPO DURANTE EL EMBARAZO

Mental y físicamente este es un momento apasionante aunque agotador, ya que va a entrar en los tres últimos meses del embarazo. Algunas mujeres se encuentran muy bien durante este último trimestre, otras se sienten agotadas. Es también muy corriente sentir ansiedad respecto al parto cada vez más cercano. Espere aumentar entre 4,5 y 5,4 kilos durante este último trimestre, de los cuales entre 3 y 3,6 kilos corresponden al bebé.

Semanas

28

Le propondrán hacer un control prenatal por lo menos cada dos semanas desde ahora hasta la semana 36.

El útero ha crecido alrededor de 4 centímetros en el último mes y ahora empuja contra la parte inferior del tórax, obligando a las costillas a salir hacia fuera, lo que puede causarle una ligera molestia.

Entre esta y la semana 32, pueden proponerle hacer una prueba de glucosa y un análisis de sangre para comprobar si sufre anemia.

29

A veces, la presión en las venas que llevan la sangre desde las piernas hasta el corazón puede causar venas varicosas.

Si quiere planificar el parto, ahora es el momento de empezar a hacerlo y poner sus ideas por escrito, incluyendo aspectos como la clase de parto que desea y sus opiniones sobre el alivio del dolor.

30

El control prenatal es un buen momento para aclarar cualquier preocupación que tenga respecto al parto.

El peso del bebé, cada vez mayor, y los cambios de su centro de gravedad pueden someter su espalda a una creciente presión.

31

Quizá se dé cuenta de que se está volviendo olvidadiza. El bebé absorbe cada vez más su concentración conforme se acerca el alumbramiento.

28-31

- Puede que el ombligo se haya estirado y alargado y quizá empiece a sobresalir, pero volverá a su aspecto normal después del parto.
- Es posible que note las piernas pesadas y cansadas; necesitará descansar con más frecuencia.
- Es corriente quedarse sin aliento, debido al mayor esfuerzo necesario para moverse de un lado para otro. Además, sus pulmones tienen que absorber alrededor de un 20 % más de oxígeno y expelen más dióxido de carbono con cada aliento, ya que respira usted por su bebé.

bajando por el canal del parto

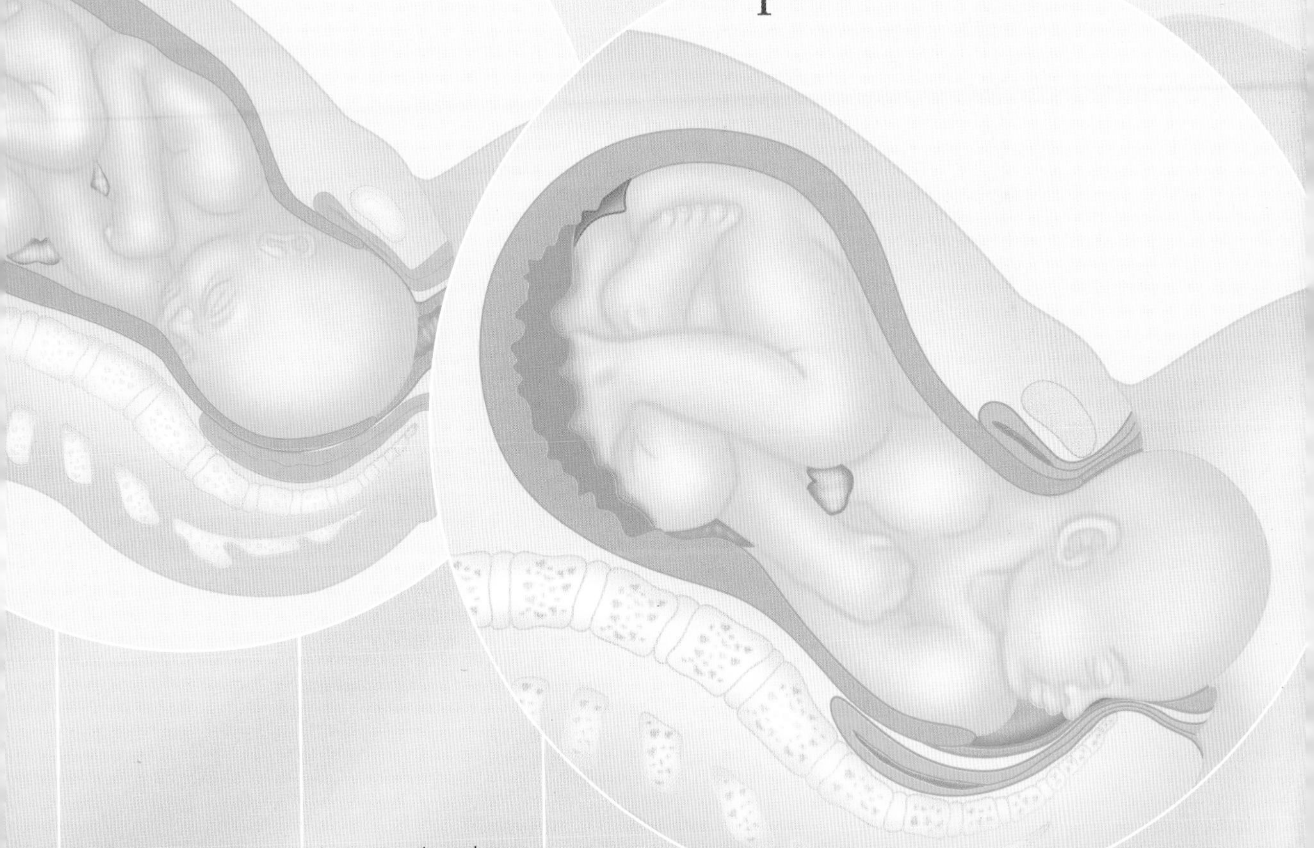

En el momento de máxima dilatación, el cuello uterino, el útero y la vagina se unen sin fisuras para formar el canal de parto. El bebé ha completado un giro de 90 grados y ahora mira hacia la espalda de la madre. Durante la segunda etapa de empuje, la sensación de oleadas producida por las contracciones ha sido sustituida por una intensa necesidad de empujar. *El bebé se está ayudando activamente a nacer haciendo presión con los pies contra la pared del útero y con la cabeza a través del cuello uterino y la vagina*.

Cuando el bebé desciende por la vagina pasa por debajo del pubis y a través de la abertura de los músculos de la zona pelviana. Aunque es un viaje, literalmente, muy apretado, le ayuda el hecho de que los huesos de su cráneo son blandos y pueden amoldarse; el cráneo puede llegar a disminuir un centímetro. *Además, el bebé gira la cabeza, con la barbilla baja, de forma que sea lo más estrecha posible cuando pase por la pelvis.* Una vez que la parte superior de la cabeza ha coronado (puede verse en la abertura vaginal), las siguientes contracciones empujarán la cabeza fuera del cuerpo de la madre.

32

Según avanza el embarazo, usted continúa aumentando de peso, quizá más rápidamente que en cualquier otro momento. El útero se acerca a la posición más alta que alcanzará, con la parte superior situada a unos 12 centímetros por encima del ombligo.

33

Si es su primer hijo, puede que ya se haya colocado cabeza abajo, preparándose para nacer.

Cuando esto suceda, podrá respirar con más facilidad y cualquier tipo de problemas con la digestión debe empezar a mejorar.

34

En cada control prenatal le harán pruebas de presión sanguínea y análisis de orina

Puede notar que le aprietan los anillos o que se le hinchan los pies y las manos. Esto se debe a la retención de líquidos, pero a veces empeora si lleva ropa ajustada que dificulte la circulación de la sangre.

35

La hormona relaxina del embarazo, unida al peso del bebé, hace que se relaje la pelvis, preparándose para el parto. Puede sentir algunos dolores y molestias en esa zona.

36

Es recomendable hacer controles prenatales cada semana hasta el momento del parto. Las pruebas pueden incluir un análisis para comprobar los estreptococos del grupo B (véase p. 363).

Quizá sueñe mucho, con sueños muy vívidos.

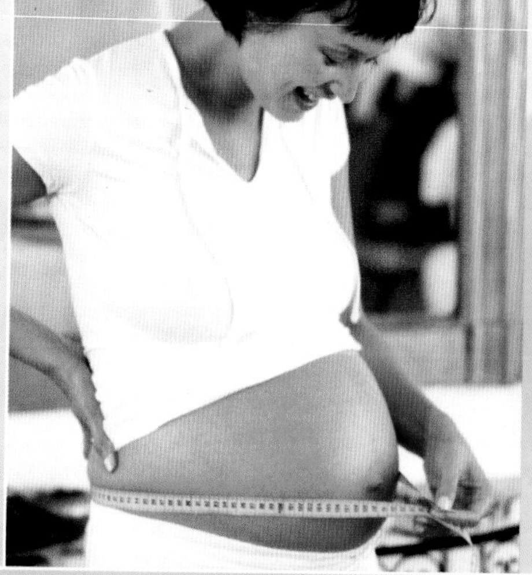

Estará aumentando de peso con más rapidez que en cualquier otro momento del embarazo y puede sorprenderle al aspecto tan voluminoso de su barriga.

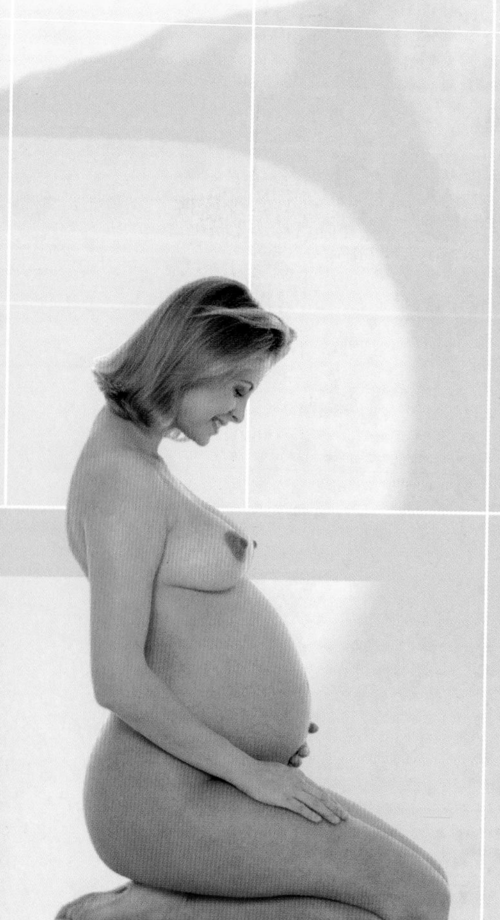

32-36

- La placenta alcanza la madurez alrededor de las 34 semanas y a partir de entonces empieza a envejecer.
- El volumen de sangre en su cuerpo ha aumentado en un 50 % durante los dos primeros trimestres. Después de las 34 semanas se mantendrá constante hasta que dé a luz.
- Un síntoma corriente en esta etapa es una sensación de cosquilleo o presión en la zona pélvica, debido a que el bebé está bajando al útero.
- Sus pezones aumentan de tamaño y sus pechos se hacen más pesados.

CÓMO NACE SU HIJO

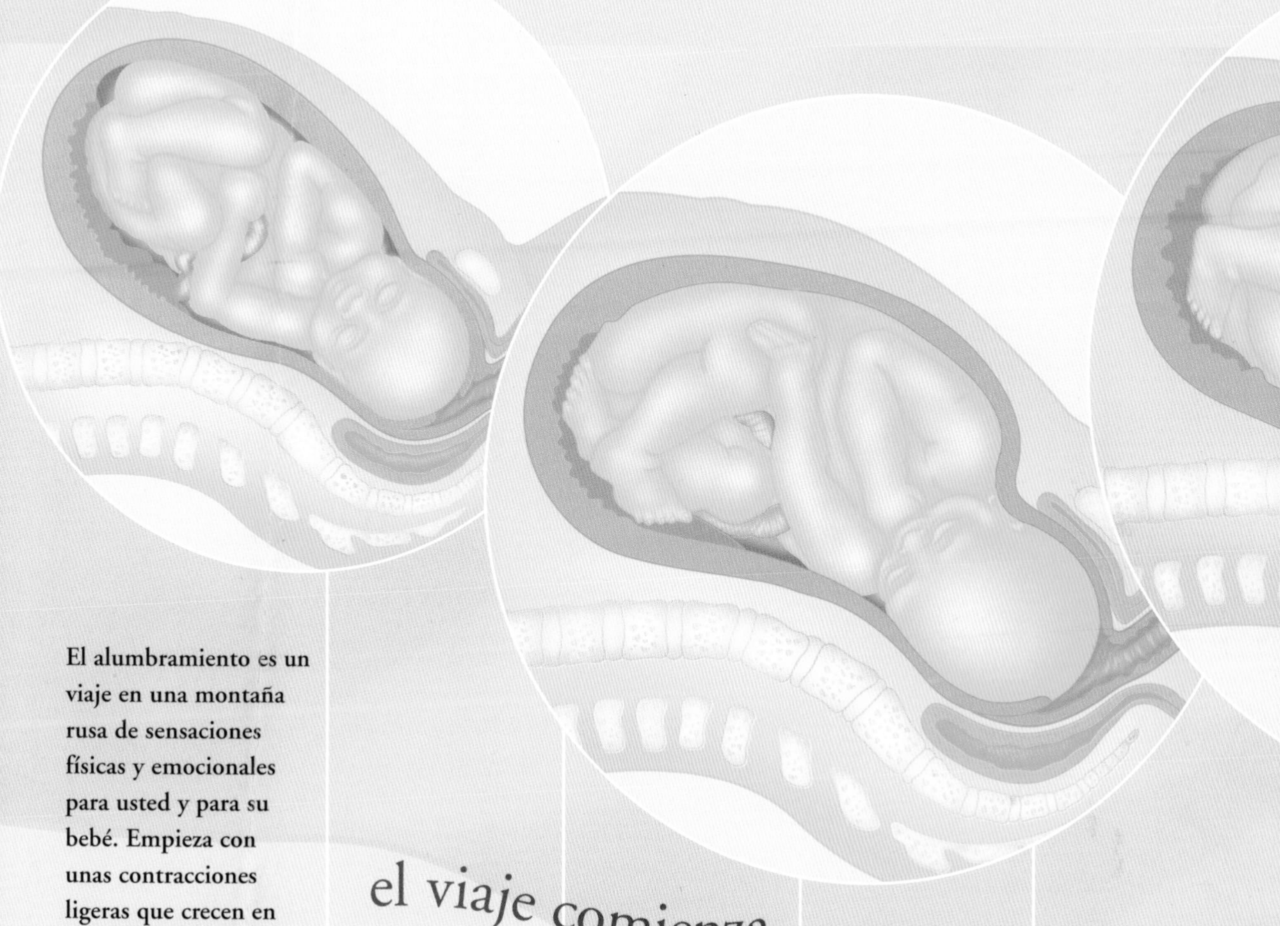

El alumbramiento es un viaje en una montaña rusa de sensaciones físicas y emocionales para usted y para su bebé. Empieza con unas contracciones ligeras que crecen en intensidad hasta que se ha completado el arduo trabajo de abrir el cuello del útero, un proceso conocido como dilatación. Cuando esta primera etapa ha terminado, empieza la segunda, la de empujar al bebé por el canal de parto —unos 23 centímetros de recorrido— y afuera, al mundo exterior.

el viaje comienza

El proceso empieza con el inicio de las contracciones. Son los movimientos de tensión y flexión del útero, que es el músculo de mayor tamaño en el cuerpo de la mujer. Con cada contracción, el útero tira hacia arriba e impulsa al bebé hacia abajo contra el cuello uterino. La presión de la cabeza del bebé borra (adelgaza) y dilata (abre), gradualmente, el cuello uterino. *El bebé está de lado, con la parte más ancha de la cabeza en la zona más ancha de la pelvis de la madre.*

Hacia el final de la primera etapa del parto, el cérvix se ha transformado desde una salida gruesa y sellada en una abertura blanda y delgada. Una vez que el cuello uterino está totalmente dilatado hasta los diez centímetros, tiene un aspecto parecido al borde de una taza de té, con la cabeza del bebé —si está bien encajado— en el centro. *En este momento el bebé tiene la barbilla apoyada en el pecho y la cabeza y la parte superior del cuerpo empiezan a girar para mirar hacia la espalda de la madre.*

37

En cada visita comprobarán el tamaño y posición del bebé.

Es probable que, a partir de ahora, experimente «contracciones de práctica», conocidas como contracciones de Braxton Hicks. Se producen cuando el útero se endurece unos 30 segundos y luego se relaja. Estas contracciones no deberían ser dolorosas.

38

El control prenatal incluirá todas las pruebas habituales que le han hecho en las anteriores revisiones.

Algunas mujeres sienten depresión al final del embarazo, como resultado de una mezcla de emociones: ansiedad por el parto que se acerca, fatiga debida a la falta de sueño y deseo de que el embarazo llegue a su fin. Si se siente así, hable de ello con su médico y trate de tomarse tiempo libre para usted misma.

39

El útero ocupa todo el espacio de la pelvis y bastante del abdomen, así que puede sentirse muy incómoda.

Comente cualquier cosa que le preocupe en su control prenatal.

40

Esta es la semana en que tiene que producirse el parto, pero solo alrededor del 5 % de los bebés nace exactamente en la fecha calculada. Podría dar a luz dos semanas antes o dos semanas después de la fecha prevista.

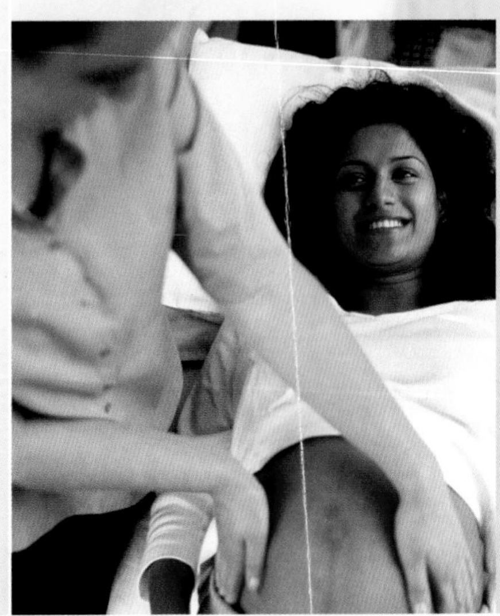

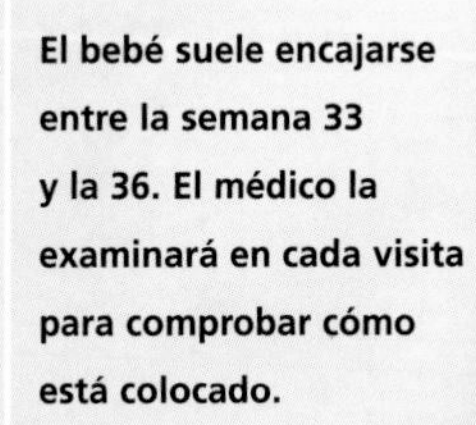

El bebé suele encajarse entre la semana 33 y la 36. El médico la examinará en cada visita para comprobar cómo está colocado.

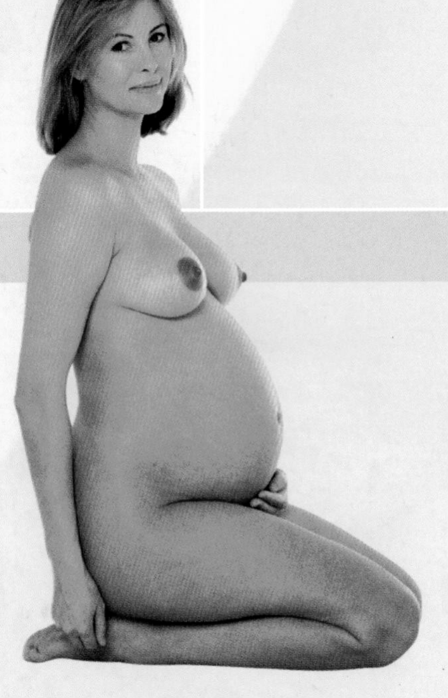

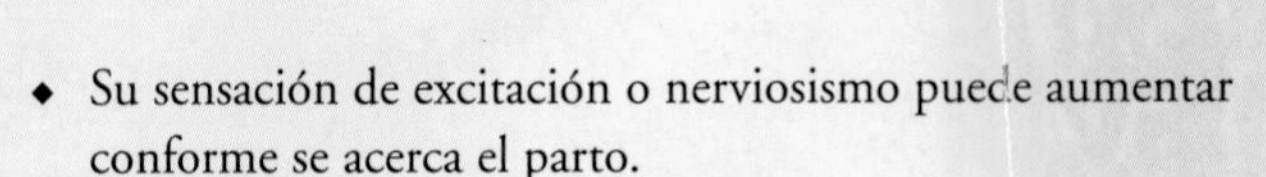

37-40

- Su sensación de excitación o nerviosismo puede aumentar conforme se acerca el parto.
- Es probable que su peso se mantenga estable; algunas mujeres incluso pierden peso en la última semana antes de dar a luz.
- Como el útero presiona contra la caja torácica puede sentir cierta incomodidad.
- Es posible que tenga un aspecto sonrojado debido a que su circulación está más activa que en cualquier momento anterior.

el momento del parto

Una vez ha salido la cabeza, el bebé gira para enderezar el cuello, de forma que vuelve a mirar hacia el lado. Con las siguientes contracciones salen los hombros, primero uno y luego el otro, con los brazos bien pegados al cuerpo. Cuando han pasado los hombros, el resto del cuerpo se desliza rápidamente al exterior. Por fin, el bebé ha llegado.

PARTE II DISFRUTAR DEL EMBARAZO

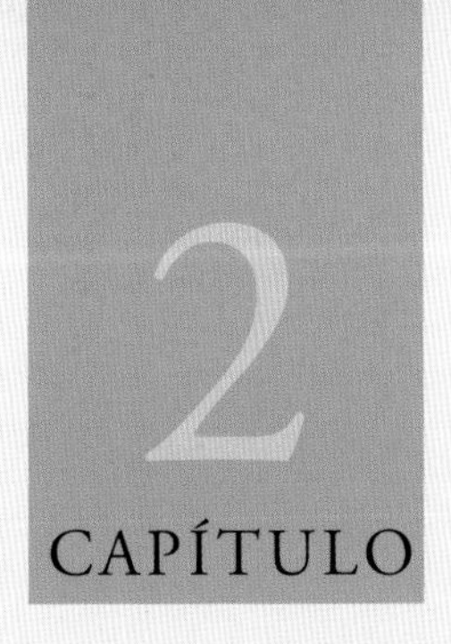

SU CUERPO DURANTE EL EMBARAZO

Su cuerpo experimentará cambios increíbles durante los nueve meses del embarazo, pero podrá continuar con su estilo de vida habitual, casi al mismo ritmo. Con un poco de orientación y algunos ajustes mínimos, puede seguir realizando la mayoría de sus actividades diarias, con la seguridad de que está protegiendo el bienestar de su bebé.

CAMBIOS INTERNOS

Desde el momento de la concepción, su cuerpo empieza a adaptarse para alimentar y nutrir al bebé que va a desarrollarse. Aunque es posible distinguir algunos de estos cambios, otros son más sutiles y quizá no sean observables directamente.

Alrededor del momento de su primera falta, empiezan a notarse los primeros síntomas del embarazo. Quizá observe que tiene los pechos sensibles, que se fatiga y siente náuseas. Estos y otros cambios que posiblemente experimentará durante el embarazo (véase p. 67), pueden ser irritantes y causarle cierta incomodidad, pero en muchos casos se pueden aliviar. No obstante, no debe usted hacer caso omiso de cualquier molestia o dolor inusuales.

CAMBIOS HORMONALES

El embarazo es un período de gran actividad hormonal. La producción de hormonas aumenta de forma espectacular y se elaboran nuevas hormonas específicas del embarazo.

Gonadotropina coriónica humana (GCh)

Esta hormona, liberada por la placenta cuando empieza a implantarse en el útero, es conocida como «hormona del embarazo», su presencia se comprueba en los test de embarazo. La GCh es muy importante porque pone en marcha otras actividades hormonales necesarias para mantener el embarazo e impide que se produzca la menstruación. En cualquier caso, la GCh tiene algunos efectos observables; en concreto, se cree que es, en parte, responsable de las náuseas y vómitos —los mareos matutinos— que se producen durante el primer trimestre.

Progesterona

Esta hormona también está presente en las mujeres no embarazadas, pero en niveles muy inferiores. Producida primero por los ovarios y luego por la placenta, alrededor de la semana octava o novena, la progesterona tiene un papel importante en el mantenimiento del embarazo, que incluye impedir que el útero se contraiga con fuerza y ponga en peligro al bebé. A las mujeres que

Después de una ecografía, pueden darle una fotografía que podrá compartir con los demás y que hará que el bebé parezca real.

conciben después de someterse a técnicas de reproducción asistida, como la fecundación *in vitro* o la transferencia intratubárica de gametos (más conocida como GIFT, sus siglas en inglés), se les dan suplementos de progesterona en forma de píldoras, supositorios, gel vaginal o inyecciones.

La progesterona mantiene las funciones de la placenta, refuerza las paredes de la pelvis, preparándolas para el parto y relaja ciertos ligamentos y músculos del cuerpo. Este efecto relajante puede causar algunos efectos secundarios no deseados.

La progesterona hace que los músculos intestinales se vuelvan lentos, lo cual lleva, a veces, al estreñimiento así como a una sensación de «saciedad» después de comer. También relaja el esfínter (anillo muscular) entre el esófago y el estómago, provocando a veces acidez. Asimismo, hace que las venas se dilaten, lo cual puede provocar la aparición de venas varicosas.

Otro cometido clave de la progesterona es el de preparar los senos para la producción de leche. Esta hormona ayuda a estimular y desarrollar la red de conductos de los pechos, de forma que para el segundo trimestre haya leche disponible. Antes es posible sentir sus efectos en la mayor sensibilidad de los pechos.

Estrógeno

Esta es otra hormona presente en niveles altos durante el embarazo. Desde muy temprano, el estrógeno ayuda a preparar el revestimiento del útero para el embarazo, aumentando el número de glándulas y vasos sanguíneos presentes en su interior. Es también responsable de un cierto aumento en el volumen sanguíneo, que en algunos casos puede provocar hemorragias en las encías o la nariz. Su efecto más notable es un aumento del enrojecimiento de la cara, o sonrojo, que tiene como resultado la conocida «luminosidad» del embarazo.

Otras hormonas importantes

Además de la GCh, la progesterona y el estrógeno, hay otras hormonas que tienen un cometido específico a lo largo del embarazo:

LA SALUD ES LO PRIMERO

Preeclampsia. **El aumento de los niveles de progesterona puede provocar visión borrosa y dolores de cabeza en el embarazo. No obstante, si tiene esos síntomas de forma persistente hacia el final del embarazo, dígaselo a su médico inmediatamente, ya que podría indicar que padece una preeclampsia, que quizá degenerara en una eclampsia, una dolencia que puede hasta incluso poner en peligro la vida (véase p. 254).**

- *Somatomamotropina coriónica humana (SCH).* Denominada también lactógeno placentario humano, esta hormona está regulada por el estrógeno y se produce dentro de la placenta en grandes cantidades. Desempeña un papel en el desarrollo del bebé y ayuda a que en los senos se formen las glándulas necesarias para la lactancia natural. Asimismo, moviliza la grasa para conseguir energía y promueve el crecimiento del bebé.
- *Calcitonina.* Conserva el calcio y aumenta la síntesis de vitamina D, lo que permite que sus niveles óseos y de calcio permanezcan estables pese a la mayor necesidad de calcio del bebé.
- *Tiroxina (T4 y T3).* Es necesaria para el desarrollo del sistema nervioso central del bebé. Asimismo, aumenta el consumo de oxígeno de la madre y ayuda al bebé a procesar las proteínas y los carbohidratos. Además, interactúa con las hormonas del crecimiento para regular y estimular el crecimiento.
- *Relaxina.* Hace que el cérvix, los músculos pélvicos y los ligamentos y articulaciones se relajen, preparándose para el parto.
- *Insulina.* Ayuda al bebé a acumular alimento en su cuerpo y regula los niveles de glucosa. Si es usted diabética y su dolencia no está bien controlada, el bebé puede crecer en exceso y tener problemas para equilibrar sus propios niveles de glucosa.
- *Oxitocina.* Funciona en una especie de bucle de retroalimentación positiva. Liberada como respuesta

al estiramiento del cérvix durante el parto, a su vez, hace que el útero se contraiga. Igualmente, se libera oxitocina como respuesta a la estimulación de los pezones durante el amamantamiento, haciendo que la leche fluya en el reflejo de bajada (véase p. 297).

- *Eritropoyetina.* Producida en los riñones, esta hormona aumenta la cantidad de glóbulos rojos y el volumen de plasma al retener sal y agua.
- *Cortisol.* Ayuda al bebé a usar diversos alimentos de forma adecuada dentro de su cuerpo.
- *Prolactina.* Ayuda a preparar los senos para el amamantamiento y promueve el crecimiento del bebé.

CAMBIOS EN LA CIRCULACIÓN

Poco después de la concepción, empiezan a producirse profundos cambios en el sistema circulatorio de su cuerpo. Uno de los más significativos es que su volumen sanguíneo aumenta durante el embarazo, de forma que hacia la semana 30 tendrá un 50 % más de sangre circulando por su corriente sanguínea. Este enorme aumento es necesario para que su cuerpo proporcione un adecuado suministro al bebé y contribuye al desarrollo, a la dilatación del útero y al crecimiento de la placenta.

Pese a este aumento en el volumen de la sangre, el recuento sanguíneo de algunas mujeres disminuye durante el embarazo. Esto se debe a que ese recuento es una lectura de la proporción de células sanguíneas respecto a la cantidad de plasma —el fluido en el que los glóbulos están suspendidos— y el plasma tiende a aumentar en volumen más que el número de glóbulos. Esa situación se denomina «anemia dilucional». o hidremia La anemia puede estar causada por una deficiencia en hierro, en cuyo caso es probable que el médico le recomiende que tome un suplemento de este componente.

Quizá observe también que su corazón late un poco más rápido. Es algo perfectamente normal y señala que su cuerpo se está adaptando al embarazo. Nadie sabe con seguridad por qué el ritmo de los latidos del corazón aumenta durante el embarazo. Según una teoría, es el medio que tiene la naturaleza para asegurarse de que el volumen extra de sangre circula por todo el cuerpo.

Cambios en la presión sanguínea

Otro cambio que se produce en su circulación, y que quizá perciba, es la alteración en la presión sanguínea. La tensión arterial de algunas mujeres embarazadas empieza a bajar en el primer trimestre y alcanza los niveles más bajos hacia la mitad del embarazo. Una caída súbita de la tensión —por ejemplo, al ponerse de pie bruscamente— puede provocarle una sensación de mareo, incluso llegar a desmayarse. No es nada que deba preocuparla, pero debe informar al médico.

Aunque no suele causar molestias, algunas mujeres experimentan una subida en la tensión arterial. Su médico puede detectarlo en un control de rutina y es una alteración que vigilará de cerca (véase p. 253).

CAMBIOS RESPIRATORIOS

Hacia el final del embarazo puede notar que se queda sin aliento. Esto se debe a que el bebé impide que sus pulmones se expandan por completo. Si le sucede, siéntese y respire de forma constante, empujando deliberadamente los pulmones arriba y abajo. No obstante, si de repente sufre una pérdida de aliento grave o siente un dolor en el pecho, busque atención médica de forma inmediata.

CAMBIOS EN EL METABOLISMO

Si tiene hambre a menudo, especialmente a última hora de la noche, le alegrará saber que hay una razón fisiológica para ello. Durante el embarazo, el bebé extrae glucosa y otras sustancias nutricias de la corriente sanguínea de la madre tanto durante el día como por la noche. Así pues, entre comidas o por la noche, los niveles de azúcar en la sangre de la madre pueden bajar y esta sentirá hambre. Si descubre que siente constante ansiedad por comer, pruebe a hacerlo con frecuencia, tomando pequeños tentempiés saludables, en lugar de comidas más espaciadas y abundantes.

CAMBIOS EXTERNOS

Por supuesto, la mayoría de mujeres cuentan con tener una barriga esplendorosa y unos senos cada vez más prominentes cuando están embarazadas, pero quizá no sepan que la textura de la piel se altera y que los dientes, manos y pies también pueden sufrir algunos cambios.

Muchos de los cambios físicos que experimente durante el embarazo serán favorecedores: unas curvas más suaves, una tez sonrosada y un cabello brillante pueden hacer que se sienta más *sexy* que nunca. No obstante, prepárese también para algunos cambios que no son tan atractivos: los tobillos hinchados, las venas varicosas y la piel escamosa son corrientes durante el embarazo.

SENOS MÁS LLENOS

Uno de los cambios más tempranos y sorprendentes de su cuerpo será el de los senos. Desde el principio del embarazo, puede notar que están más llenos y sensibles. A partir de la semana 16, los pezones y las areolas —las zonas oscuras que los rodean— se oscurecerán. Los pezones se harán más prominentes y las pequeñas glándulas que hay en las areolas —conocidas como tubérculos de Montgomery— crecerán y se parecerán a la carne de gallina.

Estos cambios están causados por la gran cantidad de estrógeno y progesterona que el cuerpo produce durante el embarazo. Estas hormonas hacen que el sistema de conductos que hay en el interior de los senos aumente y se ramifique, preparándose para la producción de leche y el amamantamiento cuando nazca el bebé.

Conforme avanza el embarazo, las venas de los senos se harán más prominentes, estimulando el riego sanguíneo que estos reciben. De vez en cuando, puede que los pezones secreten un líquido claro o de color dorado conocido como calostro; es el líquido que su bebé ingerirá inicialmente antes de que usted empiece a producir la auténtica leche. Ahora es buen momento para informarse sobre el amamantamiento (véase p. 297). No se ha demostrado que el masaje y el condicionamiento antenatal de los pezones tengan ningún efecto sobre la capacidad de dar el pecho.

CRECIMIENTO DE LAS UÑAS Y EL PELO

Durante el embarazo, es probable que las uñas y el pelo se vuelvan más fuertes que antes y que crezcan a una velocidad sin precedentes. Esto se debe a la alteración del metabolismo y la circulación causada por las hormonas del embarazo. Para obtener información sobre el cuidado de las uñas, véase la página 134.

El embarazo también estimula el crecimiento del pelo, por lo que, generalmente, el cabello crece más rápidamente y luce más espeso. No obstante, a veces, sale vello en zonas donde antes no había. La mejor manera de eliminarlo es depilarse con pinzas o cera. Probablemente, es mejor evitar el uso de cremas depilatorias o la decoloración, ya que a veces la piel no reacciona a los productos químicos que contienen. No se recomienda la electrólisis ni el láser durante el embarazo, aunque no se hayan documentado riesgos.

Quizá se sorprenda al ver lo voluminosa que está hacia el final del embarazo.

Un aumento sano de peso

Empezar el embarazo con un peso equilibrado y aumentarlo a un ritmo moderado es lo ideal y le ayudará a mantenerse sana. El peso exacto que gane dependerá de varios factores, entre ellos si está embarazada solo de un niño o si espera gemelos o trillizos.

Antes de calcular su aumento de peso recomendado durante el embarazo (vea al lado), tiene que saber cuál es su índice de masa corporal (IMC).

Índice de masa corporal. Localice su peso antes de quedarse embarazada en la línea vertical del gráfico y su estatura en la línea horizontal. El punto de intersección de las dos líneas es el índice de su masa corporal (IMC).

La zona coloreada en crema indica los límites entre los que debería estar una mujer al empezar el embarazo.

- Si su IMC es de 19 o menor, pesa menos de lo debido.
- Si su IMC está entre 19 y 26, tiene un peso sano.
- Si su IMC está entre 27 y 36, tiene exceso de peso.
- Si su IMC está por encima de 30, está clínicamente obesa.

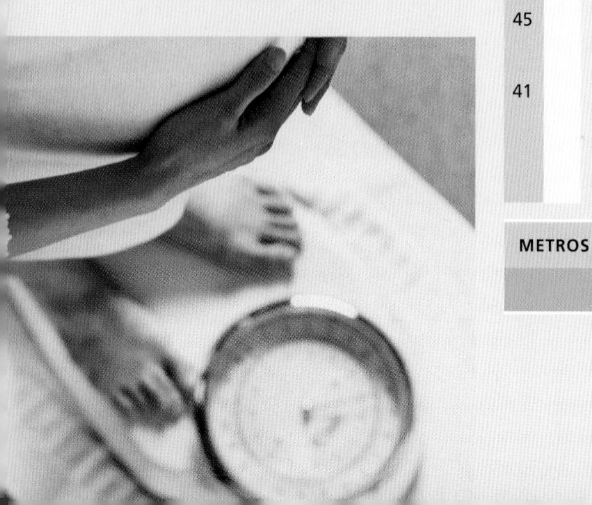

ÍNDICE DE MASA CORPORAL

kilos																	
92	39	38	37	36	36	35	34	33	32	31	31	30	29	29	28	27	27
	39	38	37	36	35	34	33	33	32	31	30	30	29	28	28	27	27
	39	38	37	36	35	34	33	32	32	31	30	29	29	28	27	27	26
89	38	37	36	35	34	34	33	32	31	30	30	29	28	28	27	27	26
	38	37	36	35	34	33	32	32	31	30	29	29	28	27	27	26	26
	37	36	35	34	34	33	32	31	30	30	29	28	28	27	27	26	25
86	37	36	35	34	33	32	32	31	30	29	29	28	27	27	26	26	25
	36	35	35	34	33	32	31	30	30	29	28	28	27	27	26	25	25
	36	35	34	33	32	32	31	30	29	29	28	27	27	26	26	25	25
83	35	35	34	33	32	31	30	30	29	28	28	27	26	26	25	25	24
	35	34	33	32	32	31	30	29	29	28	27	27	26	26	25	24	24
	35	34	33	32	31	30	30	29	28	28	27	26	26	25	25	24	24
79	35	33	32	32	31	30	29	29	28	27	27	26	26	25	24	24	23
	34	33	32	31	30	30	29	28	28	27	26	26	25	25	24	24	23
	34	32	32	31	30	29	29	28	27	27	26	25	25	24	24	23	23
76	33	32	31	30	30	29	28	28	27	26	26	25	25	24	23	23	22
	33	32	31	30	29	29	28	27	27	26	25	25	24	24	23	23	22
	32	31	30	30	29	28	28	27	26	26	25	24	24	23	23	22	22
73	32	31	30	29	29	28	27	26	26	25	25	24	24	23	23	22	22
	32	30	30	29	28	27	27	26	26	25	24	24	23	23	22	22	21
	31	30	29	28	28	27	26	26	25	25	24	23	23	22	22	21	21
70	31	30	29	28	27	27	26	25	25	24	24	23	23	22	22	21	21
	30	29	28	28	27	26	26	25	24	24	23	23	22	22	21	21	20
	30	29	28	27	27	26	26	25	24	24	23	22	22	21	21	21	20
67	29	28	28	27	26	26	25	24	24	23	23	22	22	21	21	20	20
	29	28	27	26	26	25	25	24	23	23	22	22	21	21	20	20	19
	29	27	27	26	25	25	24	24	23	22	22	21	21	21	20	20	19
64	28	27	26	26	25	24	24	23	23	22	22	21	21	20	20	19	19
	28	27	26	25	25	24	23	23	22	22	21	21	20	20	19	19	19
	27	26	25	25	24	24	23	22	22	21	21	20	20	20	19	19	18
60	27	26	25	24	24	23	23	22	22	21	21	20	20	19	19	18	18
	26	25	25	24	23	23	22	22	21	21	20	20	19	19	19	18	18
	26	25	24	24	23	22	22	21	21	20	20	19	19	19	18	18	17
57	26	24	24	23	23	22	22	21	21	20	20	19	19	18	18	18	17
	25	24	23	23	22	22	21	21	20	20	19	19	18	18	18	17	17
	25	24	23	22	22	21	21	20	20	19	19	18	18	18	17	17	17
54	24	23	23	22	21	21	20	20	19	19	19	18	18	17	17	17	16
	24	23	22	22	21	21	20	20	19	19	18	18	17	17	17	16	16
	23	22	22	21	21	20	20	19	19	18	18	18	17	17	16	16	16
51	23	22	21	21	20	20	19	19	18	18	18	17	17	16	16	16	15
	23	22	21	20	20	19	19	19	18	18	17	17	16	16	16	15	15
	22	21	21	20	20	19	19	18	18	17	17	17	16	16	15	15	15
48	22	21	20	20	19	19	18	18	17	17	17	16	16	15	15	15	14
	21	20	20	19	19	18	18	17	17	17	16	16	15	15	15	14	14
	20	20	19	19	18	18	17	17	17	16	16	16	15	15	15	14	14
45	20	19	19	18	18	18	17	17	16	16	16	15	15	15	14	14	14
	19	19	18	18	18	17	17	16	16	16	15	15	15	14	14	14	13
	19	19	18	18	17	17	16	16	16	15	15	15	14	14	14	13	13
41	19	18	18	17	17	16	16	16	15	15	15	14	14	14	13	13	13
	18	18	17	17	16	16	16	15	15	15	14	14	14	13	13	13	12
	18	17	17	16	16	16	15	15	15	14	14	14	13	13	13	12	12
	17	17	16	16	16	15	15	15	14	14	14	13	13	13	12	12	12
METROS	1.52		1.56		1.6		1.64		1.68		1.72		1.76		1.80		1.84

ÍNDICE DE MASA CORPORAL	AUMENTO TOTAL DE PESO RECOMENDADO
Menos de 19 (peso de menos)	12,5 / 18 kg
Entre 19 y 26 (peso normal)	11,5 / 16 kg
Entre 27 y 30 (sobrepeso)	7 / 11,5 kg
30 o más (obesidad)	7 kg o menos

Estas cifras se refieren al aumento total de peso durante todo el embarazo, así que no sabrá si ha alcanzado su meta hasta el momento del parto. Estas recomendaciones son para las mujeres que solo esperan un bebé. Si espera mellizos o trillizos puede aumentar mucho más de peso. Es probable un aumento total medio de 15,5 a 20,5 kg para los mellizos y de 20,5 a 23 kg para los trillizos dependiendo de la duración del embarazo.

Su aumento de peso. El gráfico que hay arriba recoge el aumento de peso recomendado para su índice de masa corporal. Recuerde, sin embargo, que las cifras se refieren a un embarazo simple, es decir, de un solo feto. El ritmo de su aumento de peso puede variar de una semana a otra. Por desgracia, no se sabe mucho sobre cuál es el mejor momento para aumentar peso durante el embarazo. Ciertas investigaciones señalan que ganar muy poco peso al principio —cuando quizá sienta los mareos matutinos— tiene menos efecto en el crecimiento del feto que si eso sucede más tarde, en el segundo o tercer trimestre. Algunas mujeres aumentan de peso de forma irregular, acumulando kilos al principio y mucho menos más tarde. No hay nada necesariamente poco sano en esta pauta.

Recuerde, también, que estos aumentos de peso son solo una orientación; tanto las mujeres que engordan muy poco como las que ganan más peso del promedio pueden tener bebés sanos. No obstante, si está por debajo o muy por encima del peso deseado, quizá le recomienden que vaya a ver a un experto en nutrición o dietética para que le aconseje qué y cuánto debe comer. Véase el capítulo 4 para saber más sobre una alimentación sana durante el embarazo.

Es importante no obsesionarse respecto a su peso. En Gran Bretaña, por ejemplo, los médicos han dejado de pesar a las mujeres en todas las consultas, porque es más eficaz comprobar el crecimiento del bebé midiendo la altura del útero (véase p. 91) o, si hay motivos de preocupación, estableciendo una serie de controles por ultrasonidos (véase p. 92).

A QUÉ CORRESPONDE EL AUMENTO DE PESO EN EL EMBARAZO

- BEBÉ 39 %
- SANGRE 22 %
- LÍQUIDO AMNIÓTICO 11 %
- ÚTERO 11 %
- PLACENTA 9 %
- PECHOS 8 %

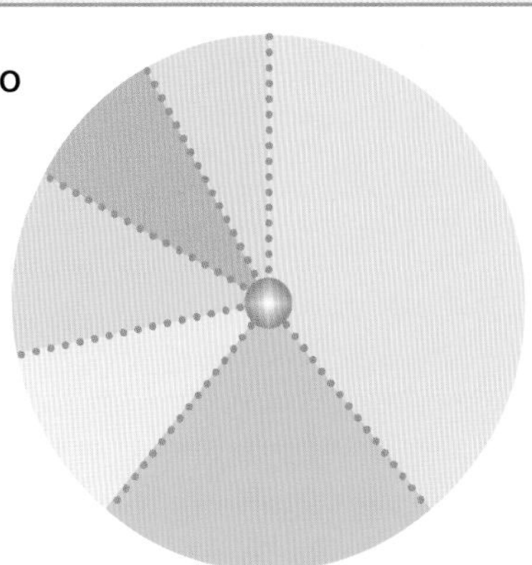

CAMBIOS EN LA PIEL

En conjunto, su piel puede volverse más suave, debido a su mayor capacidad para retener la humedad, y mostrará la «luminosidad» del embarazo, debida en parte a un aumento en los niveles hormonales. No obstante, también puede observar otros cambios. La mayoría desaparecerán tras el parto, al cabo de unos meses, pero algunos se mantendrán de forma permanente.

Línea nigra

Puede observar una línea oscura que va desde el hueso púbico hasta el ombligo. Se denomina la línea nigra, y suele ser más destacada en mujeres de piel oscura.

Cloasma

También la piel alrededor de las mejillas, la nariz y los ojos puede oscurecerse. A esto se le llama cloasma o «máscara del embarazo» y tiene un aspecto oscuro en las mujeres de piel clara y claro en las de piel oscura. El cloasma se debe a la influencia de las hormonas en las células pigmentarias de la piel. La exposición al sol puede intensificar esas decoloraciones.

Angiomas de patas de araña

Son unos puntos diminutos de color rojo, denominados angiomas o nevi de patas de araña, que pueden aparecer de repente en cualquier parte del cuerpo. Estos puntos, que se vuelven blancos cuando los apriete, son concentraciones de vasos sanguíneos causadas por el alto nivel de estrógenos de su cuerpo.

Acné

Algunas mujeres que padecen de acné advierten que su piel mejora durante el embarazo y otras, al contrario, que empeora. A las que no tienen acné normalmente puede aparecerles o salirles granos. Para controlar los granos puede resultar útil reducir las grasas de su dieta y hacer ejercicio de forma regular. Consulte siempre con su médico antes de tomar cualquier medicación contra el acné, ya que puede contener sustancias que afecten al bebé. Tanto el acné como los granos suelen desaparecer durante el segundo trimestre del embarazo.

Picazón en pies y manos

En ocasiones, las palmas de las manos y las plantas de los pies se vuelven rojas y pican. Conocido como eritema palmar, este fenómeno está causado por el aumento de los niveles de estrógeno. Si siente una picazón insoportable, acuda a su médico ya que podría ser un síntoma de colestasis (véase p. 255).

Excrecencias de la piel

También es corriente que aparezcan diminutas aletas de piel en zonas de mucha fricción, aunque no se sabe con precisión qué las provoca. No es buena idea correr al dermatólogo para que las extirpe.

MÁS **SOBRE** las estrías

Las estrías se producen cuando las fibras de colágeno, la proteína de la piel, se rompen debido al rápido estiramiento de esta o a los cambios hormonales que las alteran. Afectan a tres de cada cinco mujeres y se localizan preferentemente en el vientre, junto a los senos y en los muslos. Aparecen en forma de líneas violáceas que se vuelven nacaradas unos meses después del parto. Es más probable que le salgan estrías si le salieron a su madre, si está esperando más de un bebé y si ha cogido mucho peso en poco tiempo. La forma de prevenir que aparezcan es no aumentar mucho de peso demasiado rápido y mantenerse bien hidratada. Se ha demostrado científicamente que dos tipos de crema reducen su aparición. Una es el Trofolastín, que contiene extracto de Centella asiática, alfa tocoferol e hidrolizados de colágeno-elastina; mientras que la otra contiene tocoferol, pantenol, ácido hialurónico, elastina y mentol.

CÓMO HACER FRENTE A LAS MOLESTIAS MÁS CORRIENTES

MOLESTIA	QUÉ PUEDE HACER

Vómitos matutinos

Las náuseas y los vómitos pueden aparecer en cualquier momento del día, así que la expresión «mareo matutino» no es del todo acertada. Alrededor de un 75 % de mujeres lo sufre desde la semana 5 o 6. Suele desaparecer, o aliviarse, hacia el final del primer trimestre. Nadie sabe exactamente cuál es su causa, pero la mayoría de expertos creen que las náuseas están relacionadas con la GCh (véase p. 60).

Aunque las náuseas no conduzcan al vómito, pueden ser desagradables en extremo y muy debilitadoras. Si los vómitos son exagerados —si pierde peso, se sigue sintiendo mareada o débil— hable con su médico, que le hará una prueba para descartar la *hyperemesis gravidarum* (véase p. 256).

Sobre todo, no aumente el problema preocupándose; los vómitos no son peligrosos ni para usted ni para el bebé. El aumento de peso óptimo dentro de los tres primeros meses es de solo dos kilos. Probablemente, tampoco la pérdida de peso sea un gran problema al principio del embarazo; a muchas mujeres les pasa.

- Vómitos matutinos
- Coma poco y con frecuencia para evitar tener el estómago vacío.
- No se preocupe en exceso de seguir una dieta equilibrada durante este corto período; coma lo que pueda.
- Si las náuseas empeoran al lavarse los dientes, cambiar de marca de dentrífico puede ser de ayuda.
- Si las náuseas empeoran por la acumulación de saliva en la boca, chupe caramelos de limón.
- La infusión, tabletas o galletas de jengibre, ayuda a algunas mujeres.
- Pruebe a comer tostadas, patatas y otros hidratos de carbono blandos y son fáciles de digerir.
- Tenga unas galletas en la mesilla de noche; tomarlas antes de levantarse le puede aliviar las náuseas.
- Pruebe con muñequeras de acupresión, que se venden en farmacias y tiendas de productos de régimen.

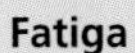

Fatiga

Muchas mujeres se asombran de lo agotadas que se sienten durante el primer trimestre, pero eso es algo totalmente normal. La fatiga puede ser un efecto secundario de todos los cambios físicos que se están produciendo, entre ellos el espectacular aumento de los niveles hormonales. Es probable que vea cómo el agotamiento desaparece hacia las semanas 12 a 14. Conforme se reduzca la fatiga, empezará a sentirse con más energía y casi normal hasta las semanas 30 a 34, cuando puede que se sienta cansada de nuevo. En ese momento, parte de la fatiga se debe el peso extra que acarrea. Procure descansar todo lo que pueda y hágase a la idea de que es natural reducir la actividad física y dormir más en este período. Con frecuencia, las mujeres se sienten más cansadas durante su segundo o tercer embarazo que en el primero, porque tienen que cuidar de sus otros hijos.

- Trate de ser realista sobre lo que puede hacer y no se sienta culpable por lo que no consiga hacer. Nadie espera que sea una supermujer. Descanse todo lo que pueda, sentándose con los pies en alto y acostándose más temprano.
- Siempre que sea posible, deje que otras personas la ayuden en las tareas domésticas y en otras responsabilidades. Esto es especialmente importante si ya tiene hijos y no puede descansar cuanto querría.
- No deje de alimentarse equilibradamente (véase p. 97) y evite la cafeína y los dulces, que le harán sentirse momentáneamente con más energía y luego, cuando el nivel de azúcar en la sangre disminuya, la dejarán mucho más fatigada que antes.
- Haga ejercicios suaves cada día.

MOLESTIA / **QUÉ PUEDE HACER**

Incontinencia de orina

Durante los últimos meses del embarazo, a algunas mujeres se les escapa algo de orina cuando tosen, estornudan o ríen. Se denomina incontinencia debida a la presión. Esta es perfectamente normal (es el resultado de la presión que el útero ejerce sobre la vejiga).

- Practique los ejercicios de Kegel (véase p. 122) de forma regular para reforzar tanto los músculos pélvicos como el esfínter urinario.
- Como la pérdida de orina puede ser síntoma de una infección en el tracto urinario (véase p. 259), dígaselo a su médico,
- Una continua pérdida de líquido puede ser también señal de rotura de las membranas (véase p. 212). Su médico determinará si ese es el caso.

Mareos y desmayos

Sentirse mareada es común durante el embarazo. En las primeras etapas puede ocurrirle porque el flujo sanguíneo se esfuerza por ponerse al nivel del aumento de circulación. Más tarde, puede ser debido a la presión del útero sobre los grandes vasos sanguíneos. Los mareos también pueden producirse si sus niveles de azúcar o su tensión arterial son bajos, o si se pone de pie demasiado deprisa o se acalora.

Desmayarse durante el embarazo es raro, pero si llega a sucederle es debido a ujna reducción temporal del riego sanguíneo al cerebro. El desmayo no dañará al bebé. Informe a su médico inmediatamente, ya que puede ser un síntoma de anemia grave (véase p. 252).

- Cuando esté sentada o acostada, levántese despacio para que la sangre tenga tiempo de llegar al cerebro.
- Cuando esté acostada, hágalo sobre el costado siempre que sea posible. No se tumbe de espaldas.
- Tome mucho líquido —el mareo puede ser un síntoma de deshidratación— y no evite la sal.
- Tome carbohidratos complejos —pan, pasta, arroz, cereales y legumbres— en cada comida o pruebe a tomar comidas más ligeras y frecuentes para mantener su nivel de azúcar en la sangre.
- Lleve pasas, una fruta o unas galletas en el bolso para subir rápidamente el nivel de azúcar en la sangre cuando esté fuera de casa.
- Si tiene demasiado calor, tome el aire y aflójese la ropa, especialmente en el cuello y la cintura.
- Si se siente mareada, procure estimular la circulación al cerebro sentándose con la cabeza entre las rodillas o tumbándose con los pies más altos que la cabeza.

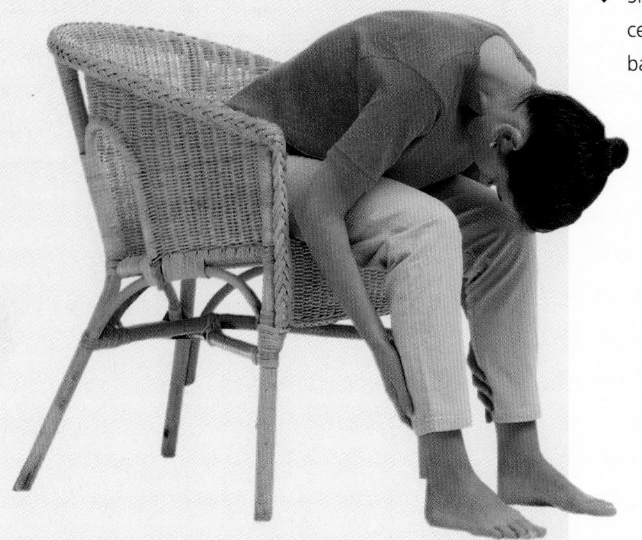

MOLESTIA	QUÉ PUEDE HACER
Hemorroides (almorranas)	
En esencia son venas varicosas del canal anal y se deben a la presión del útero sobre los vasos sanguíneos, que hace que las venas aumenten de tamaño y se hinchen. La progesterona relaja las venas, con lo cual aumenta la hinchazón. Aunque consiga evitar las hemorroides durante el embarazo, es posible que aparezcan durante el parto. A veces las hemorroides sangran. Aunque esto no encierra peligro, si le sucede con frecuencia hable con el médico, quien quizá la envíe a un especialista en enfermedades del colon y el recto. Si sus hemorroides llegan a ser muy dolorosas, quizá necesite un tratamiento específico.	◆ Evite el estreñimiento (véase p. 72). Los esfuerzos hechos al ir al lavabo aumentan la presión realizada sobre los vasos sanguíneos. ◆ Haga ejercicio cada día. Le ayudará a regularizarse. ◆ Tome baños de asiento dos o tres veces al día para aliviar los espasmos musculares que suelen causar dolor.hamamelis o de otro tipo. ◆ Aplíquese compresas empapadas en una solución de hamamelis o de otro tipo. ◆ Hable con el médico sobre su medicación. ◆ Elimine la presión sobre la zona; duerma sobre el costado y evite estar de pie muchas horas. ◆ Haga los ejercicios de Kegel (véase p. 122) de forma regular; le ayudarán a mejorar la circulación en esa zona.
Dolor en los ligamentos redondos	
Entre las semanas 18 y 24 puede sentir un dolor, agudo o sordo, en ambos lados de la parte inferior del abdomen o cerca de la ingle. Suele ser más intenso cuando se mueve con rapidez o está de pie y puede desaparecer si se tumba. Este dolor se denomina dolor de los ligamentos redondos, que son tiras de tejido fibroso situadas a cada lado del útero, que unen la parte superior de este con los labios vulvares. Cuando el útero aumenta de tamaño en el segundo trimestre, el estiramiento de esos ligamentos puede provocar incomodidad. Aunque puede ser muy molesto, es totalmente normal. La parte positiva es que suele desaparecer o por lo menos disminuir de forma considerable después de las 24 semanas.	◆ Tómese un descanso mientras camine o esté de pie y ponga los pies en alto cuando esté sentada. ◆ En los controles prenatales informe siempre a su médico de cualquier dolor abdominal, para estar tranquila de que todo marcha bien. 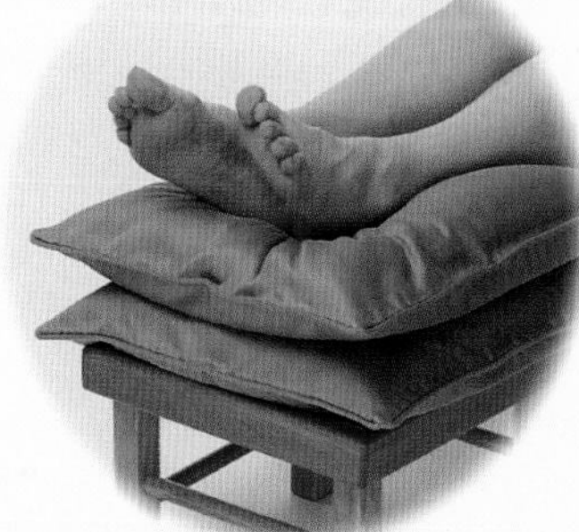
Salivación excesiva	
Una producción excesiva de saliva, denominada a veces ptialismo, puede ser un problema, pero solo en la primera mitad del embarazo. Sus síntomas son: doble producción de saliva, con un sabor amargo, espesor de la lengua e hinchazón de las mejillas, provocados por unas glándulas salivales mayores. El ptialismo parece ser común en las mujeres que tienen mareos matutinos y puede agravar las náuseas.	◆ Reduzca el consumo de almidón y productos lácteos, pero no deje de seguir una dieta equilibrada (véase p. 97). ◆ Coma fruta, ya que puede aliviarle las molestias. ◆ Los caramelos y los chicles de menta, las comidas ligeras y frecuentesm y las galletas pueden ayudarle a reducir la cantidad de saliva producida. ◆ Pruebe a cepillarse los dientes con una pasta mentolada o a aclararse la boca con un líquido mentolado para refrescarla. ◆ Chupe un trozo de limón o unos caramelos de limón.

MOLESTIA / QUÉ PUEDE HACER

Hemorragia y congestión nasales

Los elevados niveles de estrógeno y progesterona incrementan el riego sanguíneo en todo el cuerpo, haciendo que el revestimiento de las fosas nasales se hinche. Esto puede provocar la congestión y una excesiva producción de mucosidad. Este aumento del flujo sanguíneo también presiona las delicadas venas nasales, por lo que será más propensa a las hemorragias en esa zona. Es probable que la congestión nasal empeore momentáneamente antes de mejorar después del parto.

- Tome más líquidos.
- Humidifique su casa, en especial en su dormitorio y por la noche.
- Al dormir, mantenga la cabeza alta.
- Si la congestión es grave, pruebe a respirar el vapor de un cazo con agua hirviendo o use un spray nasal salino. No use medicamentos ni sprays nasales medicinales a menos que se los haya recetado el médico.
- Suénese con cuidado para evitar la hemorragia.
- Tome alimentos ricos en vitamina C, ya que le ayudarán a reforzar los capilares.

Aires e hinchazón

Los eruptos y las ventosidades en momentos inoportunos pueden ser muy embarazosos, pero son molestias inevitables en su estado. Incluso antes del final del primer trimestre, puede notar que el vientre parece hinchado y distendido, un efecto secundario inoportuno de la progesterona, que le hace retener agua. Esta hormona hace que el funcionamiento de los intestinos sea más lento y que estos se agranden, motivo por el cual tiene la sensación de que el vientre ha aumentado de tamaño.

- Es muy poco lo que puede hacer para impedir los eruptos y las ventosidades, pero procure evitar el estreñimento (véase p. 72), porque puede empeorar las cosas.
- Evite tomar comidas muy abundantes, que la harán sentir hinchada e incómoda, o alimentos que sabe que empeoran el problema. Esos alimentos varían de una persona a otra, pero entre los que causan molestias más corrientemente están las cebollas, la col, los fritos, las salsas cremosas y las alubias.
- No coma apresuradamente. Al hacerlo puede tragar aire, el cual formará dolorosas bolsas en sus intestinos.

Acidez

La sensación de ardor en la parte superior del abdomen, cerca del esternón, es muy corriente en la segunda mitad del embarazo. Se debe a que los ácidos producidos en el estómago son empujados a la parte inferior del esófago (el tubo que conecta la boca con el estómago).

La acidez es más intensa durante el embarazo por dos razones. El alto nivel de progesterona que produce el cuerpo puede hacer que la digestión sea más lenta y relajar el músculo del esfínter entre el esófago y el estómago, lo que normalmente impide el movimiento hacia arriba de los ácidos del estómago.

- Tome comidas ligeras y frecuentes.
- Tome un antiácido después de las comidas y antes de acostarse por la noche. No olvide comprobar que no esté contraindicado durante el embarazo.
- Mastique galletas cuando sienta acidez. Quizá neutralicen la flatulencia.
- Evite los alimentos grasos y especiados.
- Evite comer antes de acostarse; la acidez se produce con más facilidad en esa posición.
- Pruebe a dormir con la cabeza apoyada en varias almohadas.
- Si la acidez se vuelve insoportable, hable con su médico sobre medicamentos cuya inocuidad durante el embarazo esté demostrada.

MOLESTIA	QUÉ PUEDE HACER

Falta de aliento

Dos tercios de las mujeres embarazadas sienten, a veces, falta de aliento. Está causada por el aumento en la producción de progesterona, que acelera el ritmo respiratorio y, en el último trimestre, por el útero que crece y presiona el diafragma y los pulmones. La respiración mejorará cuando el bebé descienda a la pelvis en las semanas finales.

- Relájese y trate de evitar las tensiones. Procure no dejarse dominar por el pánico si se queda sin aliento; puede empeorar.
- No se encorve. Manténgase erguida y deje mucho espacio para que el pecho se ensanche.
- Si la respiración es sibilante, le duele el pecho o los labios y las puntas de los dedos se vuelven azules, avise urgentemente al médico.

Insomnio

Muchas mujeres se quejan de que duermen mal durante los últimos meses del embarazo. Esto puede ser debido, en parte, al nerviosismo normal porque se acerca la hora del parto, pero también por las molestias físicas que se producen hacia el final del embarazo como la acidez, las indigestiones y la frecuente necesidad de orinar. A medida que el útero crece, encontrar una posición cómoda para dormir puede resultar, a veces, todo un problema.

- Compre varias almohadas. Tal vez le sea más fácil encontrar una posición cómoda para dormir colocando una bajo la barriga, bajo las piernas o entre ellas.
- Duerma sobre el costado izquierdo. Evitará que el peso del bebé comprima la vena cava inferior —el vaso sanguíneo que transporta sangre de regreso al corazón desde los pies y las piernas—, mejorará su circulación y la función de sus órganos. Dormir boca arriba durante las últimas semanas de embarazo podría ocasionar palpitaciones y otros problemas.
- Tome leche caliente. Al calentarla, la leche libera triptofán, un aminoácido natural que le producirá somnolencia.
- No coma mucho antes de irse a la cama; cene más temprano y tómese solo un tentempié antes de ir a dormir.
- Procure que el dormitorio esté bien ventilado. Abra la ventana para no dormir en un ambiente cargado.
- Trate de hacer ejercicio de forma regular.

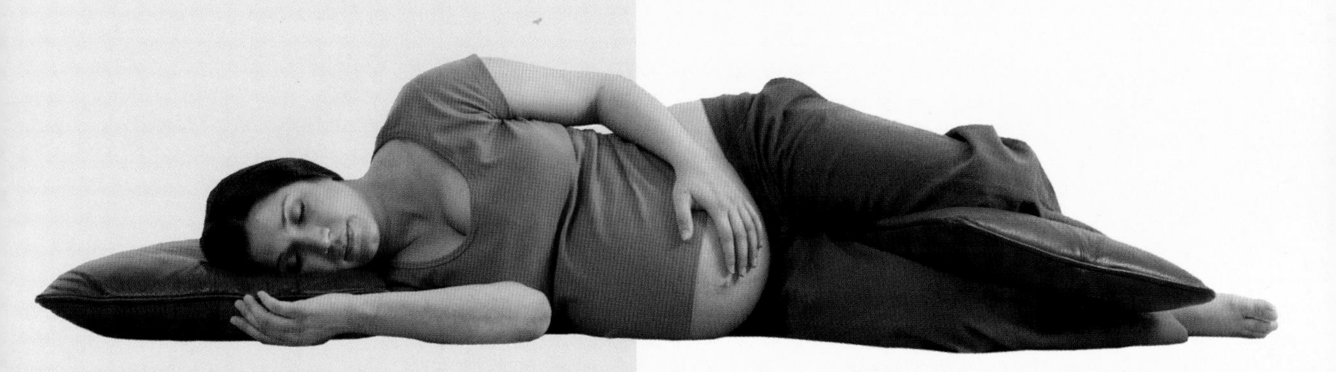

MOLESTIA	QUÉ PUEDE HACER

Dolor de espalda

Entre la mitad y las tres cuartas partes de las mujeres embarazadas sufren dolor de espalda en algún momento. Por fortuna, solo un tercio se verán afectadas de forma importante por el dolor. Hay dos razones principales para las molestias de espalda durante el embarazo. Al prepararse para el parto, las hormonas hacen que sus articulaciones estén más relajadas que de costumbre, y esto, unido al aumento de volumen de la barriga, desequilibra el cuerpo.

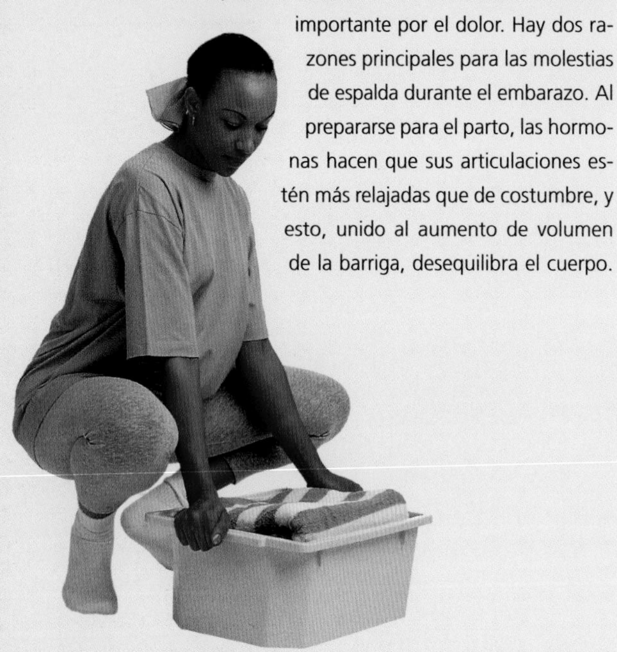

- Cuando esté de pie, adapte la postura para compensar el desplazamiento de su centro de gravedad (véase p. 116).
- Siéntese en sillas con un buen apoyo para la espalda y asegúrese de que tiene las rodillas más altas que las caderas.
- Duerma sobre el costado, en un colchón duro. Póngase una almohada entre las piernas y debajo de la barriga para apoyar la espalda (véase p. 71).
- Levante las cosas de forma adecuada, para no forzar la espalda: coloque los pies bien separados, a la misma distancia que los hombros. No se doble por la cintura; doble las rodillas. Cuando levante algo, impúlsese hacia arriba con los muslos y mantenga la espalda recta.
- Cuando lleve bolsas, asegúrese de que el peso está distribuido equitativamente; si lleva la compra en las manos, reparta el peso en dos bolsas y lleve una en cada mano. Si lleva una pequeña mochila con correas, cuélguesela de los dos hombros.
- Calce zapatos de tacón bajo.
- Aplíquese una compresa caliente en las zonas dolorosas. El masaje también puede ser muy eficaz.

Estreñimiento

Unas defecaciones duras y difíciles de expulsar pueden ser debidas a los altos niveles de progesterona que relajan la musculatura intestinal y hacen que los desechos pasen por su sistema más lentamente. Al mismo tiempo, el útero, que va creciendo, presiona el intestino. Los suplementos de hierro pueden empeorar el problema.

- Coma muchos alimentos con gran cantidad de fibra, como cereales integrales, fruta y verduras. A algunas mujeres les ayuda comer maíz, pero decídase por tomarlo natural, sin mantequilla, aceite ni sal. Un exceso de alimentos ricos en fibra puede causar molestias, hinchazón o aires, así que tendrá que probar qué alimentos tolera mejor.
- Beba mucho líquido: el zumo de fruta aguado, la leche y el agua son buenos.
- Coma ciruelas o beba un vaso de zumo de ciruela cada día.
- Si es necesario, tome un producto para ablandar las heces. Pruebe con Fybogel u otros productos que contengan llantén. Pueden comprarse sin receta. Tómelos de forma regular, una o dos veces al día. Es mejor evitar los laxantes, ya que pueden provocar calambres abdominales y, a veces, contracciones uterinas.
- Haga ejercicio de forma regular. Estimulará los intestinos para que aumenten su actividad y promoverá las evacuaciones diarias.

MOLESTIA	QUÉ PUEDE HACER

Retención de líquidos e hinchazón

Molestia

Su cuerpo se hincha debido a la acumulación de líquidos en los tejidos. Esta hinchazón está relacionada con el aumento normal de los líquidos corporales durante el embarazo y tres de cada cuatro mujeres sufrirán edemas en algún momento. Por lo general, esta hinchazón aparece en pies y tobillos, manos y dedos. Es más intensa al final del día o después de haber permanecido mucho tiempo de pie o sentada y cuando hace calor. La hinchazón puede ser un síntoma de preeclampsia, por lo tanto debe decírselo al médico.

Qué puede hacer

- No permanezca de pie durante períodos prolongados.
- Descanse de vez en cuando y siéntese con las piernas elevadas.
- Si se le hinchan las manos, manténgalas en posición elevada por encima del corazón en lugar de dejar las caídas a los lados.
- Evite llevar ropa o zapatos apretados.
- Lleve medias elásticas o hable con su médico sobre las medias elásticas especiales, que se venden con receta.
- Beba mucho para ayudar a expulsar el líquido sobrante.
- No limite su ingesta de sal a menos que tenga la presión alta (véase p. 265).

Venas varicosas

Molestia

Con frecuencia aparecen unas venas hinchadas debajo de la piel de las piernas y, a veces, en la vulva y en forma de hemorroides alrededor del ano. Se producen cuando el útero presiona las venas pelvianas, aumentando la presión sobre las piernas y provocando el retroceso sanguíneo. La sangre se acumula en las venas de las piernas haciendo que se distiendan. Es más probable que tenga venas varicosas si es habitual en su familia, si tiene sobrepeso o si está de pie o sentada durante largos períodos de tiempo. Por lo general, no son dolorosas, pero hay veces que producen dolor, punzadas o molestias. Las venas varicosas suelen desaparecer después del parto, pero no siempre por completo.

Qué puede hacer

- Evite estar de pie durante largos períodos de tiempo.
- Procure tomarse ratos de reposo a lo largo del día para poder descansar los pies.
- Siéntese con las piernas en alto tanto como pueda.
- Si tiene que permanecer sentada durante mucho tiempo, mueva las piernas de vez en cuando para estimular la circulación. Flexione los pies arriba y abajo para evitar que la sangre se estanque.
- Lleve medias elásticas o hable con su médico sobre medias elásticas especiales, que se venden con receta.
- Evite llevar medias o calcetines con la parte superior elástica que aprieta una parte de la pierna.

Calambres en las piernas

Molestia

Con frecuencia son peores después de acostarse y se producen más a menudo y son más dolorosos conforme avanza el embarazo. Nadie sabe con exactitud cuál es su causa. Según una teoría, están asociados a unos niveles bajos de magnesio o calcio. También se cree que la fatiga y la acumulación de líquido en las piernas al final del día son factores que contribuyen a esa molestia. Algunos médicos opinan que los calambres en las piernas pueden estar relacionados con una disminución de la circulación, que empeora al estar sentada.

Qué puede hacer

- Andar con los pies descalzos le puede aliviar el dolor del calambre.
- Estirar y flexionar las piernas y pies ayuda a disminuir el dolor (véase p. 118), como también dar masaje en las piernas.

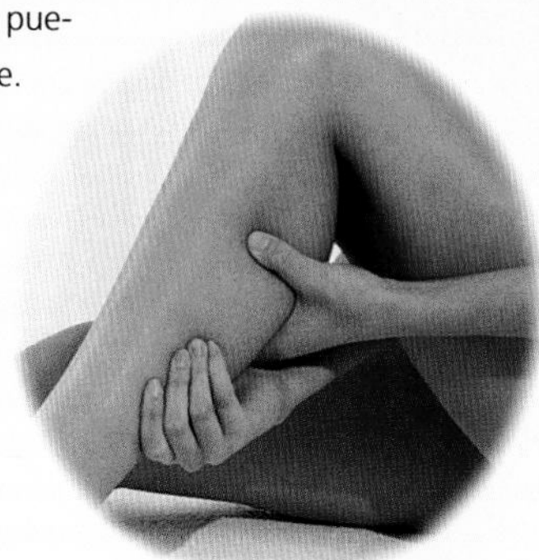

Terapias complementarias

Muchas mujeres usan medicinas complementarias para fomentar la relajación y ayudar a superar las molestias del embarazo. Aunque, en general, estas medicinas no ofrecen peligro, debe consultar siempre con un médico cualificado antes de embarcarse en cualquier tratamiento.

Remedios herbales

Una buena alternativa a la cafeína durante el embarazo son las infusiones de esencia de fruta o de menta y un trozo de jengibre en una taza de agua caliente puede aliviar los mareos matutinos. No obstante, es necesario tener cuidado con las infusiones y los remedios elaborados con hierbas, ya que pueden ser muy potentes y, en algunos casos, tóxicos. Siempre debe consultar a su médico antes de tomar cualquier remedio y pedir a un experto que le recomiende una marca, ya que la calidad de las plantas puede variar.

Reflexología

Esta terapia se basa en la premisa de que hay puntos en los pies y en las manos que se corresponden con otras partes del cuerpo. Puede ayudar a aliviar una serie de molestias del embarazo, entre ellas el dolor de espalda y los problemas circulatorios. La reflexología también se ha empleado para disminuir el dolor de las contracciones. No obstante, deben evitarse las presiones fuertes cerca de los tobillos, que corresponden al útero y los ovarios, ya que pueden provocar un parto prematuro. Algunos reflexólogos recomiendan no aplicar esta terapia durante el primer trimestre si la mujer tiene un historial de abortos espontáneos.

Aromaterapia

La aromaterapia consiste en dar masajes de aceites esenciales derivados de plantas. Dichos aceites pueden ser muy eficaces para combatir el estrés y favorecer la relajación. No obstante, hay una serie de aceites que pueden ser perjudiciales, hasta el punto de que algunos expertos previenen contra el uso de todos ellos durante el embarazo. Lo más seguro es consultar con un terapeuta cualificado y especializado en aromaterapia.

Acupuntura

Esta antigua práctica oriental suele ser totalmente segura durante el embarazo, siempre que el tratamiento sea aplicado por un acupunturista cualificado. Puede ser especialmente útil para aliviar algunas molestias típicas de su estado, como los vómitos matutinos o los dolores de la parte inferior de la espalda. No obstante, deben tomarse algunas precauciones especiales porque ciertos puntos de acupuntura pueden estimular las contracciones uterinas.

Homeopatía

Esta terapia puede ser eficaz para combatir problemas menores del embarazo, como la acidez, las náuseas y los vómitos. Además, algunas mujeres la encuentran útil durante el parto. Es poco probable que los remedios homeopáticos causen efectos secundarios en la madre o en el bebé, ya que solo se usa una cantidad muy pequeña del ingrediente activo, en una fórmula especialmente preparada. No obstante, durante el embarazo siempre hay que consultar con un homeópata profesional, ya que asignar el remedio adecuado puede resultar bastante difícil.

¿SERÁ PERJUDICIAL PARA MI BEBÉ?

Ahora que está usted embarazada, es probable que necesite cuidarse más para proteger y nutrir a la criatura que lleva dentro. Seguramente, con solo unos cambios menores podrá seguir llevando la misma vida de siempre.

Cuando están embarazadas, muchas mujeres son más conscientes de cómo afecta a su cuerpo su modo de vida. Las cosas que aparecen en los medios de comunicación o nos cuentan los amigos y la familia pueden hacer que parezca que nos acechan peligros para la salud por todas partes. No obstante, solo hay unos pocos aspectos en los que es necesario hacer cambios. Uno de los más vitales es tener cuidado con lo que entra en su cuerpo aparte de la comida y la bebida (véase p. 110). Esto significa pensar en la cantidad de cigarrillos que fuma y en otras drogas y fármacos que quizá ingiera. Puesto que ciertas adicciones pueden afectar al bebé, es necesario ser consciente de sus efectos.

DROGAS

Todas las drogas que se toman por placer, tanto si son legales como ilegales, tienen el potencial de afectar y posiblemente perjudicar al feto. El alcohol es una de las principales preocupaciones de las mujeres embarazadas y muchos expertos están de acuerdo en que el mejor consejo es que se evite su consumo durante el embarazo. Si bebe, limítese a una o dos bebidas alcohólicas a la semana, como máximo (véase p. 111). No hay pruebas de que la cafeína produzca defectos congénitos, aunque puede ser causa de aborto y de que el bebé nazca con poco peso. Tomar una o dos tazas de café o de té no hará ningún daño a su bebé. No obstante, una gran cantidad de cafeína puede reducir la cantidad de hierro y otros nutrientes absorbidos, y sí que puede afectarlo (véase p. 112). Otras drogas, y el tabaco en particular, son más peligrosas.

Tabaco

Si fuma, tiene que tener en cuenta que corre el riesgo de contraer cáncer de pulmón, enfisema o una enfermedad coronaria. Además, fumar cuando está embarazada significa que está sometiendo al feto a unos riesgos muy graves para su salud.

Si fuma durante el embarazo, la nicotina del cigarrillo disminuirá el flujo sanguíneo que aporta al bebé y el monóxido de carbono reducirá la cantidad de oxígeno que contiene esa sangre. Como resultado, las mujeres que fuman durante el embarazo tienen más probabilidades de dar a luz un niño de menor peso. Los bebés que pesan menos de 2,5 kilos al nacer tienen un riesgo veinte veces mayor de morir durante el primer año de vida que los que nacen con un peso normal. También son más susceptibles de sufrir problemas de desarrollo. Se da por sentado que los bebés de madres fumadoras pesarán un promedio de 0,25 kilos menos que los de madres no fumadoras; la diferencia exacta depende de cuánto fume la madre.

Fumar durante el embarazo también está asociado a un mayor riesgo de complicaciones en el propio embarazo, como el aborto, el parto prematuro, la placenta previa, la *abruptio placentae* (separación prematura del útero) y la rotura prematura de las membranas. Las investigaciones señalan que fumar durante el embarazo puede guardar relación con el síndrome de la muerte súbita del recién nacido (SMSRN).

Los padres que fuman también afectan a la salud de sus bebés, antes y después de su nacimiento. El tabaco aumenta el riesgo de que padezcan problemas respiratorios y de SMSRN.

Dejar de fumar puede resultar muy difícil, pero es lo mejor que puede hacer por su bebé. Si lo deja durante el primer trimestre, el riesgo del bajo peso se equipara al de las no fumadoras. Si no puede dejar el tabaco por completo, reducir el número de cigarrillos es beneficioso para el bebé. Los sustitutivos de la nicotina y la medicación antitabaco no son adecuados durante el embarazo.

Drogas ilegales

Debe evitar tomar cualquier tipo de droga ilegal durante el embarazo. Numerosos estudios han demostrado que corre mayor riesgo de dar a luz un bebé prematuro o de poco peso. Además, algunas drogas causan problemas del desarrollo y la conducta.

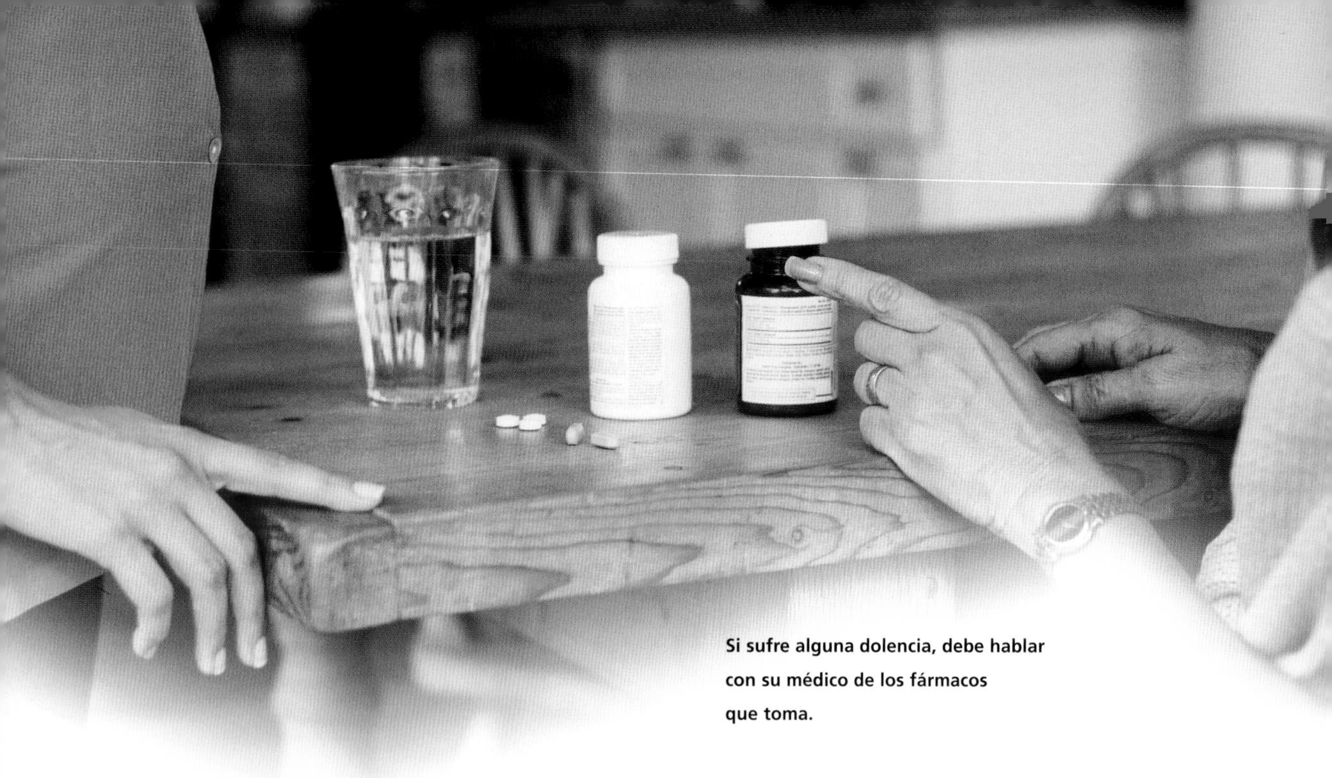

Si sufre alguna dolencia, debe hablar con su médico de los fármacos que toma.

- *Marihuana.* Los datos sobre la marihuana no son claros, pero sí indican que las mujeres embarazadas que la consumen corren un riesgo por encima de la media de dar a luz a bebés prematuros o de poco peso. El consumo intenso de marihuana puede aumentar el riesgo de padecer un aborto o un embarazo ectópico.
- *Cocaína y crack.* Son drogas muy adictivas. Si las consume durante el embarazo corre mayor riesgo de tener un parto prematuro y sufrir una *abruptio placentae.* También se sabe que la cocaína aumenta las probabilidades de defectos congénitos, problemas neurológicos, apoplejía, problemas de desarrollo y SMSRN. Además de estos efectos adversos en el bebé, la mujer embarazada que consume cocaína corre un riesgo mayor de sufrir un derrame cerebral, un ataque al corazón y de tener la presión sanguínea muy alta.
- *Narcóticos y opiáceos.* Este grupo de drogas incluye la heroína, la metadona, la codeína y la morfina. Tomar narcóticos bajo supervisión médica para tratar una enfermedad no dañará al feto —por ejemplo, para aliviar el dolor después de una operación quirúrgica—; consumirlos de forma continuada y en cantidades elevadass sí que lo hará. La adicción a los narcóticos hace que usted y su bebé corran un peligro muy serio, ya que deriva en problemas en el crecimiento del feto, parto prematuro, muerte del feto y malformación de la cabeza. Quizás incluso más importante es que la adicción somete al bebé a un alto riesgo de complicaciones —incluso a la muerte— después del nacimiento por el síndrome de abstinencia. Si usted es adicta a los narcóticos o los opiáceos, empezar un tratamiento de desintoxicación durante el embarazo puede minimizar sus efectos en el bebé.
- *Anfetaminas y estimulantes.* Este grupo incluye la metanfetamina, el *ice* y el éxtasis. Como el consumo de estas sustancias no está tan extendido como la cocaína y los narcóticos, hay menos información disponible sobre sus efectos secundarios durante el embarazo. No obstante, hacen perder el apetito, lo cual puede llevar, a su vez, a que el feto sufra alteraciones de desarrollo. Por otro lado, las pruebas demuestran que pueden aumentar el riesgo de problemas de crecimiento fetal, entre ellos el pequeño tamaño de la cabeza, la *abruptio placentae* y la apoplejía o la muerte. El éxtasis puede provocar cierto número de defectos de nacimiento.

Los riesgos asociados a las drogas, como la malnutrición y las enfermedades de transmisión sexual, pueden causar problemas a la mujer durante el embarazo y al niño.

MEDICAMENTOS PRESCRITOS

Algunas mujeres se resisten a tomar cualquier tipo de medicación durante el embarazo por temor a que perjudique al bebé. Aunque muchos medicamentos son seguros, es mejor que hable con su médico, en su primera visita prenatal, del tipo de fármacos que es probable que tome durante los próximos nueve meses, tanto si se trata de los que se venden sin receta como de los que la necesitan. Si se visita con un médico que no sea el suyo de cabecera, por ejemplo, como paciente externa de un hospital, no olvide decirle que está embarazada.

Si padece alguna dolencia, como hipertensión o un problema de tiroides (véase p. 270), es probable que tenga que continuar tomando su medicación durante el embarazo. Dejar la medicación de una enfermedad crónica representará, en muchos casos, mayor peligro para el bebé que cualquier efecto secundario de la propia medicación. No deje de hablar con su médico sobre la dosis que toma en cuanto sepa que está embarazada, ya que quizá sea necesario cambiarla. En el caso de epilepsia o diabetes (véase p. 269) o de cualquier enfermedad de larga duración que necesite pastillas, lo ideal es ver a su médico de cabecera antes de la concepción para estudiar cuál es el mejor tratamiento. No deje de tomar los medicamentos que le han prescrito ni cambie la dosis sin hablar primero con el médico.

Muchos fármacos indican «No tomar durante el embarazo», porque sus efectos no han sido estudiados en las mujeres embarazadas. No obstante, esto no significa necesariamente que existan estudios sobre los efectos adversos o que usted no pueda tomarlos. Siempre que tenga dudas sobre un medicamento en particular, lo mejor es pedir consejo a su médico. Sin embargo, no se sorprenda si las opiniones varían de un profesional a otro, porque no siempre hay unanimidad sobre lo que está contraindicado y lo que no.

ENFERMEDADES

Cuando está embarazada sigue siendo vulnerable a las enfermedades. Las enfermedades graves que pueden afectar a su bebé están recogidas en la Guía prenatal, pero incluso los problemas corrientes pueden tener repercusiones. Si cree que ha estado en contacto con alguna enfermedad contagiosa, es especialmente importante que se lo diga a su médico.

Resfriados

Por mal que se sienta cuando tiene un resfriado, este no perjudicará a su bebé. Consulte con el farmacéutico antes de seguir cualquier tratamiento contra el resfriado, ya que algunos no son aconsejables durante el embarazo. Descanse todo lo que pueda y tome gran cantidad de líquido en forma de zumos, sopas y agua. Si tiene una infección respiratoria que no mejora después de una semana, es recomendable que visite a su médico de cabecera.

Fiebre

Aunque la fiebre es la defensa de su cuerpo contra la enfermedad, puede plantear una amenaza para el bebé, especialmente en las primeras semanas. Si tiene fiebre, es necesario que la haga bajar bañándose en agua tibia, llevando menos ropa y tomando bebidas frías. Si alcanza los 38,9º C o más, llame a su médico para que le diga qué tiene que hacer.

Enfermedades gastrointestinales

Es poco probable que una gastroenteritis afecte al bebé. Suele durar uno o dos días. Descansar e ingerir mucho líquido es el mejor tratamiento para la mayoría de virus intestinales. Puede seguir comiendo, pero es mejor limitarse a alimentos suaves y fácilmente digeribles.

Si los síntomas persisten después de 48 horas, quizá tenga una intoxicación o infección alimentaria, de la que puede haberse contagiado durante un viaje. En ambos casos, será necesario el tratamiento médico. Los síntomas como fiebre alta, sangre en las heces, fuertes dolores abdominales o deshidratación necesitan atención médica urgente cuando está embarazada.

LA SALUD ES LO PRIMERO

Vacunas. **Las vacunas vivas, como las de la polio, fiebre amarilla y tifus, no deben ser administradas sin prescripción médica a las embarazadas, porque pueden causar daños en el feto. Si necesita vacunarse, quizá debido a un viaje, dígale a su médico que está embarazada. Cuando haya un peligro elevado de contagio, la necesidad de vacunarse puede pesar más que el riesgo para el feto.**

PELIGROS COTIDIANOS

Tanto usted como su bebé pueden verse afectados por la contaminación y las sustancias químicas que se encuentran en los productos de uso cotidiano; por tanto, debe tratar de mantener un ambiente sano, tanto en el trabajo como en casa.

Mantener un ambiente sano para usted y para el bebé que se va desarrollando entraña pensar en las actividades que hace cada día y en los efectos que pueden tener en su cuerpo.

PRODUCTOS DEL HOGAR

Los productos de limpieza habituales no dañarán a su bebé, pero procure evitar todo lo posible el uso de productos muy tóxicos, como los limpiadores de hornos. Si no puede dejar de usar productos que emitan gases fuertes, asegúrese bien de que la habitación está aireada y haga algunas pausas de vez en cuando para tomar aire fresco.

Si está en las últimas semanas del embarazo y siente un impulso irresistible de acondicionar la habitación del bebé, procure dominarlo o consiga que alguien se encargue de pintar las paredes. Las mujeres embarazadas deben evitar exponerse a toda clase de pinturas que contengan plomo y también a algunas pinturas plásticas, que pueden contener mercurio. La mayoría de pinturas a base de agua son inocuas, pero compruebe siempre la etiqueta para ver si alguno de los componentes puede ser perjudicial. Siempre se debe pintar en una habitación bien ventilada.

INSECTICIDAS

Un contacto ocasional con un insecticida no tiene por qué ser perjudicial para usted o su bebé. Lo que sí es perjudicial es la exposición repetida a un producto químico durante cierto período de tiempo. Se han asociado los niveles altos de exposición con defectos congénitos. Hay muchos productos inocuos para el medio ambiente en el mercado que no representan ningún riesgo para el feto. Si tiene insectos indeseables en casa, trate de evitar los esprays, si es posible, y utilice alternativas no químicas.

MASCOTAS

Muchas mujeres embarazadas se preguntan si sus mascotas plantean algún riesgo para su estado, pero la realidad es que tener un animal en casa no suele causar ningún problema. Incluso si su golden retriever le salta a la barriga alguna vez, es poco probable que le haga daño a usted o al bebé. El único animal que puede representar algún riesgo es el gato, ya que algunos felinos callejeros son portadores de una rara infección conocida como toxoplasmosis (véase p. 111 y 257). Los gatos que viven dentro de casa pueden infectarse al comer carne cruda contaminada. Si el gato está infectado, el parásito estará en sus heces, por lo que debe evitar cambiar usted la arena de los gatos. Si esto es imposible, póngase guantes y lávese las manos inmediatamente después.

JACUZZIS, SAUNAS Y BAÑOS DE VAPOR

Los estudios indican que las mujeres embarazadas cuya temperatura corporal se mantenga más de diez minutos por encima de los 38,9º C durante las siete primeras semanas de embarazo, corren mayor riesgo de abortar o tener bebés con malformaciones del sistema nervioso central, como la espina bífida. No obstante, después del primer trimestre, el uso ocasional de los jacuzzis, saunas o baños de vapor durante menos de diez minutos es razonable y no entraña riesgo para el feto.

CONTAMINACIÓN

La calidad del aire se convierte en una cuestión importante para algunas mujeres embarazadas, especialmente para las que viven en una ciudad que, de repente, pueden ser muy conscientes de lo sucio y contaminado que está. No hay pruebas de que la vida en las ciudades sea perjudicial para el feto, pero lo que usted puede hacer por su bebé es reducir el tiempo que pasa en zonas con una contaminación muy alta. Recuerde, también, que la calidad del aire puede ser de dos a cinco veces peor en casa que en el exterior. Por esta razón, limite al mínimo el uso de productos de limpieza tóxicos (véase más arriba), compruebe cualquier señal de moho o humedad y haga que le revisen los aparatos de calefacción para estar segura de que no emiten monóxido de carbono.

TRABAJAR SEGURA

Con excepción de algunos trabajos de alto riesgo y mucha actividad física, no hay ningún peligro en que la mayoría de mujeres que tienen un embarazo sin complicaciones continúe trabajando. Además, hay medios para hacer que su jornada laboral sea aún más cómoda.

Muchas mujeres creen que el trabajo es una buena distracción contra algunas de las molestias más incómodas del embarazo. Por añadidura, si piensa volver al trabajo después del parto, sopesar los problemas físicos del embarazo ahora será muy buena práctica para administrar sus futuras tareas profesionales cuando su hijo haya nacido.

ADAPTAR SUS TAREAS HABITUALES

Hable con su jefe en cuanto sepa que está embarazada para buscar maneras de hacer que su jornada laboral sea más cómoda. Quizá sea posible organizar un horario más flexible que la ayude a sobrellevar los momentos en que se siente fatigada o tenga mareos matutinos. También deben concederle tiempo libre para acudir a sus controles prenatales.

Si su trabajo le exige mucha actividad física, puede que el médico le aconseje que haga cambios más drásticos. Si sus tareas entrañan una jornada larga, estar mucho tiempo de pie o trabajar con materiales peligrosos, tiene derecho a pedir que le consigan ayuda adicional o que le asignen otras labores.

Reducir el estrés

Correr para llegar al trabajo a tiempo, cumplir con los plazos o trabajar hasta muy tarde pueden agravar las molestias del embarazo, haciendo que se sienta cansada o abatida. Aunque tal vez no sea mucho lo que pueda hacer para reducir el estrés inherente a su trabajo —por ejemplo, no puede cambiar los plazos de entrega ni dejar de afrontar las quejas de los clientes—, sí que puede cambiar su propia actitud.

Recuerde siempre que lo primero es su bebé y, por el bien de este, así como por el suyo propio, procure encontrar medios para eliminar cualquier tensión adicional. Por ejemplo, delegue siempre que sea posible y aprenda a decir que no a las horas extra, a los excesivos viajes o reuniones sociales. Descanse con frecuencia durante el día, pasee y tiéndase si ha estado sentada frente a una mesa o siéntese y ponga los pies en alto si se ha pasado el día de pie.

5 maneras de hacer que su lugar de trabajo sea más cómodo

1. Si hay zonas para fumadores en las instalaciones donde usted trabaja, procure evitarlas.
2. Mantenga el cajón de su mesa lleno de cosas sanas para comer: fruta, frutos secos y barritas de cereales.
3. Si trabaja en un lugar donde el calor es extremo, por ejemplo una cocina, solicite que la trasladen a otro sitio; el exceso de calor puede ser perjudicial para el bebé.
4. Si trabaja delante de una pantalla de ordenador todo el día, haga frecuentes pausas para levantarse y moverse.
5. Asegúrese de que su espacio de trabajo esté dispuesto de forma adecuada. Siéntese en una silla de altura regulable, con respaldo, apoyo para las muñecas y un reposapiés.

Decidir cuándo hay que parar

Si el embarazo avanza sin complicaciones, no hay ninguna razón médica para que no continúe trabajando hasta el momento del parto. Aunque la mayoría de mujeres opina que están demasiado agotadas para seguir trabajando después del octavo mes, esto es algo muy personal. A algunas mujeres les va bien continuar con su rutina diaria; otras sienten la necesidad de parar incluso antes del tercer trimestre. Si quiere dejar de trabajar antes de lo que había pensado, háblelo con su jefe; quizá pueda trabajar a jornada parcial durante las últimas semanas.

En ocasiones, durante el embarazo surgen complicaciones que hacen que sea aconsejable reducir su carga de trabajo o dejar de trabajar por completo. Por ejemplo, si tiene la tensión muy alta o existen problemas con el crecimiento del feto, su tocólogo puede recomendarle que deje de trabajar.

EVITAR RIESGOS

Como los trabajos son muy diversos y cada embarazo es diferente, quizá tenga que indagar un poco para saber si hay riesgos específicos en su lugar de trabajo. Póngase en contacto con el Ministerio de Sanidad o el de Trabajo para que la informen y orienten en ese terreno. En su primera visita prenatal, hable con su médico sobre el tipo de trabajo que desempeña.

Sus tareas diarias

Piense en lo que hace cada día. ¿Alguna de sus tareas le hace correr el riesgo de sufrir tensiones o lesiones? Por ejemplo, si trabaja con ordenador, una postura incorrecta puede contribuir al dolor de espalda habitual durante el embarazo, mientras que teclear o usar el ratón de forma continuada puede aumentar el riesgo del síndrome del túnel carpiano (véase p. 260). Es posible reducir esos riesgos sentándose bien y colocando su equipo correctamente, así como mediante el uso de reposamuñecas. Hable con su jefe para que comprueben su lugar de trabajo y todos los aparatos. Si su trabajo entraña levantar o acarrear cosas, compruebe que sabe cómo levantarlas correctamente (véase la imagen en p. 72) y evite transportar objetos pesados. Si su trabajo exige estar de pie durante mucho rato, haga pausas con frecuencia para combatir las posibles hinchazones y las venas varicosas (véase p. 73).

El equipo que usa

En una oficina normal es poco probable que haya algún equipamiento que pueda causarle daños. A algunas mujeres les preocupa que la pantalla del ordenador pueda emitir radiaciones perjudiciales. No obstante, las investigaciones han demostrado que los niveles de radiación están muy por debajo de los límites internacionales de seguridad. Tampoco se ha demostrado que exista una relación entre el uso del teléfono móvil y la enfermedad.

En otros sectores, los riesgos dependen del trabajo que desempeñe. Considere, especialmente, cualquier agente químico o biológico con el que trabaje, por ejemplo fármacos, especímenes de laboratorio o pesticidas. Todos ellos son potencialmente peligrosos para las embarazadas, así que tome todas las medidas necesarias para evitar la contaminación. Si cualquier maquinaria que use representa un peligro como, por ejemplo, los metales pesados presentes en la fabricación de chips semiconductores, pida que le asignen otras tareas durante el embarazo.

El ambiente laboral

Ya no se permite fumar en el lugar de trabajo, pero hay muchas zonas —fuera del edificio, por ejemplo—, donde sus compañeros continúan fumando, así que intente evitarlas. Si trabaja en un lugar donde las temperaturas sean muy altas, por ejemplo una fábrica o una cocina, quizá tenga que pedir que la cambien a otra zona diferente, ya que el calor excesivo puede ser perjudicial para el bebé. Lo mismo sucede si trabaja con productos químicos que puedan ser nocivos, por ejemplo en un taller fotográfico o en una imprenta, en un salón de belleza, en un laboratorio o en una tintorería. Pídale a su jefe las hojas de datos de seguridad de los productos con los que trabaje y muéstreselas a su médico. Asegúrese de que la silla de su oficina, su mesa y el mobiliario de alrededor —cortinas, suelos y paredes— no contengan PVC, y abra las ventanas a menudo para ventilar su espacio de trabajo.

VIAJAR SEGURA

Estar embarazada no supone que tenga que quedarse en casa, envuelta en algodones. Siempre que su embarazo transcurra de forma normal y que tome algunas precauciones, puede seguir explorando el mundo, si así lo desea.

Recuerde que irse de viaje significa que no contará con los médicos que la tratan habitualmente. Si viaja al extranjero, los cuidados prenatales pueden ser muy diferentes y de difícil acceso debido al idioma. También es importante tener presente que esos cuidados tal vez no sean gratuitos; por tanto, asegúrese de que tiene un seguro médico adecuado. Hable con su médico de cabecera sobre las vacunas que puede necesitar y los medicamentos que debe llevar para tratar problemas corrientes. Es también aconsejable no ir a zonas de gran altitud; adaptarse a la reducción de oxígeno puede exigirle demasiado a usted y al bebé, especialmente durante el último trimestre.

CUÁNDO VIAJAR

Una de las cuestiones clave es cuándo es seguro ir de viaje. En general, lo mejor es hacerlo hacia la mitad del segundo trimestre, entre las semanas 18 y 24, cuando el riesgo de abortar o de tener un parto prematuro es bajo. Evidentemente, tiene que pensar en sus propias circunstancias; por ejemplo, si espera trillizos no sería aconsejable viajar en ese momento, porque necesitará frecuentes controles médicos.

COMER SIN PELIGRO

Vigile lo que come y bebe en los países subdesarrollados. Tenga cuidado con no salirse de las orientaciones para una alimentación sana recogidas en el capítulo 4, y así evitar cualquier posible riesgo (véase p. 110). Elija restaurantes que tengan un aspecto higiénico y asegúrese de que sabe qué está comiendo; si no está segura del contenido de un plato, no lo coma. Desconfíe de los alimentos comprados en puestos callejeros y mercados, donde los alimentos, las carnes en particular, pueden estar cocinados solo a medias. Las ensaladas, frutas y verduras pueden suponer un problema si sospecha que el agua para lavarlas no es limpia. Lo mejor es ceñirse a las frutas que pueda pelar antes de comer. Antes de salir de viaje, averigüe cómo es el suministro de agua en el lugar de destino. Tendrá que mantener su ingesta de agua, así que si tiene alguna duda sobre la calidad del agua potable, procure beberla embotellada y sin gas. Tendría incluso que usar agua embotellada para lavarse los dientes. Evite bebidas que tengan cubitos de hielo.

Diarrea del viajero

Es muy corriente sufrir diarrea cuando se viaja. Aunque no es grave en sí misma, hay riesgo de deshidratación, lo cual puede debilitarla, provocarle desvanecimientos, un menor suministro sanguíneo para su bebé y un parto prematuro. Si su diarrea es grave, beba muchos líquidos y acuda a un médico.

CUIDAR SU SALUD

Puede ser difícil encontrar una farmacia cuando se viaja; así que lleve consigo cualquier medicamento que crea que puede necesitar, siempre después de consultarlo con su médico y cerciorarse de que no entraña riesgo. Si suele tomar medicamentos con receta, por ejemplo para el asma o la tensión alta, recuerde llevar una cantidad suficiente para todo el viaje; tampoco es mala idea añadir algo más. También en este caso, consulte con su médico.

Si piensa estar fuera durante cierto tiempo, tiene que ponerse en contacto con un médico especialista en cui-

LA SALUD ES LO PRIMERO

***Malaria.* No es aconsejable que las mujeres embarazadas viajen a países donde la malaria es corriente. Se trata de una enfermedad grave, que puede representar un gran peligro para una embarazada y su bebé. Aunque existen medicamentos para la prevención de la malaria, y algunos, como el Malarone, se pueden tomar sin problemas durante el embarazo, no son eficaces al cien por cien. Si no puede evitar el viaje, pídale consejo a su médico.**

dados prenatales de la zona que visite y asegurarse de que todas las pruebas que necesita —por ejemplo, análisis de glucosa para la diabetes gestacional o controles de crecimiento— pueden hacerse en el momento apropiado. Si viaja durante el tercer trimestre, debe averiguar si hay servicios hospitalarios adecuados para el parto, si esas instalaciones pueden resolver complicaciones de urgencia como una cesárea o una preeclampsia y si podrá contar con anestesia en caso de necesidad.

Viajar a países tropicales

Si piensa viajar a un país tropical, donde son corrientes algunas enfermedades, tal vez tenga que vacunarse antes de iniciar el viaje (véase p. 77). Su médico será quien mejor podrá informarla de las vacunas que necesita.

No es aconsejable que una mujer embarazada viaje a zonas donde la malaria es algo corriente (véase p. 81). No obstante, hay otras enfermedades que también pueden ser transmitidas por insectos. Puede evitar las picaduras llevando manga larga, pantalones, zapatos y calcetines. Utilice un repelente contra insectos que contenga una sustancia llamada DEET, pero úselo con moderación.

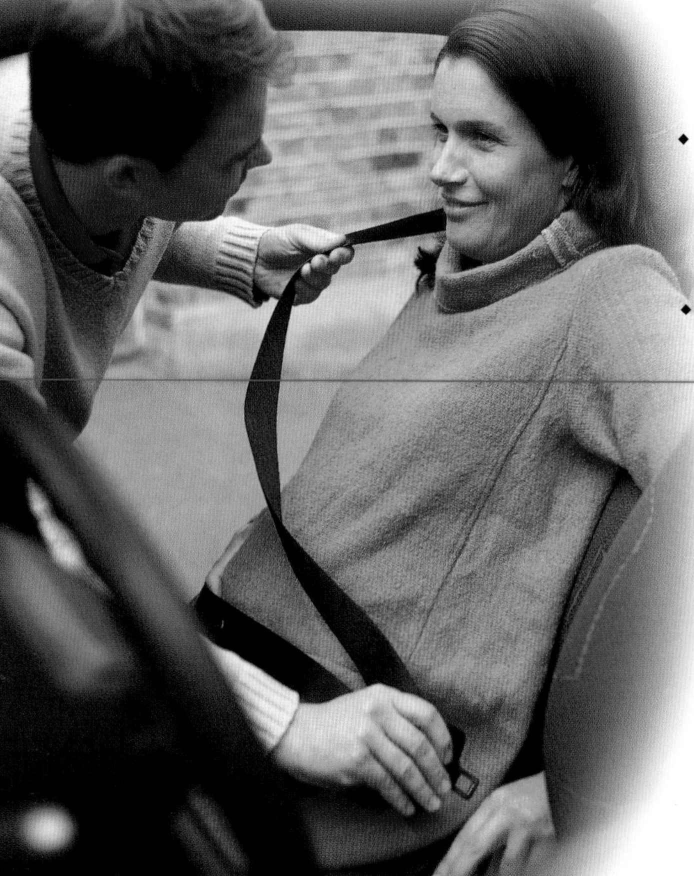

VIAJAR EN COCHE

Este tipo de viaje no plantea ningún riesgo especial durante el embarazo, salvo por el hecho de que quizá tenga que permanecer sentada, sin moverse, durante mucho rato. En los viajes largos, pare cada dos horas para salir y andar un poco. Póngase el cinturón de seguridad; la protegerá y no dañará al bebé incluso si tiene un accidente. El líquido amniótico que rodea al bebé actuará como cojín contra cualquier posible presión del cinturón. No llevar cinturón plantea un riesgo claramente mayor; los estudios demuestran que la principal causa de muerte fetal en accidentes de tráfico es la muerte de la madre.

VIAJES AÉREOS

La mayoría de líneas aéreas aceptan a las mujeres embarazadas hasta la semana 36 del embarazo, aunque puede necesitar una carta de su médico donde conste que está en condiciones de volar. Infórmese de la normativa al efecto con la compañía aérea con la que realice el viaje con suficiente antelación.

- *Estire las piernas.* Durante un vuelo largo, levántese del asiento de vez en cuando y dé una vuelta por el avión. Permanecer sentada durante mucho tiempo puede hacer que la sangre se coagule en las piernas. Andar un poco estimula la circulación y ayuda a prevenir la trombosis de las venas profundas (TVP).
- *Beba agua con frecuencia.* Lleve consigo una botella y beba con regularidad. Un viaje aéreo puede deshidratarla mucho más de lo que imagina; la humedad relativa dentro del avión es, generalmente, más baja que en el desierto del Sahara.
- *Siéntese cerca del pasillo.* Procure reservar un asiento al lado del pasillo, para no tener que molestar a su vecino cuando necesite ir al lavabo por enésima vez.

Cuando esté embarazada lleve siempre abrochado el cinturón de seguridad. Cuando se lo haya puesto, ajústelo de forma que la parte de la cintura quede por debajo de la barriga, no por encima, y mantenga la parte del hombro en su posición habitual.

3

CAPÍTULO

LOS CUIDADOS PRENATALES

A lo largo de su embarazo, usted y su bebé serán controlados de cerca para estar seguros de que todo avanza como es debido. La atención prenatal es una parte vital del embarazo y puede proporcionarle mucha información y tranquilidad.

LO ESENCIAL DE UNA BUENA ATENCIÓN

Después del arrebato de entusiasmo inicial al saber que está embarazada, tiene que empezar a cuidarse adecuadamente, a usted y a su bebé, y eso significa planificar la atención prenatal.

La meta final de cualquier programa de atención prenatal es un embarazo sano, tanto para la madre como para el niño, y el inicio satisfactorio de una nueva vida. Tener un hijo nunca ha sido más seguro que en la actualidad; si tiene usted buena salud, sus probabilidades de dar a luz un bebé sano están por encima del 95 %. Pero esta no es razón para que se salte sus controles regulares; debe ser todo lo contrario, ya que los estudios han demostrado que existe una estrecha relación entre la asistencia temprana a la atención prenatal y un bebé sano y con buen peso al nacer.

EL PROPÓSITO DE LA ATENCIÓN PRENATAL

Las pruebas y controles que se realizan durante la atención prenatal están pensados para obtener la máxima información posible sobre el desarrollo del embarazo. Dichos controles consisten en lo siguiente:

- *Evaluar su estado general de salud.* Los exámenes y pruebas desvelarán cualquier problema médico existente, por ejemplo una tensión alta (véase p. 265). Si surge algún problema o dolencia, lo controlarán en las siguientes visitas y le advertirán de su evolución durante el embarazo y de cómo puede afectar al bebé.
- *Comprobar su bienestar.* Los profesionales de su equipo médico prenatal pueden controlar su bienestar físico y emocional cuando vaya a visitarse.
- *Comprobar el bienestar del bebé.* Su programa de pruebas está pensado para controlar el desarrollo y el crecimiento normales de su bebé. Si se descubre cualquier cosa inusual, le propondrán hacer otras pruebas para confirmar el problema y determinar la causa. Su comadrona o médico le explicarán las opciones existentes y le ayudarán a tomar las medidas necesarias para salvaguardar la salud del niño.

- *Detectar complicaciones.* Algunos problemas usuales en el embarazo, como la acidez o las hemorroides, que tienen una importancia menor, no dejan por ello de ser molestos. Su médico le aconsejará la mejor manera de tratarlos y, si es posible, de impedir que se repitan. Los controles prenatales están pensados para detectar cualquier problema «invisible» o asintomático, como la diabetes gestacional (véase p. 253) o la preeclampsia (véase p. 254), para poder tratarlos con éxito y que tengan unos efectos mínimos en el bebé.
- *Instruir y preparar para la paternidad.* Hay mucho que aprender sobre convertirse en padres y su médico le aconsejará respecto a las clases de preparación al parto o a hacer un cursillo para padres primerizos.
- *Preparar para el parto.* Puede que parezca que falta mucho tiempo, pero se sorprenderá de lo rápido que llega a término. Su equipo médico está ahí no solo para ayudarla a usted y a su compañero a elegir con conocimiento de causa qué tipo de parto desean, sino también para apoyarlos a ambos durante toda esa milagrosa experiencia del nacimiento.

ELEGIR LA ATENCIÓN QUE SE DESEA

La mayoría de médicos de cabecera ofrecen atención prenatal en el ambulatorio de su zona o la derivan también al hospital más cercano a su domicilio que cuente con una unidad de obstetricia, si es que ha elegido dar a luz en un hospital como es lo habitual hoy en día. En la mayoría de controles verá al médico y a la comadrona y, por lo general, solo acudirá al hospital para uno o dos de esos controles y también para las ecografías.

En España son pocas las mujeres que optan por dar a luz en casa, pero en algunas zonas de Gran Bretaña, por ejemplo, las mujeres cuyos embarazos no encierran complicaciones son atendidas exclusivamente por comadronas. Estas se encargan de toda la atención prenatal y del parto, sea en el hospital o en casa, así como de los cuidados posteriores al parto. Esta asistencia médica recibe el nombre de atención por comadrona o de «bajo riesgo». Si surge algún problema durante el embarazo, la comadrona la enviará al hospital de inmediato.

Si tiene alguna dolencia anterior, ha tenido un embarazo o parto complicados o si hay factores que pudieran hacer que su embarazo fuera de «alto riesgo», será un tocólogo quien le preste la atención prenatal, en un hospital que tenga servicio de obstetricia.

La asistencia privada es otra opción. La puede visitar un obstetra en un hospital privado durante toda la asistencia antenatal, el momento del parto y la asistencia posnatal, y también hay unidades privadas de comadronas que pueden encargarse de todo el proceso. En este último caso, lo normal es que dé a luz a su bebé en su propia casa.

MÁS **SOBRE** su programa de visitas

Su primera visita al médico servirá para confirmar que está embarazada. Para la mayoría de las mujeres, esto sucederá después de la primera falta, las semanas 5-7. En ese momento organizarán su próxima visita, que tendrá lugar a las 8-10 semanas. En ese momento hablarán de sus opciones de asistencia médica: hospital público o privado, servicio de comadronas solamente, etc., y se le dará un conjunto de notas de maternidad, que siempre deberá llevar consigo. Le tomarán la tensión y le harán análisis de sangre, y si es necesario comentarán su historia médica y los embarazos previos, en caso de haberlos.

Después, la frecuencia de sus visitas dependerá de sus necesidades y de las de su bebé. En caso de un embarazo de riesgo bajo, hasta la semana 32 la visitarán 3 o 4 veces. Después, una vez cada dos semanas. En cada visita le tomarán la presión, analizarán su orina para comprobar el índice de proteínas y de glucosa, y evaluarán el tamaño del bebé y su posición. A partir de la semana 16 los monitores de ultrasonidos manuales pueden comprobar el ritmo cardíaco del bebé.

En algunos momentos se requieren pruebas especiales. Por ejemplo, a las 20-22 semanas se comprobará la anatomía y el crecimiento del bebé mediante una ecografía, así como el factor Rhesus. Se pueden hacer otras ecografías o análisis para detectar un riesgo más elevado de anomalías cromosómicas.

Quién forma parte de su equipo prenatal

Todos los profesionales encargados de prestarle atención prenatal desean lo mejor para usted y para el bebé y harán todo lo que esté en su mano para garantizar que se sienta informada, cómoda y segura. Para saber quién la asistirá en el parto, véase página 177.

Médico de cabecera. La mayoría de médicos de cabecera proporcionan cuidados prenatales.

Tocólogo. Es un doctor especializado en el embarazo y el parto. Es experto en tratar todo tipo de complicaciones obstétricas.

Comadrona. Todas las comadronas han sido adiestradas especialmente para atender a la madre y el bebé durante un embarazo y parto normales. Son enfermeras tituladas que se han especializado en obstetricia. Están adscritas a la Organización Colegial de Enfermería de España. Una comadrona suele trabajar en un hospital, en una unidad especializada, o en los ambulatorios, junto a los médicos de cabecera. Tiene a su cargo todos los aspectos de la atención prenatal y atiende a los partos en casa, en el hospital o en una unidad de maternidad. En algunos países, como por ejemplo Gran Bretaña, existe la figura de la comadrona comunitaria, que continúa ocupándose de la madre y el bebé hasta que ese cuidado pasa a una enfermera de la Seguridad Social que se encargará de las visitas domiciliarias, entre 10 y 28 días después del parto. Hay comadronas independientes que trabajan fuera de la Seguridad Social, con frecuencia en un centro de maternidad privado.

Estudiantes de medicina. Es una práctica aceptada en los grandes hospitales clínicos que los estudiantes de medicina que cursan la especialidad de obstetricia y ginecología estén presentes en las visitas prenatales. Usted puede negarse a que eso suceda, pero su presencia suele darse por supuesta. También puede pedir que ciertos procedimientos solo los lleve a cabo un médico plenamente cualificado.

Anestesista. Este médico especialista es responsable de proporcionar alivio al dolor y administrarle la epidural. Puede tener un papel crucial si surgen complicaciones en el parto. Por ejemplo, si una mujer tiene una fuerte hemorragia, el anestesista controlará sus signos vitales o, si tiene una preeclampsia grave, puede actuar para ayudar a controlar su tensión.

Otros profesionales sanitarios. Técnicos en ultrasonidos y radiólogos pueden llevar a cabo y revisar los exámenes ultrasónicos. Los fisioterapeutas pueden darle consejos y respaldo sobre los dolores y molestias relacionados con el embarazo y también recomendarle ejercicios que aceleren su recuperación después del parto (véase p. 334). Los especialistas en flebotomía son expertos en tomar muestras de sangre.

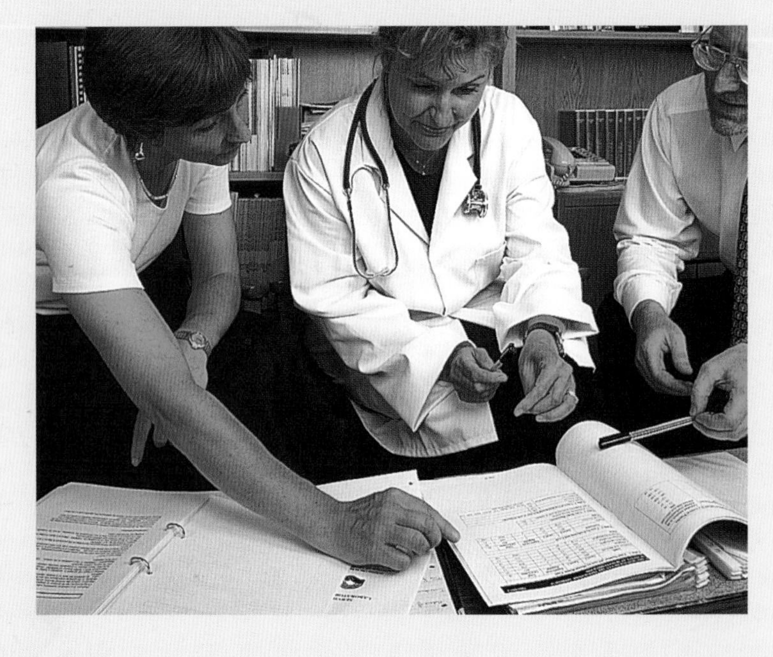

SU PRIMERA VISITA

En cuanto se confirme su embarazo, tendrá que concertar una visita para el primer examen general. Debe tener lugar entre la semana 8 y 10, y es una fecha que no tiene que saltarse.

En esa visita le harán lo que, a veces, puede parecer un aluvión de preguntas, pero si va preparada, es menos probable que se sienta abrumada.

Su médico empezará, seguramente, con una revisión del historial clínico tanto de usted como de su pareja, así como de su estado de salud actual; seguidamente, por lo general, dará paso a una serie de controles, como el peso y la tensión arterial. Le pedirán una muestra de orina y le extraerán sangre para analizarlas en el laboratorio. Para más información sobre los análisis de sangre, véase p. 89.

Si no le han practicado recientemente ningún análisis del frotis cervical le aconsejarán posponerlo hasta al menos tres meses después del parto.

Al final le darán las fechas de las siguientes visitas prenatales, que dependerán de sus necesidades médicas (véase p. 85).

Historial médico

Uno de los objetivos de su médico en la primera visita es reunir información sobre su salud y la de su pareja. Ese proceso de indagación se denomina elaboración del historial médico. Le harán varias preguntas sobre todos los aspectos de su vida; así pues, estudie las que anotamos en el cuadro de la página 88.

Es importante ser sincera y precisa; todos los detalles que dé le pueden ayudar a construir una imagen completa de su historial para que sea más fácil detectar cualquier riesgo. No se sienta incómoda al contestar preguntas de tipo personal ni tampoco se avergüence al revelar cierto tipo de información, por ejemplo si ya ha tenido un aborto espontáneo; su médico está ahí para ofrecerle apoyo y comprensión. Si no puede recordar todos los detalles de alguna dolencia o percance anterior, dé toda la información que pueda y su médico procurará ampliarla haciendo las consultas que necesita.

Examen físico

La mayoría de las mujeres no necesitan someterse a un examen demasiado exhaustivo, pero si usted padece algún problema médico es posible que requiera algunas pruebas extras, como un examen de la función renal en caso de ser diabética.

No suele realizarse un examen mamario a menos que le preocupe el tamaño de sus pechos o la forma de sus pezones.

No suele llevarse a cabo un examen pélvico; no hay evidencias de que este prediga problemas a la hora del parto.

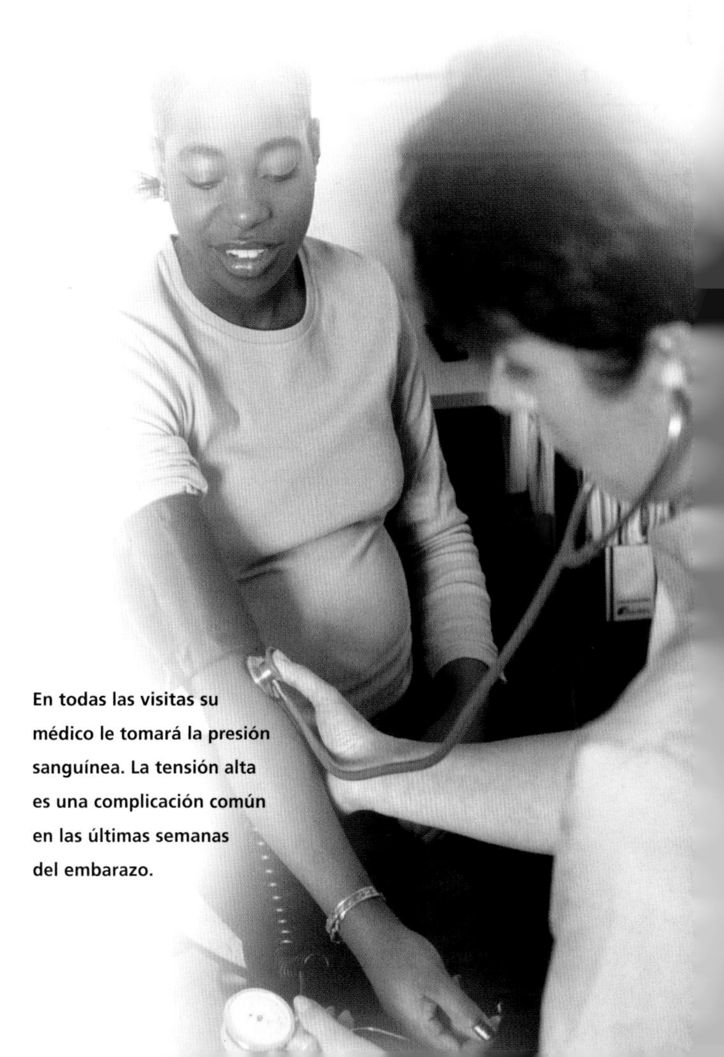

En todas las visitas su médico le tomará la presión sanguínea. La tensión alta es una complicación común en las últimas semanas del embarazo.

Control del peso

La pesarán en la primera visita. Después solo lo harán si estaba por encima o por debajo del peso recomendable al inicio del embarazo o si no parece aumentar de peso a un ritmo razonable. Si gana demasiado peso, a su médico puede resultarle difícil discernir si el bebé crece y, además, si tiene exceso de peso, es más probable que sufra complicaciones como la diabetes gestacional (véase p. 253). Tampoco es buena señal que no gane peso; su médico controlará más estrechamente el crecimiento del bebé si su peso está por debajo de lo normal, porque puede que no esté creciendo tan bien como era de esperar (véase p. 261).

Presión sanguínea

Su médico le tomará la tensión en cada visita; es una parte esencial del cuidado prenatal porque la tensión alta es una complicación importante, y corriente, en especial al final del embarazo. El control hecho en su primera visita será la base con la que se contrastará cualquier alteración. Puede llegar a familiarizarse con los números que el médico o la enfermera anotan al comprobar su tensión; los valores normales son de 120/70. La tensión sanguínea se mide en milímetros de mercurio, que se corresponden con el símbolo mmHg; el primer número representa la presión sistólica (cuando el corazón se contrae) y el segundo la diastólica (cuando

10 temas que puede comentar en la primera visita

Su primera visita será satisfactoria y productiva si se prepara por adelantado. Además de pensar en las preguntas que hay más abajo, es buena idea que hable con su madre para averiguar cómo fueron sus embarazos, si tuvieron o no complicaciones y, si las tuvieron, de qué tipo fueron. Pídale a su pareja que también obtenga una información similar de su madre.

1. ¿Cuál es su historial médico? ¿Usted o su pareja tienen enfermedades que parezcan hereditarios? ¿La han operado —y por tanto anestesiado— o ha estado ingresada en un hospital durante un tiempo? ¿Es alérgica a algún medicamento?
2. ¿Tiene alguna dolencia anterior? ¿Está tomando medicación —y la estaba tomando cuando supo que estaba embarazada— para una enfermedad crónica, como el asma o la tensión alta?
3. Si no es su primer embarazo, ¿cuánto hace del anterior? ¿Fue un embarazo normal, sano, o hubo alguna complicación? También debe informar al médico de cualquier aborto provocado o espontáneo.
4. ¿Hace ejercicio de forma regular? ¿Sigue una dieta sana? ¿Fuma? ¿Con qué frecuencia toma alcohol? ¿Consume drogas?
5. ¿Cuál es su origen étnico? Como algunas dolencias son más frecuentes en ciertos grupos étnicos, su médico puede preguntarle de dónde procede su familia y la de su pareja (véase p. 240).
6. ¿Qué tipo de trabajo tiene? ¿Podría representar algún peligro para el feto? ¿Trabaja con productos químicos o rayos X? ¿Trabaja en un ambiente muy frío o caliente? ¿Viaja muy a menudo? ¿Tiene un horario de trabajo agotador?
7. ¿Vive en un lugar seguro y estable? ¿Está limpio y no encierra peligro?
8. ¿Cuándo tuvo su último período? La salida de cuentas se calcula a partir de esa fecha (véase p. 22). En general, ¿con qué regularidad tenía sus períodos y con qué separación?
9. ¿Usaba algún tipo de contraceptivo antes de saber que estaba embarazada? Si lleva un DIU (dispositivo intrauterino), dígaselo al médico, ya que hay un posible riesgo de complicaciones. Si tomaba la píldora cuando se quedó embarazada, esto no debe representar peligro alguno para su embarazo o el bebé, pero podría hacer que sus fechas no fueran precisas.
10. ¿Tiene algún problema de salud mental o no tiene buena relación con su pareja? Entonces aumenta el riesgo de padecer violencia doméstica o depresión posnatal. Si este es el caso, pueden derivarla a otro especialista para que reciba ayuda y apoyo extras.

el corazón se relaja). Es probable que la tensión disminuya durante las 24 primeras semanas de embarazo, y que la medición sistólica baje entre 5 y 10 mmHg y la diastólica, entre 10 y 15 mmHg. No obstante, al ir avanzando hacia el tercer trimestre, la tensión arterial debe volver a los niveles anteriores al embarazo. Si empieza a subir más, el médico se cerciorará de que no sufra preeclampsia. En ocasiones, puede prescribirle medicación para la tensión.

Análisis de orina

Los cambios de su cuerpo pueden hacer que sea más propensa a sufrir infecciones de los riñones y el conducto urinario durante el embarazo; se han descubierto bacterias en la orina de alrededor de un 4 % de mujeres. Es importante identificar y tratar la infección mientras está embarazada, ya que esos tipos de infección pueden provocar un parto prematuro (véase p. 250).

Para descartar una infección bacteriana, en la primera visita le pedirán una muestra de orina, que enviarán al laboratorio para analizarla. En la primera visita y en las subsiguientes le harán un análisis de orina para comprobar la presencia de proteína, que podría significar que tiene una infección o, aún más grave, preeclampsia (véase p. 254) o una enfermedad de riñón.

Por lo general, las pruebas de orina se hacen rápidamente en la consulta, utilizando una varilla impregnada con una sustancia especial. Su médico puede proveerla de esas varillas para que usted misma controle la orina en casa el día antes de su control prenatal para informarles del resultado. Es imprescindible que informe de cualquier resultado positivo de proteína en la orina.

También analizarán la orina para ver si hay glucosa. Las mujeres embarazadas tienen azúcar en la orina de vez en cuando, pero si se detecta en varias visitas seguidas o si el bebé es demasiado grande para las fechas, comprobarán si sufre diabetes gestacional, un tipo de diabetes solo presente en las mujeres embarazadas y que desaparece después del parto (véase p. 253).

No suelen hacerse cultivos de orina, a menos que la prueba con la varilla señale una posible infección o la presencia de glóbulos blancos, sangre o proteínas. Puede ser recomendable hacerlo, en el caso de mujeres con un historial de frecuentes infecciones del conducto urinario o el riñón, o bien que padezcan diabetes o anemia falciforme.

¿SABÍA QUE...?

Las batas blancas pueden causar hipertensión. La presión sanguínea de algunas mujeres solo sube cuando se la toman en un hospital o en la consulta del médico. Si el médico sospecha que unos valores altos pueden ser debidos al entorno clínico, quizá le dé un aparato para que se tome la tensión en casa. Se trata de un brazalete que toma automáticamente una lectura cada 15 minutos, durante 24 horas. Si tiene la tensión alta o corre el riesgo de sufrir preeclampsia, es posible que tenga que comprobar su tensión una vez al día.

ANÁLISIS DE SANGRE

Puede que su médico ya le haya explicado qué análisis de sangre le harán y por qué, pero si tiene cualquier tipo de dudas pida que se las aclaren. En su primera visita le tomarán una muestra de sangre de una vena del brazo; puede que necesiten extraer más muestras durante el embarazo, pero eso dependerá de su salud y de si surge alguna complicación. Por fortuna, pueden realizarse muchísimos análisis con una única muestra de sangre.

La rubéola

Es probable que ya haya tenido la rubéola o que la hayan vacunado de niña, en cuyo caso no volverá a contagiarse y su bebé estará a salvo. Si contrae la enfermedad al principio del embarazo, algo muy raro, su bebé puede padecer anomalías congénitas graves, por ejemplo, dificultades de aprendizaje. Si al hacer el análisis se descubre que no es usted inmune, puede vacunarse después del parto para evitar preocupaciones en posteriores embarazos. Se le aconsejará que no se quede embarazada durante tres meses después de ponerse la vacuna, pero si concibe durante ese período, no se preocupe, ya que no se ha informado de resultados adversos en los niños nacidos en esas circunstancias.

Recuento completo de sangre

Como el nombre implica, este análisis de sangre comprueba el nivel de cada tipo de glóbulo sanguíneo: los glóbulos rojos (que transportan oxígeno), los glóbulos blancos (que luchan contra las infecciones) y las plaquetas (que se ocupan de la coagulación de la sangre). Si padece de anemia (véase p. 252), por ejemplo, el nivel de los glóbulos rojos y, por tanto, de la hemoglobina, de la cual el hierro es un componente esencial, será bajo y el médico le recetará un suplemento de hierro para remediar el problema. También le recomendarán que aumente la cantidad de alimentos ricos en hierro de su dieta: hortalizas de hoja verde oscuro, carne roja, incluyendo pequeñas cantidades de hígado, moluscos cocidos, en especial almejas, frutos secos, cereales y pastas enriquecidos, pan y huevos. Como la anemia causada por un déficit de hierro se produce con más frecuencia después de las 20 semanas —y especialmente durante el tercer trimestre—, se repetirá el análisis para comprobar el nivel de hierro conforme avance el embarazo.

MÁS **SOBRE** los análisis para el virus VIH

Aunque no pueden hacerle un análisis para comprobar la presencia del virus VIH sin su consentimiento, en España se lo proponen a todas las mujeres embarazadas, ya que es posible haberse contagiado y no saberlo. Es importante contar con esta información, ya que un tratamiento inmediato puede reducir el riesgo de transmisión del virus al bebé, así como preservar la salud de la madre. Si cree que puede haber estado expuesta a cualquier factor de riesgo en el pasado —relaciones sexuales sin protección o jeringuillas compartidas— decídase a hacerse la prueba por el bien de su bebé.

Si la prueba demuestra que es usted VIH positiva, le ofrecerán consejo médico y la enviarán a un especialista para recibir cuidados durante el embarazo. Las posibilidades de que el bebé se contagie pueden reducirse de forma drástica —desde una entre cuatro a una entre cincuenta— con los tratamientos antirretrovirales disponibles actualmente y estudiando la posibilidad de una cesárea. Después del parto, le aconsejarán que no dé el pecho al bebé porque el virus puede ser transmitido a través de la leche.

Grupo sanguíneo y factor Rhesus (Rh)

El análisis de sangre, efectuado al principio del embarazo y de nuevo en el tercer trimestre, identifica su grupo sanguíneo —A, B, AB u O—, determina su factor Rh —positivo o negativo— y comprueba la existencia de anticuerpos en la sangre, incluyendo el Rhesus. Conocer el grupo sanguíneo es importante en caso de que necesite una transfusión de sangre durante el parto. El factor Rh es de vital importancia, porque si el bebé es Rh positivo y usted es Rh negativo, puede desarrollar anticuerpos contra los glóbulos rojos del bebé. Si vuelve a quedarse embarazada y su hijo es Rh positivo, los anticuerpos que usted ha formado pueden llegar a destruir los glóbulos rojos del pequeño. Esto podría provocar una anemia grave, llamada enfermedad hemolítica fetal.

No obstante, gracias a los tratamientos modernos ahora esta enfermedad es muy rara. A las madres con un factor Rh negativo se les pone una inyección de inmunoglobulina antiD durante el embarazo, que no entraña peligro alguno y que impide la formación de los anticuerpos que atacan a los glóbulos rojos del bebé. Véase también la página 239.

Hepatitis B

En algunos países, como en el Reino Unido, a todas las embarazadas se les propone hacerles la prueba de la hepatitis B en la primera visita (véase p. 240). Si es portadora, es preciso vacunar al bebé y darle inmunoglobulina para impedir que desarrolle la hepatitis.

LAS VISITAS SIGUIENTES

En fuerte contraste con la extensa y minuciosa primera visita, las posteriores serán más cortas y le harán menos pruebas.

Si, por cualquier razón, no puede acudir a una visita acordada, no olvide pedir otra hora y no sienta la tentación de saltarse la visita porque se encuentra bien; la razón de que haya controles regulares es que son la mejor manera de cuidarla a usted y al bebé que va creciendo.

En cada visita, el médico le preguntará cómo se encuentra y le dará la oportunidad de consultarle las molestias relacionadas con el embarazo (véase p. 67) o cualquier cosa que la preocupe. Al igual que en la primera visita, se realizarán una serie de pruebas —algunas en todos los controles y otras en momentos clave— para seguir de cerca la salud y desarrollo del bebé.

Revisiones médicas

En la actualidad, los médicos pueden detectar una enfermedad o un problema antes de que unos signos o síntomas evidentes señalen que algo va mal. Cuentan con una serie de pruebas de detección precoz, entre ellas ecografías, detección de la translucencia nucal, amniocentesis, análisis de las vellosidades coriónicas, análisis de la alfa-fetoproteína serológica materna y análisis del cordón umbilical. Hablamos detalladamente de estas pruebas en la Guía prenatal.

La tensión arterial y las proteínas en la orina

En cada visita le tomarán la tensión y comprobarán si hay proteínas en la orina —o le pedirán el resultado de la prueba hecha en casa— para detectar señales de preeclampsia (véase p. 254). La preeclampsia es prácticamente desconocida antes de la semana 20 y no suele aparecer hasta el tercer trimestre. Si le sube la tensión o si la presencia de proteína en la orina es positiva, el médico pedirá que le hagan más análisis y quizá tenga que ingresar en el hospital. Es posible que comprueben la existencia de anomalías en la sangre que pueden darse en la preeclampsia, por ejemplo un número bajo de plaquetas y unos resultados anormales en el funcionamiento del hígado.

Crecimiento y posición fetal

Para seguir el crecimiento del bebé, en cada visita el médico le palpará el abdomen y medirá la altura del útero. Esta medida es la distancia entre la parte superior del útero y el hueso pélvico. La distancia se hace mayor conforme el bebé crece y da un cálculo aproximado del tamaño en relación con la edad del feto. Si el médico cree que el bebé es demasiado pequeño o demasiado grande, es probable que pida que le hagan una ecografía para obtener una medida más precisa. Si el bebé no crece bien o lo hace con demasiada rapidez, por ejemplo si padece usted diabetes gestacional, quizá sea necesario adelantar el parto. En el caso de mellizos o trillizos, su crecimiento será medido mediante ecografías cada cuatro semanas.

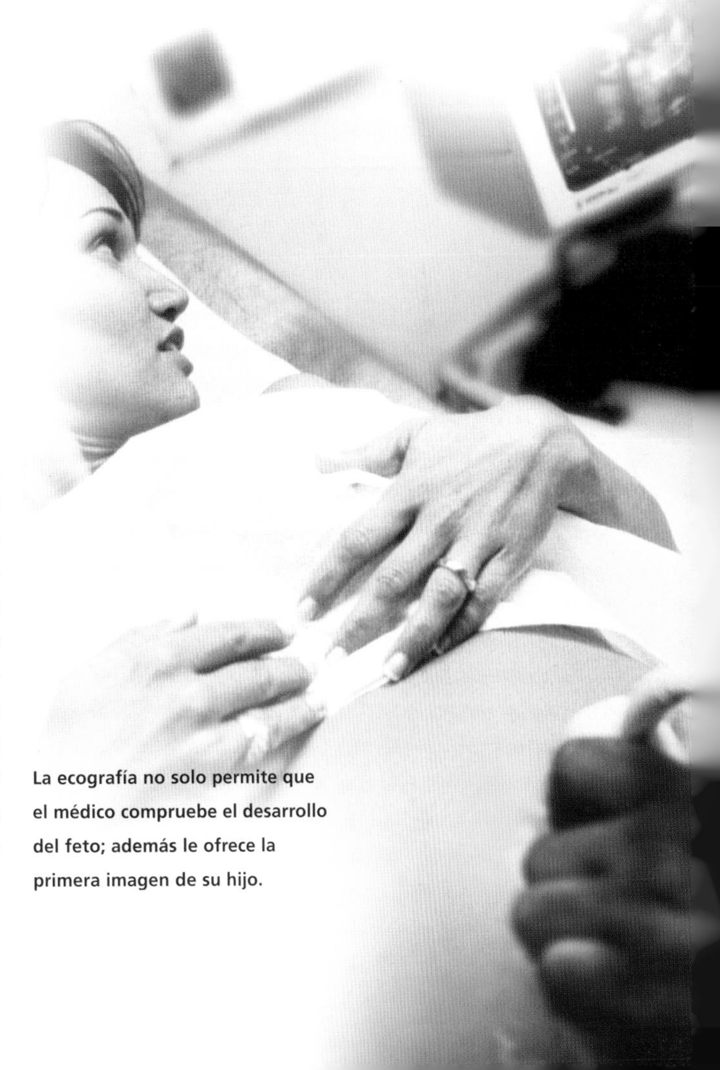

La ecografía no solo permite que el médico compruebe el desarrollo del feto; además le ofrece la primera imagen de su hijo.

Después de las 35 semanas le examinarán el abdomen en cada visita para comprobar la posición del feto. Por lo general, este adoptará una posición cabeza abajo en las últimas semanas. No obstante, a lo largo del embarazo irá dando volteretas de un lado para otro y puede adoptar muchas posturas diferentes antes de acomodarse por fin en su «posición final». Debido a las condiciones naturales —como la forma de la pelvis de la madre y la de la cabeza del bebé—, más del 95 % de niños nace de cabeza. Por lo común, no se colocan cabeza abajo antes de las 36 semanas, pero después de ese momento es inusual que no lo hagan y el médico puede aconsejarle que realice ejercicios para tratar de girar al bebé hasta que esté en la posición correcta (véase p. 204) a fin de que tenga un parto normal.

Movimientos fetales

Le preguntarán por los movimientos fetales, por su frecuencia y lo fuertes que son. A partir de las 16 semanas, el médico auscultará los latidos del corazón del feto en cada visita. Puede que también le den una tabla de recuento de patadas (véase p. 207) en la cual podrá anotar los movimientos del bebé.

Su primera ecografía

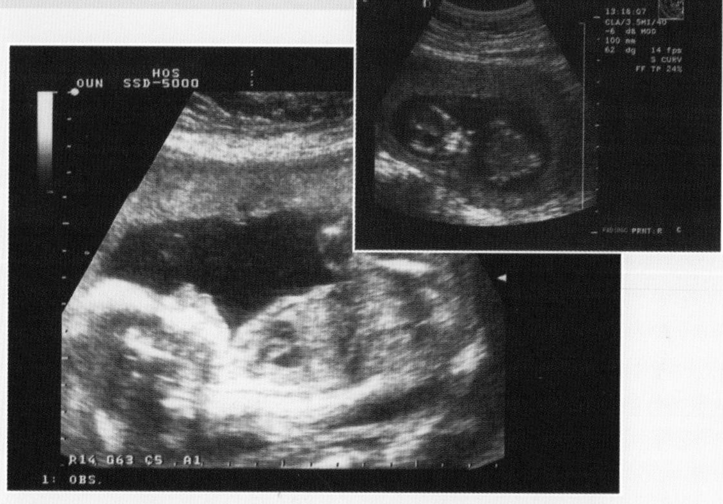

Esta primera prueba ultrasónica tan trascendental será llevada a cabo en el hospital y la realizará un técnico en ultrasonidos. Observar cómo se mueve el bebé en su interior y ver cómo late su pequeño corazón es, de verdad, fascinante y asombroso. Puede ser la primera vez que sienta que su embarazo es «real», especialmente si ha tenido la suerte de no sufrir náuseas matutinas ni tiene otros síntomas evidentes.

Por maravilloso que pueda ser ver a su bebé, el propósito de la ecografía es estar seguros de que se está desarrollando de forma adecuada y que no hay ningún problema. Se tomarán varias mediciones para comprobar que crece bien. Dependiendo de la etapa del embarazo, se observará la anatomía del bebé para descartar defectos como el del tubo neural (véase p. 375).

Le podrán dar una idea del sexo del bebé alrededor de las 16 semanas, pero será solo una aproximación y no debe basarse en ella para decorar la habitación del pequeño.

Hacia el final de la visita, el médico le podrá confirmar la fecha de salida de cuentas o darle un cálculo más preciso rigiéndose por el tamaño del feto. Al igual que con las visitas prenatales, es de gran importancia que le acompañe su pareja, una amiga íntima o un familiar, tanto para ofrecerle respaldo como para compartir la jubilosa experiencia. Casi siempre le ofrecerán una copia impresa de su ecografía.

EMBARAZOS ESPECIALES

Como es natural, cada embarazo es especial pero puede haber circunstancias en las que tengan que controlarla más de cerca para garantizar su bienestar y el de su bebé, como ser mayor de 35 años, estar embarazada de gemelos o padecer alguna enfermedad previa.

Las preguntas que le harán en la primera visita para conocer su historial médico (véase p. 88) detectarán si es probable que necesite una estrecha vigilancia y atención extra durante el embarazo. Por ejemplo, si tiene más de 35 años, si padece alguna enfermedad como el asma o diabetes o si ha tenido un embarazo anterior complicado, su médico le recomendará hacer más pruebas y deseará visitarla más a menudo. Además, si espera mellizos o trillizos, su equipo prenatal deseará vigilar de cerca tanto a usted como a sus hijos.

Edad	Riesgo de síndrome de Down
25	1/1.500
30	1/900
35	1/350
40	1/100
44	1/30

UNA MADRE MAYOR

Si tiene más de 35 años, sus perspectivas de tener un embarazo tranquilo y sin problemas nunca han sido mejores que en este momento. En la actualidad, es más probable que disfrute de buena salud y los avances de la tecnología médica han aumentado las posibilidades de dar a luz un bebé sano, a pesar de que existan factores de riesgo a esa edad. Si escucha que los médicos se refieren a usted como «mayor» o «primeriza madura», no se sienta ofendida; son simplemente términos médicos que describen el hecho de que tiene más de 35 años y que es su primer hijo. «Primeriza» equivale a primípara, es decir, que va a tener su primer hijo; si ya ha tenido otros será multípara.

Las investigaciones demuestran que si ha esperado hasta ahora para tener hijos, seguramente se esforzará mucho para mejorar el bienestar del bebé; seguirá una dieta sana, hará ejercicio de forma regular y evitará riesgos. Si está sana y en buena forma, es probable que tenga un buen embarazo.

Riesgos para la salud

El principal riesgo para las madres mayores es el aumento de anomalías cromosómicas. Las pruebas de diagnóstico utilizadas para identificar esas anormalidades son el análisis de las vellosidades coriónicas y la amniocentesis. Sin embargo, muchos estudios realizados sobre bebés recién nacidos indican que, siempre que los cromosomas sean normales, los hijos de madres mayores tienen los mismos resultados que los de madres menores de 35 años.

Las mujeres de más edad también tienen mayor riesgo de padecer diabetes gestacional (véase p. 253), hipertensión provocada por el embarazo (véase p. 253) y preeclampsia (véase p. 254). Debido a esto, puede que le recomienden más visitas prenatales y más ecografías para controlar de cerca el desarrollo del bebé y detectar cualquier problema lo antes posible.

UN PADRE MAYOR

La expresión «edad paterna avanzada» (EPA) hace referencia a los padres mayores, generalmente de más de 40 años. Del mismo modo que sucede con la edad creciente de la madre, cada vez hay más riesgos (pero menos que con las mujeres) de transmitir alguna anomalía cromosómica. Los padres mayores tienen un riesgo ligeramente mayor de transmitir una mutación autosómica dominante en sus genes. Esto quiere decir que solo se necesita una copia mutada del gen para que su hijo tenga una determinada enfermedad; a diferencia de las enfermedades autosómicas recesivas, que requieren dos copias anómalas del gen para que se desarrolle la enfermedad. Comparadas con anomalías cromosómicas como el síndrome de Down, las enfermedades autosómicas dominantes son mucho más raras, por lo que no existe ninguna prueba para diagnosticar cada una (y se conocen miles). Por ello, no se recomienda que los hombres se hagan las pruebas de rutina.

El síndrome de Down

Cualquier mujer puede dar a luz un bebé afectado de una anomalía cromosómica, aunque es más corriente cuanto mayor sea. Si tiene 35 años, las probabilidades de tener un niño con síndrome de Down son de 1 entre 300. Viéndolo desde un punto de vista positivo, eso significa que tiene un 99,7 % de posibilidades de tener un niño normal y sano.

Rutinariamente, le ofrecerán realizarse ciertas pruebas no invasivas como la ecografía de translucencia nucal (véase p. 237) y la prueba del suero materno (véase p. 241), que le indicarán la probabilidad de que su bebé tenga ese trastorno. Pero se necesitarán pruebas adicionales para confirmar el diagnóstico. Con este tipo de pruebas más invasivas —análisis de vellosidades coriónicas (CVS) (véase p. 242) y la amniocentesis (véase p. 243), en las que se extrae una pequeña muestra de tejido coriónico o líquido amniótico para su análisis— su médico le aconsejará y discutirá con usted todas las implicaciones si el resultado de las mismas fuera positivo.

Su equipo prenatal está ahí para apoyarla durante el embarazo, así que no vacile en ponerse en contacto con ellos entre visitas si necesita que le den más información, la tranquilicen o la aconsejen.

ESPERAR DOS BEBÉS O MÁS

Enterarse de que va a tener más de un bebé puede resultar toda una conmoción e incluso parecerle abrumador. Algunas mujeres, especialmente si ellas mismas son mellizas o si ya han tenido un hijo, perciben que «está pasando algo», pero no pueden acabar de creérselo has-

8 maneras de cuidarse

Tanto si espera dos bebés como si son tres o más, debe tener un cuidado especial. Las recomendaciones que siguen a continuación están pensadas para evitar o aliviar problemas corrientes que forman parte de un embarazo múltiple y hacer así que este sea tan seguro y cómodo como sea posible.

1. Coma poco y con frecuencia. No se sorprenda si se siente llena incluso después de tomar solo un vaso de zumo y una barrita de cereales; el estómago tendrá menos espacio conforme los bebés crezcan y empujen para conseguir sitio. «Pique» algo de comida, siguiendo el lema de poco y a menudo, para mantener altos sus niveles de energía y obtener los nutrientes esenciales.

2. Haga una siesta. Físicamente, necesitará más descanso ya que puede notar que las actividades de la vida diaria la cansan cada vez más. Es vital que se tome períodos de reposo cada día —en especial en los últimos meses— en los cuales pueda dormir o practicar alguna técnica de relajación. Si no lo hace, estará exhausta antes de darse cuenta y quizá incluso tenga que ingresar en el hospital durante el último mes.

3. Venza el dolor de espalda. Sea consciente al máximo de su postura —recuerde que debe permanecer erguida, tanto estando de pie como sentada—, ya que cargar con el peso extra de sus bebés puede intensificar la curva de su espina dorsal y exacerbar el dolor de espalda, en especial en la parte inferior. Pídale a su pareja o a una amiga que le dé un masaje.

4. Busque ayuda en la natación. Estar en el agua reduce el efecto de la gravedad en sus bebés y le ofrece una ayuda necesaria. Nadar, especialmente crol y espalda —que no la obligarán a curvar la espalda como sucede con la braza—, es un magnífico ejercicio y puede aliviar la presión sobre el hueso púbico y ayudar a aliviar el dolor de espalda.

5. Convierta su almohada en amiga. Para aliviar y prevenir el fuerte dolor de espalda común en muchos embarazos múltiples, compre o pida prestada una almohada diseñada especialmente para proporcionar apoyo a la parte inferior de la espalda. Llévela consigo a todas partes.

6. Pida a su pareja, a sus amigos y familia que la ayuden en las labores domésticas y en las tareas agotadoras. Además, procure no levantar nada pesado, incluyendo las bolsas de la compra y a los niños pequeños.

7. Tómese las cosas con calma. Puede sentirse mareada o desfallecida, ya que sus vasos sanguíneos están más dilatados (abiertos) de lo habitual y la sangre se precipita a sus pies cuando se levanta; así pues, no se ponga en pie de golpe, hágalo lentamente y, cuando esté acostada, aprenda a hacerlo poniéndose primero de costado.

8. Duerma con comodidad. Cuando duerma o descanse, puede resultarle cómodo hacerlo apoyada en almohadas o en una bolsa rellena de bolitas de polietireno para no ejercer presión sobre los vasos sanguíneos principales, que podrían restringir el aporte sanguíneo a la placenta. Es probable que tenga que probar unas cuantas posturas antes de encontrar la que le vaya bien.

Quizá sienta cierto temor ante la perspectiva de dar a luz gemelos, pero su médico le ofrecerá muchos consejos y apoyo.

ta que ven la prueba en la ecografía. Algunas veces, si usted espera gemelos o trillizos, tendrá unas molestias más intensas, comparadas con un embarazo simple, así que los mareos matutinos muy fuertes y el cansancio extremo en los primeros días pueden ser síntomas de que está pasando algo diferente.

Los embarazos múltiples se diagnostican en una ecografía temprana; este «aviso» les permite a usted y a su equipo prenatal planear un programa a medida de análisis y pruebas. Una ecografía a las 12 o 14 semanas determinará cuántos bebés hay y entonces suele ser posible verificar si se trata de gemelos idénticos o no (véase p. 16).

Cómo se siente

Las inesperadas noticias de un embarazo múltiple pueden hacerla sentir muy «especial», una de las pocas madres de mellizos, trillizos o más. Pero después de la emoción del primer momento, quizá surjan temores y sentimientos contradictorios sobre la idea de tener más de un bebé. Si usted y su pareja son padres por primera vez, su aprensión natural al acercarse a la paternidad puede intensificarse cuando piensen en la realidad de cómo van a arreglárselas con dos bebés de golpe. No se puede negar que, al principio, será una dura tarea, pero pronto se habituarán y fijarán hábitos para criar y querer a los nuevos seres que hay en su vida. Para los padres que pensaban tener más de un hijo, descubrir que vienen mellizos de camino es una noticia fantástica; consiguen lo que querían en un solo embarazo y parto.

Saber que está embarazada de mellizos al principio del embarazo les dará tiempo para adaptarse emocionalmente y ocuparse de los aspectos prácticos que exigen los preparativos para dos bebés. Por supuesto, necesita equipamiento extra —cunas, ropa, sillas de coche, pañales, etcétera—, así que doble el número cuando haga la lista de todo lo que necesita (véase p. 199). Estos preparativos también ayudan a paliar el nerviosismo extra ante los nacimientos que se acercan, porque sentirán que controlan la situación y están preparados para reaccionar como sea necesario.

Quizá quieran ponerse en contacto con la Asociación Nacional de Padres con Hijos Nacidos de partos Múltiples (ANPAMU), para conseguir información y consejos específicos. Se enterarán de todo tipo de ideas y cosas útiles al hablar con otros padres de mellizos y escuchar sus historias.

¿Qué puede esperar?

Estar embarazada de mellizos puede ser mucho más complicado que esperar un solo bebé, así que su equipo médico querrá vigilar de cerca cómo va progresando todo. Puede esperar:

- *Reconocimientos más frecuentes.* Le tomarán la tensión y comprobarán la proteína en la orina con más regularidad para ver si hay indicios de preeclampsia (véase p. 254), una complicación corriente en los embarazos múltiples. Si su primer análisis de sangre mostraba que la hemoglobina había disminuido —no solo porque los mellizos necesitan más nutrientes, sino también porque la sangre de la madre se diluye—, su médico puede recetarle un suplemento diario de hierro —entre 60 y 100 miligramos— y ácido fólico —4 miligramos— para normalizar sus niveles e impedir la anemia.

- *Más ecografías.* Como es difícil comprobar el crecimiento y desarrollo de mellizos con un simple reconocimiento, su médico querrá información, precisa y regular, del progreso de los bebés en su mundo uterino. Si se trata de gemelos no idénticos, es probable que le hagan una ecografía cada cuatro o dos semanas; en caso de ser idénticos, lo recomendable es hacerlas cada dos semanas, ya que las complicaciones son más frecuentes.
- *Parto prematuro.* En el 50 % de embarazos múltiples los bebés nacen antes, hacia la semana 37. Póngase en contacto con su médico inmediatamente si tiene cualquier dolor, si sangra o si tiene un flujo vaginal acuoso.
- *Parto en el hospital.* Si pensaba tener el bebé en casa antes de saber que llevaba dos, quizá se sienta decepcionada por necesitar que el parto tenga lugar en el hospital, pero recuerde que su médico solo tiene en cuenta su bienestar. Aunque el primer bebé se presente de cabeza, puede dar a luz gemelos de forma normal; recuerde que no es inusual que las mujeres embarazadas de mellizos necesiten que les practiquen una cesárea (véase p. 188), así que sea flexible en su forma de abordar el parto. Para más información sobre la posición de los bebés y el parto vaginal, véase la página 226.
- *Tiempo extra de baja por maternidad.* Si trabaja, tanto su cansancio como la mayor necesidad de descansar pueden hacer que tenga que dejar de trabajar antes y tomarse más tiempo de baja maternal.

EMBARAZOS CON COMPLICACIONES

Si tuvo complicaciones en anteriores embarazos, existe el riesgo de que se repitan los mismos problemas y, en su primera visita, debe poner en conocimiento del médico su historial clínico. Tiene mucha importancia la preeclampsia grave (véase p. 254) y el parto prematuro. Haber tenido un aborto espontáneo anterior no afecta a sus posibilidades de que su embarazo sea normal y sano esta vez; incluso después de tres abortos, seguirá teniendo buenas probabilidades de quedarse embarazada de nuevo y de llevar a buen término su embarazo. Comente todas sus preocupaciones con su médico, quien puede programar una atención prenatal más intensiva.

La preeclampsia se repite hasta en el 30 % de embarazos, aunque es probable que sea menos grave y se produzca más tarde. Si existe esa preocupación, le ofrecerán más visitas clínicas prenatales para comprobar que su tensión sea normal y para ver si hay síntomas de edema, por ejemplo tobillos y manos hinchados. Su médico puede recetarle una pequeña dosis de aspirina —75 mg diarios— durante todo el embarazo. Algunos estudios indican que así se puede reducir el riesgo de preeclampsia o, por lo menos, retrasar su inicio.

Si su último hijo se adelantó al nacer más de tres semanas, podría volver a suceder lo mismo, aunque esto depende de la causa del anterior parto prematuro. Su médico tal vez quiera reconocerla más a menudo, especialmente durante el tercer trimestre, y quizá también le recomiende que descanse mucho para reducir el riesgo de ponerse de parto mucho antes de salir de cuentas. Pregunte qué señales o síntomas pueden indicar un parto prematuro para poder alertar al médico lo antes posible, si se repite el problema.

ENFERMEDADES CRÓNICAS

Aunque pueda controlar perfectamente una enfermedad de larga duración como la diabetes o la hipertensión, quizás al principio le preocupe cómo puede afectar la dolencia a su bebé. Lo que también es importante es saber qué efecto tendrá el embarazo en su enfermedad. Es imprescindible que hable de ello con su médico, ya que tal vez sea necesario que visite a otro especialista para realizar unos controles más frecuentes.

Dependiendo de su dolencia, quizá le propongan que se visite con más frecuencia para llevar un control regular de su tensión, de las proteínas en la orina y del crecimiento del bebé. Si se trata de diabetes, vale la pena hablar con el médico antes de volver a quedarse embarazada, para que su cuerpo esté en las mejores condiciones de salud posibles para la concepción. Para informarse de cómo puede afectar su dolencia al embarazo, véase la Guía prenatal (págs. 235-279).

NUEVE MESES DE COMIDAS SANAS

Una alimentación variada y equilibrada le dará la energía y los nutrientes necesarios para un embarazo sano. También será uno de los mayores regalos que puede hacerle a su bebé, al proporcionarle una base firme para su futura salud y bienestar.

HACER CAMBIOS SANOS

Es probable que no haya ningún otro momento en su vida en el cual se sienta más motivada que durante el embarazo para adoptar unos hábitos alimentarios sanos, y por buenas razones. Una dieta variada y nutritiva proporciona el mejor punto de partida a su bebé y la beneficia a usted al mismo tiempo.

No hay ningún gran misterio en comer bien durante el embarazo; sencillamente usted necesita una dieta que sea equilibrada en los diferentes grupos de alimentos y que contenga las suficientes sustancias nutritivas. Analice lo que come cada día utilizando el gráfico de grupos de comidas que encontrará en la página 102 y es probable que descubra que su dieta actual ya es bastante sana. Quizá tenga que hacer algunos cambios menores —por ejemplo, si no toma suficientes alimentos que contengan hierro o come demasiados alimentos azucarados— y hay algunos productos que debe evitar (véase p. 112), pero tampoco hay ninguna necesidad de fijarse metas imposibles.

PEQUEÑOS CAMBIOS PARA GRANDES RECOMPENSAS

La comida es para disfrutarla y esto no cambia ni cuando se está embarazada. No obstante, tendrá que pensar si puede mejorar en algo sus hábitos alimentarios. Por ejemplo, puede que acostumbre a saltarse el desayuno, no coma mucha fruta o no se moleste en prepararse la comida cuando vuelve a casa del trabajo. Aunque no hay nada malo en tomar, de vez en cuando, una comida preparada o precocinada, esto debe ser la excepción y no la regla, ya que quizá no contenga tantas sustancias nutritivas como la comida fresca. Cuando sepa que tomar un buen desayuno y suficiente fruta la beneficiarán a usted y a su bebé, querrá comer hasta saciarse.

Una dieta nutritiva para usted y para su bebé no significa que tenga que pasarse el día en la cocina; cocine en cantidad y luego congele las raciones; experimente con métodos de cocina sana y rápida, como freír en poco aceite, removiendo constantemente, asar a la parrilla y cocer al vapor. Si está cansada o siente náuseas, será muy útil que su pareja o una amiga se encarguen en parte de cocinar o traigan una comida preparada de vez en cuando.

Evite los cambios drásticos

Recuerde que el embarazo no es el mejor momento para hacer cambios radicales, así que no pase de comer carne a consumir solo verduras o viceversa; a su organismo puede llevarle meses habituarse a ese cambio tan radical. Es mucho mejor adaptar sus hábitos actuales para que el bebé reciba la mejor nutrición posible. Si le preocupa no comer lo suficiente de un determinado grupo de alimentos, hable con su médico o con un experto en dietética, que podrá aconsejarle qué es lo que más le conviene.

SU NUEVA FORMA DE COMER

Durante el embarazo, las papilas gustativas, el apetito y el sistema digestivo pueden mostrarse un poco alterados, así que prepárese para una forma de comer extraña y maravillosa. Al principio, en especial si sufre de mareos matutinos, quizá no tenga ningunas ganas de comer. También pueden antojársele los alimentos más extraños mientras que rechaza sus antiguos favoritos. Más tarde, en el segundo y tercer trimestres, cuando pase al régimen de poco y a menudo, puede parecerle que no hace otra cosa que comer. Finalmente, cuando el feto crezca y ocupe la mayor parte de su espacio abdominal, puede sentirse llena incluso después de tomar un vaso de leche o comerse un plátano.

Antojos y aversiones

No se sorprenda si de repente siente pasión o una violenta aversión por cosas hacia las que reaccionaba de forma diferente antes de estar encinta. Es algo muy corriente, en especial al principio del embarazo. Si de repente descubre que no puede vivir sin alimentos picantes o avinagrados, dulces y chocolate, leche, fruta y zumos de fruta y cosas muy frías como el helado, piense que está en buena compañía, ya que son los antojos más corrientes. Por otro lado, quizá empiece a sentir aversión por otras cosas, como el té, el café e incluso algunas carnes.

Hay quien cree que los antojos de comida son señal de que su cuerpo carece de un nutriente en particular, pero es una teoría que todavía está por demostrar. No se conocen las razones exactas de estas súbitas aficiones, pero suele creerse que los responsables son los cambios en los niveles hormonales, por ejemplo de estrógeno.

Por lo general, siempre que sus antojos o aversiones no le impidan seguir una dieta sensata la mayor parte del tiempo, dese el gusto y no se preocupe. A veces esas sensaciones pueden beneficiarla, por ejemplo si siente aversión hacia el café o el alcohol, que, en cualquier caso, no son muy buenos para el feto (véase p. 111). No obstante, si observa que está dejando de lado un alimento que es una valiosa fuente nutritiva, procure sustituirlo por otro del mismo grupo y con un valor nutricional similar (véase p. 102).

MÁS **SOBRE** antojos extraños

Algunas mujeres embarazadas contraen una extraña dolencia, llamada malacia, que consiste en el deseo compulsivo de comer sustancias como el hielo, la arcilla, el yeso, el carbón, la pasta de dientes o los fósforos quemados. Se han elaborado muchas teorías para explicar este extraño hábito, pero ninguna ha obtenido una aceptación generalizada. Una de ellas es que algunas embarazadas comen sustancias que no se consideran comestibles porque están tratando de corregir, de forma inconsciente, una carencia en ciertos nutrientes; algunos estudios han relacionado la malacia con una deficiencia en hierro, aunque las materias ansiadas no tienen un contenido importante del mismo. No obstante, lo que se sabe es que esta dolencia puede interferir en la absorción de minerales esenciales y que si la madre se llena de sustancias como las descritas, se reduce su ingesta de alimentos nutritivos. Si siente cualquier antojo exagerado, dígaselo a su médico.

¿Comer para dos?
Se podría suponer que con un bebé de camino necesitará comer el doble que antes. En realidad, solo tiene que comer más durante el último trimestre y en ese momento se trata de unas 200 calorías al día más que antes del embarazo, lo cual hace un total de entre 2.150 y 2.300 calorías al día. Estas calorías extra pueden alcanzarse fácilmente con:

- Un cuenco de cereales y leche desnatada.
- Dos tostadas con mantequilla o margarina.
- Un vaso de leche y un plátano.
- Un vaso de zumo de fruta y un huevo hervido.

No obstante, las exigencias varían de una persona a otra y si le preocupa su peso, hable con su médico. Si estaba por debajo del peso normal al quedarse embarazada, si espera mellizos o trillizos o si es adolescente, necesitará más calorías. Si tiene exceso de peso, probablemente le aconsejarán que mantenga el aumento de peso al mínimo hasta el último trimestre.

Durante el embarazo no es el momento apropiado para ponerse a dieta y nunca debe limitar la ingesta de calorías para perder peso; es esencial contar con las suficientes calorías para darle energía y ayudar a crecer al bebé. Si ve que está aumentando mucho de peso, le será de ayuda hacer ejercicio de forma regular, limitar la ingesta de grasas y basar su alimentación en frutas, hortalizas e hidratos de carbono no refinados (véase p. 101). Si tiene un problema con la comida, consulte con su médico, quien le ayudará a planificar una dieta buena para el embarazo.

TENTEMPIÉS DE 200 CALORÍAS: COMPARACIÓN

	5 galletas semidulces	Cereales con leche desnatada
energía (kcal)	200	200
proteínas (g)	2,9	8,4
fibra (g)	0,7	6,5
vitamina B_1 (mg)	0,06	0,5
vitamina B_2 (mg)	0,04	0,8
vitamina B_3 (mg)	0,7	7,6
vitamina B_6 (mg)	0	1,3
ácido fólico/folato (mcg)	5,7	130
calcio (mg)	53	145
hierro (mg)	0,9	10,1
zinc (mg)	0,3	2,1

Elecciones sanas
Además de asegurarse de que toma suficientes calorías, también tiene que vigilar que procedan de una fuente sana. Los alimentos «vacíos» desde el punto de vista nutricional, como productos con mucho azúcar o mucha grasa, pueden satisfacer sus exigencias de energía, pero no cumplirán con sus necesidades de nutrición. No es necesario que se preocupe por todo lo que coma, pero procure tomar comida fresca y variada siempre que pueda. Cuando elija un alimento, estudie la información que lo acompaña para averiguar qué está consumiendo, además de calorías. El gráfico que hay arriba muestra cómo pueden variar los valores de dos tentempiés de 200 calorías al día.

Organizar las comidas
Si está muy atareada, quizá se haya acostumbrado a saltarse el desayuno o el almuerzo, pero, igual que el embarazo no es el momento más adecuado para ponerse a régimen, tampoco lo es para saltarse comidas. Así pues, haga un esfuerzo para comer de forma adecuada tres veces al día.

A veces le ocurrirá́á con que no consigue comer mucho durante las comidas; por tanto, tome algo entre horas para completar sus calorías diarias. En lugar de tomar cosas nutritivamente vacías como galletas y dulces, opte por la fruta fresca o los frutos secos, las hortalizas crudas, las barritas de muesli, los yogures y los batidos dulces. Si está trabajando, tenga una provisión de tentempiés sanos en el cajón de la mesa o en el bolso para contar siempre con algo que picar.

CÓMO SEGUIR UNA DIETA EQUILIBRADA

Comer para tener una salud óptima no depende de fórmulas mágicas o de una lista de cosas obligadas y cosas prohibidas; de lo que se trata es de equilibrar lo que ingiere de cada uno de los diferentes grupos de alimentos y elegir lo que prefiere dentro de ese marco.

Una forma fácil de elegir los alimentos y planear las comidas es utilizar el gráfico de la página 102, que recoge la aportación que cada uno de los cinco grupos de alimentos hace a su dieta diaria.

¿CUÁLES SON LOS ALIMENTOS ESENCIALES?

La mayoría de expertos en nutrición divide la comida en cinco grupos: hidratos de carbono complejos, fruta y hortalizas, lácteos, pescado y alimentos proteicos, y aceites, grasas y azúcares. Los hidratos de carbono complejos y la fruta y las hortalizas son los dos grupos más importantes y deben constituir el grueso de todas sus comidas y tentempiés, junto con cantidades más pequeñas de lácteos y alimentos proteicos. Los aceites, las grasas y los azúcares contienen algunos nutrientes valiosos, pero deben tomarse con moderación. Dentro de cada grupo, coma alimentos variados a fin de incluir todos los nutrientes que usted y su bebé necesitan.

Mantenga el frigorífico bien provisto de alimentos frescos variados, para tener siempre una selección de los cinco grupos.

Hidratos de carbono complejos

Pan, cereales para el desayuno, pasta, arroz y patatas forman aproximadamente un tercio de su alimentación.

Elija cereales no refinados, por ejemplo arroz, pan y pasta integrales, ya que son muy nutritivos. Contienen tanto el salvado, que es la cáscara que protege el grano, como el germen, que es la pequeña parte que hay en la base de cada grano. Al refinarlos, para hacer harina o arroz blancos, por ejemplo, se elimina la mayoría de las vitaminas del grupo B, E y los ácidos grasos esenciales. Además, se pierde alrededor del 20 % del contenido en proteínas y una alta proporción de fibra. Es importante ingerir una cantidad adecuada de fibra, porque ayuda a la digestión y puede impedir trastornos corrientes en el embarazo, como el estreñimiento (véase p. 72).

Al contrario de lo que suele pensarse, los hidratos de carbono no son, en sí mismos, especialmente altos en calorías, pero se acostumbran a servir con aditamentos altos en grasas y calorías, como la mantequilla o las salsas aceitosas o cremosas. Si a su médico le preocupa que esté aumentando mucho de peso, reduzca los aditamentos y salsas, pero no los hidratos de carbono, que le ayudan a sentirse saciada y llena de energía durante más tiempo, ya que el organismo tarda más en absorberlos.

Fruta y hortalizas

Las frutas variadas y las hortalizas frescas deberían formar una parte importante de su alimentación. Además de proporcionar agua y fibra, la fruta y las hortalizas contienen muchas vitaminas y minerales importantes (véase p. 106). Los productos congelados son un gran recurso; con frecuencia tienen más valor nutricional que los productos frescos que han estado expuestos en el supermercado un par de días, porque habrán sido recogidos en su mejor momento y congelados a las pocas horas. Para aprovechar al máximo su ingesta de nutrientes, coma una amplia variedad de frutas y hortalizas, que incluya, por ejemplo:

UN EQUILIBRIO DIETÉTICO SANO

Aceites, grasas y azúcares. Limítelos a menos del 30 % de sus calorías diarias.

Proteínas. Tome 2 o 3 raciones al día. Una ración es igual a 85 g de carne, 115 g de pescado o 140 g de lentejas cocidas.

Productos lácteos. Tome 3 raciones al día. Una ración es igual a 200 ml de leche, 140 g de yogur o 40 g de queso.

Frutas y hortalizas. Procure comer por lo menos 5 raciones al día. Una ración es igual a un vaso de zumo de naranja, una fruta (por ejemplo, una manzana) o tres cucharadas de verduras cocidas.

Hidratos de carbono complejos. Deben representar la mayor parte de su dieta. Coma de 6 a 7 raciones al día. Cada ración es igual a 2 rebanadas de pan, 140 g de patatas, 4 cucharadas de arroz cocido o 6 cucharadas de pasta cocida.

- Los cítricos, fresas, kiwi y guayabas son ricos en vitamina C, que acrecienta la absorción de hierro.
- Las frutas amarillas, como los mangos, los melocotones y los albaricoques, son buenas fuentes de betacaroteno, la forma de la vitamina A de las plantas.
- Las naranjas, mandarinas, moras, frambuesas y plátanos contienen cantidades moderadas de ácido fólico, que es importante durante todo el embarazo, pero en especial en el primer trimestre.
- Los frutos secos pueden ser una buena fuente de hierro y otros elementos esenciales.
- Las hortalizas de hoja verde, en especial las variedades verde oscuro, como las hortalizas de primavera, el brécol púrpura, las coles de Bruselas y las espinacas, contienen cantidades importantes de ácido fólico, vitamina C y betacaroteno, así como hierro y otros elementos esenciales importantes.
- Las hortalizas de raíz, como las zanahorias, nabos y colinabos son buenas fuentes de vitamina B_1.
- Los guisantes y alubias secos, incluyendo las lentejas, contienen proteínas, fibra, vitamina B y minerales.
- Los zumos de frutas y hortalizas, como las manzanas, los arándanos, las naranjas, los tomates y las zanahorias, contienen mucha agua y además están llenos de vitaminas y minerales.

Alimentos lácteos

La leche, los quesos y el yogur son ricos en calcio, uno de los minerales más importantes en el embarazo. El calcio ayuda a su bebé a desarrollar unos huesos y dientes fuertes y protege también los huesos de la madre. Los productos lácteos bajos en grasa conservan todos los minerales y vitaminas solubles en agua (véase p. 106) de los productos enteros, así que son mejores; elíjalos siempre que pueda. A menos que compre leche enriquecida, lo que se elimina, además de la grasa, son las vitaminas A y D, solubles en agua, pero la leche no es una fuente principal de esas vitaminas, así que no se preocupe. Un vaso de leche de vaca de 225 ml contiene alrededor de un tercio de sus necesidades de calcio; si bebe tres vasos al día, habrá alcanzado el cien por cien. Los lácteos son también ricos en vitaminas del grupo B y proteínas. No obstante, es mejor evitar algunos quesos durante el embarazo (véase p. 111).

Alimentos proteicos

La carne, las aves, el pescado, los huevos, los cereales, las legumbres (guisantes, alubias, lentejas) y los frutos secos contienen proteínas, un elemento esencial de todos los organismos vivos. Las proteínas son necesarias para formar las células, los tejidos y los órganos del futuro bebé. Los alimentos proteicos son también ricos en vitaminas y minerales, por ejemplo en las vitaminas del grupo B, el hierro y el zinc.

Algunos de los aminoácidos que forman las proteínas no pueden ser elaborados por el organismo y solo los proporciona la comida. Pero no todos los alimentos proteicos son iguales en cuanto a la cantidad y calidad de los aminoácidos que contienen. Las proteínas animales —que se encuentran en la carne, el pescado, la leche y el queso— contienen una amplia gama de aminoácidos esenciales. Las proteínas de las plantas —que se encuentran en las alubias y los guisantes secos, los frutos secos, las semillas, el pan y otros cereales— tienden a ser bajas en uno o más aminoácidos esenciales, así que si es usted vegetariana, necesitará una combinación de proteínas de origen vegetal para recibir el complemento que precisa de aminoácidos esenciales (véase p. 104).

Aceites, grasas y azúcares

Este grupo incluye alimentos que son altos en calorías y bajos en nutrientes esenciales —las llamadas «calorías vacías»— y, en consecuencia, deberían ser solo una parte mínima de su ingesta diaria. Comer demasiados productos grasos o azucarados de forma habitual puede significar que toma menos alimentos de los otros grupos ricos en nutrientes. No es necesario que excluya por completo los fritos, las patatas chips, las bebidas con gas, el azúcar, los dulces y las galletas; puede tomarlos como capricho, de vez en cuando, pero su consumo en grandes dosis puede llevar a otros problemas, como la obesidad y las enfermedades del corazón.

No obstante, pequeñas cantidades de azúcares y grasas son esenciales para su salud y la de su bebé. Proporcionan energía, ayudan a mantener la piel y el cabello sanos y facilitan la absorción de las vitaminas liposolubles (véase p. 106). Y lo más importante, las grasas en las verduras, las semillas y los frutos secos, en la carne magra y el pescado y en los aceites de pescado le proporcionan ácidos grasos esenciales, unos compuestos que el organismo no puede elaborar y que debe extraer de los alimentos (véase cuadro más abajo).

Siempre que sea posible, elija grasas altas en ácidos grasos mono o poliinsaturados y bajos en ácidos grasos saturados. Los ácidos grasos insaturados proceden de las plantas y el pescado y generalmente son líquidos a temperatura ambiente. Son una fuente sana de grasas en su alimentación. Los ácidos grasos saturados suelen ser de origen animal y sólidos a temperatura ambiente. Ingerir demasiadas grasas saturadas puede dar lugar a enfermedades cardíacas.

¿SABÍA QUE...?

Tomar algo de grasa es bueno para usted. El pescado oleoso, como los arenques, sardinas, salmón y caballa, es rico en ácidos grasos esenciales omega-3, que son clave para el desarrollo de los ojos y el cerebro del bebé. De hecho, un 60 % del cerebro del bebé está hecho de ácidos grasos esenciales, y por ello es especialmente importante tomar ese tipo de alimentos durante el último trimestre, cuando el cerebro del bebé aumenta cuatro o cinco veces de peso. Los ácidos grasos esenciales también son buenos para usted, ya que se han asociado a disminuir el riesgo de hipertensión en el embarazo. Se aconseja a las mujeres embarazadas que tomen dos raciones de pescado a la semana, una de las cuales debe ser oleaginosa.

No olvide los líquidos

Una ingesta adecuada de líquidos es esencial durante el embarazo para estimular el riego sanguíneo y también para proporcionar nutrientes al bebé. Además, el embarazo aumenta su temperatura corporal y es fácil deshidratarse. Procure beber por lo menos 225 ml de líquidos cada día. En su mayor parte, esta cantidad debe ser de agua, pero la leche, las infusiones de hierbas y frutas y los zumos vegetales son también buenas opciones. Procure limitar las bebidas con cafeína y el alcohol, ya que pueden deshidratarla y tener un efecto negativo en el feto (véase p. 111)

CÓMO EQUILIBRAR UNA DIETA VEGETARIANA

Aunque es probable que ya siga una alimentación sana, durante el embarazo puede tener que completar sus reservas nutricionales y debe estar doblemente segura de que obtiene las suficientes proteínas, hierro, calcio, vitamina D y vitamina B_{12}. Si le preocupa la carencia de algunos nutrientes, consulte a su médico o experto en nutrición.

Aumente sus proteínas

El queso y los huevos son una valiosa fuente de proteínas. No obstante, si no consume estos productos, tome alimentos ricos en proteínas de origen vegetal diverso para obtener todos los aminoácidos esenciales. Por ejemplo, pruebe a combinar legumbres (guisantes, alubias y lentejas) con cereales integrales. Todos los productos hechos de bayas de soja, como el tofu, el tempeh o el miso, proporcionan una gran cantidad de proteínas.

Incremente el hierro

El hierro es esencial para nutrirla a usted y a su futuro bebé (véase p. 108) y en especial para producir nuevos glóbulos rojos. Durante el embarazo necesita alrededor de 14,8 mg al día. Ya que el hierro de origen vegetal se absorbe peor que el de origen animal, procure incrementar el consumo de alimentos ricos en hierro comiendo una amplia variedad de legumbres, hortalizas de hoja verde oscuro y productos de soja. Entre horas, coma fruta desecada para aumentar el nivel de hierro. Recuerde también que la vitamina C facilita la absorción de hierro, así que beba zumo de naranja con una comida rica en este elemento.

Busque productos ricos en calcio

Si no consume productos lácteos, tendrá que aumentar el calcio comiendo muchas hortalizas verdes, por ejemplo brécol, productos de soja, higos secos y semillas de sésamo. La vitamina D le ayudará a absorber el calcio de forma más eficaz, así que tome huevos y productos

Plan de comidas durante el embarazo

Si está cansada, puede resultarle fácil decantarse por una comida preparada o lista para llevar, que quizá no le aporte el mejor equilibro de nutrientes. Planear sus comidas por adelantado puede ahorrarle tiempo y esfuerzos. Aquí tiene algunos consejos para una semana de menús totalmente sanos.

Si trabaja y no tiene a mano muchas opciones para almorzar de forma sana, llévese el almuerzo de casa. La cena será, probablemente, su comida principal, así que procure cocinar entonces sus recetas sanas favoritas, incluyendo muchos productos frescos.

Trate de equilibrar sus comidas. Por ejemplo, después de un plato principal fuerte, tome un postre ligero o bien opte por un plato principal ligero, seguido de un postre rico en proteínas, como el yogur o el queso.

Desayunos

- Cereales enriquecidos con leche baja en grasas y fruta.
- Rodajas de huevo duro con un bollo y pasta para untar baja en grasas.
- Plátano y fresas con germen de trigo por encima.
- Lonjas de beicon magro a la parrilla, con tomates y setas.

- Gachas con yogur bajo en grasa y pasas u otros frutos secos.
- Huevos revueltos con dos tostadas de pan integral con margarina poliinsaturada.
- Albaricoques secos con yogur bajo en grasas.

Almuerzos

- Una patata grande asada con piel y acompañada de atún, pepino y judías verdes.
- Sopa de garbanzos o brécol acompañada de un bollo.
- Sándwich de pan integral con ensalada de pollo.
- Filete de salmón con una ensalada de lechuga, tomate, pimientos y semillas de sésamo.
- Tortilla de setas y brécol con lechuga y tomate.

lácteos. Si es vegetariana estricta, puede obtener la vitamina D de los cereales enriquecidos o consultar con su médico sobre tomar un suplemento.

Proteja su vitamina B_{12}

Esta vitamina se encuentra principalmente en productos animales como los huevos y los lácteos. No obstante, también la contienen los alimentos fermentados como el tempeh. Algunos extractos de levadura, la leche de soja y los quesos y las cremas para untar están enriquecidos con vitamina B_{12}, así que provéase también de estos alimentos. Si es vegetariana estricta, puede resultarle difícil completar sus exigencias diarias de vitamina B_{12}; consulte con su médico para tomar un suplemento durante el embarazo.

OTROS TIPOS DE DIETA

Si está siguiendo una dieta estricta por razones médicas o de otro tipo, consulte con un experto en nutrición o con su médico de cabecera para que la ayuden y orienten durante el embarazo. Ellos podrán decirle cómo puede extraer el máximo partido de su ingesta de nutrientes para que el bebé tenga todo lo que necesita. Vale la pena tener presentes las siguientes recomendaciones:

- Si no tolera la lactosa, aumente sus niveles de calcio consumiendo pescado con espina enlatado, semillas de sésamo, pasta tahini, hortalizas de hoja verde oscuro, frutos secos y leche de soja enriquecida.
- Si no tolera el gluten, tiene que ingerir hidratos de carbono en forma de patatas, pan sin gluten, arroz y maíz.
- Si es diabética o si contrae esta dolencia durante el embarazo (véase p. 253), su médico la controlará atentamente. Como regla general, alrededor de la mitad de su ingesta diaria debe proceder de hidratos de carbono como la pasta, el arroz integral y los cereales integrales.

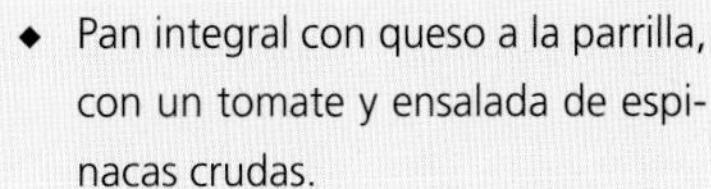

- Pan integral con queso a la parrilla, con un tomate y ensalada de espinacas crudas.
- Ensalada de arroz y arroz integral con avellanas, pasas y cebolletas, aderezada con aceite de oliva.

Cenas

- Salmón y espárragos al vapor, con macarrones y salsa holandesa pasteurizada.
- Hortalizas mediterráneas (berenjena, tomate, calabacín y pimiento amarillo) asadas con aceite de oliva y acompañadas de pasta.
- Boniato al horno con queso fresco, fríjoles y verduras al vapor (por ejemplo, zanahorias o brécol).
- Bacalao a la plancha con judías verdes y puré de patata aderezado con salsa verde.
- Coliflor con salsa de queso y tomate secado al sol y una ensalada verde fresca.
- Curry de pescado al estilo tailandés, con brotes de bambú y calabacines, servido con arroz integral al vapor.
- Cerdo magro o tofu rehogados con jengibre y setas, y acompañado de arroz.

Postres

- Manzana al horno, rellena de frutos secos.
- Maracuyá con yogur natural sobre merengues.
- Galletas y una selección de quesos (véase p. 111).
- Tarta de limón, con una crema fresca baja en grasas.

LOS NUTRIENTES ESENCIALES

Nutrir al bebé significa algo más que ingerir todas las proteínas esenciales para la formación del organismo y los hidratos de carbono que aportan energía; también significa proporcionarle toda una serie de vitaminas y minerales.

Aunque el organismo puede fabricar una o dos vitaminas, depende principalmente de lo que comamos para el aporte de nutrientes. En el gráfico de la página 108 encontrará las cantidades diarias recomendadas de vitaminas y minerales que debe tomar durante el embarazo; familiarícese con las mejores fuentes de cada una. Algunos alimentos son unos estupendos proveedores de toda una serie de nutrientes; es el caso de las verduras (vitaminas del grupo B, vitaminas A y C y calcio) y los cereales integrales (vitaminas del grupo B, hierro y zinc).

VITAMINAS ESENCIALES DURANTE EL EMBARAZO

Se conocen trece vitaminas y cada una tiene su propio papel en su salud y en la de su bebé. Su organismo puede hacer acopio de algunas de ellas; se trata de las vitaminas liposolubles A, D y E. No obstante, usted no puede almacenar la variedad soluble en agua —las vitaminas del grupo B y la vitamina C— de forma que es necesario aportárselas de forma regular.

Si ya consumía los niveles ideales de todas las vitaminas antes de quedarse embarazada, entonces, en teoría, podría continuar con la misma alimentación durante todo el embarazo y seguir proporcionándole al bebé una cantidad suficiente de cada una. Esto es así porque después de las ocho semanas, la placenta empieza a concentrar, de forma activa, la mayoría de vitaminas de su corriente sanguínea. No obstante, en realidad, esto podría dejar a la madre con carencias, aunque fueran pequeñas. Es importante tomar una cantidad suficiente de todas las vitaminas durante el embarazo, pero algunas de ellas son especialmente importantes para la salud de usted y del bebé que se va desarrollando.

Vitamina A

Esta vitamina se da normalmente en dos formas: retinol, una versión madura que se encuentra en los productos animales, y beta-caroteno, que puede transformarse en vitamina A en el organismoo y se encuentra en las plantas. La vitamina A es importante para el desarrollo de las células, el corazón, el sistema circulatorio y el sistema nervioso del feto. En consecuencia, en el momento de máximo aumento de peso del bebé —los tres últimos meses— aumenta su necesidad del aporte adecuado de vitamina A. Por fortuna, la mayoría de mujeres no tienen problemas para tomar la dosis diaria recomendada de esta vitamina.

Se han asociado unas dosis muy grandes de retinol con mayor riesgo de defectos congénitos, pero es muy improbable que usted consuma esas cantidades excesivas. El hígado es el único alimento que proporciona una gran cantidad de retinol; así pues, se recomienda a las embarazadas que no tomen hígado ni productos derivados del hígado, como el paté. Compruebe que los suplementos vitamínicos que tome contengan vitamina A en forma de betacaroteno en lugar de retinol.

Vitaminas del grupo B

Esta familia de vitaminas incluye tiamina (B_1), riboflavina (B_2), niacina (B_3), piridoxina (B_6) y cobalamina (B_{12}), así como folatos (véase más abajo). Las vitaminas del grupo B, que ayudan a transformar los alimentos en energía, tienen un importante cometido en la formación de nuevas células. Son de una especial importancia en la primera parte del embarazo, cuando el ritmo de división de las células es mayor. En esta etapa una buena ingesta de vitaminas del grupo B —en especial tiamina y niacina— suele derivarse en un buen peso del bebé al nacer. También tiene que aumentar su ingesta de vitamina B_6, que interviene en el desarrollo del sistema nervioso del feto, y vitamina B_{12}, que es vital para la elaboración de los glóbulos rojos. Entre los alimentos ricos en vitaminas del grupo B están los cereales del desayuno enriquecidos, las verduras, los cereales integrales, la carne, el pescado, los huevos y la leche.

Folatos y ácido fólico

Pertenecientes a la familia de vitaminas del grupo B, los folatos y el ácido fólico son de especial importancia durante el primer trimestre del embarazo. Los estudios han demostrado que tomando un suplemento de ácido fólico antes de la concepción y durante el primer trimestre se puede reducir de forma drástica el peligro de dar a luz un bebé con un defecto en el tubo neural, como la espina bífida (véase p. 375). A las 12 semanas, el tubo neural del feto ya está formado por completo y el período vulnerable ha pasado.

Aunque los folatos se encuentran de forma natural en alimentos como las hortalizas de hoja verde, las naranjas y los plátanos, no es probable que, por sí solos, proporcionen la cantidad adecuada. Por ello es aconsejable tomar un suplemento de ácido fólico y consumir alimentos enriquecidos con ese ácido, como el pan y los cereales del desayuno. A diferencia de otras vitaminas, el ácido fólico (versión sintética de la vitamina) se absorbe con más facilidad que en su forma natural.

5 maneras de conseguir más nutrientes

1. La mayor parte de la fruta que compramos en la actualidad no está madura, así que espere a que la fruta se ablande y cambie de color antes de comerla; será mucho más sabrosa y contendrá el máximo de vitaminas.

2. Las verduras frescas pierden los nutrientes con celeridad, así que cómprelas con frecuencia y cómalas en el mismo día o al siguiente de haberlas comprado.

3. Una gran proporción de los nutrientes de las verduras se acumulan debajo mismo de la piel, así que cómalas con piel, si es posible. Lave a fondo las verduras como las zanahorias, en lugar de pelarlas.

4. Las frutas y las verduras pierden las vitaminas cada vez que se las corta, así que cómalas enteras o en trozos grandes.

5. Los nutrientes se pierden en el líquido de la cocción. Lo mejor es comer las verduras crudas o cocidas al vapor. Cocine la carne y el pollo con métodos de calor seco, como la plancha o asados, y utilice los líquidos de las carnes preparadas en cazuela para salsas y purés.

Vitamina C

La necesidad que tiene el organismo de esta vitamina aumenta durante el embarazo, ya que ayuda a fabricar nuevos tejidos. El bebé necesita vitamina C para crecer adecuadamente. La vitamina C también ayuda al cuerpo de la madre a absorber el hierro de los alimentos, así que beba zumo de frutas cuando tome una comida rica en hierro. Los arándanos, los cítricos y los pimientos son grandes proveedores de vitamina C.

Vitamina D

Sintetizada en la piel cuando la exponemos a los rayos ultravioleta del sol, la vitamina D es vital para la absorción de calcio y para el desarrollo de los dientes y los huesos del bebé. Las personas cuya piel está expuesta al sol suelen sintetizar suficiente vitamina D. No obstante, en los casos en que no sea posible garantizar unos niveles suficientes de sol se recomienda que las mujeres embarazadas tomen un suplemento de vitamina D de hasta 10 mcg al día.

Vitamina E

Es un antioxidante y ayuda a contrarrestar los daños celulares. Se ha asociado un bajo nivel de vitamina E a la preeclampsia (véase p. 254); por tanto, no olvide comer muchos aguacates, semillas, frutos secos y aceites vegetales.

MINERALES ESENCIALES DURANTE EL EMBARAZO

El cuerpo no puede fabricar minerales; hay que conseguirlos de los alimentos. Ciertos minerales —hierro, calcio y zinc— son particularmente importantes durante el embarazo y de ellos hablamos más adelante. No obstante, también debe asegurarse de tomar una cantidad adecuada de yodina, magnesio y selenio, que intervienen en una serie de funciones que van desde la regulación del metabolismo hasta el desarrollo del material genético.

Calcio

Es el mineral más abundante en el organismo; alrededor del 99 % se encuentra en los huesos y los dientes.

Es esencial para la coagulación de la sangre, la contracción de los músculos y las señales nerviosas. También puede ayudar a prevenir la hipertensión, una de las causas principales de la preeclampsia (véase p. 254).

Durante el embarazo, el organismo se adapta para extraer más calcio de los alimentos y sus propias reservas de este mineral son usadas para nutrir al feto. No obstante, es vital aumentar los niveles durante ese período, en especial durante el último trimestre, cuando se acaban de formar del todo los huesos y dientes del bebé. Si tiene menos de 25 años, es incluso más importante contar con suficiente calcio, ya que la formación óptima de los huesos no se alcanza hasta esa edad.

Hierro

Este mineral es vital para la formación de nuevas células y hormonas y constituye una gran parte de la hemoglobina, la proteína portadora de oxígeno de los glóbulos rojos. Durante el embarazo, su volumen sanguíneo puede ser doble, así que hay una fuerte demanda de hierro.

La dosis recomendada es de 14,8 mg al día tanto durante la menstruación como durante el embarazo. Al concebir, la menstruación cesa y el cuerpo empieza a extraer hierro de los alimentos con mayor eficacia, de forma que, en teoría, no debería necesitar hierro extra mientras esté embarazada. Pero como muchas mujeres —en especial las adolescentes, las que tienen períodos muy abundantes o las que no comen suficientes alimentos ricos en hierro— sufren ya una ligera deficiencia de hierro, aumentar los niveles de ese mineral puede reducir el riesgo de padecer anemia (véase p. 252).

El hierro está presente en los alimentos tanto de origen animal como vegetal. Los de origen animal, como la carne roja, las aves y el pescado, contienen una forma llamada hierro hémico, que se absorbe con más facilidad que el hierro no hémico procedente de fuentes vegetales, como hortalizas, pastas, frutas, cereales, frutos secos, huevos y cereales del desayuno enriquecidos.

La vitamina C facilita la absorción de hierro, así que tome zumos cítricos con las comidas que contengan hierro. Se cree que el té y el café inhiben la absorción de hierro, espere una hora después de comer para tomarlos.

Zinc

Esencial para el crecimiento, la cicatrización de las heridas y la función inmunitaria, el zinc interviene en la

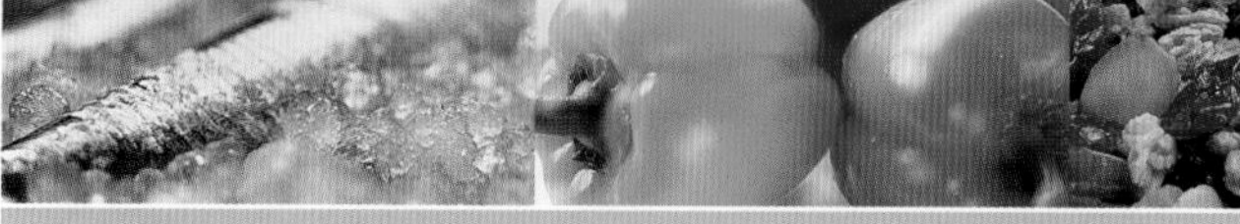

CÓMO SATISFACER SUS NECESIDADES DIARIAS DE VITAMINAS

Vitamina	Necesidad diaria
A (retinol/betacaroteno)	700 mcg
B_1 (tiamina)	0.9 mg (solamente último trimestre)
B_2 (riboflavina)	1.4 mg
B_3 (niacina)	De 13 a 14 mg
B_6 (piridoxina)	1.2 mg
B_{12} (cobalamina)	1.5 mcg
Ácido fólico/folatos	600 mcg (antes del embarazo y primer trimes 300 mcg (dos últimos trimestres)
C (ácido ascórbico)	50 mg
D (calciferol)	10 mcg

CÓMO SATISFACER SUS NECESIDADES DIARIAS DE MINERALES

Mineral	Necesidad diaria
Calcio	700/800 mg
Yodina	140 mcg
Hierro	14,8 mg
Magnesio	De 270 a 300 mg
Selenio	60 mcg
Zinc	7 mg

mg = milligramo
mcg = microgramos, escrito a veces μg

Buenas fuentes alimentarias

Aceites de pescado, lácteos, yema de huevo, frutas rojas y amarillas, hortalizas rojas y verde oscuro.

Cereales del desayuno enriquecidos, pan integral, guisantes y alubias secos, cerdo, extracto de levadura y huevos.

Leche, pan y cereales integrales, yema de huevo, queso y hortalizas de hoja verde.

Pan integral, cereales del desayuno enriquecidos, guisantes y alubias secas, carnes magras, pescados y frutos secos.

Carne (en especial, cerdo), pollo, pescado, huevos y pan y cereales integrales.

Carne magra, pescado graso, leche, queso y huevos.

Pan y cereales enriquecidos, hortalizas de hoja verde, plátanos, zumo de naranja, fresas, frambuesas, moras y guisantes y alubias secas.

Zumos y frutos cítricos, escaramujo, kiwi, arándanos, fresas, papaya, coliflor, hortalizas verdes, patatas y pimientos.

Pescados grasos, huevos, margarina y mantequilla poliinsaturadas.

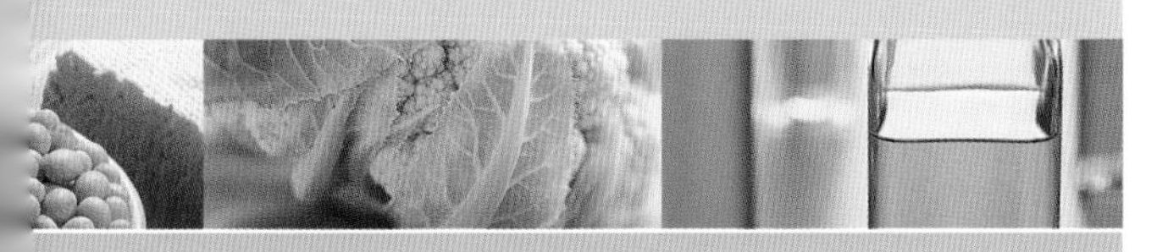

Buenas fuentes alimentarias

Leche, queso, yogur, pescado con espinas enlatado (como el salmón o las sardinas), tofu y hortalizas de hoja verde.

Pescado de agua salada, sal yodizada, lácteos y huevos.

Carne roja magra, pescado, yema de huevo, cereales integrales, espinacas, legumbres, pan y cereales del desayuno enriquecidos.

Legumbres, frutos secos, cereales integrales, espinacas y mantequilla de cacahuete.

Pescados grasos, carnes, harina integral y nueces del Brasil.

Carne roja magra, huevos, sardinas enlatadas, cereales integrales, guisantes y alubias secas.

duplicación celular. También se ha asociado un nivel bajo durante el embarazo con un peso menor de lo normal del bebé al nacer. Como sucede con el hierro y el calcio, el cuerpo incrementa su eficacia para procesar este mineral, así que si antes ya tenía el suficiente, no necesitará aumentar lo que tome durante el embarazo. Si toma un suplemento de hierro, esto puede interferir en la absorción de zinc. En general, el zinc está asociado a los alimentos ricos en proteínas, como la carne y el pescado. El zinc de origen vegetal se absorbe peor.

SUPLEMENTOS: ¿LOS NECESITA?

En teoría, por supuesto, si sigue una alimentación sana y bien equilibrada, no serán necesarios los suplementos vitamínicos y minerales. Pero como es muy posible que tenga deficiencia de algunos nutrientes, ¿cómo decidir si tomar un suplemento o no?

Quien mejor la aconsejará sobre este tema es su médico, que puede recomendarle un suplemento diario prenatal que contenga una serie de vitaminas y minerales. Estudios recientes han demostrado que un suplemento puede hacer que su bebé nazca con más peso, lo que hará que sea menos susceptible a padecer los problemas que pueden tener los que nacen con poco peso. Si el médico sospecha que su dieta no le aporta el hierro suficiente, puede aconsejarle que tome un suplemento de hierro.

Aunque sienta la tentación de tomar otros suplementos para completar lo que cree que falta en su alimentación, no lo haga nunca sin consultarlo primero con el médico. No solo es potencialmente peligroso, sino que si confía en esos suplementos, puede tener la falsa sensación de seguridad de que satisface todas sus necesidades nutricionales. Un aporte adecuado de vitaminas y minerales solo es parte de lo que tiene que proporcionar una alimentación sana; las proteínas y los hidratos de carbono, ricos en energía, los ácidos grasos esenciales y la fibra son igualmente necesarios. Por otro lado, hay algunos expertos que ponen en duda la eficacia de los suplementos nutricionales. Los nutrientes que hay en los alimentos son absorbidos junto con otros elementos constituyentes, que pueden tener otras propiedades que favorecen la salud. Incluso si su médico le ha aconsejado que tome un suplemento vitamínico o mineral, recuerde que no es un sustitutivo de una dieta saludable y que debe continuar con su régimen de comidas sanas.

CÓMO EVITAR RIESGOS CON LA COMIDA

Durante el embarazo y, en especial, durante el primer trimestre, es usted vulnerable a las intoxicaciones alimentarias que se pueden transmitir al bebé. Pero siguiendo unas sencillas reglas, podrá preparar y tomar comidas nutritivas y absolutamente libres de riesgo para usted y para el feto.

Las toxinas bacterianas, contenidas en ciertos alimentos o producidas por una mala preparación, pueden pasar de usted a su bebé a través de la placenta. Además, durante el embarazo su inmunidad natural es algo más baja, debido a los cambios metabólicos y circulatorios que se producen en su organismo. Por esa razón, es de vital importancia reducir al máximo el peligro de enfermedades transmitidas por la comida.

COMPRAR CON SENSATEZ

La seguridad de la comida empieza en el mercado. Elija siempre los productos lácteos, carne, aves y pescado que tengan la fecha de caducidad más amplia y procure cogerlos cuando haya comprado todo lo demás, para que estén el mínimo de tiempo posible fuera del frigorífico. No consuma nunca alimentos caducados. Cuando seleccione otros productos, rechace o deje de lado todos los que muestren el envase dañado, por ejemplo una lata mellada o una bolsa de plástico desgarrada, para tener la garantía de la conservación de la comida.

Elija los alimentos sabiamente. Busque las hortalizas más frescas y evite las que parecen pasadas o dañadas.

¿Debo comprar comida orgánica?

Cada vez más, se puede escoger entre alimentos orgánicos y normales. Los orgánicos son populares porque muchas personas creen que son más sanos, ya que han sido cultivados sin usar pesticidas ni herbicidas químicos. Se piensa que esos contaminantes no solo estropean el medio ambiente sino que el efecto acumulado de esos y otros contaminantes —procedentes del entorno, del tabaco y la bebida— pueden ser perjudiciales para su cuerpo.

No obstante, eso no significa que la comida producida de forma convencional sea poco segura: el uso de productos químicos en la agricultura está controlado de forma estricta y se puede reducir al máximo lo que se ingiere lavando a conciencia toda la fruta o verdura que comamos. En última instancia, la decisión de pasarse a los alimentos orgánicos es una elección personal. También se puede tener en cuenta que estos alimentos son más caros y que quizá no contengan más proteínas, nutrientes ni fibra que los comunes.

UNA BUENA HIGIENE ALIMENTARIA

Puede que ya conozca la forma más segura de preparar los alimentos, pero ahora que está embarazada, tiene una buena razón para volver a examinar su higiene en la cocina. Compruebe que siempre hace lo siguiente:

- Saque y guarde la comida congelada o refrigerada en cuanto vuelva de la compra. Asimismo, tape los restos cocinados recientemente y, en cuanto se enfríen, métalos en el frigorífico o el congelador.
- Guarde los alimentos frescos separados de los cocinados. Las carnes y las aves deben taparse y guardarse en el estante inferior del frigorífico para evitar que el jugo gotee encima de otros alimentos.
- No descongele comida fuera del frigorífico.
- No vuelva a congelar nada, una vez descongelado.
- Lávese las manos, los utensilios de cocina y las superficies de trabajo antes y después de preparar la comida.

- Utilice una tabla para preparar la carne y las aves y otra para otros alimentos.
- Cocine la carne, las aves y los huevos a conciencia.
- Vigile que la comida recalentada se haya calentado bien y por completo, pero no recaliente nada más de una vez.
- No tome miel que no haya sido pasteurizada.

CÓMO EVITAR INFECCIONES

Durante el embarazo, hay algunos alimentos que debe evitar para reducir las posibilidades de coger una infección. Las infecciones más comunes debidas a alimentos contaminados son la listeriosis y la salmonelosis. La toxoplasmosis es menos corriente.

Listeriosis

La bacteria que causa la listeriosis es la *Listeria monocytogenes*, muy extendida en el entorno, especialmente en la tierra. Un tercio de todos los casos de listeriosis se producen durante el embarazo y los casos graves, que son raros, pueden tener como resultado el aborto (véase p. 278), que el niño nazca muerto, el parto prematuro e infecciones del recién nacido como la meningitis (véase p. 363). Entre las posibles fuentes de listeria y, por tanto, entre los alimentos que hay que evitar, se encuentran la leche de vaca y el queso no pasteurizados, los quesos fermentados (como el Brie), los quesos con vetas azules (como el Stilton), las leches de oveja y de cabra no pasteurizadas y sus derivados, los patés de todo tipo, los alimentos cocinados refrigerados para recalentar, la ensalada de repollo, zanahoria y cebolla con mahonesa preparada, las salchichas de Frankfurt, las aves poco cocinadas y el pescado y los mariscos crudos.

Salmonelosis

Como las bacterias de salmonela son resistentes y pueden sobrevivir a un cocinado ligero, cualquier fuente potencial, como los huevos y las aves, debe ser bien cocinada, para destruir cualquier vestigio de infección. Durante el embarazo es sensato excluir los huevos crudos o poco cocidos y los alimentos que puedan contener huevos crudos, como la mahonesa, la *mousse* o los helados caseros.

Toxoplasmosis

Esta infección, causada por la *Toxoplasma gondii*, puede causar daños cerebrales o ceguera en el bebé. El contagio al feto es un riesgo especial en el tercer trimestre del embarazo. El organismo se encuentra en las heces de los animales, en especial los gatos callejeros, pero también está presente en la tierra y en la carne y las aves poco cocinadas. Por lo tanto, asegúrese de que toda la carne o aves que coma estén bien cocinadas; por ejemplo, no coma cerdo a menos que esté «bien hecho». Además, lave a conciencia todas las verduras y frutas; lávese las manos después de acariciar a sus mascotas; no toque el cajón donde los animales hacen sus necesidades; lleve guantes cuando se ocupe del jardín y lávese las manos antes de preparar la comida y de comer.

FUENTES DE PREOCUPACIÓN CORRIENTES

Además de esos alimentos que son posibles fuentes de infección y que todos los expertos recomiendan evitar, hay otros, sólidos y líquidos, que están sometidos a debate. Con los cambios de opinión sobre lo que es seguro y unos consejos, por parte de los amigos y de la prensa, que pueden llevar a confusión, quizá resulte difícil saber qué puede o no puede comer y beber. A continuación se ofrecen algunas respuestas.

¿Puedo beber alcohol?

Para tomar la decisión de si puede beber alcohol o no en el embarazo, debe guiarse por la moderación y el sentido común. Hay muchos estudios científicos que muestran que beber a diario o frecuentar fiestas donde todo el mundo —incluida usted, que está embarazada— bebe demasiado, puede acarrear serias complicaciones. Beber moderadamente —una o dos bebidas alcohólicas al día o en una de esas fiestas de tarde en tarde— se ha asociado a un mayor riesgo de aborto, a complicaciones durante el parto y al poco peso del bebé al nacer. Las mujeres embarazadas que abusan del alcohol —cinco o más bebidas alcohólicas al día— hacen correr a sus bebés el riesgo de contraer una enfermedad denominada síndrome alcohólico fetal (SAF), un término que cubre una extensa serie de defectos congénitos, problemas cardíacos, dificultades de aprendizaje o deformidades de la cara y las extremidades, además del riesgo de problemas de crecimiento o muerte.

Aunque hay pocas pruebas de que beber de vez en cuando pueda dañar al bebé, algunos expertos dicen que lo más seguro es evitar el alcohol por completo durante el embarazo. Otros médicos están de acuerdo en que es mejor evitar el alcohol durante el primer trimestre, cuando los principales órganos del bebé se están formando, pero que no hay peligro en beber cantidades limitadas después. Si decide tomar una bebida alcohólica de vez en cuando, recuerde que esta pasará a su bebé a través de su flujo sanguíneo. Limítese a una o dos copas, una o dos veces a la semana como máximo, preferiblemente con las comidas, ya que la comida reduce la absorción del alcohol. No hay un tipo de alcohol mejor que otro: una lata o botella de cerveza pequeñas, una copita de vino o una dosis de una bebida alcohólica contienen, casi, la misma cantidad de alcohol.

LA SALUD ES LO PRIMERO

Alimentos que hay que evitar. **Puede resultar confuso recordar todo lo que se puede o no comer durante el embarazo, así que aquí tiene una lista:**

- Todos los quesos no pasteurizados, el queso feta, los quesos madurados por hongos, como el Brie y el Camembert, y los quesos de vetas azules como el Stilton o el Danish Blue, incluso si están pasteurizados.
- La leche de oveja y de cabra y sus derivados.
- Todos los patés frescos, tanto si son de carne como de pescado o verduras; los patés enlatados no entrañan riesgo.
- Las comidas cocinadas y refrigeradas no calentadas y los platos precocinados de aves que no puedan calentarse sin peligro.
- Huevos crudos o medio cocidos o productos que los contengan, incluyendo algunos postres y mahonesa o salsa holandesa hechos en casa.
- Platos de carne cruda como el *steak tartare* o el jamón de Parma.
- Pescado crudo, incluido el *sushi.*
- Mariscos y moluscos crudos como las ostras, los mejillones, las gambas y el cangrejo fríos.

¿Puedo tomar café y otras bebidas sin cafeína?

Consumir más de 200 mg de cafeína reduce la absorción de algunos nutrientes esenciales y aumenta el riesgo de aborto y de que el bebé nazca con poco peso. Una taza corriente de café contiene 80 mg de cafeína, así que tomar una o dos tazas al día durante el embarazo no perjudica en absoluto, pero recuerde que hablamos de una taza corriente, no de las más grandes que sirven en muchas cafeterías. También tienen cafeína otras bebidas y el chocolate. Se aconseja no tomar más de cuatro tazas de té al día, o cinco latas de cola, o tres bebidas vigorizantes o cinco barritas de chocolate.

¿Tengo que reducir la sal que tomo?

Los amigos y la familia suelen aconsejar a las mujeres embarazadas que reduzcan la sal para impedir la hinchazón de pies y tobillos. No obstante, actualmente, no es una recomendación médica. El edema (hinchazón) es resultado de la retención de agua, causada por la actividad hormonal. Asimismo, las hormonas del embarazo pueden aumentar la cantidad de sodio que pierde en la orina. Por lo tanto, no abuse de la sal, pero tampoco disminuya la que toma.

¿Es peligroso comer pescado o mariscos?

El pescado es una buena fuente de nutrientes y debe procurar comerlo por lo menos dos veces a la semana, una de las cuales debería ser de pescado graso (véase p. 103). No obstante, es mejor dejar de comer, por norma, pescado o mariscos crudos. Además, no consuma pez espada, raya y pez aguja, reduzca el atún a un único filete si es fresco o a dos latas de tamaño medio a la semana. Estos pescados suelen contener unos niveles muy altos de mercurio metílico, un producto químico que puede causar daños en el sistema nervioso del feto.

Si como frutos secos, ¿mi bebé será alérgico?

En los últimos años se ha comentado que si una mujer come cacahuetes estando embarazada, puede predisponer al bebé a ser alérgico a los mismos. Por esa razón, se aconseja a las mujeres con alergias o un historial familiar importante de alergias a algunos alimentos que procuren no comer frutos secos ni cacahuetes durante el embarazo y mientras den el pecho. No es necesario que quienes no tengan ese historial eliminen los cacahuetes y otros frutos secos de su alimentación durante el embarazo.

CÓMO MANTENERSE EN FORMA

El embarazo exige mucho tanto de su mente como de su cuerpo. Hacer ejercicio y practicar técnicas de relajación puede ayudarla a conservar la salud y a mantener la sensación de bienestar a lo largo del embarazo, durante el parto y después.

CÓMO PREPARARSE PARA EL EJERCICIO

Practicar ejercicio regularmente mantiene su cuerpo en una forma estupenda para responder a las exigencias físicas del embarazo, pero es vital aprender cuánto ejercicio es beneficioso para usted y para la preciosa carga que lleva dentro.

Hacer ejercicio durante el embarazo mejorará el estado de su corazón y pulmones, su espalda, estimulará su circulación, la ayudará a controlar un aumento excesivo de peso, reducirá los trastornos digestivos, le aliviará los calambres y dolores musculares y le fortalecerá los músculos.

La actividad física hace también que el cerebro libere sustancias químicas como la serotonina, la dopamina y las endorfinas, que ayudan a equilibrar los cambios de humor, reducir el estrés y fomentan una actitud positiva. En un momento en que el cuerpo está cambiando de una forma espectacular, hacer ejercicio le dará una sensación muy necesaria de confianza en usted misma. Los estudios indican, además, que un cuerpo más en forma le proporciona más resistencia para superar las largas horas del parto y la ayuda a recuperarse más rápidamente después; sufrirá menos dolores musculares y podrá ponerse de nuevo en marcha en menos tiempo. Además, recuperará la forma más pronto y tendrá más energía para responder a las demandas del recién nacido.

HACER EJERCICIO SIN PELIGRO

Sea la que fuere su forma física, debe tener un cuidado extra cuando haga ejercicio. Durante el embarazo la gimnasia puede entrañar ciertos riesgos, así que consulte con el médico o la comadrona antes de empezar o continuar con el programa que ya estaba haciendo. Algunas mujeres tienen o desarrollan dolencias médicas que exigen prudencia a la hora de practicar ejercicio físico (véase cuadro de la derecha). En algunos casos, podrá hacer ejercicio si se controla esa dolencia. No obstante, hay casos que pueden impedirle todo tipo de ejercicio.

Una vez que cuente con la aprobación del médico, manténgale informado de sus progresos. Aprenda a escuchar y responder a su cuerpo; el embarazo no es el mejor momento para obligarse a hacer esfuerzos. Peque siempre de prudente; si tiene dudas respecto a un ejercicio, no lo haga. Recuerde, asimismo, que durante el embarazo se trata de mantener, más que de mejorar, su forma física y que nunca debe hacer ejercicio con intención de perder peso. No obstante, practicar ejercicio regularmente puede ayudarla a mantener su aumento de peso dentro de unos límites razonables. Saque el máximo partido del ejercicio físico con las siguientes normas de seguridad.

Elija el tipo de ejercicio con cuidado

Escoja una actividad que pueda hacer con su pareja o una amiga. Se sentirá más motivada y será más probable que no la deje si disfruta de lo que hace. No realice actividades en las que corra peligro de caerse, perder el equilibrio o recibir un golpe en el estómago como, por ejemplo, montar a caballo, patinar, esquiar o practicar deportes de equipo como el baloncesto o el voleibol. No haga submarinismo durante el embarazo, ya que podrían formarse burbujas de gas en la sangre del bebé.

Manténgase dentro de un nivel moderado

Procure evitar o limitar cualquier actividad agotadora y vaya siempre a su ritmo. Descanse con frecuencia y tenga cuidado de no excederse, especialmente en el primer trimestre del embarazo. Controle su ritmo cardíaco para medir la intensidad de su esfuerzo (véase p. 121).

Al final del embarazo puede observar que se queda sin aliento, incluso cuando está sentada. Es algo normal y puede deberse a que el ritmo cardíaco en descanso es más alto de lo habitual; entre 15 y 20 latidos por minuto es un aumento medio. Cuando haga ejercicio, procure mantener la respiración constante y regular. No la retenga, ya que hacerlo aumenta la presión en el pecho y puede hacer que se sienta mareada o débil.

Mantenga una temperatura corporal sana

Su temperatura corporal aumenta debido a la del bebé y su cuerpo libera este calor extra por la piel, lo cual tiene como resultado esa sana «luminosidad rosada» del embarazo. Ese aumento de temperatura significa también que cuando hace ejercicio puede calentarse en exceso, cansarse con facilidad y deshidratarse. Por lo tanto, es vital detenerse si se siente acalorada y beber mucha agua; en cualquier caso debe ingerir, como mínimo, dos litros de líquido al día (véase p. 103) y, además, tomar sorbos de agua con frecuencia antes, durante y después de la actividad física.

Evite hacer ejercicio en lugares muy cálidos o húmedos si no está acostumbrada a ellos. Haga ejercicio durante las horas más frescas del día.

También debe vestirse de forma apropiada. No lleve demasiada ropa cuando hace calor y haga ejercicio en los momentos más frescos del día. Si fuera hace fresco, póngase capas de ropa que se pueda ir quitando si siente demasiado calor. Invierta en un buen sujetador y en unas zapatillas deportivas que den apoyo a sus pies y a sus tobillos.

LA SALUD ES LO PRIMERO

Señales que indican que no debe hacer ejercicio. **Algunas mujeres tienen enfermedades que exigen prudencia en cuanto al ejercicio físico. Si se puede aplicar cualquiera de los siguientes puntos o si aparecen durante el embarazo, no haga ejercicio hasta que hable con su médico; quizá tenga que adaptar los ejercicios que hace o dejar de hacerlos:**

- **Contracciones uterinas persistentes —más de seis a ocho por hora— o un historial de abortos espontáneos recurrentes o partos prematuros en anteriores embarazos (véase p. 278).**
- **Reducción en el movimiento del feto.**
- **Trastornos respiratorios o una enfermedad cardiovascular; por ejemplo hipertensión (véase p. 253) o preeclampsia (véase p. 254).**
- **Anemia (véase p. 252).**
- **Pérdidas o hemorragias (véase p. 275).**
- **Mellizos, trillizos o embarazo múltiple.**
- **Un feto más pequeño de lo normal para las fechas.**
- **Placenta previa (véase p. 276).**
- **Cérvix incompetente (véase p. 279).**
- **Fumar en exceso.**
- **Obesidad.**
- **Epilepsia mal controlada.**

Estiramientos sin riesgo

Durante el embarazo, su cuerpo produce la hormona relaxina, que, según se cree, suaviza los tejidos conectivos alrededor de las articulaciones, haciéndolos más flexibles en preparación para el parto, pero también más susceptibles de sufrir daños.

Hacer estiramientos antes y después del ejercicio puede ayudar a evitar lesiones, pero estírese suavemente para proteger su cuerpo, que es extraelástico, y cuide de no excederse. Evite igualmente los ejercicios que castigan las articulaciones, como el *jogging* o los ejercicios aeróbicos más intensos.

Adapte su postura

A partir del cuarto mes de embarazo no haga ejercicios tumbada de espaldas, ya que el peso del útero presiona los vasos sanguíneos y puede limitar el flujo sanguíneo a su corazón y al bebé. A partir de ese mes, adapte los ejercicios que normalmente haría echada de espaldas para hacerlos sentada, de pie o tumbada sobre un costado. Compruebe también que mantiene una buena postura durante otras actividades. Conforme avance el embarazo, llevará un peso mayor delante, así que quizá experimente un cambio en su centro de gravedad, que puede hacerle sentir un ligero desequilibrio.

Coma lo adecuado para hacer ejercicio

Aumente su energía tomando una comida ligera basada en hidratos de carbono complejos, como pan, pasta y arroz integrales y patatas, entre 30 minutos y 1 hora, por lo menos, antes de hacer ejercicio.

Mántengase hidratada

Asegúrese de tener agua cerca y de tomar pequeños sorbos mientras hace ejercicio. Beba una cantidad de líquido mayor cuando haya terminado.

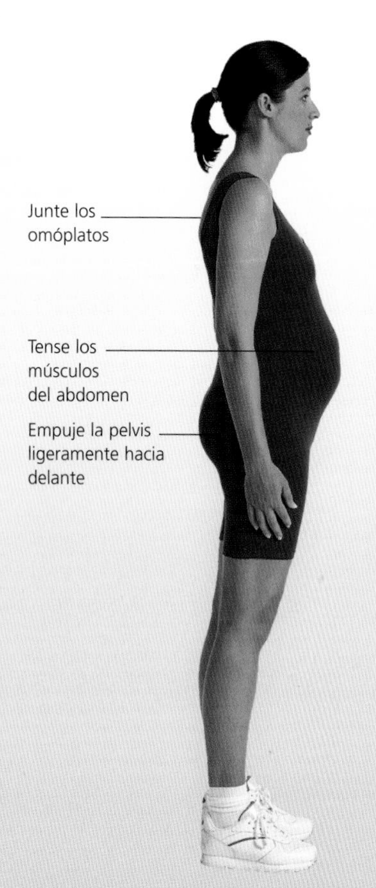

CÓMO mantener una postura ideal

Conforme avance el embarazo, el cambio hacia delante de su centro de gravedad puede acarrear una mala postura, con dolores en la parte superior de la espalda y los hombros y molestias en la parte inferior de la espalda. Mantener una buena postura en las actividades diarias puede ayudar a eliminar esas tensiones y presiones. Al principio tendrá que esforzarse para corregir y mantener una postura equilibrada, pero al cabo de un tiempo le resultará más natural.

Para encontrar una buena postura, póngase de pie, con los pies separados de forma que su distancia sea la misma que hay entre las caderas y los brazos colgando a los lados. Compruebe que su peso está distribuido de forma uniforme entre los dos pies. Manténgase erguida y alargue el cuello; puede ayudarla imaginar que hay un cordón que tira de usted desde la parte superior de la cabeza hacia arriba. Procure mirar directamente al frente y mantenga la barbilla paralela al suelo.

Relaje los hombros. Si ve que se inclinan hacia delante, trate de juntar los omóplatos hasta que encuentre una postura cómoda, pero no rígida. Esto le ayudará a ensanchar el pecho.

Un error común que cometen muchas mujeres embarazadas es dejar que el peso de la barriga tire de su espina dorsal hacia delante, lo cual ejerce tensión en la parte inferior de la espalda. Para conservar la fuerza de esa parte de la espalda y para sostener al bebé, tense los abdominales. Cuando haya encontrado una postura cómoda, procure mantenerla. No adopte ninguno de los dos extremos: ni empuje la pelvis por completo hacia delante ni hacia atrás.

Los ejercicios de estabilidad central, como Pilates, pueden ayudarle para mantener la postura correcta y evitar los dolores de espalda durante el embarazo.

CÓMO PLANEAR SU PROGRAMA

Encuentre algo que le guste y procure incluirlo en su programa. Cuando empiece a sentir los beneficios del ejercicio físico, pronto querrá practicarlo de forma habitual.

Su mejor fuente de información sobre el ejercicio durante el embarazo será su médico. Probablemente le dirá que, si ya hacía ejercicio de forma habitual antes de quedarse embarazada, continúe haciéndolo. Recuerde, no obstante, que seguramente tendrá que adaptar su actual nivel y el tiempo de las sesiones (véase p. 115).

Si antes no había hecho mucho ejercicio físico, pida a su médico que la aconseje antes de embarcarse en un programa de ejercicios. Puede que le diga que no inicie una nueva actividad hasta el segundo trimestre, cuando el riesgo de aborto y de acaloramiento haya disminuido y es probable que tenga más energía. Una vez que cuente con su aprobación y se sienta con ánimos, puede ir aumentando la cantidad de ejercicio que hace. Sin embargo, sea cual fuere su estado físico, vigile siempre las señales de advertencia mientras realiza la actividad (véase el cuadro de la derecha).

¿QUÉ ES UN BUEN EJERCICIO?

Los componentes ideales son: calentamiento, actividad aeróbica, fortalecimiento de músculos y relajación. Un buen calentamiento la prepara para el ejercicio. Los ejercicios aeróbicos hacen trabajar el corazón y los pulmones. Puede mejorar su fuerza y resistencia muscular haciendo ejercicios de preparación física, en los cuales se aíslan y ejercitan grupos de músculos por medio de la repetición. Un estiramiento cuidadoso y unos ejercicios respiratorios son medios excelentes para devolver su cuerpo a la normalidad al acabar.

Calentamiento y enfriamiento

Estas dos etapas son importantes antes y después de cualquier actividad —incluso de un ejercicio suave, como es caminar— ya que previenen los dolores y la rigidez musculares. Así pues, no olvide incluir unas sesiones cortas —entre 5 y 15 minutos— de ejercicios de calentamiento y enfriamiento siempre que haga ejercicio.

El mejor calentamiento consiste en una actividad rítmica, de baja intensidad, como andar sin moverse del sitio o la bicicleta estática, seguida de estiramientos lentos y controlados (véase p. 118). Esa actividad inicial suave estimula el riego sanguíneo en brazos y piernas, lo cual calienta los músculos haciendo que, cuando los estire, haya menos peligro de lesiones.

Igual que debe empezar lentamente, un enfriamiento suave es la mejor manera de acabar la sesión. Para realizarlo eficazmente, estire cada grupo muscular de forma independiente. También están indicados los ejercicios suaves de tonificación, si quiere incluirlos (véase p. 122). Considere asimismo la posibilidad de incluir ejercicios de relajación o respiración profunda (véase p. 125) durante el enfriamiento.

LA SEGURIDAD ES LO PRIMERO

Señales de que debe parar. **Si se produce cualquiera de los siguientes problemas mientras está haciendo ejercicio, deténgase y consulte con el médico:**

- **Hemorragia vaginal.**
- **Cualquier expulsión de líquidos por la vagina; es un posible signo de rotura de las membranas.**
- **Dolor repentino en el abdomen.**
- **Cambios en la visión o dolores de cabeza.**
- **Debilidad o mareo repentinos.**
- **Fatiga importante, palpitaciones o dolor en el pecho, falta de aliento excesiva.**
- **Repentina hinchazón en los tobillos, cara o manos.**
- **Hinchazón, dolor y enrojecimiento en una pantorrilla.**
- **Reducción de los movimientos del feto.**
- **Contracciones uterinas dolorosas.**

Estiramientos en el embarazo

Los estiramientos forman parte integral de un buen calentamiento y enfriamiento. También pueden ayudar a aliviar algunos trastornos corrientes en el embarazo, como por ejemplo los calambres en piernas y pies. En cualquier caso, caliente siempre sus músculos con unos ejercicios suaves antes de estirarse y tenga cuidado de no hacerlo en exceso (véase p. 116).

Estiramiento de pantorrillas. Póngase de pie con los pies un poco separados. Dé un paso hacia atrás con el pie derecho **(1)**. Doble la rodilla izquierda hasta que quede por encima del tobillo izquierdo y presione con el talón del pie derecho contra el suelo. Inclínese ligeramente hacia delante **(2)**. Aguante en esta postura hasta que note la tensión en la pantorrilla derecha; entonces, relájese. Si no nota tensión, desplace el pie derecho más atrás. Repita el ejercicio con la otra pierna.

Estiramiento de la parte frontal del muslo. Póngase de pie, con los pies separados siguiendo la línea de las caderas, y apoye la mano en el respaldo de una silla. Flexione la rodilla izquierda ligeramente. Levante la rodilla derecha delante de usted y sujete la pierna por la espinilla **(1)**. Desplace la rodilla hacia atrás hasta que quede justo por debajo de la cadera y junto a la rodilla izquierda **(2)**. Mantenga la postura hasta que note la tensión; entonces relájese. Repita el ejercicio con la pierna izquierda.

Estiramiento lateral. Póngase de pie, con los pies separados en línea con los hombros y las rodillas ligeramente dobladas. Apoye las manos en las caderas. Adopte una postura erguida y estire el brazo derecho hacia arriba, justo delante de la cabeza. Inclínese hacia la izquierda, alargando el brazo hacia arriba y hacia el lado. Mantenga la postura hasta que note la tensión; entonces relájese. Repita el ejercicio por el otro lado.

Estiramiento de la parte superior del brazo. Póngase de pie con los pies separados en línea con los hombros. Meta el estómago y levante el brazo derecho hacia arriba **(1)**. Doble el codo izquierdo y alargue la mano hasta que los dedos estén entre los omóplatos. Ponga la mano izquierda encima del codo derecho y empújelo suavemente hacia detrás de la cabeza **(2)**. Mantenga la postura hasta que note la tensión en la parte de atrás del brazo derecho; entonces relájese. Repita el ejercicio con el brazo izquierdo.

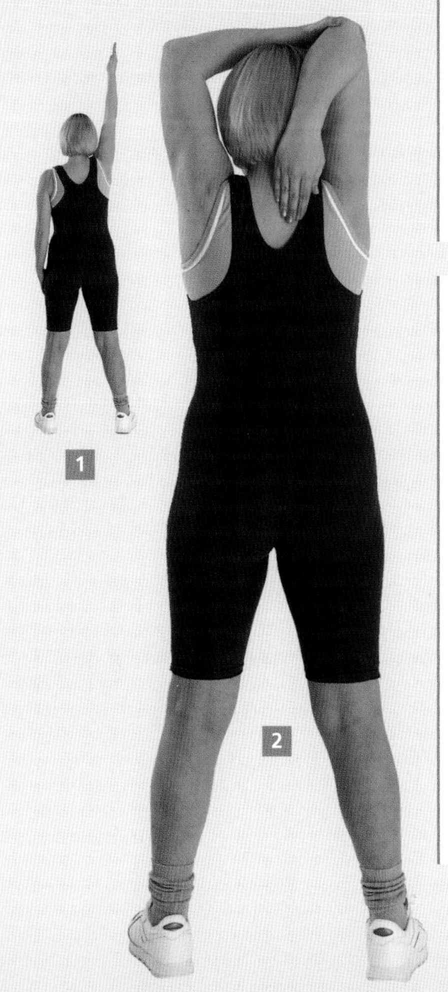

Estiramiento de nalgas y muslos, sentada. Siéntese en el suelo con las piernas estiradas hacia delante. Ponga el pie derecho sobre el muslo izquierdo, justo por encima de la rodilla **(1)**. Doble suavemente la rodilla izquierda, deslizando el pie hacia usted. Mantenga tensos los músculos abdominales **(2)**. Mantenga esa postura hasta que note la tensión en el muslo y la nalga derechos; entonces relájese. Repita el ejercicio por el otro lado.

Estiramiento de pecho, sentada. Siéntese en el suelo con las piernas cruzadas sin hacer fuerza. Apoye las manos en las nalgas. Tense los músculos del estómago, ponga derecha la columna y lleve los codos hacia atrás, juntando los omóplatos. Mantenga la postura hasta que note la presión en el pecho. Repita el ejercicio si es necesario.

Nadar es ideal durante el embarazo; el agua sostiene el peso del cuerpo, así que no se fuerzan las articulaciones. No nade en una piscina con agua demasiado caliente (más de 32° C) o demasiado fría; debe sentirse cómoda desde el primer momento.

Ejercitar el corazón y los pulmones

Practicar ejercicios aeróbicos de forma regular estimula la circulación y mejora el rendimiento de los pulmones. Conocidos también como ejercicios cardiovasculares, las actividades aeróbicas son las que obligan a mover los grupos de músculos grandes —básicamente brazos y piernas— durante un período continuado entre 15 y 30 minutos. Para trabajar de forma eficaz durante este período, sus músculos requieren mayor suministro de oxígeno que cuando están en reposo y para satisfacer esa demanda extra, el ritmo del corazón y de la respiración tienen que aumentar. Con la repetición de los ejercicios, el corazón y los pulmones empiezan a funcionar de forma más eficaz.

Tanto si decide andar a paso vivo por un parque, nadar o apuntarse a una clase de *fitness* prenatal, incorporar alguna forma de ejercicio aeróbico a sus costumbres diarias es esencial para su bienestar general; la ayudará a superar el esfuerzo físico del parto y acelerará su recuperación posterior.

Reforzar y tonificar los músculos

El embarazo es, en sí mismo, casi como un ejercicio de levantamiento de pesos y, como carga con esos kilos extra, es más importante que nunca mantener sus músculos fuertes y tonificados. Para favorecer la fuerza y la resistencia musculares (la capacidad de sus músculos para realizar un ejercicio de forma repetida), es necesario aislar grupos musculares y hacerlos trabajar contra una forma de resistencia; por ejemplo, levantar pesas en el gimnasio o empujar contra el agua en una clase aeróbica acuática. Antes de empezar este tipo de ejercicio, recuerde lo siguiente:

- *Utilice la técnica correcta.* Asegúrese de saber cómo realizar los ejercicios en una clase o utilizar pesas y máquinas con pesos de forma adecuada. Si no está segura, pídale a un instructor cualificado que le enseñe a hacerlo; levantar un peso de forma incorrecta es peor que no hacer ningún ejercicio.
- *No levante nunca un peso excesivo durante el embarazo.* La norma general es trabajar con pesos que pueda levantar cómodamente entre 12 y 15 veces. Si no puede alcanzar ese número de repeticiones, utilice un peso más ligero hasta que lo consiga. Póngase como objetivo hacer tres series (cada serie comprende entre 12 y 15 repeticiones) con cada músculo, pero no se canse en exceso.
- *Trabaje dentro de sus límites.* Si participa en una clase que usa pesos o aparatos de resistencia, no se fuerce por encima de la zona de ritmo cardíaco que quiere alcanzar (véase al lado). Modifique los ejercicios

que se realizan normalmente tumbada de espaldas para hacerlos de pie, sentado o echada sobre un costado.

- *No deje de respirar.* Cuando utilice pesos o aparatos de resistencia, es importante que no contenga la respiración. Aprenda a usarla para que la ayude a realizar el ejercicio; exhale cuando haga el esfuerzo e inhale cuando relaje los músculos.

¿CUÁNTO EJERCICIO DEBO HACER?

Una forma fácil de decidir la frecuencia y duración de los ejercicios, especialmente en lo que se refiere a los aeróbicos, es aplicar el principio del FITT, que significa frecuencia, intensidad, tiempo y tipo.

Frecuencia

A menos que haya razones médicas en contra, los últimos estudios han demostrado que las mujeres embarazadas deben procurar hacer un ejercicio moderado durante 30 minutos por lo menos, la mayoría de días, si no todos. Pero con su entusiasmo en el punto máximo, no se lance inmediatamente a correr 8 kilómetros o jugar al tenis cada día, si no está acostumbrada; vaya aumentando gradualmente. Si ya hacía ejercicio de forma regular antes de quedarse embarazada, puede mantenerlo mientras no haya complicaciones, pero adaptando el nivel de esfuerzo (véase más abajo).

Un buen punto de referencia cuando empiece a hacer un programa de ejercicios es practicarlo tres veces a la semana, ya que con menos de eso no habrá mejoría en el estado del corazón y los pulmones. Luego, procure aumentar de forma progresiva el número de sesiones. Si ve que se cansa demasiado, vuelva a las tres veces por semana.

Intensidad

Intensidad es la cantidad de esfuerzo que se hace para realizar una actividad. A lo largo del embarazo, la clave es la moderación; demasiado poco no es eficaz y el exceso puede ser agotador o incluso peligroso. La intensidad debe controlarse cuidadosamente (véase el cuadro más abajo) para no hacer un esfuerzo excesivo. Como

CÓMO controlar sus niveles de intensidad

Una buena indicación de si está esforzándose demasiado o no está trabajando lo suficiente es el ritmo cardíaco, que se mide en latidos por minuto (LPM). Indicamos los niveles de esfuerzo ideales en el gráfico que hay a la derecha. Busque su edad en la parte inferior y luego mire la franja destacada más arriba. Cuando haga ejercicio, procure mantener el ritmo cardíaco dentro de los límites máximo y mínimo de latidos por minuto. Si hace ejercicio de forma regular, puede mantenerse cerca del límite superior de la franja; si no está habituada a hacerlo, trabaje cerca del límite inferior. Pero no deje nunca de escuchar a su cuerpo; si observa que se cansa mucho, es conveniente que afloje el ritmo.

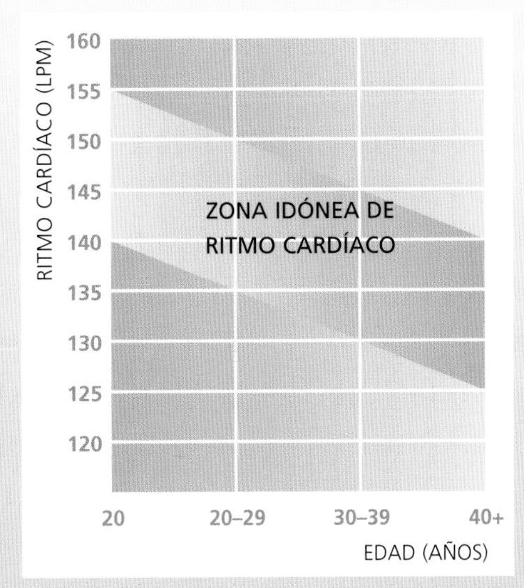

Si hace ejercicio en el gimnasio, puede resultarle útil usar los aparatos cardiovasculares, como las bicicletas estáticas o el *cross trainer*, que miden el ritmo cardíaco por medio de placas metálicas o un clip sujeto al pulgar. En las tiendas de *fitness* hay también monitores portátiles, que se colocan alrededor del pecho. Si no tiene acceso a ninguno de esos aparatos, puede tomarse el pulso mientras hace ejercicio. Para encontrarlo en la muñeca, ponga los dedos índice y medio de una mano sobre la parte interior de la otra muñeca, justo debajo del pulgar. Si le cuesta encontrar el pulso ahí, pruebe con el pulso del cuello, que es más fuerte. Para encontrarlo, ponga los dedos índice y medio en un lado del cuello, unos tres dedos por debajo de la mandíbula.

Cuando haya encontrado el pulso, cuente cuántos latidos nota en 10 segundos; y multiplíquelos por seis para saber los latidos por minuto de su ritmo cardíaco.

su corazón bombea ya unos 15 o 20 latidos más rápido de lo normal, es esencial que no se someta a un esfuerzo excesivo. Aprenda a tomarse el pulso y asegúrese de hacer ejercicio dentro de su zona más indicada de ritmo cardíaco.

Otra comprobación fácil para estar segura de que no está haciendo un esfuerzo excesivo es la llamada «prueba del habla». Si, mientras está haciendo ejercicio, puede mantener una conversación sin quedarse sin aliento, entonces la intensidad será la apropiada, siempre que permanezca dentro de la zona idónea de ritmo cardíaco. Si le resulta difícil hablar y respira con dificultad, reduzca su nivel de esfuerzo hasta que se sienta más cómoda, aunque eso signifique quedarse por debajo de su zona idónea de ritmo cardíaco.

Tiempo

Empiece a hacer ejercicio en sesiones cortas; si se exige demasiado enseguida, solo acabará agotada y con los músculos doloridos. Durante las primeras semanas, hacer sesiones de actividad aeróbica de 15 minutos, dentro de su zona idónea de ritmo cardíaco, es un magnífico comienzo. Cuando se sienta bien en ese nivel, podrá aumentar las sesiones de dos en dos minutos, hasta alcanzar un máximo de 30 minutos. Las que tienen experiencia y hacen ejercicio de forma habitual pueden aspirar a un máximo de 30 minutos en cada sesión, una vez más dentro de su zona idónea.

En cualquier caso, aunque hiciera ejercicio antes de quedarse embarazada, no es buena idea aumentar la cantidad de ejercicio antes de la semana 14. El mejor

Supertonificadores diarios

Además de hacer un buen ejercicio general, le será útil fortalecer los músculos de la pelvis y el abdomen para tener un embarazo y un parto sanos.

Flexiones pelvianas perfectas. Los músculos de la zona pelviana forman una «hamaca» protectora dentro de la pelvis que rodea la uretra, la vagina y el recto. Los ejercicios para la zona pelviana, llamados también ejercicios de Kegel, nombre del doctor Arnold Kegel, que fue quien los ideó, la ayudarán a tonificar esos músculos tan trabajadores, preparándolos para soportar el peso cada vez mayor del bebé y para empujar durante el parto. Además, mantener esos músculos tonificados le harán recuperarse más rápidamente después del parto, evitando problemas como la incontinencia debida al estrés (véase p. 68).

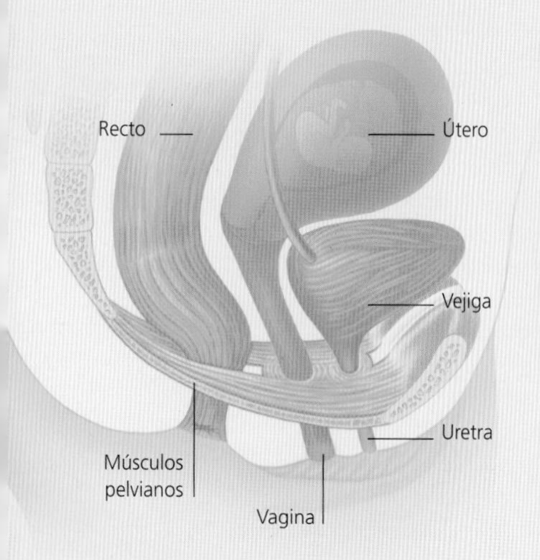

Para practicar los ejercicios de Kegel, primero tiene que identificar los músculos correctos. La próxima vez que orine, trate de interrumpir el flujo de orina brevemente, pero sin que haya goteo. Observe lo que siente: los músculos que usa para detener el flujo son los pelvianos. Cuando los haya identificado, no repita el ejercicio mientras orina. Si la vejiga no se vacía por completo cada vez, puede sufrir una infección del tracto urinario.

Puede hacer sus ejercicios de Kegel literalmente en cualquier lugar: sentada en el coche, viendo la televisión, incluso mientras hace cola en la caja del supermercado. Sencillamente, tense los músculos pelvianos, cuente hasta cinco y luego aflójelos lentamente. Puede serle de ayuda imaginar que sus músculos son un ascensor. Según va subiendo de un piso a otro, procure tensar los músculos un poco más, hasta que estén completamente apretados. Luego, mientras el ascensor va bajando de piso en piso, relájelos gradualmente hasta que llegue a la planta baja. Repita el ejercicio cinco veces.

Al principio puede resultarle difícil llegar a contar hasta cinco porque esos músculos se cansan fácilmente, pero si repite el ejercicio varias veces al día, pronto podrá aumentar el número de repeticiones.

momento para empezar a alargar la duración de las sesiones es en el segundo trimestre, cuando es probable que se sienta con mucha energía. En el tercer trimestre puede que quiera volver a aflojar el ritmo, si se cansa con facilidad.

Escuche a su cuerpo y reduzca el número de sesiones si nota que se cansa en exceso. Procure hacer ejercicios de fortalecimiento muscular después de sus sesiones aeróbicas y no olvide incluir un buen calentamiento y un enfriamiento cómodo.

Tipo

Tanto si prefiere hacer ejercicio sola como en grupo, entre las actividades que resultan excelentes durante el embarazo ya sea como ejercicios aeróbicos o para fortalecer los músculos— están nadar, caminar, subir escaleras, hacer bicicleta estática y los ejercicios aeróbicos y las clases de *aquafit* especiales para el período prenatal. Andar y nadar entrañan tan poco riesgo que la mayoría de mujeres continúan haciéndolo hasta el día del parto. El tai-chi y el yoga son también dos buenas opciones, ya que la ayudan a relajarse y a conocer mejor su cuerpo. No obstante, durante el embarazo hay que evitar algunas posturas de yoga; por lo tanto, consulte siempre con el instructor o elija clases para embarazadas. Si observa que el ejercicio que ha elegido fuerza las articulaciones que soportan peso, como las caderas, rodillas y tobillos, pruebe a cambiarlo por otro en el que su peso cuente con algún apoyo, como montar en bicicleta o hacer una actividad acuática.

LA SEGURIDAD ES LO PRIMERO

Diastasis recti. **Antes de empezar a hacer ejercicios abdominales, compruebe que no padece esta dolencia, en la cual los músculos verticales de la pared abdominal se han separado:**

- **Échese sobre el costado con las rodillas dobladas.**
- **Con la barbilla metida hacia dentro, tienda los brazos hacia las rodillas.**
- **Si los músculos abdominales se han separado, aparecerá un bulto hacia la parte central del abdomen.**

Si cree que tiene esta dolencia, consulte con el médico, ya que puede tener que adaptar sus ejercicios abdominales.

Tensores abdominales. Hay varios grupos de músculos que van desde las costillas hasta la pelvis. Si esos músculos son fuertes, la ayudarán a mantener una buena postura y a empujar durante el parto.

Aunque lo normal sería estar tumbada de espaldas para realizar los ejercicios abdominales fortalecedores, no debe hacerlo así después del cuarto mes de embarazo (véase p. 116). Haga este ejercicio sentada, de pie o echada sobre el costado. Coloque las manos a los lados o detrás de la cabeza y curve lentamente el cuerpo hacia las rodillas, contrayendo los músculos abdominales. Relájese y repita el ejercicio. Hágalo todas las veces que pueda sin cansarse.

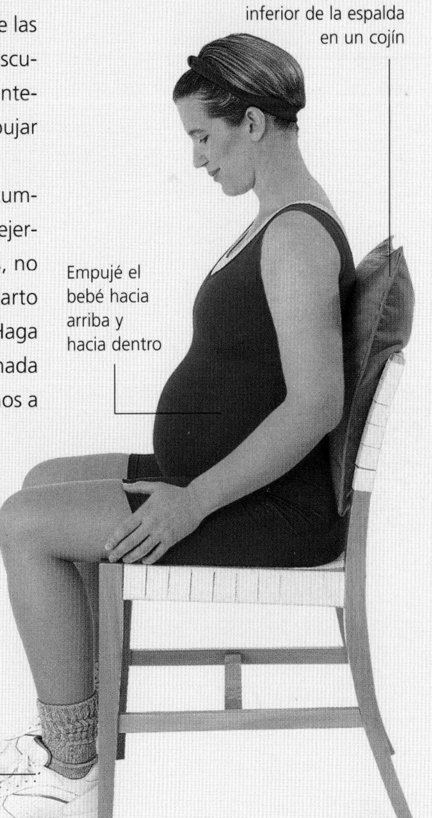

CÓMO USAR TÉCNICAS DE RELAJACIÓN

Si nunca ha practicado ninguna técnica de relajación, el período del embarazo es un momento ideal para empezar. Aprender a relajarse le ayudará a mantenerse sana mientras esté embarazada, a responder bien al parto y a disfrutar del bebé cuando nazca.

El embarazo es un momento ideal para aprender a reservar tiempo cada día para relajarse. Acostúmbrese a fijar prioridades para las tareas que tiene que llevar a cabo. ¿Qué hay que hacer hoy? ¿Qué puede esperar hasta mañana? ¿Y qué no es necesario hacer en absoluto? Cultive el arte de decir que no cuando le pidan que haga algo que va a someterla a tensión. Reserve un poco de tiempo para usted cada día y otro tiempo para pasarlo a solas con su pareja. Aprenda a no sentirse culpable porque se está relajando.

CÓMO CONTROLAR EL ESTRÉS

Cierta cantidad de estrés es esencial en la vida; nos da el empuje necesario para hacer frente a los problemas y resolver cualquier crisis a la que nos enfrentemos. Una tensión demasiado baja puede significar que estamos funcionando por debajo de nuestra capacidad, pero si es excesiva, puede hacer que nos sintamos irritables, cansadas y enfermas. Seguramente es bueno que el bebé tropiece con hormonas del estrés mientras se desarrolla en el útero; pueden prepararlo para las tensiones que experimentará durante el parto. Pero si su sangre está continuamente inundada de esas sustancias químicas, el bebé puede verse afectado desfavorablemente. Manejar bien el estrés le ayudará a conocer mejor el funcionamiento de su cuerpo.

En este período de perturbación física y emocional, todos los sistemas de su cuerpo se ven afectados: el sistema respiratorio, el cardiovascular, el nervioso, el excretor, el endocrino y, por supuesto, el reproductor. La perspectiva de estar embarazada puede ser sobrecogedora y preocupante y quizá padezca de dolores de cabeza, de estómago y musculares, todos ellos mensajes que su cuerpo emite para decirle que tiene los músculos tensos. Si se toma un poco de tiempo para conocer mejor su cuerpo, podrá reducir el desgaste diario provocado por el estrés y conseguir el mejor entorno para el crecimiento del bebé que lleva dentro. Reserve un poco de tiempo hoy mismo para hacer el ejercicio *10 pasos para aliviar el estrés* (véase el cuadro de la derecha). Hará que tenga conciencia de cómo siente sus músculos cuando están tensos y cuando están relajados.

Aprenda a respirar

Quizá no sepa el espacio que los pulmones ocupan en el cuerpo. Hay tejido pulmonar desde por encima de las clavículas hasta el diafragma. Si solo usa parte de su

Respire profundamente. Note cómo la barriga empuja contra las manos cuando inspira y cómo se retrae cuando espira.

capacidad pulmonar para respirar, le está negando a su cuerpo y, en especial, a su cerebro, el oxígeno que necesita para funcionar a pleno rendimiento; así descubrirá que sus recursos para hacer frente al estrés se han reducido.

Tómese unos momentos para averiguar si respira de la forma correcta. Siéntese y apoye las manos sobre el abdomen. Cuando inspire, debe notar que este se ensancha para llevar aire a los pulmones y cuando espira, el abdomen debe aplanarse de nuevo. Muchas personas siguen un ritmo de respiración invertido y meten el abdomen cuando inspiran.

Unos hombros relajados significan una respiración relajada. Pruebe a tensar los hombros elevándolos hacia las orejas. Observe lo tensa que se vuelve su respiración; llevar los hombros demasiado hacia abajo o hacia atrás tiene el mismo efecto. Cuando los hombros están relajados, la respiración es fácil. Acostúmbrese a comprobar cómo están sus hombros de forma regular a lo largo del día, especialmente cuando se siente tensa. Deje colgar los brazos y haga girar los hombros hacia atrás y hacia delante, lentamente, asegurándose de que están relajados para que pueda respirar bien.

Venza el estrés al instante

Cuando se sienta tensa, haga este sencillo ejercicio para relajarse de forma inmediata. Inspire profundamente. Cuando tenga los pulmones llenos, vaya soltando aire, lentamente, por la boca y deje que esa espiración se lleve la tensión desde la parte superior de su cuerpo hasta los dedos de los pies. Cuando los pulmones estén vacíos, deje que se vuelvan a llenar. Luego espire suavemente, relajando la frente, la mandíbula, los hombros, las manos, el estómago y las piernas. Esa espiración libera su cuerpo de tensiones. Si se siente tensa en algún momento, recuerde: espire lentamente.

10 pasos para aliviar el estrés

Reserve 20 minutos cada día para descubrir la diferencia que hay entre unos músculos tensos y unos relajados.

1. Conecte el contestador automático, atenúe las luces y siéntese en una silla cómoda o túmbese; no se eche sobre la espalda después del cuarto mes de embarazo, pruebe a hacerlo sobre el costado con la barriga apoyada en un cojín.
2. Dedique unos momentos a ponerse cómoda y tratar de calmar sus pensamientos.
3. Ahora estire los dedos de los pies y note la tensión. Haga que los dedos se relajen moviéndolos un poco.
4. Tense las rodillas y los músculos de los muslos, notando el esfuerzo. Aguante unos segundos y luego relájese, dejando que los muslos se separen un poco.
5. Tense los músculos del abdomen para darle un gran abrazo al bebé. Relájese, ofreciéndole el máximo espacio.
6. Cierre las manos en forma de puños, aguante y luego deje que los dedos se abran lentamente.
7. Suba los hombros hacia las orejas y déjelos caer. Encójalos un poco y deje que vuelvan a caer. Tendría que notarlos relajados y flexibles.
8. Tense todos los músculos de la cara; no se preocupe, no la ve nadie. Ahora relájese hasta que no haya expresión alguna en su rostro. Tiene que notar la boca muy floja; quizá ligeramente abierta.
9. Tómese unos minutos para observar cómo nota su cuerpo ahora que está relajado. El bebé disfrutará del oxígeno extra que recibe mientras usted respira hondo y su cuerpo está en calma.
10. Cuando esté dispuesta, bostece, estírese, siéntese despacio y prepárese para continuar con lo que tenga que hacer.

SOSIÉGUESE CON UN MASAJE

Durante el embarazo, el masaje es un medio ideal para ayudarla a relajarse, ya que estimula la liberación de endorfinas —los opiáceos de la propia naturaleza— que le proporcionan una sensación de bienestar. Por añadidura, el masaje tiene unos efectos beneficiosos en la circulación, la digestión y el sistema excretor, los cuales sufren una tensión clara durante el embarazo.

Aunque en general el masaje está libre de riesgos, lo más sensato es consultar con el médico antes de someterse a cualquier tipo de masaje y advertir, siempre, a quien se lo dé, que está usted embarazada. Evite los masajes en el abdomen y en la parte inferior de la espalda durante el primer trimestre del embarazo. Además, si alguna técnica en concreto le resulta molesta, dígaselo inmediatamente al masajista.

Es una idea excelente que la persona que vaya a ser su acompañante durante el parto practique a lo largo del embarazo dándole masaje para que comprenda qué partes de su cuerpo son especialmente propensas al estrés y qué tipos de masaje le resultan particularmente relajantes. El cuadro que hay más abajo le explica algunas técnicas sencillas y aquí le ofrecemos varias directrices para el o la masajista:

- Procure relajarse.
- Dígale a su compañera embarazada cuándo va a empezar.
- Mantenga los movimientos firmes, rítmicos y lentos.
- Mantenga siempre por lo menos una de las manos en contacto con la persona a la que da masaje.
- Pregúntele si la tensión y el ritmo son los adecuados.
- Atienda a las señales del cuerpo de la embarazada: ¿qué le dice? ¿Puede notar dónde está tensa y qué la ayuda a relajarse?
- Dígale cuándo va a detenerse.

Cómo eliminar los dolores mediante el masaje

El masaje puede aliviar algunas de las molestias del embarazo y ayudar a su compañero a conocer su cuerpo antes del parto. Dedique diez minutos, por lo menos a cada técnica.

Masaje en la espalda. Arrodíllese en la cama o en el suelo y relájese recostándose en un montón de cojines o almohadas para que la barriga y la cabeza estén apoyadas cómodamente. Coloque una almohada entre las pantorrillas y el trasero para estimular la circulación.

Su masajista colocará la palma de la mano izquierda en su hombro izquierdo y la deslizará firme y lentamente por el lado de la columna hasta las nalgas. Antes de apartar la mano, pondrá la mano derecha en su hombro derecho y la deslizará con firmeza hacia abajo por ese lado de la columna. Continuará alternando los dos lados. Dígale si la presión que ejerce está bien.

A continuación, el masajista usará los pulgares para dibujar pequeños círculos en las hendiduras de cada lado de la columna bajando lentamente, de vértebra en vértebra. Al final de la espalda hará círculos mayores usando las palmas y haciéndolos llegar hasta las caderas.

Es importante experimentar con diversas técnicas y que su pareja reúna un repertorio de movimientos que la ayuden a relajarse. Tenga presente, no obstante, que los tipos de masaje que más agradables le resultan durante el embarazo quizá no sean los más eficaces en el parto.

¿Qué aceites son seguros?

Los aceites esenciales pueden proporcionar unos aromas maravillosos durante el masaje y se cree que algunos tienen propiedades benéficas, por ejemplo para aliviar el dolor de cabeza y ayudar a conciliar el sueño. No obstante, solo debe usar un aceite esencial para masaje si un aromaterapeuta cualificado se lo ha recomendado. Muchos aromaterapeutas no utilizan ningún aceite esencial durante el embarazo y todos los expertos están de acuerdo en que algunos —como el amaro, el romero, la menta piperita y el poleo— deben evitarse de forma radical.

No obstante, un aceite de base, como el de almendra u oliva, es siempre seguro y ayudará a que las manos del masajista se deslicen con suavidad por la piel. El masajista debe verterse un poco de aceite en las manos y calentarlo durante un minuto antes de extendérselo a usted ligeramente por el cuerpo. Debe situarse de tal manera que pueda darle el masaje sin tener que doblarse ni torcer la espalda. Es importante que esté relajado mientras trabaja; de lo contrario, sus manos comunicarán tensión a usted y a su bebé.

ENCONTRAR LA PAZ CON LA MEDITACIÓN

Durante el embarazo su percepción mental está agudizada. Quizá rompa a llorar al enterarse por las noticias de algo que normalmente no la habría afectado. Puede ser muy consciente de los cambios de estación y de los diferentes giros climáticos. Ciertos objetos de su casa, quizá procedentes de su infancia, pueden adoptar un

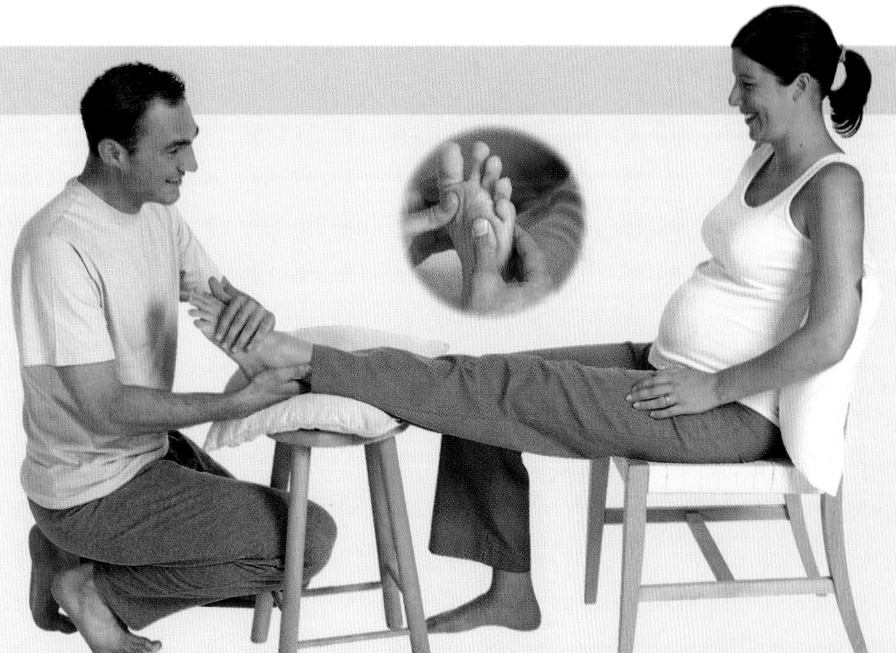

Masaje en el pie. Con frecuencia, a las mujeres les gusta que les den masaje en los pies durante el parto; por tanto, es buena idea empezar a practicar con tiempo.

Siéntese en una silla con una pierna apoyada en un cojín colocado encima de un taburete. El masajista se arrodillará delante de usted. Sosteniendo suavemente su talón en la mano —sin apretarlo— utilizará la otra mano para darle un firme masaje desde el tobillo a los dedos. Este movimiento se repetirá, de forma lenta y regular, durante varios minutos.

A continuación, con un dedo, su pareja masajeará entre cada uno de los dedos del pie. Luego, con el talón apoyado en el cojín, flexionará los dedos hacia arriba y hará pequeños círculos con los pulgares a través de la planta. Si la presión es firme, no debería hacerle cosquillas.

Volviendo a levantar, suavemente, el pie desde el tobillo, su pareja masajeará varias veces más desde el tobillo hasta los dedos. Todo el proceso se repetirá con el otro pie.

significado extra y sus pensamientos pueden detenerse en muchos recuerdos mientras hace la transición a la maternidad. Es muy consciente de su cuerpo y de los cambios que experimenta. La meditación, que entraña centrarse en sus pensamientos y emociones, puede ayudarla a sacar el máximo partido de esa conciencia de sí misma, al tiempo que le permite alcanzar estados profundos de relajación.

No obstante, si se siente algo deprimida y, por supuesto, si está siguiendo un tratamiento contra la depresión, es mejor que no practique la meditación. La profunda introspección que esta estimula puede resultarle angustiosa si no tiene una visión equilibrada de usted misma y de su vida.

No es posible aprender a meditar en una única sesión; por ello debe practicarse de forma regular. Sí que hay dos medios simples para concentrar la mente: los mantras y la visualización. Pruebe a alternarlos día sí día no. Cuando su mente aprenda a sosegarse usando el mantra, descubrirá que la visualización estimula una exploración aún más rica de sus pensamientos y sentimientos.

Meditar con mantras

Busque una habitación tranquila, donde no la molesten luces fuertes ni ruidos súbitos. Siéntese cómodamente y empiece la meditación concentrándose en la respiración. Inspire profundamente y, cuando espire con suavidad, deje que todo su cuerpo se relaje. Repítalo hasta que se sienta plenamente relajada.

Su mantra debe ser una palabra que pueda armonizar con la respiración; por ejemplo, «bebé» o «calma». Cuando inspire, diga en silencio «be...» y cuando espire, diga «bé...». También puede decir mentalmente «cal...» durante la inspiración y «ma...» al espirar. O sencillamente concentrarse en la palabra «paz» mientras espira.

Concéntrese, de forma exclusiva, en la palabra que esté repitiendo. Si divaga, vuelva tranquilamente al mantra que haya elegido. Continúe repitiendo ese mantra para que ahogue todos los demás pensamientos. Con la práctica, encontrará un vasto espacio en su mente donde podrá conocerse y estar en paz consigo misma.

Visualizar a su bebé

La meditación es una técnica excelente para aclarar los pensamientos confusos y su práctica puede ayudarla a concentrarse, una técnica muy útil durante el parto. Pruebe a hacer el siguiente ejercicio, en el cual se utiliza una vela. En las sesiones posteriores, elija otras cosas que tengan algún significado especial, como los juguetes que ha comprado para su bebé, cosas relativas a su niñez o fotos de personas importantes en su vida.

Siéntese en una silla cómoda. Coloque una vela encendida delante de usted y deje que sus ojos descansen en la llama. Mantenga la mirada fija en ella. Será consciente de que en la llama hay diferentes colores e intensidades de luz, desde el núcleo, rojo blanco, a los amarillos y naranjas que parpadean en los bordes exteriores. Cuando empiece a notar los ojos pesados, deje que se cierren suavemente, pero continúe viendo la vela mentalmente. Coloque a su bebé en la imagen de la llama, rodeado de luz, y deje que despierte ideas en su mente.

Apúntese a clases de yoga y meditación. Muchos centros ofrecen cursos básicos que la ayudarán a aprender diferentes técnicas.

CÓMO TENER UN ASPECTO ESPLÉNDIDO

El embarazo es una excusa estupenda para prodigarse todo tipo de cuidados; en particular porque le será difícil mimarse una vez que haya nacido el bebé. Además, es el momento de prestar una atención especial a su pelo, piel, dientes, pechos y pies.

CÓMO CUIDARSE DE LOS PIES A LA CABEZA

A veces, hacer frente a todos los cambios físicos del embarazo tal vez resulte arduo, pero si se concentra en los efectos positivos —curvas redondeadas, cabello brillante y piel resplandeciente— sin duda conseguirá sentirse bien consigo misma.

Todo el mundo habla de la «luminosidad» del embarazo —ese cutis radiante y ese cabello brillante—, pero no suelen mencionar los aspectos menos halagadores: los senos doloridos, los pies hinchados y la piel seca. Aunque se comprenda que esos cambios forman parte del embarazo, pueden resultar desmoralizadores. Por esa razón, es importante que usted se cuide y que cuide bien a ese cuerpo que está cambiando.

Los productos caros no son esenciales para lucir una buena piel; unos hábitos diarios esmerados y constantes son la base de un cutis sano y la ayudarán a tener un aspecto estupendo. Los productos de belleza pensados especialmente para las mujeres embarazadas no contienen ningún ingrediente mágico, pese a lo que afirman los fabricantes, así que úselos solo si se siente realmente impresionada por sus resultados. No obstante, comprarse un artículo de lujo de vez en cuando puede ser una inyección de ánimo.

CABELLO SANO

Los cambios en el metabolismo y la circulación pueden tener como consecuencia que el pelo le crezca más rápidamente y que se le caiga menos. Este vigoroso crecimiento hará que su cabello tenga un aspecto más espeso y brillante de lo habitual. No obstante, algunas mujeres embarazadas tienen menos suerte y observan cómo su pelo se vuelve graso o inesperadamente seco y sin vida. No se preocupe si le pasa eso; cualquier cambio que experimente durará poco tiempo y su cabello volverá con rapidez a la normalidad.

Consejos para el cuidado del cabello

Trate a su cabello con suavidad durante el embarazo. Debe sacar el máximo partido de ese cabello más espeso y brillante mientras pueda, ya que, por desgracia, el pelo extra desaparecerá a los seis meses de nacer el bebé. Puede que lo siguiente le resulte útil:

- *Use un champú especial.* Si el problema es la grasa, lávese el pelo con frecuencia con un champú indicado para cabellos grasos y procure no cepillárselo con demasiado vigor, ya que, al hacerlo, estimulará las glándulas sebáceas del cuero cabelludo y estas producirán todavía más aceite.
- *Revitalícelo bien.* Si el pelo se le seca y encrespa, adquiera un tratamiento para suavizarlo o un acondicionador intenso para usar una vez a la semana. La espuma puede añadir volumen, mejorar el aspecto de su cabello y mantener su peinado. De nuevo, no se cepille el pelo demasiado, ya que esto podría hacer que se partiera.
- *Invierta en un buen corte.* Conforme avance el embarazo y, sobre todo, una vez que haya nacido el bebé, es probable que no quiera tener que preocuparse por un peinado complicado; así pues, decídase por un corte fácil de mantener. Esto hará que su pelo tenga un aspecto y un tacto sanos durante el embarazo y después.

Tratamientos para el pelo

Aunque algunos profesionales de la salud son cautos respecto a los tintes o mechas durante el embarazo, no se ha demostrado que representen ningún riesgo para su bebé. Hace muchos años, los tintes para el pelo contenían sustancias que podían ser preocupantes, como el formaldehído, pero hoy la mayoría de los tintes no contienen esos productos químicos. Si le preocupa este tema, evite teñirse el pelo durante el primer trimestre y, después, utilice preferiblemente productos de origen vegetal, como el henna puro. Una advertencia: las hormonas del embarazo pueden hacer que su cabello reaccione de forma diferente a los tintes y podría acabar con un color distinto al que esperaba.

No hay pruebas de que los productos utilizados en las permanentes sean perjudiciales para usted o bien para su bebé. No obstante, es muy posible que su pelo reaccione de forma imprevisible y podría acabar con unos apretados rizos en lugar de con el pelo ondulado.

Los productos para alisar el cabello contienen sustancias químicas muy fuertes y, aunque no hay pruebas de que sean peligrosos durante el embarazo, tampoco las hay de que sean completamente seguros; por tanto, es mejor no usarlos.

UN CUTIS RADIANTE

El mayor volumen de sangre que circula por su cuerpo —un 50 % más en el momento en que el bebé está listo para nacer—, combinado con el ligero aumento de su temperatura corporal, pueden dar a su piel la característica «luminosidad» del embarazo y una textura suave y aterciopelada, al hincharse y retener más humedad. No obstante, no se sorprenda si su piel se comporta de forma un tanto imprevisible, ya que puede resecarse o engrasarse de forma inusual y salirle granos o acné.

También puede observar otros cambios, como los angiomas de patas de araña (diminutos vasos sanguíneos rotos) en las mejillas y el cloasma —conocido como la máscara del embarazo— en la nariz y las mejillas (véase p. 66). La mayoría de estas marcas desaparecerán después del parto y su piel volverá a la normalidad, pero si desea lucir un tono de piel uniforme, use un maquillaje de buena calidad en lugar de líquidos aclaradores que contienen blanqueador y podrían dañarle la piel.

Protección solar

Las hormonas hacen que su piel sea más vulnerable a los efectos del sol, así que puede quemarse con mucha mayor rapidez que antes. Aplíquese diariamente un fondo o una crema hidratante que contenga filtro solar y cubra toda la piel expuesta con crema solar con un factor 15 de protección, por lo menos, antes de salir de casa. No olvide prestar atención también a los labios. Puede tenerlos más secos de lo habitual, así que use un bálsamo labial hidratante de forma regular —solo o debajo del lápiz de labios— para evitar que se corten.

El cuidado facial

Modifique sus cuidados diarios habituales para afrontar cualquier cambio que se produzca en su cutis y esté preparada para seguir haciendo pequeñas adaptaciones conforme avance el embarazo. Y siga estas directrices para que su cutis tenga un aspecto saludable:

- *Límpiese la cara por lo menos una vez al día.* Use un producto no jabonoso adecuado a su actual tipo de piel. El jabón puede resultar demasiado áspero para su cara y despojar a su piel de sus aceites naturales. Si le salen granos, es incluso más importante prestar una atención escrupulosa a la higiene para mantener los poros limpios.

- *Use un astringente suave.* Le tonificará la piel grasa y limpiará los poros obstruidos.
- *Si tiene la piel seca, sea generosa con el hidratante.* Permita que la crema penetre en la piel y rehidrate su cutis. Si la piel solo se seca en algunas zonas, trátela como si fuera piel mixta; aplique más hidratante en las zonas más secas.

Si se hace limpiezas de cutis de forma habitual, no hay ninguna razón para que deje de hacerlas mientras esté embarazada. Además, son una forma estupenda de relajarse. Las limpiezas de cutis no empeorarán ningún cambio relacionado con el embarazo, pero puede que su piel esté más sensible; por tanto, compruebe siempre que los productos que use sean los adecuados.

Cremas antiarrugas

Aunque las cremas antiarrugas que contienen vitamina A no parecen plantear problemas, quizá sea mejor no usarlas durante el embarazo, ya que es posible que el nutriente sea absorbido a través de la piel y entre en la sangre. Hay muchas pruebas de que los suplementos vitamínicos o los medicamentos que contienen vitamina A pueden causar defectos congénitos (véase p. 106). Si tiene alguna duda sobre qué productos son seguros, consulte primero con su médico.

DIENTES Y ENCÍAS FUERTES

Durante el embarazo es aún más importante de lo habitual practicar una buena higiene dental. Es probable que las hormonas del embarazo que circulan por su cuerpo hagan que las encías se le hinchen ligeramente y que sean más susceptibles de sangrar cuando se cepille los dientes o use el hilo dental. También harán que las encías sean más vulnerables al sarro y las bacterias.

Cuidado dental diario

Si todavía no lo hace, empiece a cepillarse los dientes por lo menos dos veces al día y lo ideal sería que lo hiciera después de cada comida. Esto puede significar llevarse un cepillo de dientes al trabajo.

- *Use un cepillo de cerdas suaves.* Es menos probable que le haga sangrar las encías. Masajee las encías suavemente con las puntas de los dedos después del cepillado para estimular la circulación de la sangre.

LA SEGURIDAD ES LO PRIMERO

Las cabinas de rayos UVA **Aunque no existen evidencias concluyentes de que sean peligrosas durante el embarazo, las cabinas de UVA pueden aumentar mucho la temperatura del cuerpo, lo cual es arriesgado. Durante el embarazo la piel suele estar muy sensible, y la radiación UVA de una cabina o mesa puede empeorar un cloasma existente y dañar la piel. Hay estudios que sugieren que la exposición a los UVA en las cabinas puede descomponer el ácido fólico del cuerpo. Por tanto, lo más sensato es evitarla durante las 12 primeras semanas de gestación, cuando el ácido fólico protege el sistema neural en pleno desarrollo del bebé.**

Lávese los dientes por lo menos dos veces al día y use un cepillo de cerdas suaves, ya que es menos probable que dañe las encías y provoque hemorragias.

- *Utilice el hilo dental a diario.* Pero hágalo con suavidad; es conveniente, además que cambie el cepillo de dientes tan pronto como muestre señales de desgaste.
- *Masque chicle.* Cuando no pueda cepillarse los dientes después de comer, masque un chicle sin azúcar; le ayudará a impedir que se forme sarro.
- *Visite al dentista regularmente.* Durante el embarazo tendrá que ir a verlo con más frecuencia; lo aconsejable es una vez cada seis meses. Dígale que está embarazada, ya que no querrá usar rayos X durante este tiempo y puede aconsejarle que posponga cualquier tratamiento amplio hasta que el bebé haya nacido.

Blanqueo de dientes

Aunque no se ha hecho ningún estudio importante sobre los efectos de usar sistemas de blanqueo —muchos de los cuales utilizan peróxido o luz ultravioleta—, se recomienda que, hasta contar con más información, no se blanqueen los dientes durante el embarazo.

EL CUIDADO DE LA PIEL

Es probable que el mayor flujo sanguíneo haga que sienta más calor de lo habitual y, como resultado, que sude con mayor facilidad de la que solía. Reserve tiempo para ducharse o bañarse una vez o incluso dos veces al día. Use agua tibia mejor que caliente, ya que el agua caliente le abrirá los poros y aumentará la probabilidad de que sude. Si nota la piel seca, puede utilizar aceite corporal de baño como sustituto del jabón, o bien emplearlo como crema hidratante, que debe aplicarse después de ducharse, mientras la piel esté todavía húmeda.

También puede ayudarla a no sudar elegir ropa interior de algodón en lugar de sintética y, si lleva pantys, que tengan la entrepierna de algodón. Vista ropa con fibras naturales, en lugar de sintéticas, para mantenerse más fresca.

Cómo mantener la piel suave y flexible

Probablemente no necesitará que le recuerden que tiene que prestar especial atención al abdomen y los pechos. La piel de esas zonas se estira de forma considerable y, como resultado, puede notarla extremadamente seca e irritada. Frótese el abdomen con una crema o aceite hidratante; es un modo agradable de comunicarse con el bebé, así como de disfrutar de un período de relajación bien ganado. Si tiene los senos secos, aplíquese crema hidratante. No obstante, evite hidratar los pezones en exceso; si quedan demasiado blandos o húmedos pueden irritarse. Si siente molestias por tener los pezones irritados, exponga los pechos al aire, de vez en cuando, cuando esté descansando en casa.

4 maneras de reducir las estrías

1. Coma de forma sensata y evite aumentar mucho de peso. Si gana mucho peso en un corto espacio de tiempo, su piel no podrá adaptarse y le saldrán estrías para acomodarse a su nueva forma.
2. Lleve un sujetador que se le adapte bien durante todo el embarazo. Ofrezca a sus pechos un buen apoyo mientras se van haciendo más pesados.
3. Lleve sujetador para dormir si tiene unos senos grandes; cuidar de ellos durante el día no es suficiente; necesitan atención 24 horas diarias.
4. Mantenga la piel elástica y libre de irritación. Póngase crema en los pechos y el abdomen para dar elasticidad a la piel. La manteca de cacao y el aceite de almendras, disponibles en las farmacias, han demostrado ser eficaces para algunas mujeres. Procure masajearse por la mañana y por la noche.

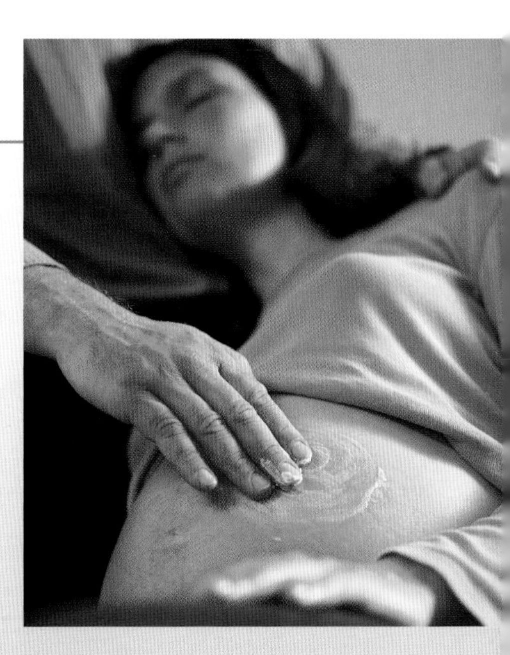

Junto con los muslos, el estómago y los senos son las zonas más susceptibles de que aparezcan estrías. No hay ningún medio seguro de prevenirlas ni ninguna cura milagrosa una vez que han aparecido, pero hay algunas cosas que usted puede hacer para reducirlas en lo posible (véase p. 133).

Como a muchas mujeres, quizá le guste que le den masajes y no hay peligro en hacerlo durante el embarazo, siempre que se tenga cuidado con los aceites de aromaterapia (véase p. 74). Ahora muchos fisioterapeutas ofrecen ahora masajes para las embarazadas y utilizan camillas especiales con el centro moldeado para que usted pueda tenderse boca abajo y descansar la barriga.

Depilación

Las ceras de depilación que se aplican calientes a la piel, se dejan enfriar y luego se retiran junto con el vello no deseado son preparaciones tópicas que no contienen sustancias peligrosas para el feto, así que no hay razón alguna para que no las utilice durante el embarazo.

Aunque no se conocen riesgos para el freto por el uso de cremas depilatorias o decolorantes, puede que su piel no reaccione bien y existe la posibilidad de que las sustancias químicas de esos productos se incorporen a la sangre. La electrólisis tampoco es recomendable, aunque no hay pruebas de que dañe al feto. Depilarse con cuchilla y con pinzas son alternativas más seguras.

Los tatuajes y el *piercing*

Aun cuando acuda a un establecimiento acreditado, no debería tatuarse ni colocarse un *piercing* durante el embarazo, ya que los riesgos de infección son altos.

Implantes mamarios

Con todos los cambios que se están produciendo en su cuerpo, el embarazo no es el mejor momento para ponerse implantes por primera vez. En cualquier caso, la mayoría de médicos no estaría dispuesta a operar a una mujer embarazada. Los senos de mujeres con implantes de silicona o salinos pueden verse afectados por el embarazo. Algunas mujeres tienen mayor sensibilidad en los pechos cuando su propio tejido crece y, si tiene implantes, ese crecimiento estira la piel causando muchas molestias.

EL CUIDADO DE LOS PIES Y LAS MANOS

Durante el embarazo puede notar que las uñas se le astillan y rompen más fácilmente; si es así, llévelas cortas y use guantes de goma para fregar y hacer las tareas domésticas. También debería usar guantes para protegerse las manos cuando trabaje en el jardín y evitar las infecciones por el contacto con la tierra (véase p. 257). Aplíquese crema de manos de forma regular; lo ideal es un producto que contenga, asimismo, un fortalecedor de uñas.

El embarazo somete los pies a una tensión adicional, tanto debido al peso extra que estos tienen que soportar como a la posible hinchazón (véase p. 73). Quizá le ayude sumergir los pies en un barreño de agua por la noche, así como darse un masaje con pomada de menta piperita, especial para los pies, después del baño o la ducha. Lleve las uñas cortas, pero no tanto que se le claven, y córtelas rectas. Si no se alcanza los pies en las últimas semanas del embarazo, quizá tenga que pedir ayuda o acudir a un pedicuro profesional. Es aconsejable ir a un salón de belleza acreditado, donde el instrumental se limpia adecuadamente.

LA SALUD ES LO PRIMERO

Procedimientos semiquirúrgicos. **Debido a que usan productos químicos concentrados, cuyos efectos en el feto son desconocidos, no se recomienda el depilado químico ni las inyecciones de botox y colágeno durante el embarazo y, posiblemente, tampoco mientras se esté dando el pecho.**

SU GUARDARROPA DURANTE EL EMBARAZO

En los últimos años, la imagen brillante de embarazadas que han dado algunas de las celebridades más bellas ha convertido el embarazo en un signo de moda. Ese *glamour* y ese *chic* han llegado hasta la mujer de la calle, de modo que, desde el punto de vista de la moda, nunca ha habido una época mejor para quedarse embarazada.

Quizá sienta el impulso de comprarse un guardarropa completo cuando se confirme su embarazo, pero procure resistirse hasta que la ropa que tiene le resulte incómoda. Es probable que su embarazo no sea evidente hasta la semana 20, o quizá la semana 14 si no es el primero o si se trata de un embarazo múltiple. Si espera hasta que sea necesario ponerse vestidos de premamá, es menos probable que acabe harta de ellos antes de que nazca el bebé.

Conforme aumente el tamaño de su barriga, la ropa empezará a resultarle incómoda si le aprieta. Las partes de arriba también pueden empezar a apretarle cuando los senos crezcan. Durante un tiempo puede aprovechar mucha de la ropa que tiene con unas sencillas adaptaciones. Pruebe a tapar las cremalleras abiertas de los pantalones con camisas amplias y largas o use tirantes para sujetar los pantalones. Es un buen momento para empezar a tomar cosas prestadas del armario de su pareja. Puede sustituir el elástico de unos pantalones de chándal por un cordón que le proporcione espacio para su expansión; coser los botones con hilo elástico también puede ofrecerle un valioso espacio extra. Pero si quiere seguir poniéndose parte de esa ropa después del parto, no la lleve demasiado tiempo o se deformará.

UN MOMENTO PARA EL CAMBIO

Es inevitable que tenga que adquirir prendas nuevas en algún momento. Si elige con cuidado en las tiendas normales, la ropa que compre tendrá una segunda vida en las primeras semanas, o incluso meses, después del parto, mientras su figura va volviendo gradualmente a su estado anterior al embarazo. Si piensa amamantar al bebé, elija blusas, vestidos y camisones que le ofrezcan un acceso fácil y discreto a los senos; son ideales los que tienen mucha tela, cordones o botones en la parte delantera.

5 accesorios útiles para el embarazo

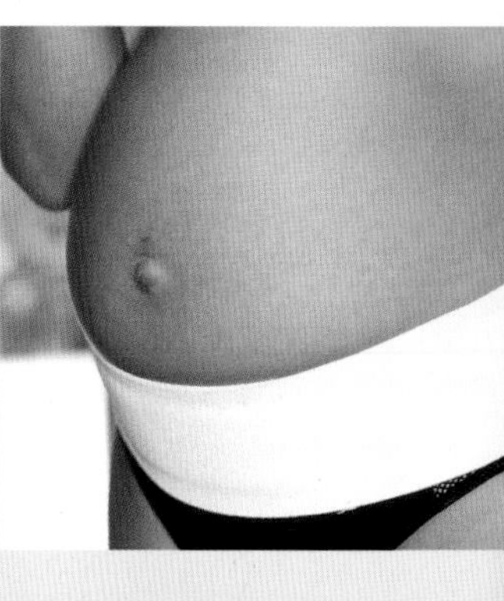

1 Las cintas extensoras para los sujetadores pueden ser útiles en los primeros meses, si ha aumentado el tamaño del contorno del pecho, pero no el de la copa. Los cierres extra se añaden a los que tiene el sujetador para alargar la cinta.

2 Los pantys de premamá tienen tela extra en la parte delantera para dar cabida a la barriga, y la cintura es lo bastante alta como para que no se le caigan. Si sufre dolor de pies o tiene venas varicosas (véase p. 73), los pantys elásticos de premamá —disponibles en tipo ligero, medio o firme—, le serán de ayuda. Póngaselos por la mañana, tan pronto se levante.

3 Las braguitas tipo bikini se ajustan cómodamente debajo de la barriga, mientras que las altas tienen mucha tela para cubrirla. Si le duele la espalda, las braguitas de premamá tienen un refuerzo semirrígido en la parte trasera.

4 Los cinturones elásticos son un accesorio especial que encaja justo debajo de la barriga para dar apoyo y aliviar las piernas doloridas y la espalda cansada. Son especialmente útiles si está esperando un bebé grande o incluso gemelos o trillizos. Si se compra ese cinturón, no lo lleve siempre porque puede debilitar sus músculos abdominales.

5 Nadar es una de las formas de ejercicio más seguras y eficaces para una mujer embarazada. Los trajes de baño de premamá se adaptearán al aumento de su barriga.

No renuncie a su estilo

No es necesario cambiar de imagen solo porque esté embarazada. Si antes no le gustaban los estampados de flores o los grandes lazos, ¿por qué tendrían que gustarle ahora? Igualmente, si antes no exhibía su tipo, puede que el embarazo no sea el mejor momento para empezar a hacerlo.

Vestidos y blusas largos y sueltos le envolverán la barriga con elegancia, mientras que los chándals pueden resultar cómodos para cada día. Compruebe que, además de no apretarle en la cintura, la ropa que compre tenga suficiente tela en el trasero. Si no es así, la barriga tirará de la tela hacia delante, haciendo que se arrugue de forma poco atractiva detrás. Si prefiere ropa más ajustada, elija la que cuente con mucha tela elástica.

Durante el embarazo, evite las faldas, pantalones, bragas o pantys con cinturas elásticas que le apreten. Además de ser incómodo, el elástico constriñe la circulación. De igual modo, las medias, ligas y calcetines hasta la rodilla pueden afectar el riego sanguíneo en las piernas y provocar venas varicosas (véase p. 73).

Durante los primeros meses de embarazo no es necesario que compre ropa de premamá; elija lo que se compraría habitualmente, pero de una talla mayor.

Cómo elegir ropa de premamá

Cuando elija su ropa de premamá, piense en cuándo la va a llevar. Si trabaja en un ambiente que le exige estar elegante, la mejor opción puede ser un traje chaqueta con una selección de blusas y algo para ponerse los fines de semana. Las prendas sencillas y elegantes que pueden llevarse tanto en ocasiones de compromiso como en la vida diaria ofrecen una gran flexibilidad. Los tejidos fáciles de cuidar y que necesitan muy poca plancha le ahorrarán tiempo si está cansada.

La principal ventaja de la ropa de premamá es que ha sido diseñada especialmente para mujeres embarazadas. Las faldas y los vestidos suelen ser más largos por delante que por detrás, para que al crecer la barriga no le cuelguen. Los pliegues y las pinzas están situados de forma que la ropa siga cayendo bien cuando aumente la barriga. Las piezas de punto elástico y las telas elásticas especiales pueden ajustarse cómodamente y marcar sus formas con elegancia. Los cierres suelen ser ajustables y a menudo cuentan con varios ojales y botones cosidos con hilo elástico. Así, la ropa crecerá con usted hasta el final del embarazo y no se deformará.

Además de las tiendas especializadas en ropa de premamá, muchos grandes almacenes venden ese tipo de prendas; asimismo, encontrará una gran variedad en los catálogos de venta por correo. La selección disponible, tan amplia que puede resultar desconcertante, hace que sea todavía más importante comprar con sensatez, pero no necesitará cientos de conjuntos nuevos; algunas prendas elegidas con cuidado harán que siga teniendo un aspecto elegante durante el embarazo y después de dar a luz. Distintas empresas de venta por correo ofrecen «un surtido especial para embarazadas», consistente en una serie de artículos que hacen juego y se pueden combinar; encontrará vestido, falda, blusa y pantalones, que pueden combinarse de diversas maneras. También vale la pena echar una ojeada a las tiendas que venden ropa de premamá de segunda mano y buena calidad, ya que suelen encontrarse auténticas gangas. Sin embargo, no compre nunca sujetadores de segunda mano, ya que tienen que irle bien para proporcionarle una buena sujeción. Cuando el bebé haya nacido, limpie y guarde todo lo que pueda servirle para su próximo bebé o para una amiga.

UNOS SENOS BIEN SUJETOS

Es de vital importancia que las mujeres embarazadas cuiden bien sus pechos. Los senos, en sí mismos, no tienen músculos y están sostenidos por los de la pared torácica. Unos pechos sin sujetador o con uno inadecuado son más susceptibles de sufrir estrías o caerse; así pues, aunque antes no haya sentido la necesidad de llevar sujetador, ahora debe usarlo.

Cómprese un buen modelo

Compruebe cómo le quedan el sujetador que lleva en la actualidad y si no le ofrece una buena sujeción o si le aprieta de algún modo, mida su talla y cómprese un sujetador nuevo que le vayan bien. Al final de los nueve meses del embarazo, puede que necesite una copa dos tallas mayor que al principio y es probable que la talla del sujetador (la medida alrededor del pecho, por debajo de los senos) aumente también cuando sus costillas se ensanchen para dar cabida al bebé. Después del parto y una vez que haya dejado de amamantar al bebé, los senos disminuirán de tamaño, pero es probable que nunca recuperen la misma medida ni forma que antes del embarazo.

Durante la mayor parte del embarazo no necesitará un sujetador especial, pero debería comprarse uno nuevo cada vez que el aumento de tamaño del pecho le haga sentirse incómoda con los que lleva. Algunas mujeres notan que necesitan sujetadores nuevos alrededor de la octava semana; otras no tienen que cambiarlos hasta las 24 semanas. La mayoría necesita una talla más alrededor de las 36 semanas. Estos sujetadores serán también útiles para las primeras semanas después del embarazo, así que quizá le interese comprarse unos especiales para madres lactantes. Sin embargo, cada mujer es diferente; déjese guiar por sus cambios en tamaño y forma y no por el calendario. Si sus pechos se han vuelto muy grandes y pesados, puede adquirir unos sujetadores ligeros especiales para la noche, que la ayudarán a sentirse más cómoda. Cuando compre un sujetador para llevar durante el embarazo, tenga en cuenta los siguientes puntos. Elija uno con:

- *Tirantes anchos y adaptables*. Son más cómodos que los que tienen tirantes estrechos, que pueden clavársele en la piel, porque el peso se distribuye más equilibradamente.

CÓMO averiguar su talla durante el embarazo

Se sentirá más cómoda si se asegura de que sus pechos cuentan con el sujetador adecuado en cada etapa. Puede que le resulte más fácil que le tome la medida una profesional, pero hay una amplia oferta disponible en la venta por correo y tendrá que saber cuál es su talla.

CÓMO AVERIGUAR SU TALLA		
0 cm	=	A
3 cm	=	B
5 cm	=	C
8 cm	=	D
10 cm	=	DD
13 cm	=	E
15 cm	=	F
18 cm	=	G
20 cm	=	H

Primero mida el contorno de su caja torácica, justo debajo de los pechos **(1)**. Esta es la talla del sujetador.

Luego, llevando un sujetador ligero, rodee con la cinta la parte más llena de sus senos **(2)**. La diferencia entre esta cifra y la talla del sujetador le dirá qué tamaño de copa necesita. Utilice el cuadro de la izquierda para ver cómo se traduce esa diferencia en las tallas que verá en las tiendas.

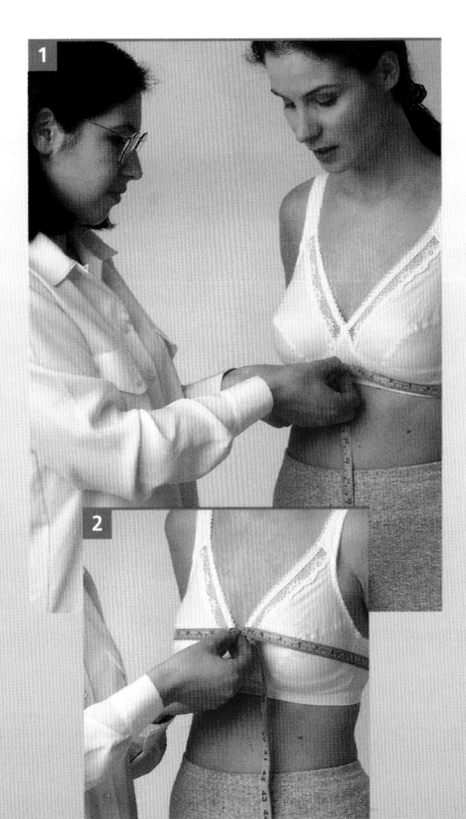

- *Una alta proporción de algodón.* Las fibras naturales permiten que la piel respire.
- *Una ancha banda elástica debajo de las copas.* Sostendrá sus pechos cuando pesen más.
- *Cierres ajustables.* Lo ideal es que tenga cuatro cierres de corchete para poder aflojar el sujetador cuando se ensanche la caja torácica.
- *Sin aros.* El aro rígido puede pellizcar y dañar los tejidos del pecho; por lo tanto, decídase por un modelo blando.

Cómo elegir un sujetador para madres lactantes
Si tiene intención de dar el pecho al bebé, los sujetadores que se compre alrededor de la semana 36 deben estar especialmente diseñados para la lactancia. Un buen sujetador de este tipo tiene todas las características anotadas más arriba y, además, le permitirá dejar al descubierto un solo pecho cada vez, para amamantar al bebé.

Hay diversos tipos disponibles: con copa abatible, donde cada cazoleta se desabrocha del tirante; con copa de abertura inferior, donde el sujetador se abre debajo del pecho, y con abertura frontal, donde cada cazoleta va sujeta al centro del sujetador con un corchete. Si prefiere sujetadores tipo *top*, también los hay disponibles con todas las características necesarias para la maternidad. Pruébese diversos modelos para averiguar cuál le resulta más cómodo. En cualquier caso, asegúrese de que puede abrirlo y cerrarlo fácilmente con una sola mano; la otra la necesitará para sostener al bebé.

ZAPATOS CÓMODOS

Durante el embarazo no es raro que se hinchen los pies, así que quizá necesite zapatos de un número mayor que el habitual. Algunas mujeres dicen que sus pies siguen siendo un poco más grandes después del parto. Tanto si compra zapatos nuevos como si no lo hace, recuerde siempre lo siguiente:

- *No compre zapatos de tacón alto.* Además de ser incómodos, le obligarán a caminar de una manera forzada, con barriga hacia fuera y, posiblemente, le provocarán dolor de espalda.
- *Lleve zapatos cómodos, de tacón bajo.* Deben ser de un material que permita que la piel respire. No use zapatos totalmente planos, ya que tampoco favorecen su equilibrio.
- *No lleve zapatos con cordones o hebillas.* En las etapas finales del embarazo no podrá doblarse fácilmente para abrocharlos.
- *Cambie de zapatos.* Como norma, es mejor no llevar el mismo par de zapatos dos días seguidos, sino alternar dos pares para permitir que cada uno respire y se seque.
- *Elija calcetines y* pantys *de algodón.* El algodón o los materiales con mucho algodón son preferibles a los sintéticos, ya que permiten que su piel respire. Vigile también que no le queden demasiado ajustados. Los calcetines cortos, hasta el tobillo, garantizan que las venas de las piernas no le quedan comprimidas, pero lo ideal es que, en casa, ande descalza con los pies desnudos siempre que pueda, para ejercitar los músculos de los pies y estimular así la circulación.

Muchas mujeres embarazadas opinan que las zapatillas de deporte son el calzado más cómodo, especialmente las que ofrecen una buena sujeción para el pie y el tobillo.

7

CAPÍTULO

LA VIDA SECRETA DE SU HIJO ANTES DE NACER

Se necesitan nueve meses para que un bebé se desarrolle, nueve meses que son un período de intensa actividad para él, en el cual irá dominando todas las habilidades que requiera para sobrevivir en el mundo exterior.

LA SEGURIDAD DEL ÚTERO

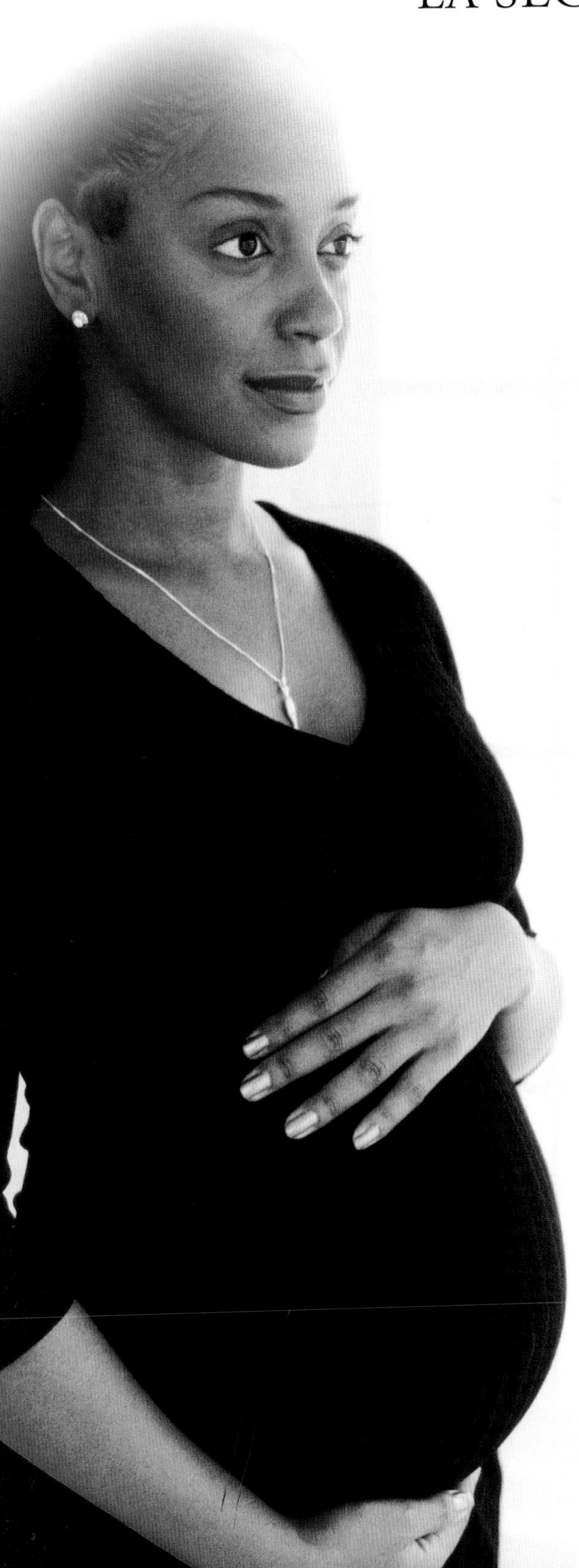

Protegido por el saco amniótico y abastecido de oxígeno y nutrientes desde la placenta, el bebé está en un ambiente ideal para crecer.

Los avances realizados en la investigación han ampliado enormemente nuestra comprensión de la vida dentro del útero. En una fecha tan temprana como las ocho semanas, cuando tiene el tamaño de una uva, el bebé empieza a moverse. A partir de las nueve semanas, practica la respiración y hacia las doce semanas muestra toda su destreza acrobática dando volteretas hacia delante y hacia atrás. Al final del embarazo se moverá respondiendo a los sonidos y es posible que incluso a los olores y sabores que empieza a experimentar a través de los sentidos.

EL EQUIPO DE MANTENIMIENTO DE LA VIDA DEL BEBÉ

Desde el momento de la concepción, el cuerpo de la madre proporciona al bebé todo lo que este necesita para un desarrollo completo y normal. Al principio, el revestimiento uterino, donde hay almacenados nutrientes para alimentarlo, mantiene al embrión que empieza a desarrollarse. Entretanto, el cuerpo de la madre se dedica activamente a preparar un medio de mantenimiento de la vida más eficaz: la placenta.

Las vellosidades coriónicas

Durante las primeras semanas, de la pared del óvulo fertilizado brotan unas protuberancias esponjiformes. De ellas surge un tejido lleno de capilares llamados vellosidades coriónicas. Hacia la octava semana las vellosidades coriónicas han desarrollado unos vasos sanguíneos que llevan nutrientes y oxígeno al feto. Gradualmente, estos vasos sanguíneos se van formando gradualmente, para configurar un sistema que acabará siendo el cordón umbilical. En el punto en que el embrión se ha implantado, las vellosidades coriónicas se multiplican para crear la placenta, cuya tarea es ayudar al bebé a sobrevivir y crecer durante el embarazo.

La placenta

Responsable de nutrir al bebé, abastecerlo de oxígeno y eliminar los residuos, la placenta es un órgano increíblemen-

LA ESTRUCTURA DE LA PLACENTA

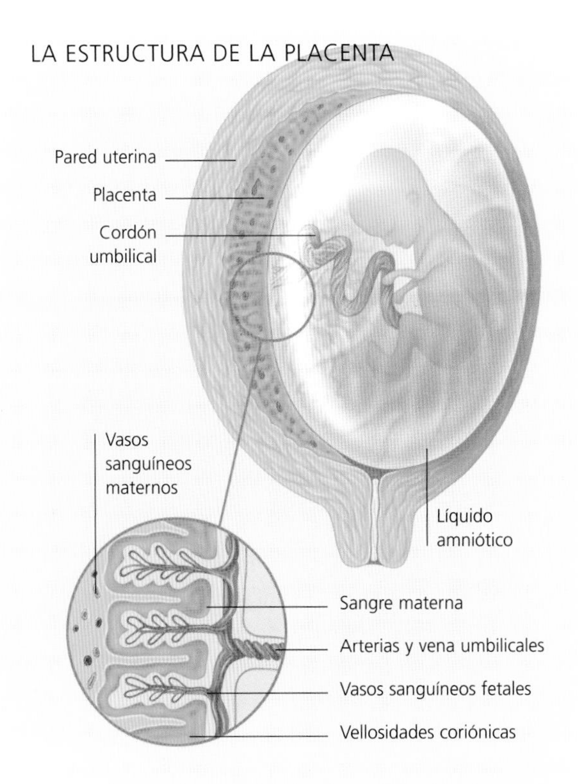

te eficiente. Es también responsable de generar las hormonas vitales para el embarazo, como la progesterona, por lo cual tiene un papel clave al estimular el cuerpo de la madre a que se adapte al embarazo y para mantenerlo (véase p. 60).

Adherida a la pared uterina, la placenta contiene vasos sanguíneos que pertenecen a la madre y al bebé. En el caso de gemelos idénticos, la placenta puede ser compartida; los gemelos no idénticos o los trillizos tendrán cada uno su propia placenta. El bebé está conectado a la placenta por el cordón umbilical, formado por una vena y dos arterias. Los vasos sanguíneos de la placenta se entrelazan, pero permanecen separados, de forma que la sangre de la madre y la del bebé nunca llega a mezclarse realmente. Todo lo que tenga que pasar de una corriente sanguínea a la otra lo hace mediante un proceso de difusión. Los nutrientes, los anticuerpos y el oxígeno que el bebé necesita pasan de la sangre de la madre a la suya y fluyen a su cuerpo por la vena umbilical. Los desperdicios y la sangre baja en oxígeno son eliminados por las arterias umbilicales. Estos desperdicios pasan a la sangre de la madre y son excretados por medio de los riñones.

Este proceso de difusión significa que el crecimiento y desarrollo del bebé dependen totalmente de la madre; todo lo que usted ingiere, el bebé también lo recibe, razón por la cual es tan importante seguir una alimentación sana y equilibrada y evitar cualquier sustancia que pudiera perjudicar al feto. Algunas investigaciones señalan que incluso los sabores y los olores de la comida que la madre ingiere pueden ser transferidos a través de la placenta (véase p. 142).

La placenta alcanza su plenitud hacia las 34 semanas, momento en el que empieza a envejecer. Dos o tres semanas más tarde ya es menos eficiente en la nutrición del bebé. También se vuelve fibrosa, en lugar de esponjosa, y aparecen coágulos de sangre y puntos calcificados, señal de que los vasos sanguíneos envejecen. Después de la semana 40, la placenta empieza a deteriorarse y existe el riesgo de que deje de producir el suministro adecuado de nutrientes y oxígeno al bebé.

MÁS **SOBRE** el saco amniótico

Durante el tiempo que pasa en el útero, el bebé crece dentro del saco amniótico, lleno de líquido, que le sirve de cojín, le protege y, al mismo tiempo, le proporciona espacio para crecer y moverse dentro del útero. El líquido amniótico está compuesto de fluido de la placenta, junto con orina fetal y fluido pulmonar del bebé. A las 40 semanas, el feto está rodeado por unos 0,5 -1,5 litros de líquido amniótico.

LOS SENTIDOS DEL BEBÉ

Lejos de flotar adormilado en un mundo acuoso, sin ser consciente de lo que sucede a su alrededor, el bebé está muy ocupado desarrollando sus sentidos y, sorprendentemente, los estímulos que recibe son múltiples.

Los sentidos del tacto, el gusto, el olfato, el oído y la vista del bebé antes de nacer son estimulados por lo que se filtra desde el mundo exterior. Aprender a reconocer la voz de la madre, así como a oler y saborear los alimentos que esta toma, puede proporcionarle una sensación de familiaridad y seguridad cuando nazca.

EL TACTO

El sentido del tacto es el primero que se desarrolla. Alrededor del momento en que empieza a moverse —hacia la séptima u octava semana— comienza también a reaccionar al tacto. Al principio, solo los labios son sensibles, pero pronto mostrará reacciones en las mejillas y también la frente. Hacia las 10 u 11 semanas, las palmas de sus manos se vuelven sensibles al tacto y comienza a tocarse la cara, quizás empezando a indagar qué aspecto tiene. Hacia las 14 semanas, todo el cuerpo del bebé, con la excepción de la parte trasera y superior de la cabeza, reacciona cuando lo tocan, de una manera similar a la de un bebé recién nacido.

Hay mucho que explorar

Conforme el bebé va aumentando de tamaño, algunas partes de su cuerpo tocarán la pared del útero y tendrá que acurrucarse para caber dentro de la madre. Además, rozará constantemente contra el cordón umbilical; con frecuencia, los ultrasonidos muestran a los bebés sujetando sus cordones o «jugando» con ellos.

¿SABÌA QUE...?

Los mellizos reaccionan con el contacto mutuo. Además de encontrarse en una gran proximidad física, tienden a empujarse mutuamente en busca de una mejor posición. Si un mellizo toca al otro, el hermano o la hermana reacciona al contacto y a menudo responde. Este podría ser el comienzo de la afinidad que la mayoría de los mellizos mantienen durante toda su vida. A menudo un mellizo es más activo que el otro y reacciona a un estímulo rápidamente con una aceleración del pulso o unos puntapiés más fuertes; esta diferencia se mantendrá en años venideros.

Es curioso que la respuesta inicial del bebé a un roce en la mejilla sea apartarse de ese estímulo; si su mano toca la mejilla derecha, volverá la cabeza hacia el lado izquierdo. Esta primera reacción es el resultado de la inmadurez de su sistema nervioso central. Cuando el embarazo está más avanzado, esta respuesta cambia y el bebé vuelve la cabeza hacia el contacto. Posiblemente es el inicio del reflejo de giro, que será importante en la lactancia materna.

Una boca sensible

Dentro del útero el bebé puede chuparse el dedo, aunque todavía no haya relacionado la succión con saciar el hambre. En el inmaduro cuerpo del bebé, la lengua, con sus cientos de terminaciones nerviosas, es una de sus partes más sensibles y chupar es un medio excelente para lograr sentir las cosas. Esto se puede ver en la conducta de los niños pequeños que se llevan toda clase de objetos a la boca para hacerse una idea de las proporciones y texturas, en lugar de palparlos con las manos, todavía torpes. Cuando el bebé se chupa el dedo en el útero, descubre la sensación de la piel y la forma del pulgar y puede obtener el mismo consuelo al chupar que cuando nazca.

SABOR Y OLOR

El bebé empieza a tragar líquido amniótico —el líquido que lo rodea en el saco amniótico— desde alrededor de las 12 semanas y continúa haciéndolo durante todo el embarazo. Según algunos expertos, de esta forma empieza a aprender qué es el sabor y el olor, porque el líquido amniótico contiene el sabor y el olor de lo que come la madre.

Cuando usted tome ajo, por ejemplo, el bebé puede saborearlo y olerlo a través de diversas rutas. A través de su corriente sanguínea, el ajo entra en la del bebé, donde puede estimular los receptores sensoriales que hay en la nariz del feto. En segundo lugar, el ajo se dispersa directamente por el líquido amniótico y cuando el bebé «respira» y traga puede oler y notar el sabor a ajo. En tercer lugar, el ajo es expulsado del cuerpo del bebé cuando este orina en el líquido amniótico y puede ofrecerle una segunda oportunidad de notar su sabor al tragar el líquido amniótico. Así pues, mientras que el sabor de una comida con ajo puede durarle a la madre solo unas horas, ese tiempo quizá sea de 24 horas o más para el bebé.

Gustos y aversiones

Las investigaciones han demostrado que, antes de nacer, los bebés saben la diferencia entre dulce y amargo y tragan más cuando una sustancia tiene un sabor dulce que cuando es amargo. Por tanto, puede que el bebé no tarde mucho en empezar a reconocer los alimentos que forman la dieta de la madre. Como la leche materna tiene un sabor muy parecido, un cambio radical en la alimentación después del parto puede hacer que al bebé le cueste más tiempo acostumbrarse a tomar el pecho.

OÍDO

La manera en que el bebé responde a los sonidos ha sido objeto de minuciosos estudios, en gran medida porque el oído es el sentido más fácil de estimular en el útero. El bebé empieza a reaccionar a los sonidos alrededor de las 24 semanas y cuanto más alto es el sonido más fuerte es la reacción.

El entorno del bebé está lleno de sonidos ricos y variados: el latido del corazón de la madre y la sangre que circula por sus arterias y venas forman un telón de fondo sonoro; también puede oír los borboteos intermitentes de su estómago e intestinos. Los sonidos del entorno que rodea el cuerpo de la madre, como voces, música y televisión, también atraviesan su abdomen y el bebé los oye. No obstante, estos sonidos son mucho más que dos para el bebé que para la madre. Esto es debido a que cuando un sonido viaja hacia ella, muchas de las ondas sonoras rebotan o son absorbidas por la ropa y la piel; solo una pequeña franja de sonido penetra a través de la pared abdominal y alcanza los oídos del bebé. Los sonidos de alta frecuencia se reflejan con mayor facilidad, así que el bebé oye, principalmente, los de baja intensidad.

Sus sonidos favoritos

De todos los sonidos que el bebé oirá antes de nacer, la voz de la madre es el más destacado. Esto se debe a que el bebé la oye de dos maneras: primero, por medio de las ondas sonoras que salen de su boca y viajan a través del aire y, segundo, por las vibraciones que recorren su cuerpo cuando habla. Es parecido a la manera en que usted se oye hablar, lo cual explica que su voz suene diferente cuando la oye grabada; está escuchando solo los sonidos transportados por el aire y no las vibraciones

Cuando tome un baño, puede tratar de experimentar lo que oye su bebé sumergiéndose hasta que el agua le cubra las orejas. Escuche cómo cambia el sonido.

internas. Las vibraciones del cuerpo de la madre transmiten su voz al bebé con mucha eficacia, así que siempre que hable, cante o grite, el bebé la oirá. No es extraño, pues, que al nacer el bebé reconozca su voz mejor que cualquier otra. Los recién nacidos no suelen reconocer la voz del padre, aunque, por lo general, perciben la diferencia entre voces femeninas y masculinas.

La voz de la madre no es el único sonido que el bebé aprende antes de nacer. Los investigadores han usado ultrasonidos para observar cómo reacciona ante melodías conocidas y desconocidas que suenan por unos auriculares colocados sobre el abdomen de la madre. Alrededor de las 26 o 27 semanas, los bebés tienden a aumentar sus movimientos al oír una melodía conocida, casi como si estuvieran bailando al ritmo de su canción favorita. Pero cuando oyen música que no reconocen, tienden a quedarse quietos. En algunos casos, la música que conocen puede tener un efecto sosegador en el bebé después de nacer y calmarlo cuando llora, pero es mejor usar esta táctica con moderación, de lo contrario perderá efecto.

LA VISTA

La vista del bebé es el sentido que recibe menos estímulos en su mundo acuoso y el último que se desarrolla. Los párpados permanecen cerrados hasta alrededor de las 27 semanas, momento en que los ojos se abren y empiezan a parpadear, posiblemente practicando ese reflejo que necesitarán al nacer.

No obstante, dentro del útero el mundo del bebé es, en esencia, un mundo oscuro. Esto se debe a que la piel del estómago de la madre y su ropa impiden que le llegue la luz. Si la madre tomara el sol en bikini, en un día muy soleado, puede que al bebé le llegara un difuso brillo anaranjado a través de su piel, parecido al que usted ve cuando coloca la mano sobre una linterna. Los estudios han demostrado que las pupilas del bebé pueden contraerse y dilatarse a partir de las 33 semanas y que, quizá, incluso sea capaz de distinguir formas tenues en ese estadio.

5 maneras de estimular al bebé antes de nacer

1. Dele al feto un empujoncito y vea si responde de igual manera. Elógielo si lo hace; puede que aprenda a repetirlo.
2. Colóquese unos auriculares sobre el abdomen y ponga música exclusiva para el bebé. Note cómo se mueve o «baila» dentro de usted.
3. Hable con su bebé y cántele. Le encanta el sonido de su voz, así que léale un cuento o cántele una nana. Haga que su pareja participe también; quizá reaccione de forma diferente a su voz.
4. Inicie un diálogo interno con su bebé. Acuéstese en una habitación tranquila y visualice al bebé dentro de usted. Comuníquele su amor con el pensamiento.
5. Nade. Tanto usted como el bebé disfrutarán de la sensación de ingravidez que essto les proporciona.

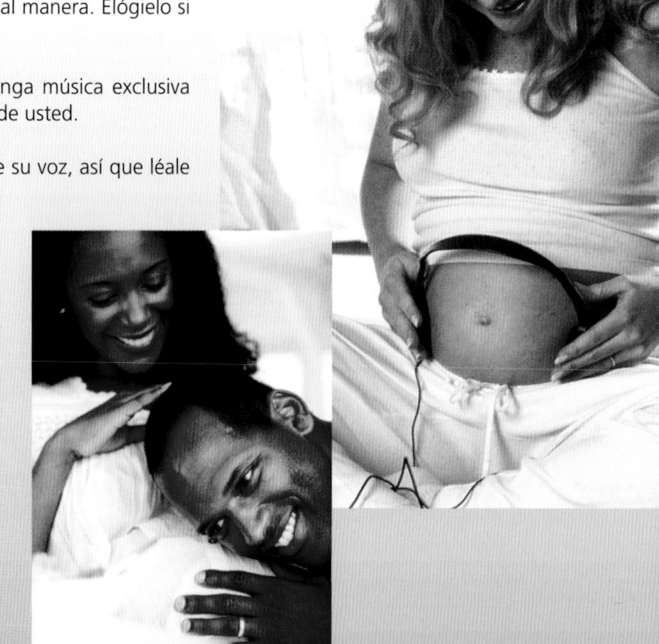

UN BEBÉ ACTIVO

El bebé es como un pequeño acróbata en el útero y al nacer domina ya una serie de movimientos esenciales para su nueva vida.

Los movimientos del bebé tienen un papel importante en el buen desarrollo de sus articulaciones y músculos. El continuo ejercicio de esas articulaciones al irse desarrollando moldea la superficie de los contornos de la otra parte, para que los huesos puedan moverse con suavidad y facilidad. Además, igual que usted hace ejercicio para mantenerse en forma, el bebé también lo hace; sus movimientos son una especie de programa de gimnasia que ayuda a sus músculos a desarrollarse. Tiene que estar en buena forma para bajar por el canal de parto el día de su nacimiento.

PRIMEROS MOVIMIENTOS

El bebé empieza a moverse cuando usted lleva 7 u 8 semanas encinta. En ese momento, solo mide aproximadamente unos 2,5 centímetros de longitud, pero ya tiene músculos a lo largo de la espina dorsal. Como es tan pequeño, usted todavía no podrá notar nada, pero sus movimientos son discernibles por medio de los ultrasonidos y los investigadores los han descrito como parecidos a «tics» u «ondas».

A las 12 semanas el bebé gira y se da la vuelta, incluso frunce el ceño y, a lo largo de las siguientes semanas desarrollará una serie asombrosa de movimientos. Se han identificado más de 20 tipos diferentes en la primera parte del embarazo, entre ellos succionar, bostezar e hipar. Entre las semanas 13 y 17 el bebé está muy atareado practicando toda esta serie de nuevos movimientos.

Pautas de actividad

Los movimientos del bebé se producen a rachas que pueden prolongarse durante hasta siete minutos, pero lo más corriente es que duren entre uno y dos minutos, a partir de las nueve semanas. Es probable que el bebé tenga un sitio favorito para descansar, donde siempre vuelve después de un período de actividad; suele ser la parte inferior del saco amniótico.

Conseguir el control

Los primeros movimientos del bebé se producen únicamente por la actividad eléctrica de sus músculos; el cerebro todavía no da instrucciones a los músculos. En esta primera parte del embarazo, los movimientos pueden ser continuos y vigorosos. No obstante, conforme el sistema nervioso del bebé se desarrolla, la espina dorsal, el tronco cerebral y luego los centros superiores del cerebro toman el control de la actividad. Los movimientos mayores, como las volteretas y giros, ceden el paso a otros más sutiles, como mover los ojos o estirar una pierna. Mover un brazo, por ejemplo, es una acción más compleja que dar una voltereta, porque cada articulación del mismo tiene músculos que le permiten extenderse y flexionarse. El bebé debe aprender a dominar ambos grupos de músculos antes de que sus movimientos se hagan más elegantes y controlados.

¿El bebé será zurdo o diestro?

Algunos de los primeros movimientos del bebé, hacia las 10 semanas, son movimientos únicos e independientes con un brazo u otro. En ese momento, alrededor

¿SABÍA QUE...?

El bebé practica la respiración. El bebé no puede respirar aire en su ambiente uterino lleno de líquido; el oxígeno que necesita para vivir es transferido desde la sangre de la madre a la suya a través de la placenta. No obstante, hace movimientos regulares y rítmicos con el diafragma y la caja torácica aproximadamente desde de las nueve semanas; «respira» alrededor del 30 % del tiempo. Estos movimientos son esenciales para desarrollar la estructura física de los pulmones del bebé y configuran el principio del reflejo automático que será vital para sobrevivir fuera del útero.

del 90 % de los bebés mueve más el brazo derecho, mientras que el 10 % restante prefiere mover el brazo izquierdo; la misma proporción que se da entre los adultos. Esta preferencia continúa a lo largo del embarazo —los bebés diestros a las 10 semanas siguen siéndolo a las 36 semanas— y las estadísticas señalan que esta preferencia dura toda la vida.

Antes se solía pensar que las diferencias de estructura entre la mitad derecha y la mitad izquierda del cerebro hacían que una persona fuera diestra o zurda, pero esta preferencia en los movimientos del bebé se produce antes de que las dos mitades del cerebro desarrollen cualquier distinción. Pudiera ser que al elegir mover uno u otro brazo, el bebé provocara diferencias en la estructura de las dos mitades del cerebro. En otras palabras, sus movimientos físicos podrían estar moldeando su cerebro.

LO QUE USTED NOTA

Notar cómo se mueve el bebé por primera vez es uno de los momentos inolvidables del embarazo. Si es primeriza quizá no note ningún movimiento hasta las 20 semanas, o incluso hasta las 24. Estos primeros movimientos serán como aleteos en el abdomen y quizá, al principio, se pregunte si son aires. Si ya ha estado embarazada antes, tal vez pueda identificar las señales algo más temprano, ya que las habrá aprendido en su anterior embarazo.

Una gran parte de lo que perciba dependerá de lo rápidamente que crezca el bebé. Para hacer notar su presencia, este tendrá que ser lo bastante grande como para dar codazos y golpes contra su interior. Cuando usted nota un movimiento, en realidad no lo está sintiendo en el revestimiento del útero, ya que este no cuenta con los receptores sensoriales necesarios. Si el bebé da una pa-

Pautas en el dormir y el soñar

Hacia las 36 u 38 semanas la actividad del feto está bien regulada, con períodos definidos de actividad y descanso y, al igual que un recién nacido, pasa mucho tiempo durmiendo.

Las investigaciones han demostrado que durante parte del tiempo que pasa dormido, el feto muestra movimientos rápidos del ojo (REM), lo cual en un adulto es señal de que está soñando. Esto ha llevado a que algunos científicos crean que el bebé podría estar soñando dentro del útero, consolidando sus experiencias del día. Quizá sueñe que estira brazos y piernas, escucha la voz de la madre o juega con el cordón umbilical.

Las investigaciones indican que el bebé pasa buena parte de su tiempo en los siguientes estados:

Sueño tranquilo. Durante aproximadamente un 40 % del tiempo, el bebé permanece casi inactivo, moviéndose solo de vez en cuando, como si estuviera dormido.

Sueño activo. Durante aproximadamente un 42 % del tiempo, el bebé parece estar durmiendo, pero se mueve y hace algunos gestos aleatorios amplios, con brazos y piernas, quizá mientras sueña.

Vigilia activa. El bebé se mueve con mucho vigor durante este período y la madre lo notará. Aunque solo ocupa un 10 % del tiempo, suele suceder por la noche, cuando la madre está intentando dormir.

Vigilia tranquila. Durante un 2 o un 3 % del tiempo, el bebé no mueve mucho el cuerpo, pero sí los ojos, constantemente. Es algo parecido a la manera en que actúan los recién nacidos cuando están tranquilos, pero parecen estar prestando atención a lo que sucede a su alrededor.

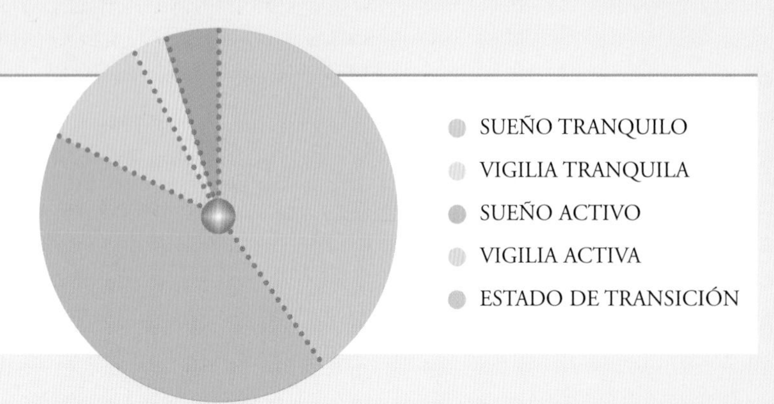

tada, el útero es empujado contra músculos y órganos como la pared abdominal o la vejiga y esto es lo que provoca la sensación de movimiento. La posición de la placenta puede influir en esa sensación. Si su placenta está en la parte delantera del útero en lugar de en la posterior, usted no notará tanto los movimientos del bebé.

MÁS **SOBRE** emociones compartidas

Estudios recientes han analizado si las emociones de la madre afectan al comportamiento del feto. Investigadores italianos observaron a madres conmocionadas por un terremoto y descubrieron que los fetos eran más activos. Un estudio australiano descubrió que los fetos mostraban más actividad cuando sus madres veían una película melodramática que cuando veían una comedia. Cuanto mayores eran las reacciones emocionales de la madre, mayores también las del bebé. No se trata de un vínculo «psíquico», es sencillamente una reacción a las sustancias químicas que el cuerpo libera a la sangre cuando el estado de ánimo cambia. Esos cambios en el estado de ánimo no perjudicarán a su bebé, pero quizá le gustaría aprender algunas técnicas de relajación (véase p. 124) para sosegar sus emociones y mantener el mundo de su bebé en calma.

MOVIMIENTOS POSTERIORES

Conforme el bebé aumenta de tamaño no se moverá con tanta frecuencia, pero usted lo notará más cuando lo haga. Al final del embarazo puede sentir unas patadas bastante fuertes contra las costillas y la vejiga cuando el bebé hace sentir su presencia. Aunque la actividad se reduce, en parte, por el aumento de tamaño, también lo hace porque se requieren unos movimientos más refinados para reforzar y desarrollar las conexiones nerviosas de su sistema neurológico.

Pautas de actividad

Quizá observe que el bebé se muestra más activo como respuesta a lo que usted ha comido —los alimentos azucarados le darán un empuje de energía que tendrá como resultado una racha de movimiento— o a sus emociones (véase el cuadro, más arriba) o, sencillamente, a que se está poniendo cómodo cuando usted cambia de postura. Probablemente notará que se mueve más por la noche, cuando usted está libre de las distracciones del día y está acostada, relajada y tranquila. Las investigaciones han demostrado que los niveles de actividad del feto tienden a alcanzar su punto máximo alrededor de medianoche, posiblemente prefigurando los períodos de sueño y vigilia que tendrán cuando nazcan.

Aprender a ser consciente de sí mismo

El movimiento también sirve para que el bebé sea consciente de sí mismo y para adquirir la comprensión de que es una entidad independiente.

Por medio de sus propios movimientos —y también de los de usted— añadidos a las restricciones de su entorno uterino, el bebé aprende qué son y cómo se relacionan las diversas partes de su cuerpo, y dónde empieza y termina este.

Todos necesitamos saber dónde están nuestros miembros en cualquier momento en particular. Para coger una taza, por ejemplo, tenemos que conocer la posición de nuestro brazo y nuestra mano, la posición de la taza y saber cómo mover la mano desde su actual posición hasta la taza. Para el bebé, el mismo acto de rozar con una pierna las paredes del útero, por ejemplo, inunda su sistema con información vital. Cada movimiento activa vías sensoriales y estimula que vaya adquiriendo conciencia de sí mismo.

También se cree que los bebés aprenden dónde están en el espacio. Hacia las 25 semanas, la mayoría muestra un «reflejo de enderezamiento» que le permite ponerse cabeza abajo en el útero. Asimismo, experimentan la gravedad en su mundo acuoso. Cuando usted se mueve, él siente ese movimiento, de forma que es como si hiciera un viaje en una montaña rusa mientras usted se dedica a sus tareas diarias. Sentarse, tumbarse, andar, correr y doblarse... todo lo que haga será experimentado por el bebé.

EL INSTIGADOR DEL PARTO

Los procesos que culminan en el nacimiento son una serie de interacciones cuidadosamente coreografiadas entre usted y su bebé. Casi como el más elegante de los valses, su cuerpo y el de su hijo responden, uno al otro, para garantizar que cada paso sigue atentamente al precedente.

En una serie de estudios realizados con seres humanos y animales se ha descubierto que el bebé es quien primero indica que está preparado para nacer, probablemente entre tres y cuatro semanas antes de que empiece el parto. Cómo «sabe» exactamente el bebé cuándo ha llegado el momento es un misterio, pero lo que sucede a continuación es más comprensible.

PREPARARSE PARA NACER

Antes de nacer, el bebé tiene que haber madurado lo suficiente para sobrevivir fuera de su ambiente uterino. En el útero dependía de usted para que le proporcionara oxígeno y nutrientes y eliminara los residuos, pero en cuanto nazca, su propio cuerpo tendrá que asumir el control de esas funciones vitales. Así pues, cuando el cuerpo del bebé está lo suficientemente maduro, su cerebro envía señales hormonales a la placenta para que produzca enzimas, que ayudarán a que sus órganos vitales maduren y luego estimularán el parto.

Una reacción química

Las investigaciones han demostrado que conforme se acerca el momento del parto, el cerebro del bebé estimula su glándula pituitaria para que libere una sustancia química llamada adrenocorticotrofina (ACTH) que, a su vez, estimula la emisión de otra sustancia química, el cortisol. Estas sustancias pasan desde el cuerpo del bebé a la placenta, que reacciona convirtiendo la progesterona en estrógeno. Es una etapa importante, porque la progesterona es la hormona que impide que los fuertes músculos uterinos se contraigan al principio del embarazo, mientras que el estrógeno es el responsable de desencadenar las contracciones del parto. En los días que preceden al inicio del mismo, quizá note usted este cambio en los niveles hormonales en forma de una tensión en el útero.

Cuando la cabeza del bebé presiona contra el cuello del útero, se envía una señal al cerebro de la madre para que estimule su glándula pituitaria y libere la hormona oxitocina. La oxitocina hace que los músculos del útero se contraigan, obligando a que la cabeza del bebé avance al interior del cuello del útero y continuando así el ciclo de contracciones. Además, la oxitocina estimula la emisión a la sangre de unas sustancias químicas llamadas prostaglandinas, que intensificarán las contracciones de los músculos uterinos. Este proceso que autogenera va aumentando durante el parto, haciéndose más fuerte y llevando, finalmente, al nacimiento del bebé. Es un proceso asombroso e increíble en el que usted y su bebé trabajan unidos en perfecta armonía.

Preparar el canal de parto

El cérvix también tiene que experimentar cambios a fin de facilitar el nacimiento del bebé. Hasta el momento del parto, los tejidos fibrosos, como tendones, del cérvix han mantenido el útero firmemente cerrado. Para que el parto se produzca según los planes, el cérvix debe ablandarse y dilatarse, permitiendo que las contracciones musculares del útero impulsen al bebé por el canal de parto.

Unas tres o cuatro semanas antes del parto, mientras la placenta produce más estrógeno, el cérvix empieza a prepararse, aflojándose y ablandándose. Finalmente, al empezar el parto, cambia de forma radical, estrechándose, acortándose y dilatándose (abriéndose) para permitir que pase el bebé. De nuevo, las señales químicas emitidas por este parecen ser las responsables del inicio de este proceso.

Estos cambios hormonales estimulan también los senos y los prepara para la producción de la leche que luego alimentará al recién nacido, un proceso que culmina cuando el bebé empieza a succionar el seno de la madre.

8

CAPÍTULO

CÓMO CONTROLAR SUS EMOCIONES Y DEFENDER SU INTIMIDAD

Si tiene sentimientos contradictorios respecto a los cambios de su cuerpo, si le preocupa el inminente parto o se siente abrumada por la idea de convertirse en madre, no le quepa duda de que no es la única; son reacciones naturales ante el embarazo. No se preocupe. Podrá superarlo.

SU REACCIÓN ANTE EL EMBARAZO

En parte, debido a sus hormonas y, en parte también, a los enormes ajustes físicos y emocionales que tiene que realizar, sus emociones pueden dominarla durante el embarazo y afectar a todos los aspectos de su vida.

Cuando descubre que está embarazada, puede sentirse completamente feliz porque va a tener ese bebé que tanto desea, así como una sensación de triunfo por ser fértil o una tierna complicidad con su pareja, ya que su unión física fue la que lo creó. Pero también es posible que el embarazo se cierna sobre usted como un enorme problema; si no se siente preparada para tener un hijo, su reacción natural puede ser de ansiedad o incluso de pánico.

PRIMERAS REACCIONES

Incluso si quería tener un hijo, es absolutamente natural que afloren en usted furtivamente otros sentimientos menos positivos. Quizá piense que ha sucedido demasiado rápidamente, puede que se sienta atrapada, se pregunte cómo afectará el embarazo a su cuerpo y tenga miedo del parto o, tal vez, que se sienta abrumada por la sensación de que es responsable de otra persona para toda la vida.

Al principio, sus emociones pueden hacer horas extra para asimilar todos los cambios que están teniendo lugar, pero a lo largo de las semanas siguientes parte de esta turbulencia se calma. Al igual que muchas mujeres, puede adquirir un nuevo respeto por su cuerpo y, aun si las molestias iniciales amenazan con minar esa satisfacción, probablemente se asombrará de la tarea que realiza su organismo para desarrollar una nueva vida. Si es su primer embarazo, puede que empiece a sentirse adulta de una forma nueva; va a unirse a la comunidad de madres.

ADAPTARSE A LOS CAMBIOS

A veces el período de espera hasta la llegada del bebé puede hacerse interminable, pero esos nueve meses le proporcionan el tiempo necesario para adaptarse a los enormes cambios que están teniendo lugar; no solo se está acostumbrando a los efectos que sufre su cuerpo (véase p. 151), sino también adaptándose a un nuevo estilo de vida. De repente, puede darle más importancia a su seguridad, ya que tiene que proteger al diminuto ser humano que lleva dentro. Quizá se dé cuenta de que conduce con más prudencia y pone mayor cuidado en evitar los accidentes. Es probable que cambie sus hábitos en la comida, limite el alcohol o deje de fumar; incluso su vida social puede variar.

Esos cambios en su manera de pensar y actuar pueden hacer que se sienta una persona muy diferente; una sensación que se intensifica si deja de trabajar y ya no puede definirse por su profesión, aunque todavía no se considera una madre. Quizá le resulte más fácil asimilar ese nuevo aspecto de su identidad si pasa un tiempo soñando despierta y visualizándose con su bebé. Piense también en la posibilidad de llevar un diario que la ayude a superar sus cambios de humor.

Respete su cuerpo

El embarazo es un tiempo de continuos cambios físicos. Algunos son esperados y visibles para el mundo exterior como, por ejemplo, la dilatación de los senos y el abultamiento de la barriga, mientras que otros son menos visibles y pueden ser inesperados, que el pelo se le vuelva un poco más graso o que los pies se le hinchen.

Las reacciones emocionales ante el embarazo son muy personales e imprevisibles, pero es casi imposible no reaccionar con fuerza ante su cambio de aspecto; puede encantarle su nueva imagen o detestar sentirse tan voluminosa.

Algunas mujeres que están muy pendientes de su figura se sienten incómodas por el aumento de peso durante el embarazo. Si ese es su caso, procure no sentirse avergonzada por su barriga; no está engordando, sino que está haciendo crecer un bebé; una tarea física que se alimenta continuamente de su energía y de todos los sistemas de su organismo.

Acepte su nueva imagen

Conforme pasan los meses, irá aceptando progresivamente los cambios que experimenta su cuerpo. Al principio puede sentirse frustrada de que no haya nada que ver. Al segundo o tercer mes, cuando empiece a apretarle la ropa, quizá sienta impaciencia, porque ya no tiene la figura de antes, pero tampoco está visiblemente embarazada. Alrededor del tercer mes, es probable que sienta alivio cuando su barriga protuberante sea claramente perceptible. Cuando su embarazo sea del dominio público, puede ocurrirle que la gente se quede mirándola abiertamente, o incluso quiera tocarle la barriga. A algunas mujeres les molesta la invasión de su espacio personal; otras disfrutan del interés de los demás. En los últimos meses, puede que le cueste creer que su cuerpo

MÁS **SOBRE** el efecto de las hormonas

La progesterona y el estrógeno tienen un papel vital en la orquestación de los cambios físicos necesarios para iniciar y mantener un embarazo (véase p. 60), pero también tienen un profundo efecto en sus emociones. Las hormonas pueden hacer que algunas mujeres experimenten una nueva serenidad, que se concentren en su interior para tejer un capullo protector en torno a sus bebés. Otras mujeres viven una montaña rusa de emociones: tristeza que se convierte en mares de lágrimas, una nueva sensibilidad ante los sufrimientos de los demás y una alegría tan intensa que se desborda, también, en llanto. Puede ser difícil juzgar si esos altibajos se deben a las hormonas o, simplemente, son una reacción emocional ante su nuevo modo de vida. Pero suceda lo que suceda, acepte que durante los próximos nueve meses puede tener menos control de lo habitual sobre sus emociones. Es como si sus hormonas abrieran la parte emocional de su psique, preparándola para ser receptiva hacia el recién nacido.

siga creciendo y que su barriga sea tan firme. Quizá se sienta pesada, rígida y se sorprenda por el esfuerzo que le cuesta levantarse de un sillón. Es el momento de tomárselo con calma y de esperar con ilusión la hora de conocer a su bebé.

Reconozca lo que la preocupa

Es difícil no sentir nunca ninguna preocupación respecto al bienestar de su bebé, incluso aunque no tenga motivos para inquietarse. Puede que, durante los primeros meses (véase p. 278) sienta el temor de abortar, especialmente si ya le ha sucedido antes. En esos casos, es perfectamente natural sentirse nerviosa hasta que haya pasado sin novedad la fecha en la que perdió a su otro bebé. Por difícil que le resulte, procure mantenerse relajada y confiar en su cuerpo.

Puede ser apasionante ver a su diminuto pero completo bebé moviéndose o chupándose el dedo durante una ecografía, pero a menudo las pruebas prenatales (véase p. 236) son fuente de preocupación para los futuros padres. Aunque están pensadas para proporcionar información tranquilizadora, pueden provocar una nueva ansiedad. Recuerde que las pruebas están destinadas a detectar problemas lo antes posible para que su bebé tenga las mayores probabilidades de nacer sano. Pero si se siente presionada respecto a hacerse una prueba en particular, no dude en preguntarle al médico si es necesaria.

Si se detecta algún problema durante las pruebas, procure seguir teniendo una actitud positiva. Si le dicen, por ejemplo, que su bebé tiene una probabilidad entre diez de sufrir el síndrome de Down (véase p. 249), dele la vuelta a ese dato estadístico: su bebé tiene nueve posibilidades entre diez de no nacer con el síndrome de Down.

También puede preocuparle el efecto que tendrá su modo de vida en el feto. Los efectos perjudiciales del tabaco, el alcohol y otros riesgos (véase p. 75) han recibido una amplia publicidad. La mejor manera de controlar su ansiedad es adaptar su modo de vida para que ofrezca un entorno más sano al bebé que se va desarrollando. Si cree que ha corrido algún riesgo, por ejemplo si, como muchas mujeres, piensa que bebía demasiado antes de saber que estaba embarazada, dígaselo a su médico, quien, probablemente, podrá analizar los posibles riesgos y tranquilizarla.

5 maneras de calmar la ansiedad

1. Hable con otros futuros padres. La mayoría tiene ganas de compartir sus sentimientos y experiencias con los demás y muchos asisten a clases prenatales principalmente por esta razón (véase p. 172).
2. Trate de encontrar un preparador prenatal que dé prioridad a la conversación. No debe pensar que tiene que saberlo todo ni tampoco tener miedo de hacer preguntas; el preparador está ahí para eso.
3. Lea todo lo que pueda sobre el embarazo. Cuanto más informada esté, más control tendrá y, en consecuencia, menos preocupada se sentirá.
4. Visite a su médico. Si tiene algún síntoma que la preocupa, no posponga acudir a él por miedo a que algo vaya mal. Es probable que no sea nada, pero es mejor que se quite esa preocupación de encima.
5. Recuerde que, aunque el conocimiento de los posibles problemas es mayor que nunca, nunca ha habido una época más segura para tener hijos. La medicina y la sociedad no han eliminado todos esos problemas, pero las perspectivas que tiene para su bebé una mujer sana y que recibe un buen cuidado prenatal son excelentes.

Acérquese a su familia. Las mujeres embarazadas también pueden sentir la necesidad de que las cuiden y el interés de sus padres por usted y su bebé puede ser muy reconfortante.

PENSAR EN SER PADRES

Tal vez piense en la paternidad o la maternidad con confianza o quizá sienta inquietud hacia este papel que es nuevo para usted. Si casarse o irse a vivir con su pareja le parecieron un paso enorme, la llegada de un bebé es un cambio todavía más trascendental.

Lleva tiempo que una persona se convierta en madre o padre. Ser una buena madre o un buen padre no es, en absoluto, algo que sucede en cuanto nace el bebé. El embarazo, además de ser un período de espera, es también un tiempo de preparación para la paternidad o la maternidad. Hable con otros padres y utilice todas las oportunidades que tenga de acercarse a recién nacidos. La mejor manera de aprender es mediante la experiencia de primera mano, así que pídale a alguna amiga que le deje cuidar de su bebé y practique cómo se sostiene, se cambia y se juega con un recién nacido. Puede que su amiga sea tan amable que le devuelva el favor cuando nazca su hijo y usted necesite tomarse un respiro.

Acuda a sus parientes y amigos

Con frecuencia, el embarazo acerca a las mujeres a sus padres, suegros y hermanos. Quizá sienta la necesidad de preguntarle a su madre cómo nació usted o mirar fotos de su pareja cuando era bebé para tener una idea de qué aspecto tendrá su hijo. Las familias suelen prestar mucho apoyo durante el embarazo, especialmente si usted no tiene un compañero que la ayude (véase p. 154). No obstante, si va a pasar el embarazo sin el apoyo de su propia madre, quizá sienta una clase particular de soledad. Si esto deja un vacío en su vida, es probable que una tía o una amiga con hijos se sienta feliz de estar a su lado. Además, también puede encontrar una organización de autoayuda en su barrio o a través de Internet.

En este momento, tal vez se dé cuenta de que piensa en su infancia y en el modo en que la educaron, qué aspectos de su niñez quiere ofrecerle también a su hijo y cuáles preferiría no repetir. Los expertos creen que hablar abiertamente con su pareja sobre cómo los criaron a ambos contribuye a sustituir los modelos negativos por otros positivos. Reflexione sobre cómo se pueden combinar las expectativas que usted y su pareja tienen, debidas a su ambiente familiar, para elaborar una filosofía común. No obstante, recuerde que es imposible planearlo todo hasta el mínimo detalle antes de que el bebé nazca; parte de la satisfacción de ser padres es aprender de las nuevas situaciones y de su hijo.

Esperar un segundo hijo

Si es su segundo embarazo, habrá muchas cosas que ya sabrá. Sin embargo, hay otros factores que considerar cuando se tiene un segundo hijo. La mayoría de madres

Haga que sus hijos mayores participen de su embarazo. Deje que noten al bebé y hablen con él o le lean un cuento (véase p. 352); eso les ayudará a aceptarlo mejor cuando nazca.

se siente mucho más cansada durante el segundo embarazo, ya que tiene que cuidar a otro niño al mismo tiempo. También están los aspectos prácticos de cuidar de dos niños; exigen trabajo y gastos extra.

Algunos padres que esperan su segundo hijo se preocupan por si querrán a ese hijo tanto como al primero. Puede llegar a parecerles casi como una traición traer otro niño a la familia. No obstante, cuando el niño nace, los padres se sorprenden al descubrir que tienen un nuevo manantial de amor para el miembro más joven de la familia.

Su hijo mayor puede sentirse inseguro cuando comprenda que hay otro niño en camino, así que dedique tiempo a prepararlo para su llegada. Por ejemplo, puede temer, en secreto, que usted muestre menos atenciones hacia él, que quizá no lo quiera tanto o incluso que el bebé tenga que dormir en su cama. Estos temores son muy reales en la mente de un niño, por tanto hable con él o ella en cuanto el embarazo sea visible. Explíquele tranquilamente que pronto tendrá un nuevo hermanito o hermanita que le querrá mucho. Abrácelo y sonríale con mucha frecuencia para que adopte una actitud positiva.

CÓMO afrontar el embarazo sola

Tanto si fue planeado como si no, enfrentarse al embarazo sola puede ser muy difícil y la perspectiva de tener la exclusiva responsabilidad de un bebé resulta abrumadora. La ausencia de un compañero que comparta el cuidado y la toma de decisiones puede hacer que se sienta aislada y sola. Por esta razón es vital conseguir todo el apoyo que pueda. Muchas madres solteras descubren que sus familias les prestan un respaldo enorme. Es más, no hay duda de que al bebé puede beneficiarse de crecer en el ambiente protector y afectuoso de una familia extensa.

Si no tiene familia a la que recurrir, hay organizaciones en su ciudad o en Internet que pueden ponerla en contacto con otras madres o padres en su misma situación y ofrecerle apoyo emocional y práctico. Es probable que necesite de otras personas no solo por su amistad, sino para que la acompañen durante el parto y, más tarde, para que le ofrezcan compañía adulta y algo de tiempo libre para el cuidado del bebé, de vez en cuando.

USTED Y SU PAREJA

El embarazo debe entenderse como una gran oportunidad para reforzar el vínculo entre usted y su pareja. Adaptarse a los cambios que provoca en su vida en común les preparará para los retos de la paternidad.

La llegada del primer hijo es un acontecimiento de gran importancia en la vida de una pareja. Hasta ese momento, su compañero ha sido probablemente la persona que usted ha puesto por encima de todo y, sin duda, pasaban mucho tiempo ustedes dos solos. Puede que lleven vidas más o menos paralelas: ambos trabajan, contribuyen a los ingresos, comparten tareas comunes y arreglan la casa juntos. La noche es el momento para relajarse, hablar de cómo ha ido el día y disfrutar del apoyo que se prestan mutuamente. Es fácil decidir de improviso salir a cenar o reunirse con unos amigos para tomar unas copas.

Es probable que casi todos los aspectos de ese modo de vivir se vean afectados por la llegada del bebé y algunos de los cambios empiezan ya durante el embarazo. Puede que haya observado que sus papeles divergen; quizá cayendo, con gran sorpresa por su parte, en los estereotipos masculino y femenino. Conforme avanza el embarazo, una mujer podrá hacer menos esfuerzos físicos, así que estos recaerán en su pareja. Ella deja de trabajar, se vuelve más casera y quizá se encargue más de la cocina o de las tareas domésticas. Puede que a ambos les guste este cambio, pero de cualquier modo, tal vez les resulte difícil adaptarse a ciertos aspectos de esta situación.

Hay otros cambios en el horizonte o que ya están abriéndose paso en su vida. ¿Su bebé hace que usted y su compañero se sientan más unidos que nunca o parece que se inmiscuye en su intimidad como pareja? ¿Convertirse en padres va a representar pérdidas además de ganancias? Es fácil compartir pensamientos felices sobre el embarazo, pero ¿reservan también tiempo para hablar de sus sentimientos negativos? Al comentar estas cosas, reforzarán la comprensión del uno hacia el otro y cultivarán la confianza y franqueza que les ayudarán a ser padres juntos.

CAMBIOS EN SU VIDA SEXUAL

Es casi inevitable que el embarazo afecte a la vida sexual de una pareja; esos cambios pueden ser tanto negativos como positivos. Hay factores físicos y psicológicos en juego y las reacciones de una mujer pueden ser muy diferentes de las de su compañero.

¿No hay peligro?

A muchas parejas les preocupa que hacer el amor durante el embarazo pueda ser perjudicial para el bebé, pero a menos que uno de los dos padezca una infección de transmisión sexual, no hay ninguna posibilidad de que esto suceda; el bebé está protegido por el tapón mucoso que sella el cérvix, así como por el saco amniótico. En la mayoría de casos, no supone ningún riesgo para el feto que sus padres hagan el amor. Anotamos las escasas excepciones en el cuadro que hay más abajo.

No obstante, puede conseguir que las relaciones sexuales resulten más cómodas y practicables tomando algunas precauciones. Después del cuarto mes de embarazo, no es buena idea pasar demasiado tiempo tumbada de espaldas y es posible que esta postura le resulte incómoda para hacer el amor. Pero esto no tiene por

LA SEGURIDAD ES LO PRIMERO

Aborto espontáneo y parto prematuro. **Aunque no hay pruebas de que la actividad sexual pueda provocar un aborto espontáneo, si usted tiene un historial de abortos, quizá sea aconsejable que evite el sexo con penetración hasta pasar el período de peligro (véase p. 278). De igual forma, si ha tenido anteriormente un parto prematuro o hay indicios de que se pueda producir ahora, es probable que le recomienden que se abstenga de las relaciones sexuales durante el último trimestre, ya que podría adelantar el parto (véase p. 208). También debe evitar el sexo al final del embarazo si rompe aguas o si tiene pérdidas sanguinolentas (véase p. 275).**

qué ser un problema, ya que buscar alternativas puede ser divertido (véase el cuadro más abajo). Puede que también quiera hacer el amor con más suavidad, así que considere el uso de un lubricante para evitar las posibles escoriaciones y escoceduras en la vagina, que ahora está extremadamente sensible.

Las relaciones sexuales pueden ser mejores

En las primeras semanas del embarazo, las náuseas y el extremo cansancio pueden hacer que el sexo sea lo último que se le pase por la cabeza. La cama es solo para una cosa: dormir. No obstante, conforme esta etapa va pasando, puede disfrutar de una nueva liberación en sus relaciones sexuales, ya que no existe el temor de quedarse embarazada ni ninguna necesidad de controlar la natalidad. Más aún, al tener los sentimientos a flor de piel puede gozar de unas prácticas sexuales especialmente tiernas y amorosas.

Los cambios físicos asociados con el embarazo pueden intensificar las sensaciones sexuales; sus senos y pezones pueden volverse más sensibles, la sangre y los líquidos extra que circulan por su organismo pueden impregnar los tejidos vaginales, haciéndolos también más sensibles y las hormonas del embarazo estimular una lubricación extra en la vagina. Estos cambios en su cuerpo también pueden aumentar el disfrute por parte de su pareja; por ejemplo, los tejidos congestionados de la vagina apretarán más estrechamente el pene.

Algunas mujeres embarazadas dicen sentirse en un estado casi constante de excitación sexual, especialmente en los tres meses intermedios (véase p. 27) y muchas experimentan unos orgasmos más intensos que antes de quedarse embarazadas, puesto que los tejidos vaginales permanecen inflamados mucho después del orgasmo. Sin embargo, esto puede significar que se quede un tanto insatisfecha después del acto sexual, sensación que puede aliviarse con la masturbación.

Es posible que el bebé no nato se beneficie de sus relaciones sexuales, aunque es una teoría difícil de demostrar. Seguramente lo que sí ocurra es que esa actividad la haga sentirse feliz, amada y relajada, unos sentimientos que transmitirá a su bebé. Puede observar que el

Hacer al amor con comodidad

Su barriga, cada vez más grande, puede hacer que algunas posturas no le resulten cómodas durante las relaciones sexuales. Cualquier postura en la que su pareja esté arriba es especialmente inadecuada cuando su abdomen empiece a sobresalir, a menos que él no cargue el peso sobre su cuerpo. No obstante, pueden experimentarse muchas otras posturas, y puede que el acto sexual sea incluso hasta más satisfactorio.

La mujer arriba. Esto comporta que usted se coloque con las piernas abiertas encima de su pareja, arrodillada o sentada en cuclillas. Apoye el peso en los brazos, en lugar de en el abdomen. Conforme aumente el tamaño de la barriga, puede resultarle más cómodo sentarse en cuclillas que tumbarse encima de su pareja.

Sentados. Su pareja se sienta en una silla resistente o en el borde de la cama y usted se sienta encima de él con las piernas abiertas, bien mirándolo o dándole la espalda. En esta postura puede controlar la profundidad de la penetración, mientras que él tiene las manos libres para acariciarla.

feto reacciona cuando hacen el amor, a veces volviéndose más activo y otras calmándose. Pero las reacciones del bebé no tienen nada que ver con las relaciones sexuales, son solo respuestas a la actividad hormonal y uterina.

Las relaciones sexuales pueden ser peores

No obstante, el embarazo no siempre da lugar a unas relaciones sexuales satisfactorias y libres de preocupaciones. Puede que se sienta incómoda o cansada o que le disguste tanto su nuevo aspecto que no se sienta *sexy* en absoluto. Si tiene los senos sensibles, especialmente al principio y al final del embarazo, quizá prefiera que su pareja no los toque. Esté preparada, igualmente, para que, al final del embarazo, empiece a salirle calostro de los pezones si los estimula (véase p. 298), algo que usted o su pareja pueden encontrar desagradable.

Por su parte, su compañero puede sentirse desalentado por los cambios en su cuerpo o preocupado por hacerle daño a usted o al bebé. Quizá también empiece a verla más como una figura materna que como una amante y esto podría alterar sus reacciones habituales. Algunos hombres pierden las ganas de sexo por la proximidad del bebé, que parece estar «presenciando» todo el espectáculo. No obstante, tenga la seguridad de que el bebé no tendrá recuerdo alguno de que ustedes hicieran el amor mientras él estaba en el útero.

Es también muy posible que durante el embarazo uno de los dos se sienta rechazado por el otro; no porque haya menos amor entre ustedes, sino porque se han alterado las maneras habituales de expresarlo. Si siente que no le apetece el sexo por la razón que sea, es importante hablar de ello, decir específicamente qué ha cambiado para usted, pero también expresar todos los sentimientos positivos que no han cambiado. Puede que lo que cada uno necesite sea que el otro lo tranquilice, configurándole su amor y entrega.

Otros medios para mostrar afecto

El sexo no tiene por qué significar un coito completo. Si prefieren evitar la penetración, entonces pueden probar con unas caricias eróticas prolongadas. Si su pareja

A gatas. Usted se coloca a gatas **(1)** y su pareja se arrodilla detrás de usted. Puede apoyarse en los antebrazos si le resulta más cómodo. Esta postura permite que su pareja varíe la profundidad de penetración y le da una gran libertad de movimientos.

En cucharas. Fácil y cómoda, es una postura ideal para cuando la barriga sea ya muy voluminosa. En esta posición íntima, encajan el uno en el otro como dos cucharas, sea con usted tumbada de espaldas con las piernas sobre las de él **(2)** o echados los dos de lado con las piernas dobladas. Su pareja penetra en la vagina desde atrás.

Siéntese con su pareja y elaboren un presupuesto. Si no lo han hecho todavía, empiecen a eliminar cosas superfluas y a guardar el dinero que ahorren.

la masturba, debe usar un lubricante —aunque sea saliva— para evitar la irritación. También debe ser consciente de que sus secreciones vaginales pueden tener un sabor más fuerte durante el sexo oral. Es esencial que tenga cuidado de no insuflar aire dentro de la vagina, ya que hay un pequeño riesgo de que esto cause una embolia (una pequeña burbuja de aire en un vaso sanguíneo).

El embarazo es una magnífica oportunidad para explorar otras maneras de disfrutar de su intimidad; pueden expresar sus sentimientos con simples besos, abrazos y caricias o decidir darse un baño juntos. El masaje es un lujo muy grato al estar embarazada, especialmente si se siente incómoda y le resulta difícil relajarse (véase p. 126).

CAMBIOS ECONÓMICOS

Aparte del sexo, otro ámbito de posibles cambios pueden ser los ingresos familiares. La inminente llegada del bebé puede significar una reducción del dinero que entra; quizá usted o su pareja tengan que dejar de trabajar y es inevitable que aumenten los gastos. Vale la pena ser previsores y pensar en el efecto de esos cambios económicos antes de que se produzcan.

Estudie sus ingresos

Una de las cosas más importantes que hay que tener en cuenta es en qué momento piensa dejar de trabajar, pero recuerde que esto puede verse afectado por circunstancias de salud que están fuera de su control. Además, puede que usted y su pareja quieran sopesar la pérdida de ingresos durante la baja por maternidad y las prestaciones que pudiera recibir.

Aunque aun falta mucho tiempo, no hay ningún mal en informarse de cuáles son sus opciones para volver al trabajo; cuando llegue el momento, podrá tomar una decisión con más elementos de juicio. Puede comparar los costes de la atención al niño con el dinero que gane trabajando o pensar en posibles alternativas al trabajo a jornada completa (véase p. 193).

Sea creativa con sus ahorros

No tiene por qué gastar una fortuna en el bebé. Puede volcar todo su afecto en la tarea de decorar la habitación de su hijo, pero no tiene que destrozarse la espalda ni vaciar su cuenta bancaria para hacerlo. Las necesidades del bebé en ese terreno son modestas. Necesita amor, atención y estimulación, pero no le preocupa demasiado tener una habitación infantil de diseño. Si tiene tiempo y puede resistirse a la tentación de los catálogos y las tiendas, piense en las posibilidades del mercado de segunda mano para ropa y equipamiento para bebés (véase p. 196). La mayoría de ropa se queda pequeña, inservible por el desgaste, y es muy posible amueblar la habitación del bebé y comprarle toda la ropa que necesite con artículos casi nuevos de segunda mano. Póngase en contacto con las asociaciones de padres para enterarse de si organizan ventas en su zona. Sin embargo, algunos artículos, como la silla para el coche o el colchón de la cuna, es conveniente comprarlos siempre nuevos (véase p. 196).

CÓMO REDUCIR SU PREOCUPACIÓN POR EL PARTO

En algún momento del embarazo se dará cuenta de repente de que es inevitable que dé a luz y es posible que se sienta intranquila sobre cómo hará frente a ese reto.

Es probable que, durante el último trimestre, conforme se avecina el término de su embarazo, la cabeza se le llene de emociones —excitación, miedo, deseo, desconcierto e incertidumbre y muchas más— respecto a cómo reconocer el inicio del parto. El parto es siempre un viaje a lo desconocido y esto es especialmente cierto para las madres primerizas. Pero por muchos niños que haya tenido, siempre hay un elemento que hace imposible predecir cómo irá este parto en concreto.

Todas las mujeres experimentan una mezcla de sentimientos cuando se acerca el momento del alumbramiento, pero algunas muestran mucha más seguridad que otras frente a ese acontecimiento. Su confianza se verá influida por una serie de factores:

- Su experiencia anterior en cuanto a afrontar sucesos cargados de mucha tensión.
- Su confianza en su propio cuerpo y en el proceso de dar a luz.
- El grado de sus conocimientos sobre qué entraña el parto.
- El cariño y respaldo de los que la rodean.
- El respeto y ánimo de su equipo médico.

Soñar con sus temores

Muchas mujeres tienen unos sueños inusualmente vívidos durante el embarazo y es posible que estén causados por los cambios hormonales. Los sueños suelen representar el parto o el propio bebé y pueden ser tan vívidos que la hagan despertarse y le impidan volver a dormirse, así como difíciles de olvidar.

Los siguientes sueños, que son corrientes, traen a la luz ciertos temores. Quizá sueñe que:

- El embarazo no es real, que no dará a luz nada o que simplemente se «desinflará».
- Da a luz a un cachorro de animal o incluso a un utensilio corriente del hogar.
- El bebé presenta anomalías o padece alguna deformidad.

Esas pesadillas pueden ser desconcertantes o, incluso, claramente perturbadoras. No obstante, le permiten expresar preocupaciones que se reprimen normalmente durante las horas de vigilia. Esos miedos pueden derivarse del hecho de que, pese a los controles y exámenes prenatales, el ser humano que crece en su interior es una figura imprecisa, nunca plenamente vista ni conocida.

Si es propensa a tener sueños inquietantes, procure dedicar parte del día a soñar despierta de forma positiva; imagínese que tiene a su bebé entre los brazos, piense en el nombre que le pondrá o véalo en la cuna. Los expertos están de acuerdo en que este es un modo excelente para «practicar» la relación con el bebé. Compare sus sueños con los de otras mujeres embarazadas; es muy posible que hablar de lo que estos pueden significar la ayude a calmar su ansiedad y también sus temores.

LA CLAVE DE LOS SUEÑOS

He aquí algunos temas más comunes y su significado:

- El sexo bajo una luz negativa o positiva: la normal confusión sexual durante el embarazo.
- Pérdida y olvido: miedo de las responsabilidades de la maternidad.
- Dolor y heridas: sensación de vulnerabilidad.
- Estar atrapada: inquietud por la pérdida de libertad.
- Perder a su pareja: preocupación por su imagen física.
- Cambios espectaculares de peso: inquietud por su dieta.

¿CONSEGUIRÁ SOPORTAR EL DOLOR?

Un buen preparador prenatal no le habrá ocultado el hecho de que el parto es una intensa experiencia física, que puede ir desde la molestia a un dolor insoportable. Otros mensajes de gran fuerza sobre el parto pueden llegarle, también, de otras fuentes e influir en sus expectativas. Por ejemplo, los relatos de experiencias de parto dentro de su círculo familiar y de sus amigas. No obstante, su preparador prenatal también le habrá proporcionado las técnicas para aliviar el dolor, relajación, respiración, masaje y movilidad (véase p. 218), y la habrá ayudado a reforzar su confianza en su capacidad para dar a luz.

Si le preocupa el dolor o si le inquieta no poder soportarlo cuando llegue el momento, piense ahora en las opciones existentes para aliviarlo (véase p. 178). La idea que se haga del parto afectará a cómo se sienta cuando llegue el momento, por ello puede resultarle reconfortante practicar técnicas de visualización. Cuando piense en las contracciones, imagine los músculos del útero abriendo el cérvix. Vea mentalmente al bebé bajando por el canal de parto y recuérdese que cada contracción lo acerca un paso más a su nacimiento. Recuerde, también, que es más fácil soportar el dolor si piensa que es una señal de que el cuerpo está trabajando de forma natural y eficiente.

¿PERDERÁ TODO EL CONTROL?

Muchas personas se sienten incómodas al mostrar emociones fuertes en público, o incluso en privado, así que no se sorprenda si nota que le preocupa ponerse a llorar, gritar o sentirse impotente en presencia de otros. El hecho de estar en el hospital, lejos de su ambiente familiar puede aumentar su ansiedad, especialmente si se trata de su primer hijo y no ha tenido mucha experiencia real de su fortaleza y recursos internos.

Resulta útil aceptar la probabilidad de cierta pérdida de control emocional. A muchas mujeres las ayuda a aliviar la tensión el hecho de hacer ruido durante el parto, gemir o gruñir. Actuará de forma más eficiente durante el parto si se deja ir, busca la armonía con su cuerpo y olvida, prácticamente, la presencia de otras personas a su alrededor.

Un asunto sucio

Algunas mujeres dicen que la dignidad desaparece durante el parto y, en especial, a las madres primerizas, pues les preocupa perder el control físico. Con toda certeza, usted no tendrá ningún control sobre la pérdida de líquido amniótico. En el punto álgido de las contracciones puede tener menos control en los intestinos e incluso vomitar. La zona genital está al descubierto y es, evidentemente, el centro de atención. No obstante, recuerde que todos estos aspectos del parto han sido vividos por las mujeres a lo largo de los siglos. Su equipo médico no solo lo habrá visto todo antes, sino que, además, estará demasiado concentrado en su bienestar y en el del bebé para pensar en nada más. Por otro lado, es probable que descubra que cualquier vergüenza personal desaparece cuando se concentra en el intenso esfuerzo físico que realiza y se sentirá maravillada ante el milagro de traer a su hijo al mundo. No obstante, si lo que le preocupa especialmente es el esfuerzo físico del parto, hable con su médico, quien la guiará durante todo el proceso de forma amable y sensible.

¿DARÁ LA TALLA?

En el primer embarazo, las mujeres tienden a percibir el parto como una prueba en la cual algunas lo hacen bien y otras no. Por ejemplo, si una mujer ha planeado un parto sin ayuda de medicamentos, pero luego decide que necesita la epidural, puede sentir que, de alguna manera, ha sido débil. Pero no hay nada establecido en el parto y ninguna mujer puede saber qué cartas le servirá la naturaleza ni cómo es, de verdad, esa experiencia para otras mujeres. Cuando se ponga de parto lo importante es que se sienta apoyada por los que la rodean y que pueda enfrentarse positivamente a todos los retos que se le presenten. Procure dejar que todas las emociones del alumbramiento penetren en usted, para que pueda recordarlas y sentir que sacó el máximo partido de esa increíble experiencia.

9

CAPÍTULO

EL EMBARAZO PARA EL PADRE

El embarazo consiste en la unión de un padre y una madre que trabajan juntos por el bienestar de su bebé. Para el padre, este es el momento de apoyar a su pareja, emocional, económica y físicamente, y de desarrollar su relación con la nueva vida que ha ayudado a crear.

NUEVO EN LA PATERNIDAD

Saber que va a ser padre puede provocar en usted una mezcla de emociones. Es probable que sienta satisfacción, orgullo y una impresión de plenitud, pero también es natural que su felicidad se vea teñida de algo de incertidumbre al enfrentarse a la realidad de que una personita pequeña, que forma parte de usted, y viene de camino a este mundo.

Sus sentimientos sobre convertirse en padre pueden verse influidos por circunstancias pasadas y presentes. Si su relación con su pareja es cálida y cariñosa, si sus experiencias anteriores con niños han sido buenas, si el embarazo fue planeado o deseado, si su propia infancia fue feliz y si su modo de vida y situación económica dan cabida a un niño, es probable que tenga una visión positiva del embarazo y la paternidad. Si faltan algunos de esos factores, es bastante natural que vea el futuro con cierta inquietud. Pero no debe olvidar que convertirse en padre es uno de los acontecimientos más extraordinarios de la vida. Cualquiera que sea su situación, su vida nunca volverá a ser la misma, así que no se sorprenda si descubre que sus sentimientos sobre la paternidad son contradictorios en algunos momentos y eufóricos en otros.

ENFRENTARSE A LAS PREOCUPACIONES

Siempre es mejor reconocer cualquier cosa que le preocupe, en lugar de ocultarla. Si es su primer hijo, seguramente tendrá algunas preocupaciones. Conforme avance el embarazo, puede que sus emociones se alteren, igual que le sucederá a su compañera, y tendrá que aceptar que sus sentimientos hacia su pareja y el bebé sean cambiantes. Si le resulta difícil admitir lo que siente, hable abiertamente con su compañera de ello.

Asimilar una noticia inesperada

Si el embarazo no fue planeado, la cabeza quizá todavía le dé vueltas por la conmoción. Los métodos anticonceptivos, sea cual sea el que use, no son infalibles y hay accidentes. Si se ve cogido por sorpresa, quizá sienta frustración o incluso ira debido a la situación en la que se encuentra de repente, en particular si no tiene una relación estable con la madre. Tómese tiempo para asimilar la noticia y tenga la seguridad de que puede tener una relación profunda y duradera con su hijo, incluso si no existe un compromiso similar con la madre, y que el mejor momento para iniciar esa relación es durante el embarazo.

Sentir que le dejan fuera

En algún momento del embarazo, la mayoría de padres se sienten excluidos; por tanto, usted no es el único en sentirse un tanto celoso del bebé que todavía no ha nacido. Muy pronto puede empezar a pensar que está siendo relegado a un segundo lugar por un intruso muy exigente. También puede creer que la familia de su pareja, sus amigos e incluso los médicos están asumiendo el papel protector que usted solía representar y que no queda lugar para usted. No se sienta excluido ni se retire a un rincón. Trate de explicarle a su pareja lo que le está pasando. Procure no exigirle demasiado; el bebé que lleva dentro ya le está dando un curso intensivo sobre dependencia emocional.

Si le resulta difícil superar esa sensación de exclusión, considere la posibilidad de hablar con un amigo, con el médico de la familia o con un consejero profesional. Asistir a clases para futuros padres le ofrecerá, también, la oportunidad de hablar con otros hombres que están en su misma situación; en la consulta del médico o en una biblioteca podrá informarse sobre esos cursos o puede buscar en Internet.

Con frecuencia, la mejor manera de enfrentarse a su preocupación por quedar fuera es aceptar sin ninguna reserva la idea de que va a ser padre. Hoy en día los padres tienen muchas oportunidades para participar activamente en el embarazo de su pareja y hay muchas cosas que usted puede hacer (véase el cuadro, más abajo). Intente disfrutar intensamente de este período tan apasionante con su pareja; pues verdaderamente son ambos quienes están esperando un hijo.

5 maneras de compartir el embarazo con su pareja

1. Asista a las visitas prenatales. Sabrá más sobre lo que les está pasando a su compañera y a su bebé.
2. Vea al bebé. Las ecografías le proporcionarán una visión electrizante. Pida que les den fotografías.
3. Escuche al bebé. A partir de las 30 semanas puede apoyar la oreja en el abdomen de su pareja y oír cómo late su diminuto corazón.
4. Note cómo se mueve el bebé. A partir de los cinco meses de embarazo, podrá notar cómo cambia de postura; quizá pueda, incluso, identificar unas manos y pies diminutos.
5. Hable, lea y cante a su bebé. El feto puede oír su voz desde el útero, así que establezca un vínculo afectivo con él o ella y divierta a su pareja al mismo tiempo.

REDEFINIR SU RELACIÓN

Comprender mejor los cambios que experimenta el cuerpo de su pareja le ayudará a hacerse una idea de cómo se siente. Repítase que, aunque sea ella quien lleva en su interior al bebé, usted también tiene un papel clave que desempeñar, parte del cual es adaptarse a las necesidades de su pareja.

En este momento, para su compañera es vital tener una sensación de seguridad y en esto influye por la manera en que usted y ella se comuniquen. Si evita la intimidad y no habla de sus emociones, ella puede sentir que está sola. Pero si usted comparte sus sentimientos, es más probable que ella quiera confiarse a usted. Procure ser sensible y animarla a hablar de sus esperanzas y temores.

DÉ POR SUPUESTO QUE HABRÁ CAMBIOS EN SU VIDA SEXUAL

No es raro que un hombre sienta desagrado hacia el cuerpo de su compañera durante el embarazo. Con frecuencia, esto no se debe tanto a los cambios físicos como a la ansiedad que siente hacia el pequeño que va creciendo allí dentro. Si nota que está perdiendo interés por el sexo, quizá le sirva de ayuda averiguar qué le está sucediendo a su compañera físicamente, para poder sentirse más cómodo con los cambios. Recuerde que, después del parto, el cuerpo de ella empezará a recuperar su estado normal.

Por contra, también es bastante probable que se sienta atraído por las curvas ahora más redondeadas de su

Ayuda diaria

La relación con su pareja se verá profundamente afectada por la manera en que usted lleve esos nueve meses cruciales. No cabe duda de que será una experiencia que le pondrá a prueba, pero si todo sale bien, esa relación será más estrecha que nunca.

Está ampliamente demostrado que si su compañera se siente feliz, relajada y relativamente libre de estrés durante el embarazo, el bebé experimentará unos beneficios emocionales e incluso físicos muy duraderos. Más aún, una relación de apoyo entre los padres puede hacer que el parto esté menos lleno de tensión, que la depresión posparto sea menos probable (véase p. 328) y que la lactancia materna resulte más fácil; igualmente debería permitirles, a los dos, establecer vínculos afectivos con el bebé más fácilmente.

Además de estar presente en las ecografías y en las visitas médicas, hay una extensa serie de «servicios» diarios que puede prestar para hacer la vida más cómoda a su compañera.

Hagan ejercicio juntos. Vaya con su pareja a la piscina o a caminar; ponerse en forma es una buena manera de pasar tiempo juntos, además de tonificar sus cuerpos.

Dele masaje. Conforme vaya creciendo el feto, su compañera puede sentir molestias en la espalda, los pies y las piernas. Un masaje suave puede aliviar la tensión y es un medio fantástico de

REFUERZO POSITIVO

Igual que puede ayudar a su pareja descargándola de trabajo y mostrándose considerado, también puede ser muy útil si deja de hacer otras cosas:

- Fume menos o hágalo donde no esté su compañera. Si ella fuma, puede ayudarla a dejarlo (véase p. 75), evitando así que los humos del cigarrillo se filtren «pasivamente» hasta el bebé.
- Beba menos alcohol. Demostrará su apoyo en un momento en que ella no tendría que beber en exceso (véase p. 111).
- Evite la comida basura y tomen, juntos, alimentos sanos. Elija entre la selección de platos que hacen la boca agua en la página 104.
- Resista las presiones para realizar un viaje de negocios o para salir con los amigos en el último mes de embarazo; algunos bebés deciden llegar antes de tiempo.

compañera y que opine que la voluptuosidad del embarazo es muy *sexy*. Esto puede aumentar su deseo de tener relaciones sexuales en un tiempo en que el apetito sexual de ella es errático. En ese caso, tendrá que adaptarse a las necesidades y deseos de su pareja, lo cual quizá signifique buscar nuevas maneras de expresar sus sentimientos, como abrazarla, besarla, darle masaje y tener relaciones sexuales sin penetración (véase p. 157).

FAVOREZCA LA AYUDA DE LA FAMILIA

Durante el embarazo, es muy probable que vea más a menudo a la madre de su compañera. Es un tiempo en el que el vínculo afectivo entre madre e hija es bastante más fuerte que nunca. Procure favorecer esa intimidad, ya que su pareja necesita ese apoyo especial. Cuando nazca el bebé, la familia de su pareja, así como sus propios padres, desearán, sin duda, participar en la vida del nuevo miembro que ha de llegar. No vea su entusiasmo como una intromisión; es importante que su hijo conozca a todos sus abuelos. Al incluirlos en su vida familiar, conseguirá algo más que unos canguros voluntarios; le ofrecerá a su hijo la experiencia de otra generación y lo animará a respetar a las personas de más edad.

demostrarle a ella lo mucho que le importa. En la página 126 encontrará algunas ideas prácticas sobre cómo realizar un masaje relajante.

Haga la compra. Su pareja no debe cargar con bolsas pesadas, especialmente al final del embarazo. Además, hacer la compra en el supermercado puede resultarle cansado; por ello, si todavía no hace usted la compra, ahora es el momento de empezar. Por supuesto, si cocina algunas veces, ella se lo agradecerá.

Prepare la habitación del bebé. Su compañera no debería subirse a una escalera; por ello, podría usted encargarse de pintar la habitación del pequeño. Discutan los colores juntos y luego empiece a pintar. También puede ayudar a comprar la ropa y el equipo del bebé (véase p. 195) para que la habitación esté completamente lista cuando llegue el nuevo ocupante.

Deje dormir a su compañera hasta tarde. Necesita descansar más que antes, así que anímela a dormir unas horas extra por la mañana. También puede llevarle el desayuno a la habitación, un gesto amable que puede aliviar los mareos matutinos (véase p. 67).

Reserve tiempo para las clases prenatales. No solo estará respaldando a su pareja, sino que además aprenderá muchas cosas, especialmente sobre los aspectos físicos del parto. Tanto usted como su compañera ganarán confianza al encontrarse junto con otros futuros padres.

SU PAPEL EN EL PARTO

Es muy probable que tenga que desempeñar por primera vez en su vida el cometido de acompañante en el parto, lo cual significa que tendrá que estar preparado, alerta y, lo más importante, disponible cuando ella rompa aguas o empiecen las contracciones.

Hasta los años setenta, el padre tenía prohibida la entrada en la sala de partos, así que no tenía la oportunidad de ver llegar a sus hijos al mundo, a menos que nacieran en casa. Hoy, en el mundo occidental, alrededor del 90 % de padres está presente en el alumbramiento.

PREPÁRESE

Si deciden que usted estará presente en el parto, debe tener una idea clara de lo que ocurrirá, aunque es seguro que habrá algunas sorpresas. Puede que durante el embarazo haya asistido a algunas clases de preparación al parto, se haya dado una vuelta por el hospital y haya leído un par de libros sobre el tema, pero cuando llegue la hora de la verdad, quizá siga horrorizándole la sangre, las mucosidades, los excrementos y los gemidos y gritos que forman parte del parto. Aunque la mayoría de partos no son especialmente complicados, a veces las cosas no salen exactamente como se esperaba: es raro que el parto sea en la fecha prevista, puede haber muchas falsas alarmas, acabar en una hora o durar todo el día, toda la noche y más. Y, tal vez el acontecimiento no se desarrolle en el orden que usted pensaba. Mantenga la cabeza fría, procure ser receptivo a las necesidades de su pareja y, si es posible, no pierda su sentido del humor; no es usted el preparador, pero está allí para ayudarla y para compartir una experiencia inolvidable. Hay pocas cosas en la vida que se igualen al gozo de ver nacer a su propio hijo. No se sorprenda si rompe a llorar cuando el bebé llegue por fin, y asegúrese de cogerlo o cogerla entre sus brazos lo antes posible.

Ayude a planificar el parto

El miedo, el dolor y la ansiedad no son el ambiente idóneo para tomar decisiones sensatas; por tanto, es buena idea familiarizarse con el plan de parto de su compañera (véase p. 185) mucho antes del término del embarazo. Puede que, al final, acabe desechándolo, pero la sensación de que han pensado en todo de antemano les tranquilizará a los dos cuando se preparen para ese momento. La planificación del parto debe incluir detalles sobre cómo piensa su pareja llevar el período que va desde el inicio de los dolores hasta el alumbramiento. Tiene que contestar a preguntas como las siguientes: ¿está satisfecha con un parto «normal» en el hospital o quiere probar un parto en el agua o una forma de parto activo (véase p. 173)? ¿Qué postura de parto prefiere, tumbada de espaldas, en cuclillas o de rodillas? También incluirá detalles sobre el tipo de alivio del dolor que quiere; la epidural es el más habitual, si es que desea alguno. Debe hacer hincapié en cualquier objeción que ambos tengan a algún procedimiento del parto, como la episiotomía. Tendrá que estar muy versado en los detalles del plan y asegurarse de que

MÁS **SOBRE** el embarazo por simpatía

Algunos hombres se implican tanto emocionalmente en el embarazo y el parto de su pareja que comparten determinados síntomas físicos con ella. Esto se conoce como couvade *—del francés* couver, *incubar— y suele ser una reacción empática producida por una identificación muy íntima de un hombre con su compañera. Los hombres que están en este caso pueden aumentar de peso, tener estreñimiento y padecer mareos matutinos. En algunas ocasiones, durante el parto, esto representa un problema, cuando el padre se siente más angustiado de lo normal por el dolor e incluso él también experimenta dolores de parto. Si padece usted esos síntomas, debe buscar consejo profesional.*

quienes asistan en el parto también lo conozcan a fondo. Quizá tenga que adaptar el plan y tomar algunas decisiones sobre la marcha si se produce algo inesperado.

SU PAPEL DURANTE EL PARTO

Es mucho lo que puede hacer para ayudar a su compañera: abrazarla y apoyarla, darle masaje en la parte inferior de la espalda, en el cuello, en la parte interior de los muslos y en los pies y recordarle las técnicas de relajación y respiración. En la página 182 encontrará consejos específicos sobre cómo ayudarla. Las clases de preparación al parto le proporcionarán más ideas.

No obstante, esté preparado, porque cuando llegue el momento su compañera puede querer algo muy diferente. Por ejemplo, quizá hayan estado practicando técnicas de respiración juntos y se sorprenda al ver que lo que ella quiere es que la coja de la mano o le seque el sudor con un paño frío. O que, después de la primera contracción, ya no quiere un parto natural y pide que le pongan una inyección epidural. No la critique si pide algo para aliviar el dolor; ella es quien está sufriéndolo y es mejor, tanto para ella como para el bebé, que no sienta angustia.

Esté preparado, también, para lo inesperado en las reacciones emocionales de su compañera. Durante la fase de transición, por ejemplo (véase p. 216), no es inusual que la oleada de adrenalina y dolor la lleven a arrebatos del tipo «Vete. No quiero volver a verte nunca más». En la mayoría de casos, la mejor opción es capear el temporal sin marcharse. Cuando se acerque el momento final, puede que, de repente, ella exprese terror y lo necesite allí para reconfortarla y tranquilizarla sobre las opciones disponibles. Procure mantener la cabeza clara y mostrarse flexible y sensible a sus necesidades.

¿Podré soportarlo?

No es inusual que los hombres se preocupen de si tendrán ganas de vomitar o estarán a punto de desmayarse en la sala de partos. Esté tranquilo; es muy improbable que suceda ninguna de las dos cosas. Cuando llegue el momento, no solo es difícil que sienta aprensión, sino

7 cosas que debe recordar

1. Avise a la empresa del inminente parto y negocie sus días de permiso (véase p. 170). Recuerde que los acuerdos flexibles son los mejores, ya que solo uno de cada 20 niños llega en la fecha prevista.

2. Haga una lista de contactos. Anote los números de teléfono para caso de urgencia, incluyendo los de los médicos de su compañera y del hospital. No olvide anotar los de su familia y amigos: querrá llamarlos para darles la buena nueva.

3. Durante el último mes, conozca a la comadrona o visite el hospital para familiarizarse con las técnicas y los aparatos que se usan en las salas de dilatación y de partos.

4. Hable a menudo con su compañera. En las tres últimas semanas antes del parto, llámela desde el trabajo; esto servirá para tranquilizarlos a los dos.

5. Organice el transporte. Si va a usar su propio coche, asegúrese de que tiene el depósito lleno y averigüe cuál es la mejor ruta hasta el hospital. Si va a utilizar un taxi, póngase en contacto con una empresa de confianza y asegúrese de que están a la espera de su llamada.

6. Compruebe, compruebe y vuelva a comprobar. Antes de salir para el hospital, asegúrese de que lleva las maletas de su compañera (véase p. 206), algo para comer, el plan de parto, su lista de números de teléfono y monedas para el teléfono; los móviles sólo se pueden usar fuera del hospital.

7. Hágase cargo de todo. Cuando lleguen al hospital, entregue el plan de parto a las comadronas y explíqueselo si todavía no lo conocen.

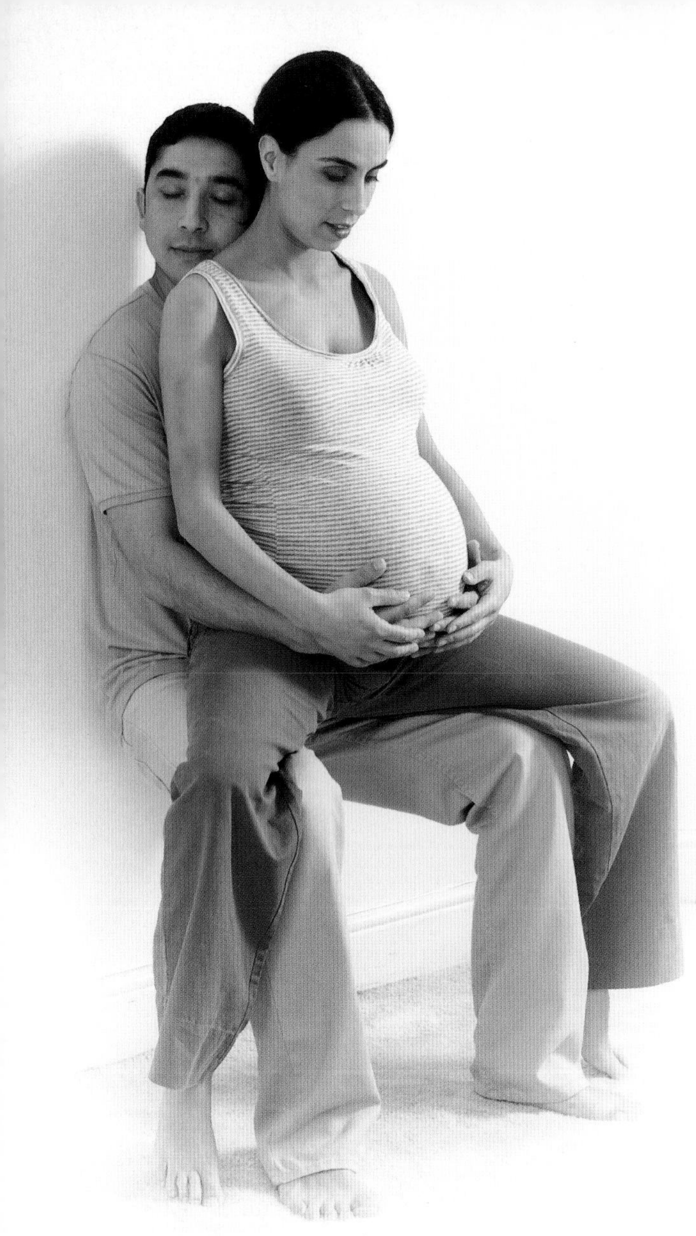

Practiquen posturas de parto juntos. Si su pareja quiere estar en cuclillas, por ejemplo, tendrá usted que sostener su peso con los brazos. No olviden probar diversas alternativas (véase p. 220).

que, por el contrario, es probable que esté fascinado por el milagro del nacimiento del bebé.

Si en algún momento prefiere no mirar, céntrese en la cara de su compañera y ayúdela a respirar. Sin embargo, es probable que descubra que no puede resistirse a mirar. No se preocupe si tiene que salir a tomar el aire. Siéntese con la cabeza entre las rodillas hasta que esté en condiciones de volver a entrar.

El mejor medio para combatir sus temores es informarse tanto como sea posible antes del parto. Lean todos los libros, visiten las salas de parto del hospital, asistan juntos a las clases de preparación al parto y hablen con otros padres. Si tiene alguna duda durante el parto, puede hablar con el médico o la comadrona. Cuanto mejor lo comprenda todo, mejor podrá desempeñar su vital papel de apoyo. No obstante, si sigue preocupado por cómo lo soportará, comente con su pareja la posibilidad de que haya una *doula* (término griego que significa «al servicio de la mujer») en el parto (véase p. 184). La *doula* podrá apoyar a su compañera, explicarles a los dos lo que está sucediendo y eliminar parte de la presión.

Si no piensa estar presente en el parto

Quizá prefiera no estar presente en el parto; puede que, simplemente, no quiera participar en el proceso o que haya razones culturales que lo impidan; por ejemplo, hay culturas en las que, tradicionalmente, los hombres son excluidos de la sala de partos. A algunos hombres les preocupa que presenciar un sangriento parto vaginal haga que luego les resulte difícil mantener relaciones sexuales con su compañera; otros temen que el dolor y la suciedad hará que su relación se vaya a pique. Si no quiere estar allí cuando el bebé llegue, quizá desee estar presente para apoyar a su pareja hasta el momento en que se inicie el parto propiamente dicho. No estar allí en ese momento no perjudicará en absoluto al vínculo afectivo que tenga con su bebé; seguirá sintiendo la misma sensación de felicidad y satisfacción cuando lo vea o la vea por primera vez.

Por otro lado, algunas mujeres prefieren que su pareja no asista al parto, quizá porque creen que se sentirán cohibidas por su presencia. Si ese es el caso de su compañera, hable con ella sobre sus sentimientos y respete sus deseos; no es un reproche contra usted.

Cómo enfrentarse a un parto de urgencia

Es muy improbable que su compañera tenga que dar a luz en el asiento trasero del coche. Incluso si se pone de parto muy rápidamente, suele haber tiempo para conseguir ayuda. No obstante, para que esté tranquilo, veamos cómo puede ayudarla si no pudiera tener ayuda médica.

No se deje dominar por el pánico. Pida una ambulancia y no olvide decirle a la telefonista la fecha de salida de cuentas, el nombre del hospital y cualquier necesidad médica especial.

Ayúdela a estar cómoda. Tranquilícela y ayúdela a echarse en la cama o en el suelo, con las rodillas dobladas y separadas.

Límpiese bien. Lávese las manos con agua y jabón; no use desinfectante. Cubra la zona donde va a nacer el bebé con sábanas o toallas limpias.

Dígale cuándo tiene que empujar. No le deje que empuje hasta que vea la cabeza del bebé. Si ella quiere empujar demasiado pronto, haga que jadee o sople. Solo cuando la cabeza del bebé «corone» (cuando asoma en la entrada de la vagina) debe decirle a su compañera que empuje durante cada contracción mientras cuenta hasta diez.

Sostenga la cabeza del bebé. Apoye la mano con mucha suavidad en la cabeza para que no salga de golpe. No tire de la cabeza; esta saldrá de forma natural.

Ayude al bebé a respirar. Mientras sale la cabeza, sosténgala entre las manos. Cuando haya salido, pídale a su compañera que deje de empujar. Si el cordón umbilical está alrededor del cuello, compruebe que está flojo y hágalo pasar con cuidado por encima de la cabeza del bebé. Límpiele la mucosidad de la nariz y la boca con la punta de una toalla limpia.

Ayude a salir al bebé. Coloque las manos a los lados de la cabeza y con gran suavidad llévela hacia abajo. Pídale a su compañera que empuje al mismo tiempo, hasta que aparezca el hombro que se presenta primero. Ahora levante la cabeza cuidadosamente y sosténgala mientras aparece el otro hombro y el resto del cuerpo, lo cual debe suceder con bastante rapidez. Si los hombros se quedan atascados en cualquier momento, pídale a su compañera que empuje con fuerza; no tire del bebé.

Drenaje de fluidos. Inmediatamente después del nacimiento, coloque al bebé sobre el vientre de la madre con los pies más altos que la cabeza, para que pueda expulsar los líquidos por la boca y la nariz.

Envuelva al recién nacido. Use toallas o mantas limpias para envolverlo y dejarlo sobre el abdomen de la madre. No lo lave ni le corte el cordón umbilical.

Ayude a sacar la placenta. Si la ambulancia todavía no ha llegado, su compañera puede tener que expulsar la placenta. Cuando haya salido, guárdela en una bolsa de plástico. Masajee con suavidad el abdomen de su compañera, justo por debajo del ombligo, para estimular la contracción del útero y contener la hemorragia del punto donde estaba la placenta.

PENSAR EN EL FUTURO

El bebé les cambiará la vida por completo, de un modo que ni siquiera puedan imaginar. No solo dependerá de ustedes para que le proporcionen compañía, aprendizaje, disciplina y estabilidad emocional y económica, sino que, durante el resto de su existencia, no dejarán de preocuparse por su bienestar y tratarán de hacerlo lo mejor posible. Así pues, ahora debería pensar en la clase de relación que le gustaría mantener con su hijo.

PIENSE EN LA CONVENIENCIA DE TOMAR UN PERMISO POR PATERNIDAD

Hoy, muchos padres piden unos días libres en el trabajo para cultivar una relación de cariño con su hijo desde el principio. En la actualidad, muchos tienen derecho a una o dos semanas de permiso remunerado por paternidad al nacer su hijo. Además, algunas empresas ofrecen a sus empleados un período más largo. Sin embargo, deben cumplir ciertos requisitos para que se les conceda. Para obtener más información sobre sus derechos, póngase en contacto con la delegación del Ministerio de Trabajo de su zona. Si puede optar a un permiso remunerado, tómelo; no solo le ayudará a forjar una relación duradera con su hijo, sino que será una manera excelente de proporcionar ayuda a su compañera en esas primeras semanas cruciales.

¿SABÍA QUE...?

Los vínculos afectivos entre padre e hijo o hija son fuertes. Los hombres pigmeo Aka, del Congo septentrional, en África Central, permanecen al alcance de la mano de sus hijos pequeños durante el 47 % del día, estrechan a sus pequeños contra su cuerpo hasta dos horas al día y, a veces, les ofrecen sus propios pezones como chupetes. Y como sucede con la mayoría de padres, cuanto más tiempo pasan con sus hijos, más fuerte es el lazo que los une.

IDEAS NUEVAS SOBRE LA PATERNIDAD

En otros tiempos se consideraba que la crianza de los niños era cosa de las madres, pero ahora hay mucha más flexibilidad en la forma en que los hombres se relacionan con sus hijos y en la clase de familia en que estos nacen. Por ejemplo, se sabe que más de un tercio de los niños de Gran Bretaña son hijos de padres no casados y la proporción de padres o madres solos está creciendo; en el caso del padre, es ahora la cifra del 10 %. En España, las cifras son similares. La madre gana una parte cada vez mayor de los ingresos familiares, mientras que el padre aumenta el tiempo que pasa con sus hijos. Si es económicamente viable y usted y su pareja están de acuerdo, ¿por qué no pensar en la posibilidad de dejar el trabajo y hacerse cargo de la casa y los hijos?

Sacar el máximo partido al tiempo

Si piensa continuar trabajando a jornada completa, sigue habiendo muchas cosas que puede hacer para aprovechar al máximo el tiempo que pase con el bebé. Ayudar con las comidas de la tarde y la noche, bañarlo o cantarle una nana para que se duerma; puede disfrutar de su tiempo con él y dar un respiro a su compañera. Si suele trabajar hasta tarde, quizá quiera considerar la posibilidad de reducir su jornada cuando nazca el bebé. Cuanto más tiempo pase cuidándolo, mejor llegarán a conocerse.

Sin embargo, recuerde que usted no solo sea padre, sino que,también forma parte de una pareja. Es importante que usted y su compañera reserven tiempo para estar juntos a solas, quizá por la noche, cuando el bebé duerme. Su apoyo mutuo tiene un valor incalculable.

OPCIONES PARA EL PARTO

¿A qué tipo de clases de preparación al parto quiere asistir? ¿Cuál es el mejor lugar para que nazca el bebé? ¿Cómo se elabora un plan de parto y qué remedio para el dolor, si es que quiere alguno, es el mejor para usted? Todas estas consideraciones son importantes y la ayudarán a conseguir que el parto transcurra lo mejor posible para usted y su hijo.

CLASES DE PREPARACIÓN AL PARTO

El parto es una parte tan natural de la vida que puede parecer extraño que la mujer tenga que prepararse para ella, pero las clases de preparación son importantes porque la ayudarán a comprender y decidir, con conocimiento de causa, qué parto desea.

El creciente uso de complejos aparatos médicos y la variedad de analgésicos son dos buenas razones para conocer los beneficios y riesgos de todos los procedimientos. Quizá tenga que tomar una decisión rápida durante el parto y querrá poder hacerlo con plena información.

¿QUÉ PUEDEN HACER LAS CLASES POR USTEDES?

Lo primero y más importante es que las clases de preparación le ofrecen una oportunidad estupenda para aprender más cosas sobre su embarazo. No es frecuente que la visita al médico incluya una charla relajada; antes de darse cuenta ya se ha acabado, y las preguntas que había pensado hacer quedan sin respuesta. Las clases proporcionan un ambiente en el que se puede preguntar casi cualquier cosa y, si a usted se le olvida algo, la mujer que está a su lado se acordará de hacerlo. El objetivo principal del cursillo prenatal es prepararla para la experiencia del parto. El profesional le explicará en líneas generales qué pasa física y emocionalmente y habrá demostraciones y sesiones de práctica para aprender mecanismos específicos para sobrellevar esa experiencia.

Las reuniones en grupo pueden ser de gran ayuda. Las otras mujeres de la clase están en su misma situación y valoran plenamente todo lo que sucede en su vida. Una clase prenatal es, igualmente, un lugar estupendo para hacer nuevos amigos que comparten el interés por los bebés y los niños. Muchos «graduados» salen de allí para formar grupos de apoyo de juego a los nuevos padres.

Una clase prenatal también será útil para él, pues le ayudará a comprender su papel en el parto y lo implicará en el embarazo y en los preparativos para el parto. Convertirse en padres es un período de intenso crecimiento emocional, para usted, para su compañero y para ambos. Un buen profesional estudiará su caso y les informará de los medios que existen para sacar el máximo partido de esos cambios.

QUÉ APRENDERÁ

Las clases de preparación al parto suelen empezar entre la semana 28 y la 32. Dependiendo de lo que cree usted que necesita, puede asistir a clases que se imparten a lo largo de varias semanas o poner al día sus conocimientos en una única sesión de «repaso». Los horarios de las clases suelen ser flexibles y están dirigidas probablemente por una comadrona. Aunque pueden variar, todas cubren lo esencial: qué sucede durante la dilatación y el parto, cuándo hay que ir al hospital, técnicas de respiración y relajación, alivio médico del dolor, cesáreas y cuidado del recién nacido.

ELEGIR EL CURSILLO

Pida a los médicos, comadronas, amigos o familiares que la aconsejen y entérese de qué cursillos hay disponibles en su zona. Los cursillos de la Seguridad Social se suelen ofrecer en hospitales, centros de salud y consultas médicas. Están a cargo de comadronas o enfermeras, a veces con aportaciones de un especialista en obstetricia, si se va a hablar de algo médico. Son gratuitos, pero los grupos suelen ser numerosos, lo que dificultará hacer amigos entre los otros padres.

En algunos países, como por ejemplo Gran Bretaña, las clases particulares suelen tener lugar en casa de alguien o en un local comunitario, y un preparador formado por la organización se encarga de ofrecer las clases, puede ser o no un profesional de la salud. En algunos casos, le permitirán asistir a una sesión para ver si es lo que realmente busca. El tamaño ideal para un grupo es de entre cinco y siete parejas, para que todos reciban una atención personal durante las sesiones.

Encontrar el profesional adecuado

Muchos profesionales privados abordan el tema desde un ángulo o filosofía específicos; por ello es importante encontrar a alguien que comparta sus ideas sobre el parto. Al mismo tiempo, acercarse a los distintos tipos de cursillos con una mente abierta la ayudará a conocer diferentes planteamientos para poder tomar unas decisiones fundamentadas que realmente le convengan. En cualquier caso, debe preguntarse lo siguiente:

¿SABÍA QUE...?

La preparación para el parto puede hacer que este sea más fácil. Las encuestas demuestran que, por término medio, las mujeres que han asistido a clases tienen un parto más fácil y sano que las que no lo han hecho. Tienden a tener dilataciones más cortas, necesitan menos medicación y, más tarde, es más probable que opten por la lactancia materna.

- ¿Ofrecen información sobre lo que debo esperar que suceda en el hospital?
- ¿Enseñan técnicas de relajación y promueven la respiración normal, en vez de técnicas de respiración de acuerdo con un patrón planificado?
- ¿Se ofrecen en el hospital donde pienso dar a luz?
- ¿Me preparan para dar a luz en un hospital?
- ¿Me preparan para dar a luz en casa?
- ¿Me preparan para dar a luz en un centro maternal?
- ¿Me preparan para un parto natural (sin medicación)?
- ¿Me proporcionan técnicas de distracción?
- ¿Ofrecen información sobre nutrición y condiciones físicas durante mi embarazo?
- ¿Me preparan para tomar decisiones fundamentadas sobre medicación e instrumentación?
- ¿Preparan a mi pareja para ser activo y proporcionar apoyo como instructor de parto?
- ¿Proporcionan una serie de clases breves que solo cubren el proceso de parto y el mismo parto?
- ¿Ofrecen una revisión de la información relacionada con el parto por cesárea y con la epidural?
- ¿Ofrecen explicaciones y opciones para el control del dolor?
- ¿Enseñan diferentes posiciones para que la madre se sienta más cómoda?
- ¿Se centran en el bienestar del bebé?

La mayoría de cursos privados constan de entre seis y ocho sesiones. Algunos cursos de «preparación para el parto», suelen durar una o dos sesiones.

DECIDIR DÓNDE DAR A LUZ

En España prácticamente todas las mujeres dan a luz en el hospital, donde se benefician plenamente de la tecnología médica. Cabe la posibilidad de que usted prefiera dar a luz en un ambiente más relajado, en casa, ayudada por una comadrona titulada. Lo importante es conocer todas las opciones disponibles para tomar la decisión más acertada para usted.

Las investigaciones han demostrado que las mujeres alcanzan la máxima satisfacción al dar a luz si tienen una buena relación con el equipo médico y participan en las decisiones. Si se encamina en esa dirección desde el principio, estará sentando los fundamentos para que el parto sea una experiencia positiva.

ATENCIÓN HOSPITALARIA

En el Reino Unido, por ejemplo, el 97 % de los niños nacen en el hospital. Un parto en el hospital significa que tendrá acceso inmediato a una tecnología especializada en salvar vidas, lo cual puede resultar muy tranquilizador, especialmente si ha de ser madre por primera vez. En un hospital hay especialistas disponibles para hacer frente a cualquier complicación, puede usted optar por analgésicos totales o parciales y, si es necesario, se puede practicar una cesárea. Si quiere disfrutar de todos los beneficios de un hospital, pero prefiere la mínima intervención médica posible, opte por la atención prestada por comadronas en una unidad hospitalaria.

Elegir el hospital

En algunos países como en el Reino Unido, la mayoría de mujeres que tiene un embarazo sin complicaciones recibirá todos los cuidados prenatales de la comadrona y el médico de cabecera comunitarios. Solo la enviarán al hospital para hacerse las ecografías y para uno o dos controles prenatales. Es libre de elegir el hospital al que quiere ir; por tanto, antes de tomar una decisión, visite los departamentos de maternidad de la zona y pídale

Formas alternativas de dar a luz

En los últimos años se ha producido un movimiento en contra del parto en los hospitales, en los que normalmente se proporciona fármacos y se inyecta la epidural, y las mujeres tienen muchas más posibilidades de elegir las circunstancias en que quieren dar a luz.

Parto natural

Los que están a favor de dar a luz sin ayuda de fármacos creen que el parto es un proceso natural y sano y que el cuerpo de la mujer está dotado para pasarlo sin ayuda. El parto natural ofrece a la mujer mucho control sobre la dilatación y el alumbramiento. Puede elegir cuánto desea moverse, qué postura de parto quiere adoptar y qué ayudas, como la meditación o una ducha caliente, quiere usar.

Puede tener un parto natural en un hospital o en casa, pero aunque es perfectamente posible dar a luz de forma natural en un hospital, es preciso que averigüe qué opina su comadrona al respecto. Algunas no tienen inconveniente en dejar que las mujeres dicten algunas prácticas, como no romper las membranas de forma artificial o no inducir al parto, mientras que otras creen que, aunque es importante tener en cuenta los sentimientos de la mujer, desde el punto de vista médico, tienen que hacer lo que creen oportuno.

Parto en casa

Hasta el siglo xx, la mayoría de niños nacían en casa. Pero luego un cambio en la filosofía médica hizo que los partos se trasladaran al hospital, dejando de ser considerados una experiencia natural para pasar a entenderse como una situación que debe tratarse médicamente. Hoy en día, en España la cifra de niños que nacen en casa es bajísima.

Las madres que optan por un parto en casa suelen hacerlo porque quieren contar con una continuidad en la atención, un ambiente familiar y la capacidad de tomar sus propias decisiones y evitar la intervención médica. En cambio, las mujeres que se deciden por el hospital valoran más al acceso a la medicación para alivio del dolor y que no sea necesario que las trasladen allí si surge un problema.

Hay opiniones encontradas sobre la seguridad de los partos en casa. Algunos responsables sanitarios son rea-

consejo a su médico, a la comadrona y a las amigas que hace poco han tenido niños. Si tuvo problemas durante el embarazo o no es su primer parto, ya habrá establecido relaciones con un tocólogo o una comadrona y se sentirá más inclinada a tener el bebé en el hospital o la unidad maternal que le toque por zona o por su seguro médico.

Muchos nacimientos en el hospital tienen lugar en una sala de partos especial, en la unidad de obstetricia. Son salas donde podrá hacer la dilatación, dar a luz y recuperarse, en una misma habitación. En algunos hospitales, incluso podrá quedarse en la misma habitación hasta que se marche a casa.

Preguntas que puede hacer en el hospital

Es importante averiguar todo lo posible sobre el hospital donde dará a luz. Debe informarse sobre el porcentaje de cesáreas y la actitud del hospital respecto a la inducción al parto. Necesitarán información sobre el aparcamiento, el camino para llegar al hospital y los números de teléfono importantes. También vale la pena que se den una vuelta por la unidad de maternidad. Entre las preguntas que puede hacer están las siguientes:

- ¿Puedo andar arriba y abajo durante la dilatación o debo permanecer en la cama?
- ¿Tienden a usar monitores fetales de forma intermitente o continuada?
- ¿Romperán las membranas manualmente en la fase de la dilatación?
- ¿Puedo comer y beber durante la dilatación?
- ¿Cuántas personas pueden acompañarme en la sala de partos para apoyarme?
- ¿Tienen una piscina de partos y comadronas expertas en el parto en el agua?
- ¿Disponen de un anestesista las 24 horas al día para que administre la epidural?
- ¿Puedo elegir la postura que desee para dar a luz?

cios a apoyarlos, porque creen que es más seguro y fácil que las madres den a luz en el hospital. Por otro lado, según estudios realizados en el Reino Unido, en el caso de mujeres sanas que han tenido embarazos normales, de bajo riesgo y siempre que cuenten con el apoyo necesario, los partos en casa son tan seguros como los que tienen lugar en el hospital. También se ha descubierto que los bebés nacidos en casa tienen unas puntuaciones bastante mejores en el test de Apgar.

Los partos en casa suelen ser supervisados por comadronas que cuentan con tocólogos en el hospital para consultarlos o para enviarles a la paciente si se presentan complicaciones. Durante todo el embarazo, su comadrona la controlará de cerca a usted y al bebé, para que el parto esté tan libre de riesgos como sea posible. Si surgen algunas complicaciones durante el parto, la comadrona tendrá que llamar a una ambulancia para llevarla a la unidad de partos del hospital más cercano.

Parto en el agua

En este caso usted pasa parte de la dilatación en el agua e incluso puede dar a luz en ella. El agua tibia ayuda a que se relajen los músculos, lo cual, con frecuencia, acelera el parto. En su mayoría, los partos en el agua suelen estar atendidos por comadronas en unidades especializadas o en casa, pero algunos hospitales ofrecen también piscinas de parto. No obstante, las opiniones están divididas respecto a la seguridad de esa forma de dar a luz.

Establecer una buena relación con el médico durante el embarazo puede llevar a una experiencia mejor de la esperada en el parto.

- ¿Participarán en el parto estudiantes de medicina o comadronas en prácticas?
- ¿Qué porcentaje de partos inducidos y cesáreas tienen? ¿Qué representan en comparación con otros hospitales de la zona?
- ¿Cuánto tiempo permaneceré en el hospital y cuáles son las horas de visita? ¿Puede mi pareja venir a verme fuera de esas horas?
- ¿Cuántas mujeres dan el pecho al salir del hospital?
- ¿Qué medidas de seguridad tienen? Los sistemas varían, pero muchos hospitales tienen sistemas electrónicos con etiquetas de seguridad en las muñecas o tobillos de los recién nacidos que disparan una alarma si alguien saca al bebé del edificio.
- ¿Cómo se identifica a los bebés para que no se confundan? La mayoría de hospitales pone unas pulseras de identificación a la madre y al recién nacido y, con frecuencia, también a una tercera persona, el padre, por ejemplo. El personal hospitalario debe comprobar esas bandas de identificación cada vez que el bebé sale o entra en la habitación de la madre o en la sala de recién nacidos.

UNIDADES DE COMADRONAS

En algunos países, como por ejemplo Gran Bretaña, estas unidades son una opción de «baja tecnología» para las mujeres que no quieren dar a luz en un ambiente hospitalario, pero a las que tampoco les gusta la idea de un parto en casa. En algunas zonas están cerca de un hospital general para que, si hay complicaciones, la madre pueda ser trasladada allí rápidamente. Una tendencia reciente es la de ofrecer esta opción de parto «hogareño» en una unidad autónoma dentro del hospital. Estas unidades solo son adecuadas para las mujeres que tienen un embarazo normal, de bajo riesgo.

PARTO EN CASA

Quizá le guste la idea de dar a luz en un entorno conocido, en el que esté presente su pareja y quizás otros miembros de la familia. Algunas mujeres eligen dar a luz en casa porque quieren la mínima intervención médica durante el parto.

Aunque legalmente tiene derecho a hacerlo, la escasez de comadronas en algunas zonas puede hacer que resulte difícil conseguirlo. Si está pensando en un parto de este tipo tendrá que hablar con su médico de cabecera, ya que es la persona responsable de organizar su atención obstétrica. Algunos médicos están en contra de los partos en casa porque creen que tanto la madre como el niño están más seguros en un hospital, pero según una serie de estudios se ha llegado a la conclusión de que dar a luz en casa es más seguro para las mujeres que tienen un embarazo normal, de bajo riesgo, siempre que haya una infraestructura y un apoyo adecuados.

Si su médico no es partidario del parto en casa —y su embarazo es normal— póngase en contacto con una de las supervisoras de las comadronas en el hospital de la zona o con la directora de las comadronas de la comunidad, quienes quizá puedan organizarlo. En la mayoría de zonas, las comadronas apoyan la opción de tener el niño en casa y harán todo lo que puedan para proporcionar un servicio de partos domiciliario.

MEDIDAS DE APOYO PARA EL PARTO

Aunque es imposible predecir qué tipo de parto tendrá usted, hay muchas cosas que puede hacer para lograr que esa experiencia sea positiva; se trata solo de prepararse debidamente.

Ahora es el momento de decidir quién quiere que la asista en el parto, qué tipo de alivio para el dolor desea y quién es mejor que esté con usted y la apoye.

LOS ASISTENTES AL PARTO

Quién asistirá al parto y se ocupará del nacimiento dependerá en gran medida del lugar que usted ha escogido para dar a luz, si ha tenido alguna complicación durante el embarazo, y de la sencillez del parto.

Tocólogo

La rama de la medicina que se ocupa del embarazo y el parto se conoce como obstetricia o tocología. Un tocólogo es el médico que se especializa en ese campo. Él o ella encabezarán un equipo hospitalario compuesto por comadronas, enfermeras y otros médicos que le proporcionarán la atención prenatal y la atenderán durante el parto. Por lo general, un especialista en tocología solo asistirá en los partos difíciles.

Si su embarazo se convierte en uno de alto riesgo, por ejemplo si sufre preeclampsia, la enviarán a un tocólogo o quizá a un experto en embarazos de alto riesgo, conocido también como especialista en medicina maternofetal.

Médico de cabecera o de medicina general

Estos términos definen a médicos que se han especializado en medicina general después de licenciarse en la facultad. Su formación suele incluir la tocología; así pues, su médico de cabecera puede estar cualificado para asistirla durante el nacimiento de su bebé, sea en casa o en una unidad hospitalaria de la zona. En algunos países, no obstante, muchos de estos médicos han dejado de participar por completo en los partos. Creen que las comadronas de la comunidad tienen más experiencia que ellos, así como más tiempo para dedicar al parto de una mujer en concreto.

Comadrona

La idea de que el cuerpo de la mujer está diseñado para el parto es básica en la práctica de las comadronas, que tiende a enfocarlo de forma natural, en lugar de intervencionista. Lo más probable es que las mujeres opinen que los cuidados de una comadrona son coherentes con este tipo de filosofía del alumbramiento. Los estudios realizados en el Reino Unido demuestran que las mujeres sanas, con embarazos sin complicaciones, que eligieron a una comadrona para atenderlas, obtuvieron muy buenos resultados, con menos intervenciones y unos porcentajes de cesáreas más bajos.

Ser comadrona es una profesión estrictamente regulada y supervisada para proteger al público de profesionales incompetentes. Las comadronas siguen una formación que dura tres o cuatro años para obtener un diploma o una licenciatura. Una vez tituladas, están colegiadas en la Organización Colegial de Enfermería de España y tienen la responsabilidad legal de mantenerse al día en los nuevos conocimientos. Todas las comadronas tienen una supervisora encargada de ayudarlas a actualizar sus conocimientos y garantizar que su trabajo es seguro.

Las comadronas trabajan en hospitales y en unidades maternales independientes más pequeñas, en consultorios que comparten con médicos de cabecera y en la comunidad, y pueden asistir al parto en casa. Siempre que su embarazo no tenga complicaciones, una comadrona puede atenderla durante todo el embarazo y el parto.

Las comadronas también se encargan de la atención previa a la concepción, así como de los cuidados prenatales y posnatales, además de proporcionar atención para el recién nacido, tanto en el hospital como, más tarde, en casa. La mayoría de comadronas forma parte del personal médio de la Seguridad Social y colabora con otras comadronas en un equipo que comprende otros profesionales sanitarios y personal de apoyo.

Comadronas independientes

Algunas comadronas colegiadas trabajan de forma privada, fuera de la Seguridad Social. Se las conoce como comadronas independientes, se encargan de todos los aspectos del embarazo y el parto y algunas actúan en sus propias unidades especializadas. Suelen mantenerse en contacto con los tocólogos del hospital local. Si decide emplear una comadrona independiente, tendrá que averiguar cuáles son sus honorarios, qué experiencia tiene y con qué tipo de respaldo médico cuenta si se produce una emergencia.

Medicina privada

La medicina privada ofrece atención médica especializada durante el embarazo y el parto. Muchos hospitales privados cuentan con unidades de obstetricia perfectamente equipados. Tendrá que consultar con su mutua para saber qué servicios cubre exactamente su seguro médico en este campo.

ALIVIO DEL DOLOR DURANTE EL PARTO

Durante el parto, todas las mujeres recurren a una o más estrategias analgésicas. Lo más importante que debe tener en cuenta es que debe mantener una actitud positiva y poder comunicarse con sus médicos, de modo que sepa que tiene el control de la situación y se sienta confiada. Es importante ser flexible en lo que solicite. Entre las terapias de la medicina tradicional están los analgésicos, que alivian el dolor, la anestesia, que bloquea las sensaciones, y los tranquilizantes, que la calmarán. En el momento del parto le pueden administrar una anestesia local. Esta se usa corrientemente para la inyección epidural, la episiotomía y el bloqueo pudendo. Entre las técnicas de medicina alternativa para aliviar el dolor están la relajación y la respiración, las compresas calientes y frías, la acupuntura y otras.

Analgésicos

Son fármacos que se inyectan por vía muscular o intravenosa. Calman el dolor y pueden hacer que se sienta adormilada si tienen una base narcótica. El Pethidine es el analgésico de uso más habitual en el parto y se inyecta por vía muscular o intravenosa cuando el parto ya ha comenzado. Puede ser especialmente útil en el caso de un parto prolongado y molesto, ayudándola a descansar y debilitando las sensaciones fuertes. Puede hacerla sentir mareada, de modo que suele suministrarse con un fármaco contra el mareo, y también puede adormilarla, lo cual la ayudará a soportar el paso del tiempo.

5 cuestiones vitales sobre el alivio del dolor

1 ¿Cuenta el hospital con un servicio de anestesia las 24 horas del día? En ciertos tipos de alivio del dolor, como la anestesia epidural, debe estar presente un médico anestesiólogo o una enfermera anestesista para administrarlos y llevar a cabo el procedimiento necesario. Quizá desee pedir una entrevista con el anestesista antes del parto. Por tanto, es importante conocer la disponibilidad y filosofía para el alivio del dolor que tiene la unidad de obstetricia.

2 ¿Le darán una información escrita y oral clara y concisa respecto a los riesgos y los beneficios de las medidas de alivio del dolor?

3 ¿Qué efectos tienen, a corto y largo plazo, tanto para la madre como para el bebé, las diferentes medidas de alivio del dolor que se ofrecen?

4 ¿La filosofía de su médico en este terreno está de acuerdo con la suya? Si prefiere una forma más natural de abordar el alivio del dolor, ¿conoce él o ella sus deseos y los apoya?

5 ¿Su médico tiene experiencia en las diferentes clases de técnicas de alivio del dolor, como visualización y masaje, o de las técnicas específicas de preparación para el parto, por ejemplo el método Lamaze?

En el aspecto negativo, los analgésicos pueden limitar su capacidad para levantarse y pasear durante la dilatación, porque hacen que se sienta insegura al estar de pie. Además, puede que a usted le desagrade tener esa sensación de adormecimiento y pérdida de control. Si se administra cuando el parto está a punto de culminar, el bebé puede nacer somnoliento y ser incapaz de succionar. También puede costarle respirar y quizá necesite que le administren oxígeno. Los efectos en el bebé pueden prolongarse durante un día o dos, ya que su sistema es inmaduro y menos capaz de eliminar el fármaco de su cuerpo y además puede dar problemas durante la alimentación temprana del bebé. Al bebé se le puede aplicar medicación para combatir estos efectos.

La epidural es un anestésico local inyectado en la zona que rodea la médula para aliviar el dolor en la parte inferior del cuerpo.

Anestésicos locales

Estos fármacos, que eliminan la sensibilidad, son excelentes para hacer desaparecer el dolor. Debe comentar con el anestesista cuál de ellos le administrará antes del momento del parto:

- *Bloqueo pudendo.* Este método se administra en el momento del alumbramiento a través de una aguja insertada en la vagina. Como solo insensibiliza la zona perineal, sentirá menos dolor, pero seguirá notando las contracciones. Suele aplicarse en una extracción con fórceps o ventosa y sus efectos pueden prolongarse durante la episiotomía y la sutura subsiguientes.
- *Epidural.* En algunos países es la elección más popular para el alivio del dolor en el parto. Bloquea la mayor parte del dolor en el abdomen, aunque se puede seguir notando la presión. Solo un anestesista, es decir, un especialista en anestesia, puede administrar la epidural. Se hace insertando una pequeña aguja en la zona epidural, en la parte inferior de la espalda. La aguja pasa entre los huesos de las vértebras inferiores, por debajo de la médula espinal. Un tubo esterilizado, muy fino, se inserta a través de la aguja. A continuación se retira la aguja y se deja el delgado tubo en su lugar. Los medicamentos se administran, inyectados o bombeados, a través del tubo y entre ellos puede haber los siguientes: narcóticos, como la morfina y el fentanil, que eliminan el dolor y, a veces, un anestésico local, como la lidocaína, que bloquea el dolor, pero causa insensibilidad. Una vez que el medicamento llega al tubo, se puede sentir alivio al dolor a los diez minutos. Mientras que las inyecciones tienden a perder efecto al cabo de un tiempo, la bomba está diseñada para proporcionar una dosis baja y continuada del medicamento.
- *Epidural ambulante.* El uso de narcóticos con dosis bajas de anestésicos locales puede reducir el dolor sin causar pérdida de sensibilidad. Si se usa una dosis reducida de fármaco, podrá estar de pie y moverse, y elegir la posición en la que dar a luz. Si no ha perdido la sensibilidad, es más probable que pueda empujar con eficacia.
- *Peridural.* Es similar a la epidural, pero la aguja y el tubo se insertan directamente en el fluido espinal, también por debajo de la médula espinal. Cuando se

inyecta el anestésico en esa zona, la alivia y duerme profundamente. Es aconsejable si se necesita una anestesia inmediata, por ejemplo para una cesárea de urgencia. Como penetra en la membrana que rodea el líquido espinal, es posible tener dolor de cabeza espinal, que puede tratarse con un «parche de sangre» (véase más adelante).

Cuando las epidurales incluyen un anestésico local, que adormece toda la zona, perderá, casi, cualquier sensación, lo cual significa que puede resultarle difícil orinar. Se insertará un pequeño catéter en la vejiga, a través de la uretra, para que pueda vaciarse. La epidural también puede hacer que le resulte difícil empujar al final. Puede ser de ayuda estar sentada, en una posición relativamente erguida —en un ángulo entre 45 y 90º C— y concentrarse en empujar.

Asimismo, las epidurales pueden hacer que a la parturienta le baje la tensión arterial. Dado que es esencial que la circulación se mantenga para que así el bebé reciba suficiente oxígeno, su presión sanguínea será controlada con frecuencia, antes y después de insertar la epidural. Además, le administrarán líquido por vía intravenosa para mantener constante el volumen de sangre en circulación. Se controlará al bebé por medio de un monitor fetal electrónico.

Solía pensarse que la epidural aumentaba el riesgo de usar fórceps, pero si durante la segunda fase se recurre al empuje demorado, esto no es así.

Aunque algunas mujeres se quejan de dolor de espalda después del parto, es más probable que esto se deba a la forzada inmovilidad durante el mismo y al paso del bebé a través de la pelvis. Las investigaciones no han encontrado relación entre la epidural y los dolores posteriores en la parte inferior de la espalda. Algunas mujeres sufren dolores de cabeza después de que les inserten la epidural. Si el dolor de cabeza persiste, puede ser tratado con un «parche de sangre»; se trata de sacar una pequeña cantidad de sangre de una vena del brazo e inyectarla en el espacio epidural, sellando la filtración.

Se ha investigado muy poco sobre el efecto de las epidurales en los bebés. Un estudio reciente lo relaciona con el rechazo de algunos bebés a tomar el pecho. En este estudio, las mujeres a las que administraron epidurales tienen el doble de probabilidades de abandonar la lactancia.

La unidad ENET es controlada por un aparato manual que le permite aliviar el dolor cada vez que sienta contracciones.

Tranquilizantes

Se trata de relajadores de los músculos, que pueden aliviar la tensión. Suelen administrarse con un narcótico para maximizar el efecto de una pequeña dosis de este.

Anestesia general

Se trata de un gas anestésico mezclado con oxígeno y se administra únicamente si es necesario por motivos médicos, en particular durante una cesárea de urgencia. Cuando se despierte, quizá se sienta desorientada. Puede tener el mismo efecto sedante en el bebé. Administrarla lo más cerca posible del momento del alumbramiento ayudará a reducir los efectos que pueda tener en el bebé.

Gas y aire

El Entonox (50 % óxido nitroso y 50 % oxígeno) es un analgésico de acción rápida contenido en un cilindro que se cuelga en un soporte móvil y que usted inhala con una mascarilla. Aliviará el dolor agudo, y también puede usarse cuando sea necesario. No atraviesa la placenta, de modo que no afectará al bebé. Sin embargo, puede producir náuseas y mareo.

ENET (estimulación nerviosa eléctrica transcutánea)
Se trata de la aplicación de impulsos eléctricos suaves, por medio de electrodos, en las zonas nerviosas clave. Una unidad manual emite un cosquilleo de estimulación eléctrica a diversos puntos del cuerpo a través de cables adheridos al mismo. Su eficacia depende de la posición de los electrodos y de la intensidad y frecuencia de los impulsos eléctricos. Se cree que funciona bloqueando la transmisión de señales de dolor al cerebro. También es posible que estimule la producción de endorfinas, el analgésico natural del cuerpo.

Lamentablemente, las pruebas de control aleatorias no avalan que este método controle bien el dolor durante el parto. No hay datos fiables que indiquen que su uso es pertinente en la primera fase del parto.

Formas naturales de alivio del dolor

El temor y la angustia pueden hacer que el dolor parezca más intenso. Usted y su pareja deben preguntar sus dudas al médico para aliviar esa inquietud. Las técnicas de relajación alivian el dolor porque reducen el grado de ansiedad. Cambiar de postura —caminar, arrodillarse o ponerse como se sienta más cómoda— también le ayudará.

El apoyo que pueda darle su pareja durante el parto, como masajes y compresas calientes (véase p. 182), puede ayudar a su cuerpo a relajarse y a no pensar en el dolor. También puede recurrir a la visualización (véase p. 160).

Las terapias alternativas, como la hipnosis y la reflexología, van siendo cada vez más populares durante el parto. Por ejemplo, la acupuntura —practicada en Oriente desde hace varios miles de años— funciona equilibrando la energía de todo el cuerpo mediante el uso de agujas ultrafinas que se insertan en la piel en diversos puntos. Se puede practicar durante el parto para aumentar o disminuir la fuerza de las contracciones, para controlar el dolor y para ayudar al bebé a pasar por el canal de parto. No obstante, como sucede con todas estas terapias, antes debe informarse bien del procedimiento con el médico. Asegúrese siempre de encontrar un profesional cualificado y de ir a verlo mucho tiempo antes de la fecha prevista para el término del embarazo, a fin de discutir esas técnicas y practicarlas.

ELEGIR A SU ACOMPAÑANTE EN EL PARTO

Decidir quién quiere que la acompañe en el parto es algo muy personal; a algunas personas les gusta tener mucho público y otras prefieren que sea algo privado. Recuerde que puede necesitar más intimidad de lo que ahora cree. Elija con cuidado —una vez se ha hecho la invitación, es difícil retractarse— y asegúrese de que está totalmente cómoda con los que ha invitado y que ellos se muestran tranquilos y la apoyan. Hay que preparar a los niños y los jóvenes para este impresionante acontecimiento a fin de evitar que lo interpreten mal; además, deben estar acompañados por un adulto. Por lo general, las normas de los hospitales establecen que solo puede entrar en la sala de partos el padre o un acompañante adulto. El resto de familia y amigos tendrá que permanecer en la sala de espera. Al mismo tiempo, pregunte si habrá estudiantes en prácticas o personal auxiliar: si no se siente cómoda con lo que le digan, tiene mucho tiempo para buscar otra solución. Advierta a su pareja o acompañante que pueden pedirle que salga en cualquier momento del parto, de acuerdo con sus necesidades y el criterio de los médicos.

MÁS **SOBRE** el agua para aliviar el dolor

Una forma sorprendentemente eficaz para aliviar el dolor durante el parto es sumergirse en agua. Esto seguramente la relajará, por lo cual las contracciones serán más fáciles de soportar y así el proceso se desarrollará mejor. Además, el agua la sostiene, de forma que usted podrá moverse libremente. El uso del agua en la primera fase del parto reduce el empleo de la anestesia epidural y también el dolor. Esta terapia parece funcionar de forma óptima cuando el parto está bastante avanzado. Hay mujeres que dicen que el hecho de esperar a que se llene la piscina ya las relaja, pues anticipan la sensación de sumergirse en aquel agua cálida (la temperatura no deberá exceder de los 37,5 °C) que las sostendrá.

Cómo su pareja puede ayudar durante el parto

Tenga en cuenta que cada mujer tiene unas necesidades diferentes durante el parto, así que sintonice con lo que ella quiere. Aquí se detallan opciones que pueden ayudarla a soportar mejor el proceso.

Según los estudios realizados, las parturientas tienen cinco necesidades básicas: atención y comodidad físicas, presencia constante de una persona que les preste apoyo, que las acepten y tranquilicen de forma incondicional y saber qué está pasando. El respaldo que puede ofrecer un acompañante tiene numerosos efectos positivos. Se ha demostrado que acorta la duración del parto, disminuye la necesidad de fármacos e intervenciones médicas, reduce el riesgo de una cesárea y repercute positivamente en el recién nacido.

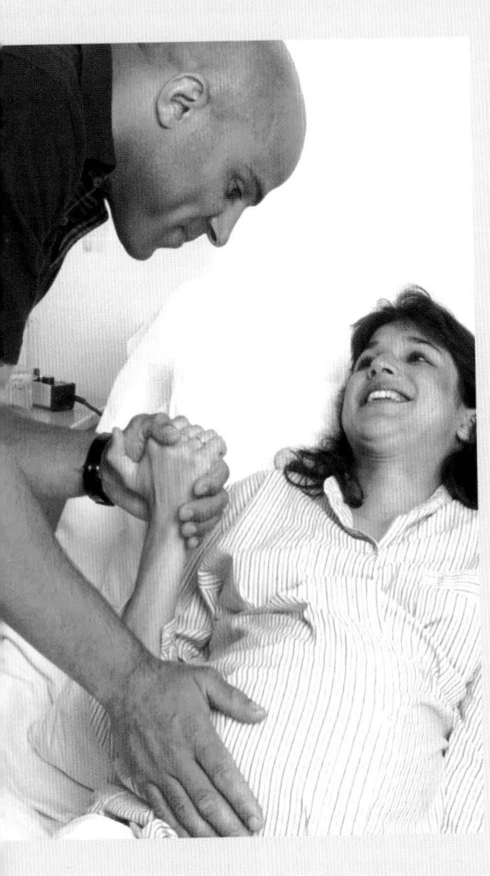

Permanezca cerca. Sepa que a algunas mujeres les gusta que las toquen durante el parto y a otras no. El contacto puede ayudar a comunicar el cariño y la preocupación y, además, hará que ella no se sienta sola.

Piense en su postura. Anímela a cambiar de postura con frecuencia, ya que eso le aliviará el dolor de espalda. Utilice almohadas, mantas o toallas enrolladas para favorecer la relajación. Si puede levantarse y andar, anímela y ayúdela. Algunas mujeres usan «bolsas de parto», unos grandes balones llenos de aire sobre los que botan para aliviar el dolor de las contracciones.

Manténgala limpia y seca. El parto puede hacer que una mujer defeque y orine, y en cualquier momento puede romper aguas. Ayúdela a limpiarse rápidamente.

Alivie su sequedad de boca. Las técnicas de respiración pueden resecarle la boca, así que ayúdela a ingerir líquidos o a chupar cubitos de hielo. Utilice crema labial para hidratarle los labios. Ayúdela a cepillarse los dientes.

Anímela a comer y beber. Es mejor que la mujer coma, aunque sea poco, durante el parto, y que esté hidratada. Las bebidas isotónicas son mejores que el agua. Beber puede inducir el vómito, pero esto no perjudica al bebé.

Manténgala fresca. Aplíquele un paño fresco a la cara, garganta u otras partes del cuerpo. Rocíele la cara suavemente con agua. Convierta una toallita facial o un trozo de papel o ropa en un abanico.

Aplíquele compresas tibias o frías. Las contracciones pueden provocar dolor de espalda o calambres. Ayúdela poniéndole una toallita caliente en la espalda.

Dele masaje en la parte inferior de la espalda. Pídale que se tumbe de costado para poder frotarle la espalda usando una loción. Es algo que puede resultar especialmente útil si tiene un parto de riñones (cuando el dolor de las contracciones se nota principalmente en la espalda). No obstante, sea consciente de que ella quizás prefiera que no le dé masaje cuando tenga una contracción.

Anímela a orinar. Una vejiga llena puede hacer que el parto sea más lento, así que recuérdele que vaya al baño con frecuencia; debería intentarlo cada hora, por lo menos.

Utilice técnicas de relajación. Lo ideal es practicarlas antes de que ella se ponga de parto. Una técnica fácil es pedirle que tense y luego relaje los músculos de uno en uno, empezando por la parte superior del cuerpo y descendiendo lentamente hasta los dedos de los pies.

Ayúdela con las técnicas respiratorias. Aprenda con antelación el ejercicio respiratorio que ella querrá usar y ayúdela a concentrarse en él durante

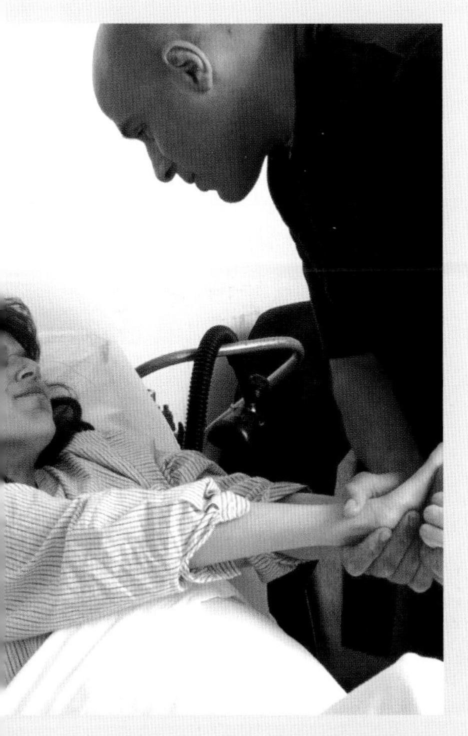

las contracciones. Puede ser útil que le pida que inspire hondo y espire después de cada contracción para liberarse de la tensión.

Favorezca el reposo. Haga que su entorno sea de lo más sosegado y anímela a descansar para evitar agotarse.

Garantice su intimidad. Respete su necesidad de llevar ropa o estar tapada durante el parto.

Ofrézcale apoyo emocional. Murmure palabras de ánimo. Elógiela por el enorme esfuerzo que hace. Dígale: «¡Lo estás haciendo muy bien!». Felicítela. Utilice palabras de cariño y, si el ambiente es propicio, exprese su amor por ella. Según avance el parto, dígale que ya casi ha acabado.

CÓMO PERMANECER CENTRADO EN SUS NECESIDADES

Cada mujer es única, reacciona de forma personal y tiene necesidades diferentes durante el parto; así pues, es importante preguntarle si desea o le ayuda una técnica en particular. Esté preparado para cambiar de táctica y no agobiarla, si eso es lo que quiere. No olvide los siguientes puntos:

Piense en cuál es su propósito. ¿Qué trata de hacer con sus medidas de apoyo y consuelo? Asegúrese de que se centra en lo que ella quiere.

Implíquese. Su presencia constante y estar atento a lo que ella siente y a los procedimientos que se están poniendo en práctica servirá para ofrecerle un apoyo significativo.

Esté preparado. Haga la maleta con lo necesario varias semanas antes de la fecha prevista y planee el camino hasta el hospital con antelación.

Mantenga alto su nivel de energía. Para proporcionar un apoyo eficaz tiene que conservar su vigor. No olvide comer y beber algo durante el parto. Es mejor llevarse comida y bebidas con usted. Además, tómese un descanso si es posible. Relájese en una silla de la habitación o dé un pequeño paseo por la sala. Pero no se vaya; podría perderse el nacimiento.

Elaborar un plan de parto puede ayudarla a comprender las opciones de las que dispone. Enfrentarse al parto bien informada, pero con un talante abierto, puede serle de ayuda.

APOYO PROFESIONAL PARA EL PARTO

Otra opción que puede ser de gran ayuda en algunas circunstancias es contratar a un ayudante profesional o experimentado para el parto. Si su pareja viaja mucho por asuntos de trabajo, si va a tener un parto vaginal tras una cesárea previa (PVTC) o si quiere limitar la intervención médica, vale la pena pensar en esa ayuda profesional. Para ello, puede contratar bien una *doula* (palabra griega que significa «al servicio de la mujer»), bien una monitora. Sus servicios suelen incluir visitas antes y después del alumbramiento, así como apoyo en casa en las fases iniciales del parto. Pídale a su médico que le proporcione más información y que la aconseje.

SU PLAN DE PARTO

Después de pensar en las diferentes opciones, es importante comentarlas con su médico mucho antes de que llegue la fecha prevista para salir de cuentas. Si hay algo que le importa especialmente, por ejemplo que sea su marido quien corte el cordón umbilical, háblele de ello. Algunos médicos animan a las mujeres a hacer planes de parto muy detallados, en lo cuales consten sus preferencias. En la página siguiente un plan de muestra, pero recuerde que esta lista no es exhaustiva; puede usted añadir todo lo que quiera. Tendrá que llevar el plan con usted en el momento del parto. No obstante, es importante ser flexible. El parto no es un acontecimiento previsible; al igual que los propios bebés, cada nacimiento tiene su propia «personalidad». Incluso si ya ha tenido otros hijos, este alumbramiento será diferente y especial y quizá tenga que adaptar su plan de parto a las circunstancias. En sus decisiones puede influir todo tipo de factores, incluyendo cómo se sienta en ese momento. Por ejemplo, si piensa aceptar muy poco o ningún alivio del dolor, quizá cambie de opinión durante el parto. Muchas mujeres creen que han fallado de alguna manera si las cosas no suceden de acuerdo con su plan de parto —quizá fue necesario practicar una cesárea, porque el bebé sufría—, pero no es ningún fracaso aceptar el tratamiento médico más apropiado para que el bebé nazca sin riesgo.

¿SABÍA QUE...?

Contar con apoyo durante el parto puede acortarlo. Los estudios han demostrado que cuando una *doula* u otro acompañante está presente, las mujeres tienen un parto menos doloroso, necesitan menos intervenciones médicas, menos cesáreas y dan a luz a unos bebés más sanos. Hay pruebas recientes que señalan que cuando una *doula* proporciona respaldo, las mujeres están más satisfechas con sus experiencias y la relación madre-hijo es mejor hasta dos meses después del alumbramiento. Se sabe, además, que el apoyo de una *doula* tiene un efecto positivo en las relaciones de la pareja.

MUESTRA DE UN PLAN DE PARTO

Marque todas las casillas que le parezcan oportunas

Acompañantes en el parto

Me gustaría que las siguientes personas estuvieran presentes en el parto.

- ☐ Pareja
- ☐ Amigo/a
- ☐ Pariente
- ☐ *Doula*
- ☐ Otros niños

Inducción

- ☐ Prefiero que no me induzcan el parto.
- ☐ Solo aceptaría la inducción por razones médicas.
- ☐ Prefiero la inducción para controlar el momento/la fecha del parto.

Parto

- ☐ Quiero poder andar arriba y abajo y estar fuera de la cama mientras sea posible.
- ☐ Me gustaría beber y comer algo ligero durante la primera etapa.
- ☐ Me gustaría que el número de exámenes vaginales fuera el mínimo.
- ☐ Me gustaría ver el nacimiento a través de un espejo.

Monitores

- ☐ No quiero que se utilicen monitores fetales de forma continuada, a menos que el bebé sufra.

Fotografías

- ☐ Deseo que el nacimiento del bebé se fotografíe o se filme en vídeo.

Control del dolor

- ☐ Quiero tener un parto natural y no quiero que me ofrezcan medicamentos contra el dolor durante el parto.
- ☐ Querría la epidural en cuanto sea posible.
- ☐ Querría la epidural en una fase más avanzada.
- ☐ Quiero que la medicación contra el dolor esté disponible, pero que solo me la den si yo la pido.

Episiotomía

- ☐ Prefiero que no me hagan una episiotomía a menos que sea necesaria para la seguridad del bebé.
- ☐ Prefiero la episiotomía que correr el riesgo de un desgarro.

Cesárea

- ☐ Deseo que me pongan la epidural o la peridural para anestesiarme.
- ☐ Si me han de administrar anestesia general, quiero que entreguen el bebé a (nombre de la persona) después del parto.

Posparto

- ☐ Quiero coger al bebé en brazos inmediatamente después de que nazca.
- ☐ Quiero que esperen hasta que el cordón umbilical deje de latir para cortarlo.
- ☐ Me gustaría que fuera mi pareja quien cortara el cordón.
- ☐ Prefiero que no me administren sintocinon después del parto.
- ☐ Pienso amamantar al bebé.
- ☐ Quiero ponerlo al pecho en cuanto sea posible.

INTERVENCIONES Y PROCEDIMIENTOS

Cuando piense en el tipo de parto que quiere, hay ciertos procedimientos que querrá evitar, si es posible. Su médico debe respetar sus deseos siempre que ni usted ni su bebé corran peligro.

Si le preocupa algo respecto a los procedimientos médicos, puede serle útil averiguar todo lo posible sobre ellos. No obstante, esté dispuesta, cuando llegue el momento, a dejar que su médico decida si es necesaria una intervención.

INDUCCIÓN

Cuando una mujer se pone de parto de forma natural, una serie de cambios hormonales y la presión del bebé que está listo para nacer sobre los músculos del útero ayudan a iniciar el proceso. Pero ese proceso también se puede inducir (iniciarse artificialmente) mediante la administración de hormonas o la rotura de membranas (estimulación manual del cérvix).

Si lo dejaran en manos de la naturaleza, la mayoría de las mujeres se pondrían de parto en algún momento desde dos semanas antes hasta dos después de su salida de cuentas. Se induce el parto cuando es mejor que el bebé nazca, en lugar de seguir en el útero, o cuando su salud o la de la madre corren peligro al continuar el embarazo. Si el bebé no está creciendo lo suficiente hacia el final del embarazo o si tiene una dolencia médica grave, viene de nalgas o son gemelos, la mejor solución puede ser poner fin al embarazo, induciendo el parto. Las madres que tienen una dolencia de alto riesgo, como diabetes o hipertensión provocada por el embarazo, o que han tenido antes una cesárea, o tienen un historial de parto rápido, pueden necesitar la inducción. Otros motivos son la rotura prenatal de membranas, dado que la inducción puede reducir el riesgo de infecciones, y la prolongación excesiva del embarazo. Si los medios lo permiten, el médico podría considerar la inducción del parto en caso de que la madre tenga razones psicológicas o sociales de peso. Antes de acceder a su petición su médico querrá asegurarse de que el bebé es lo bastante maduro y que el cérvix se encuentra en un estado correcto.

Sea cual fuere el motivo, el médico debe explicarle a fondo el procedimiento de antemano. Debe darle a conocer los motivos, el método y los riesgos potenciales y las consecuencias de aceptar o rechazar la oferta. Es lo que se llama «consentimiento informado».

Sintocinon

Aunque el parto no se produzca por inducción, su médico puede ayudarle en el proceso administrando el sintocinon (una forma sintética de oxitocina) para que las contracciones sean más intensas y eficaces.

El sintocinon hay que suministrarlo de tal modo que estimule las contracciones normales. Sin embargo, las contracciones inducidas suelen ser más fuertes y frecuentes que las naturales. Esto, a su vez, puede provocar lecturas cardíacas fetales anómalas, razón por la que las mujeres que toman sintocinon casi siempre están conectadas a un monitor fetal para ver cómo tolera el bebé las contracciones. Si la frecuencia de estas es muy alta, se puede reducir la dosis.

MONITORES FETALES

Estos aparatos se usan para controlar el estado del bebé durante el parto. Uno de los tipos más corrientes es el monitor fetal externo, consistente en unos electrodos que se colocan en el abdomen de la madre, los cuales están conectados a un aparato que muestra o imprime los latidos del corazón del bebé y las contracciones de la madre.

Algunos hospitales controlan a todas las mujeres con esos monitores durante el parto. Pero según algunos estudios eso puede llevar a un mayor número de cesáreas innecesarias, porque se interpreta mal la lectura o los monitores señalaban que había un problema donde no existía. Por esta razón, si su embarazo y parto son de bajo riesgo, pueden controlarla con un monitor fetal de forma intermitente o se puede vigilar el estado del bebé con un Doppler (es decir, con un aparato ultrasónico manual).

Si los médicos necesitan una imagen más detallada del estado de su bebé, quizá quieran controlarlo mediante un monitor interno introduciendo un electrodo en la vagina y fijándolo al cuero cabelludo del bebé para medir sus latidos cardíacos. Los monitores internos son más precisos que los externos, pero tienen algunas desventajas. Existe el riesgo de que el bebé contraiga una infección debido al electrodo; además, su uso limita la movilidad de la madre, lo cual puede hacer que el parto sea más lento. Debido a estos factores, solo suele emplearse cuando los beneficios que ofrece son claros.

EPISIOTOMÍA

Se trata de un pequeño corte hecho en el perineo (la piel entre la vagina y el ano) a fin de agrandar la abertura vaginal inmediatamente antes de la salida de la cabeza del bebé.

En muchos hospitales se aplicaba de forma habitual. No obstante, durante las dos últimas décadas ha habido una reducción significativa en el porcentaje de partos con episiotomía —desde un 64 % en 1980 a un 33 % en 2000— y actualmente se piensa que esas intervenciones de rutina no aportan ningún beneficio. Con frecuencia, la habilidad y paciencia de un médico experimentado distenderá la zona y permitirá que el bebé nazca con muy poco o ningún desgarro y sin episiotomía. A veces, un pequeño desgarro se repara con facilidad y causa menos dolor que una episiotomía agresiva y extensa.

Esta intervención sigue siendo considerada valiosa en algunas situaciones, por ejemplo para acortar la etapa de empujar si hay sufrimiento fetal o si la madre tiene un problema médico, como una enfermedad cardíaca, y no puede soportar un parto largo. Puede ser recomendable practicar una episiotomía para proteger el delicado cráneo de un bebé prematuro o proporcionar más espacio para un parto de nalgas o para un bebé muy grande.

¿SABÍA QUE...?

La Organización Mundial de la Salud quiere reducir el número de cesáreas. Las cesáreas se vienen practicando en los hospitales desde el siglo XIX, pero gracias a las mejoras en los controles y los procedimientos quirúrgicos su número a aumentado en las últimas décadas del siglo XX y comienzos del XXI. En el Reino Unido más del 21 % de los bebés nacidos en el año 2000 lo hicieron por cesárea. Debido al trauma y al riesgo de complicaciones de esta intervención, la Organización Mundial de la Salud presiona para que dicho porcentaje sea inferior al 15 % de los nacimientos en todos los países.

PARTO VAGINAL OPERATIVO

En algunos casos se usan instrumentos médicos para ayudar al bebé a pasar por el canal del parto, recortando la segunda fase del parto y reduciendo así el riesgo para la madre o el bebé. Los estudios muestran que ciertos fármacos y posturas de parto pueden aumentar la probabilidad de que sea necesario usarlos. Es aconsejable hablar con su médico sobre sus opiniones respecto al uso tanto de fórceps como de ventosas mucho antes de que el embarazo llegue a su término.

Fórceps

Abundan las historias escalofriantes sobre el uso del fórceps, ya que se asocia a un mayor riesgo de laceración vaginal o perineal. No obstante, estudios recientes demuestran que el uso del fórceps durante el parto no es perjudicial. A veces se usa el fórceps (un instrumento metálico que se parece a las tenazas o cucharas para ensalada) cuando la madre no puede empujar de forma eficaz o cuando hay que acelerar el nacimiento del bebé. El uso del fórceps puede eliminar la necesidad de una cesárea. También se puede usar para cambiar la posición del bebé y, aunque puede causar más daños al perineo, así es posible que se reduzca el riesgo de traumas para el bebé.

Quienes se oponen al fórceps sostienen que se puede usar por conveniencia y no por verdadera necesidad cuando el parto es lento y el equipo médico quiere que el bebé nazca lo más rápidamente posible.

Ventosa obstétrica

Funciona de una forma muy parecida al fórceps, pero en lugar de unas tenazas metálicas, se aplica a la cabeza del bebé una ventosa blanda. La succión ayuda a sacarlo cuando la madre comienza a empujar. Las ventosas se pueden introducir más arriba del canal de parto que el fórceps y causan menos daños en el perineo.

CESÁREA

Solo un obstetra o un cirujano puede practicar una cesárea, ya que hay que hacer una incisión en la parte inferior del abdomen de la madre para extraer al bebé. La mayoría de las cesáreas se realizan por razones médicas (véase el cuadro, abajo). Aunque algunas mujeres puedan preferir una cesárea para evitar las molestias del parto, esta no es recomendable ni una práctica aceptable. Si bien es verdad que las técnicas quirúrgicas han mejorado enormemente en los últimos años, sigue habiendo más riesgos asociados a las cesáreas que a los partos vaginales. Si bien es verdad que, el período de recuperación de la madre puede ser considerablemente más largo y una cesárea puede hacer que los posteriores partos vaginales sean más difíciles.

Aunque la cesárea pueda ser una forma de nacer más segura para algunos bebés, no es menos necesario prever algunos efectos que tiene sobre él. A veces, los bebés nacidos por cesárea retienen líquido en los pulmones, un líquido que suelen expulsar durante el paso por el canal de parto. El recién nacido puede estar amodorrado debido a la medicación administrada a la madre.

6 razones para una cesárea

1. Lo ideal es que el bebé nazca de cabeza, pero a veces está en una postura difícil para el parto. Algunos están de nalgas (presentan los pies o las nalgas primero) o atravesados (colocados a través del útero). Otros bebés pueden nacer de nalgas sin problemas. No obstante, muchos de los que se presentan de nalgas o atravesados nacen mediante cesárea.
2. Se recomienda la cesárea a las mujeres en condiciones de alto riesgo, como hemorragias, herpes genital, diabetes e hipertensión o eclampsia provocadas por el embarazo (véase p. 254).
3. Si hay más de un bebé, es más probable que nazcan por cesárea, aunque algunos gemelos han nacido vaginalmente con éxito si estaban bien colocados para salir.
4. El crecimiento deficiente del feto o una condición de alto riesgo de la madre pueden hacer que sea más seguro poner fin al embarazo con una cesárea planificada en lugar de con la inducción al parto.
5. El bebé es muy grande. Algunos bebés son demasiado voluminosos para nacer a través del canal de parto de la madre.
6. El sufrimiento fetal como resultado de las tensiones y esfuerzos del parto, que puede detectarse por medio de los monitores fetales y pruebas especiales.

Partos vaginales tras una cesárea (PVTC)

En el pasado se decía a las mujeres que «Si te hacen una cesárea una vez, tendrán que hacértela siempre». La mayoría de cesáreas pueden hacerse con una incisión uterina transversal baja o de «bikini» (véase p. 232), que es menos probable que se desgarre en posteriores partos —hay un 0,5 % de riesgo—. Como cada cesárea es más difícil debido a las numerosas cicatrices anteriores, se considera que un PVTC es más seguro, tanto para la madre como para el bebé, después de una incisión transversal baja. Asimismo, un 70 % de las madres que lo intentan culminará con éxito un PVTC.

No obstante, los que se oponen al PVTC sostienen que incluso con una «incisión de bikini» hay más riesgos en un posterior parto vaginal, entre ellos el mayor peligro de rotura uterina, que con una nueva cesárea. Las mujeres que tienen un PVTC inducido con medicación corren un riesgo máximo de rotura uterina. Por esta razón, la mayoría de tocólogos prefiere que vayan al parto sin intervención médica si lo que quieren es un parto vaginal tras cesárea.

PREPARARSE PARA EL NACIMIENTO DE SU HIJO

Cuando se acerque el final del último trimestre del embarazo, se sentirá impaciente por la inminente llegada de su hijo y querrá ultimar los preparativos para el parto. Ahora es un buen momento para organizar las cosas que tiene que hacer.

DECISIONES RESPECTO A SU HIJO

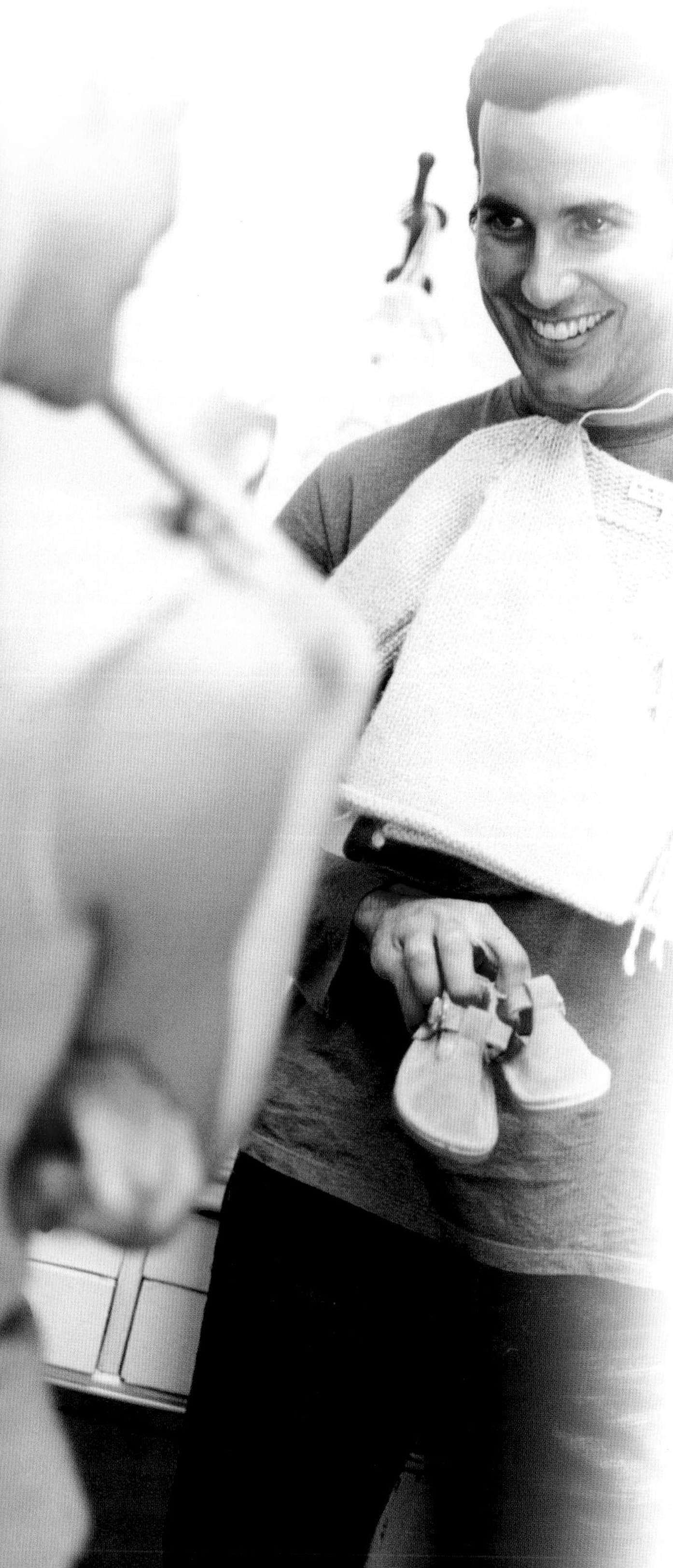

Vale la pena dedicar un poco de tiempo a pensar en algunas de las cosas que tendrá que decidir cuando nazca su bebé. Por supuesto, puede que luego cambie de opinión, pero si estudia ahora las opciones, podrá tomar unas decisiones mejor fundadas.

Entre las cosas en las que tiene que pensar antes de que llegue el bebé están las siguientes: cómo quiere alimentarlo, si desea guardar las células del cordón umbilical, qué nombre le pondrán, si quiere volver o no al trabajo después del parto y, si decide regresar, quién cuidará del bebé.

PECHO O BIBERÓN

Decidir cómo alimentará al bebé es un asunto muy personal y debería dedicar un tiempo a analizar los beneficios y desventajas de las dos opciones para tomar una decisión bien fundada. No hay ninguna duda de que la leche materna es más natural y nutritiva y mucho más fácil de proveer, especialmente durante las primeras semanas después del parto. Sin embargo, puede haber una razón por la que el biberón sea la mejor opción.

En última instancia, lo importante es que tanto usted como el bebé estén cómodos, sanos y felices. En el capítulo 14 encontrará más información sobre la alimentación del bebé.

Lactancia materna

Las mujeres y los bebés están diseñados para la lactancia, sea cual sea el tamaño o la forma de los senos de la mujer; aunque si tiene los pezones planos o invertidos quizá necesite un poco de ayuda para aprender a colocar a su hijo. La mayoría de mujeres consiguen hacerlo sin problemas en unas semanas, aunque algunas necesitan la ayuda del médico. Los cambios hormonales naturales que se producen en el cuerpo garantizan que la lactancia sea algo emocionalmente satisfactorio. Aunque no se sienta demasiado segura, por lo menos debería probarlo: muchas mujeres que no quisieron intentarlo se arrepintieron más tarde. Es más difícil volver a dar el pecho una vez que el bebé ha empezado a tomar biberón, de modo que quizá no tenga otra oportunidad si no lo prueba al principio.

Aunque haya planeado volver pronto al trabajo, vale la pena, sin ninguna duda, probar la lactancia materna, incluso si no puede continuarla. La leche de la madre proporciona a su bebé el máximo beneficio en las primeras semanas, debido a los factores inmunitarios que le llegan a través de ella. También puede considerar la lactancia mixta: dar el pecho cuando esté en casa y su leche materna extraída, o leche de fórmula, cuando esté trabajando.

Biberón

Si tiene problemas para dar el pecho o le resulta antipático, puede decidirse por el biberón. Existen también algunos medicamentos y enfermedades, como el sida, que no son compatibles con la lactancia materna por los riesgos que entrañan para el bebé, en cuyo caso el biberón es esencial. Su médico le aconsejará qué hacer en tales casos.

GUARDAR LA SANGRE DEL CORDÓN UMBILICAL

Durante el parto se puede obtener la sangre del cordón umbilical del bebé para guardarla congelada en un banco de sangre del cordón umbilical. Esta contiene células madre que tienen el potencial de convertirse en diferentes tipos de células de tejidos orgánicos. En el caso poco probable de que su bebé necesitase un trasplante de médula espinal o de algún órgano, las células de la sangre de su cordón umbilical serían perfectamente compatibles y no experimentaría ningún tipo de rechazo. Tendrá que contactar con algún banco de Estados Unidos que le informará sobre el equipo necesario para cosechar las células madre.

ELEGIR EL NOMBRE

Ponerle un nombre a su bebé puede ser divertido y apasionante. Hable de ello con su pareja y luego haga una lista de sus nombres favoritos y póngala en la nevera o en un tablón para mirarla con frecuencia y ver qué sensación le producen. Algunos padres prefieren guardar el secreto de los nombres que han elegido hasta después del nacimiento; un bebé precioso puede apaciguar a unos abuelos que crean que el nombre elegido no es el apropiado.

6 beneficios de la lactancia materna

1. La leche del pecho está naturalmente preparada para proporcionar, en las cantidades justas, todos los nutrientes que el bebé necesita.
2. La leche del pecho contiene anticuerpos y otros factores de protección que ayudan a vencer las infecciones. Se sabe que los niños alimentados con la leche de la madre corren un riesgo menor de padecer infecciones respiratorias y del oído, gastroenteritis, diabetes, la enfermedad de Crohn, enfermedades autoinmunitarias, SMSL y obesidad, entre otros muchos problemas.
3. La leche materna se digiere fácilmente y es menos probable que cause trastornos digestivos, diarrea o estreñimiento.
4. La leche materna es barata, está siempre disponible, tiene la temperatura justa y es fresca.
5. Dar el pecho acelera la vuelta del útero a su tamaño normal y puede ayudarla a perder el peso que aumentó durante el embarazo.
6. Dar el pecho puede reducir el riesgo de contraer cáncer de mama.

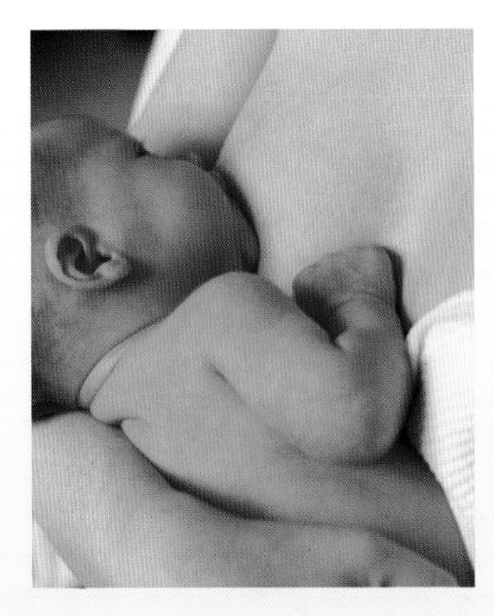

MÁS **SOBRE** la circuncisión

Alrededor de un 25 % de niños es circuncidado en el Reino Unido cada año. En algún momento antes del término del parto, tendrá que decidir si va a circuncidar al pequeño y, si es así, hacer los arreglos pertinentes para que le intervengan poco después del nacimiento. No hay ninguna razón médica para una circuncisión temprana y las asociaciones de pediatras no lo recomiendan como cosa de rutina. No obstante, muchos padres se deciden a hacerlo debido a razones religiosas o de otra índole. Sin embargo, el procedimiento es doloroso y exige alguna forma de anestesia; por añadidura, hay un pequeño riesgo de infección, hemorragia o cicatrices. Comente esta opción con su pareja y con el médico.

Recuerde que cuando llegue el bebé puede cambiar de idea sobre el nombre que han elegido y decidirse por otro diferente que le vaya mejor. A continuación le damos algunas ideas:

- *Averigüe la derivación y el significado.* Compre un libro de nombres o busque en Internet todos los nombres en que esté pensando en la actualidad.
- *Piense en posibles diminutivos.* Francisco puede convertirse en Fran, Susana, en Susi y Antonia, en Toni.
- *Evite nombres difíciles.* Es mejor evitar nombres que sean difíciles de pronunciar o escribir.
- *Tenga en cuenta las modas.* ¿Se sentirán usted y su hijo felices con nombres como Suri, Brooklyn, Paris, etc.?
- *Tradición familiar.* ¿Hay algún nombre importante al que quiere honrar o que quiera evitar?
- *Preste atención a cómo suena el nombre.* ¿Y unido a un segundo nombre? Si le pone a su hijo un segundo nombre, piense en cómo suenan las iniciales juntas.

FOTOGRAFIAR EL PARTO

Quizá parezca algo trivial, pero planificar cómo quiere registrar el nacimiento del bebé puede ahorrar muchas tensiones en el momento señalado.

Piense si quiere que fotografíen o filmen en vídeo el nacimiento. Tendrá que hacerlo su pareja o acompañante en el parto, ya que en España no suele estar permitido que esté presente más de una persona. Decida con cuidado qué momentos quiere que filmen o fotografíen. Recuerde que siempre podrá seleccionar más tarde lo que quiere conservar. Abastézcase de suficiente película y batería extra y compre una cámara desechable, por si acaso. Compruebe con antelación si le permitirán hacer fotos, ya que algunos médicos y hospitales no lo consienten.

No vea el vídeo ni estudie las fotos detenidamente poco después del parto para no crearse traumas. Dar a luz es una experiencia muy emotiva y su cuerpo se enfrenta a ella de forma natural, creando una amnesia neuroquímica que suaviza sus recuerdos durante las semanas siguientes al parto.

ELEGIR AL PEDIATRA

Los ambulatorios de la Seguridad Social cuentan con pediatras y le asignarán uno en cuanto lo solicite. Si opta por la medicina privada puede pedir a la comadrona, amigos y parientes que le aconsejen y luego telefonear al director del consultorio. Las siguientes preguntas pueden resultarle útiles:

- ¿Qué tipo de consulta es? ¿Es de un solo médico o de un grupo? Puede resultar mejor elegir una consulta colectiva, donde siempre haya alguien disponible.
- ¿Hay un consultorio para bebés?
- ¿Qué horas tiene la consulta, qué tiempo de espera es habitual, qué normas hay para las visitas?
- ¿Cómo se atienden las llamadas fuera de las horas de visita?
- ¿Qué pasa en un caso de urgencia?

Si sigue interesada, pida hora para conocer al médico. En esa visita puede obtener la siguiente información:

- ¿Qué opina el médico sobre la lactancia materna, los suplementos, la ictericia del recién nacido, el uso de antibióticos, la inmunización, etcétera?
- ¿La sala de espera es acogedora y está limpia? ¿Hay muchos juguetes y libros para mantener entretenidos a los pequeños?
- ¿El personal de recepción es amable y cordial? ¿Qué tal se relaciona con los pequeños?

VOLVER AL TRABAJO

Otra decisión que es probable que tenga que tomar antes de dar a luz es cuándo piensa volver al trabajo y cómo quiere que cuiden de su bebé cuando esto suceda. Recuerde que la mayoría de guarderías, tanto públicas como privadas tienen largas listas de espera y debe ponerse en contacto con ellas antes del parto para incluir a su hijo en la lista.

Quizá quiera esperar todo lo posible antes de volver al trabajo; a la mayoría de madres, regresar al trabajo les resulta más difícil de lo que esperaba. Si la idea de volver a trabajar a tiempo completo la angustia, piense en un tipo de trabajo más flexible, como la jornada parcial —entre 20 y 32 horas semanales— o la jornada flexible, donde trabaja menos días con más horas cada día o más días con menos horas.

Negociar un horario diferente

Se han establecido nuevas directrices destinadas a ayudar a los padres con hijos menores de seis años a trabajar de forma flexible. Para que le concedan la reducción o el cambio de horario tiene que satisfacer ciertas condiciones; por tanto, hable con el departamento de recursos humanos de su empresa, con el sindicato o infórmese detalladamente en el Ministerio de Trabajo antes de tomar cualquier decisión. Aquí tiene algunas ideas que pueden ayudarla cuando presente su caso ante su jefe:

- *Sondee la reacción.* Advierta a su jefe de que está pensando en trabajar a jornada parcial y reúnase con él para hablar del asunto. Pregúntele si querría un bosquejo escrito de cómo cree usted que ese acuerdo podría funcionar.
- *Prepare su caso.* Describa exactamente cómo se haría el trabajo si usted cambiara de horario. Le será de ayuda convencer a su jefe de que trabajará con la misma eficacia que antes.
- *Explíquelo a sus compañeros.* Dígales lo que tiene planeado y trate de resolver cualquier dificultad que se presente.

Organizar el cuidado del niño

De cualquier modo, tanto si piensa volver al trabajo a jornada completa como si se decide por la jornada parcial, igualmente tendrá que organizar algún tipo de cuidado para el bebé y le resultará mucho más fácil regresar de nuevo a la vida laboral si está satisfecha y confiada en este aspecto.

En cualquier guardería, ya sea pública o privada, deben alegrarse de que usted pase un tiempo allí, para conocer al personal y observar la calidad de la atención que proporcionan.

¿SABÍA QUE...?

El servicio de guardería puede beneficiar a los niños. Estudios realizados en el Reino Unido, otros países de Europa y Estados Unidos demuestran que una guardería de calidad tiene importantes y duraderos efectos beneficiosos en la educación, la salud y el bienestar de los niños, especialmente de los que proceden de familias con unos ingresos bajos o tienen problemas de desarrollo.

Pida a la enfermera del ambulatorio, a su familia y amigos que la aconsejen; puede acudir a una empresa especializada en selección de personal para que le proporcionen una canguro de confianza. Recuerde que lo más importante es garantizar la seguridad y el bienestar del bebé. Debe comprobar siempre la autenticidad de los permisos, certificados de formación, referencias y cualquier servicio que desee.

Opciones

Tómese el tiempo necesario para estudiar sus opciones. El bebé necesita estar con alguien que les guste y en quien confíen usted y su pareja, de lo contrario sus planes no funcionarán. Elija entre las siguientes opciones:

- *Padre o madre en casa.* Evidentemente esta es la mejor solución. Uno de ustedes se queda en casa para cuidar del bebé o cada uno trabaja en un horario diferente para compartir ese cuidado.
- *Familia.* Que su madre u otro familiar cuide del bebé puede ser una excelente solución, que le proporcionará al pequeño una atención a largo plazo.
- *Niñera.* El cuidado en casa puede ser caro, pero si tiene más de un hijo, resulta más económico. No hay duda de que la atención individualizada durante el primer año de la vida del pequeño es muy beneficiosa, pero eso depende de que se cuente con una niñera experimentada que sintonice con las necesidades físicas y emocionales del niño.
- *Cuidadora.* Aunque en España esta figura no existe, se trata de un servicio ofrecido por personas con licencia para cuidar niños en su propia casa, posiblemente en combinación con el cuidado de sus propios hijos. Este arreglo proporciona a su hijo compañeros de juego y un ambiente familiar y tiene la ventaja de disponer de la misma cuidadora siempre y de estar en un pequeño grupo.
- *Guarderías.* Funcionan bien para niños de cualquier edad, siempre que tengan un nivel de calidad alto. No obstante, no todas las guarderías admiten bebés menores de 12 meses.

AYUDA PARA CUANDO VUELVA A CASA

Es importante planificar por adelantado la vuelta a casa con el bebé, ya que tiene que poder llegar a conocerlo y adaptarse a su nuevo papel en un ambiente relajado. Si ha tenido un parto largo o difícil, es posible que esté cansada y necesite mucho descanso. Contratar alguien que la ayude en casa durante las primeras semanas después del parto puede ser muy beneficioso para usted, pero tiene que asegurarse de que elige el tipo de ayuda y la persona adecuados.

Tenga claro lo que quiere

La ayuda puede ir desde una enfermera de maternidad profesional, que pueda enseñarla a cuidar al bebé y le proporcione apoyo en la lactancia materna, hasta una madre con experiencia que cobra por horas y le ayuda con el trabajo de la casa y atiende cualquier preocupación que usted pueda tener. Tiene que saber con claridad qué quiere que haga esa persona y cuánto tiempo la necesitará. Pregúntele cuánto cobra, qué formación y experiencia tiene, compruebe sus referencias y asegúrese de que van a llevarse bien.

Algunas mujeres dependen de familia para ayudarlas, lo cual es ideal siempre que se lleve bien con sus integrantes y confíe en sus conocimientos y experiencia en el cuidado de niños.

COMPRAS PARA SU HIJO

No hay nada que supere la emoción de ir a comprar las primeras cosas para el bebé. No obstante, resista la tentación de llevarse toda la tienda a casa. Es mejor comprar solo lo esencial ahora y luego ir comprando las cosas según las necesite.

Es fácil que le seduzca adquirir artículos que tienen un aspecto atractivo, pero que, en realidad, no necesita. Además, no olvide que es probable que reciba un montón de regalos cuando nazca el bebé.

EQUIPAR EL CUARTO DEL BEBÉ

El bebé no percibirá lo que le rodea durante los primeros meses; lo único que le importará es estar caliente, bien alimentado y cómodo. Sin embargo, para la mayoría de padres preparar la habitación del pequeño es uno de los mejores aspectos del embarazo y les ofrece un medio excelente para sentir que dan la bienvenida a casa a su nuevo hijo.

Recuerde que el bebé usará, probablemente, su habitación durante toda la niñez y que la decoración tiene que crecer con él. Un color liso de fondo y unos toques modernos de acabado como cenefas, frisos y dibujos a plantilla, pueden ponerse al día rápidamente cuando vaya creciendo.

Las paredes deberían poder lavarse o, por lo menos, limpiar a esponja. La pintura es más práctica que el empapelado. Elija un producto natural a base de agua, en lugar de disolvente, que no emita tóxicos mientras se pinta la habitación.

El recién nacido no necesitará un montón de muebles, pero asegúrese de que tiene bastante espacio para guardar cosas, en especial alrededor de la zona reservada para cambiarlo. A menos que tenga intención de cambiarlos en cuanto el pequeño empiece a gatear y trate de ponerse de pie solo, los muebles deben ser sólidos y

Comprar cosas para el bebé es divertido y tendrá más tiempo ahora que cuando nazca. Procure que alguien la ayude a cargar con parte de los paquetes.

LA SEGURIDAD ES LO PRIMERO

Pintura. Hay varias cosas que debe vigilar cuando pinte la habitación del bebé estando embarazada:

- No respire los gases de la pintura; haga que otra persona se encargue de pintar.
- Si sospecha que la pintura anterior puede contener plomo, haga que alguien la lije y pinte encima. La pintura con plomo puede ser tóxica.
- Recuerde que su equilibrio está alterado; por tanto, tenga mucho cuidado cuando se suba a una escalera y no intente nunca alcanzar demasiado lejos, ni siquiera cuando esté de pie en el suelo.
- Pare antes de sentirse exhausta; tener un accidente es más probable de lo habitual.

tener bordes lisos y redondeados. También puede interesarle incluir una silla cómoda para usted.

Una lamparilla de noche puede ayudar a tranquilizar al pequeño cuando esté en la oscuridad y un detector de sonidos le permitirá oírlo cuando empiece a llorar. Unas cortinas gruesas o unas persianas impedirán que lo despierte la luz del día. Ponga un interruptor especial para regular la luz principal o utilice una lámpara en la mesilla de noche para ver cómo está el bebé sin despertarlo. Al principio, la temperatura debe ser de aproximadamente unos 24 grados. Muchos padres usan un radiador con termostato en la habitación del bebé para no tener que mantener toda la casa a esa temperatura.

UN LUGAR PARA DORMIR

Quizá al principio prefiera poner al bebé en un moisés o una cuna balancín y trasladarlo a una cuna con barandas cuando tenga unos cuatro meses, o decida usar una cuna desde el principio. Los moisés y las cunas balancín tienen un aspecto maravilloso y crean un ambiente suave y reconfortante para un recién nacido. No obstante, pueden ser caros y pronto se quedan pequeños. Una cuna es más práctica, ya que el bebé puede dormir en ella hasta los tres años, aunque quizá no sea lo adecuado al principio, si el bebé duerme en la habitación de los padres y hay un problema de espacio.

5 consejos para las compras del bebé

1. Piense en si son prácticos o no los principales artículos antes de comprarlos. Por ejemplo, cuando elija un cochecito, piense si podrá manejarlo al subir o bajar de los transportes públicos y si cabrá en el maletero del coche.

2. Considere comprar algunas cosas de segunda mano; las mochilas canguro para llevar al bebé, por ejemplo, pueden estar en buen estado, porque los bebés las dejan pequeñas muy pronto. No obstante, siempre hay que comprar nuevos los artículos que puedan deteriorarse por el uso, como las sillas para el coche o los colchones.

3. Compre solo unos cuantos conjuntos de ropa en talla de recién nacido. El bebé los dejará pequeños muy rápidamente, y es probable que, cuando nazca, le regalen mucha ropa de esa talla.

4. Piense en comprar ropa y equipo casi nuevos a sus amigas.

5. Muchas empresas de venta por catálogo o Internet se especializan en ropa y equipo para bebé y sus precios pueden ser muy competitivos.

Elegir un moisés o cuna balancín

Los moisés, en los que cabe un recién nacido hasta los cuatro meses, son ligeros, pequeños y portátiles y van equipados con un soporte con patas. Hay tres tipos de cuna balancín: la cuna mecedora que descansa en el suelo, la cuna de péndulo que va suspendida de un armazón y la cuna columpio con un soporte desmontable.

Asegúrese de comprar un moisés lo bastante sólido como para soportar el peso de un niño sano que crece rápidamente. En cualquier caso, tendrá que trasladar el niño a una cuna normal cuando alcance el límite de peso establecido por el fabricante, si parece que el moisés se le ha quedado pequeño o le ve inquieto. Piense también en lo siguiente:

- *Topes en las patas y las ruedas.* Asegúrese de que tanto los moisés como las cunas con patas plegables tienen mecanismos de fijación para que sean estables.
- *Capotas que se pliegan hacia atrás.* Si no se pliegan, puede resultar difícil coger al bebé.
- *Bordes y esquinas redondeados.* Asegúrese de que la cuna o el moisés no tienen filos agudos que puedan hacer daño al bebé. Esto es especialmente importante en los moisés tejidos o de mimbre.
- *No use edredones, cintas y cordones.* No se deje seducir por una ropa de cama monísima. Quite cualquier cinta o cordón que pudiera estrangular al bebé. Si el moisés lleva un edredón, quítelo; se ha asociado la ropa de cama blanda al SMSL (véase p. 309).
- *Un colchón firme que encaje perfectamente.* Si puede meter dos dedos entre el colchón y el borde de la cuna o el moisés, el colchón es demasiado pequeño.
- *Una buena base.* Las cunas y los moisés deben tener una base fuerte y ancha.

Elegir una cuna

Tanto si tiene intención de poner al bebé en una cuna desde que nazca o más tarde, vale la pena echar una ojeada ahora, ya que quizá tenga que encargarla con tiempo.

Al elegirla, piense en cuánto tiempo cree que el bebé dormirá en ella. Si compra una más grande, el bebé no necesitará una cama durante bastantes años. Algunas cunas se convierten en pequeñas camas, lo cual puede resultar útil. No obstante, recuerde que a la larga necesitará una cama individual y que tal vez quiera usar la cuna si piensa tener otro hijo.

Las marcas más caras suelen ofrecer características extra, como diversas alturas para el colchón. Algunas están diseñadas para encajar en un rincón, mientras que otras tienen laterales que se pueden retirar por completo de forma que la cuna se convierta en una extensión de la cama de los padres: es una solución excelente si quiere tener al bebé lo más cerca posible por la noche, sin que esté exactamente en su cama. Las ruedas bloqueables facilitan cambiar la cuna de sitio y limpiar por debajo.

Cuando compre una cuna, es muy importante que compruebe los siguientes elementos de seguridad:

- *Espacios estrechos entre los barrotes laterales.* El espacio entre dos barrotes laterales no debe ser mayor de 8 centímetros, para impedir que el bebé quede atrapado entre ellos.
- *Doble resorte en las barandillas laterales.* Debe haber un cerrojo en cada extremo para impedir que el niño baje la barandilla. Cuando esté bajada, la parte superior debe estar, por lo menos, a 23 centímetros por encima del soporte del colchón para impedir que el niño se caiga. Cuando esté levantada, la parte superior debe estar, por lo menos a 66 centímetros en su posición más baja. Antes de comprar una cuna, levante y baje los laterales de cada modelo, para ver cuál es más fácil de abrir. Tenga en cuenta que cuando el bebé crezca un poco puede aprender a bajar los laterales él mismo.
- *Juntas y mecanismos bien ensamblados.* Compruebe que todas las piezas de la cuna quedan cerradas con total seguridad una vez montada, y que la cuna es resistente. Las piezas móviles deben funcionar con suavidad para que la ropa o los dedos no queden atrapados.
- *Un colchón que ajuste bien.* No debe haber ninguna posibilidad de que el bebé quede atrapado entre el colchón y la cuna. El propio colchón debe ser siempre nuevo y firme, con una funda de plástico y con refuerzos en las esquinas y los lados.
- *Diseño sencillo y práctico.* No compre modelos con partes recortadas, ya que el bebé podría meter la cabeza o el brazo dentro.
- *Un historial de seguridad intachable.* No compre nunca una cuna muy usada o vieja, ya que no sabrá cuál es su historia. Todas las cunas tienen que satisfacer las principales normas de seguridad.

Elegir un colchón

Si le han regalado una cuna o si ya tiene una, tendrá que comprar un colchón nuevo. La mayoría están hechos de espuma o tienen muelles. Muchos padres eligen los colchones de espuma, hechos de poliéster o polietileno, porque pesan menos y son más baratos que los de muelles.

Elija siempre un colchón de espuma de gran densidad —unos 24 kg por metro cúbico— que tenga secciones ventiladas, tanto en la parte superior como en el centro. Un colchón de muelles aguantará más tiempo sin deformarse. Busque un colchón con un mínimo de 150 muelles. Para lograr la máxima durabilidad y resistencia al agua, elija un colchón con funda de vinilo y las esquinas reforzadas.

MOVERSE ARRIBA Y ABAJO

El bebé tiene que estar cómodo y seguro cuando lo saque de casa. Si usted va a pie, necesitará un cochecito, una sillita o una mochila. Si va en coche, es esencial contar con un asiento especial.

Cochecitos y sillas

Un artículo del que no querrá carecer es un cochecito o sillita. Hay una gran variedad para escoger: cochecitos tradicionales con un chasis dotado de suspensión, combinaciones de tres en uno, sillitas todoterreno, sillitas de tamaño estándar y sillitas dobles. Para ayudarla a decidirse por el modelo adecuado, piense en su modo de vida. Si lo va a usar cada día en la ciudad y si piensa en tener más hijos, un cochecito tradicional es muy duradero y cómodo de llevar.

Si es usted muy activa y está decidida a mantenerse en forma, la respuesta puede ser una sillita todoterreno, que puede empujar hasta cuando practique *jogging*. Compruebe los límites de edad recomendados antes de comprarla, para asegurarse de que los puede utilizar desde que nazca.

Portabebés estilo canguro y mochilas

Un portabebés sostiene al bebé contra su pecho y puede usarse tanto dentro como fuera de casa. Algunos dejan brazos y piernas libres; otros cubren al bebé por completo. Antes de comprar, asegúrese de que ofrece un buen apoyo para la espalda y la cabeza, tiene tirantes anchos, para que le resulte cómodo, y puede ponérselo con facilidad, sin ayuda.

Las mochilas suelen ser más resistentes y se venden según la edad del bebé, hasta un límite máximo de peso. Tienen un soporte firme detrás de la cabeza para ofrecer un apoyo extra a un bebé que todavía no sostiene la cabeza él solo.

Antes de comprar una mochila, asegúrese de que no hay ningún fallo en las costuras. Un triple pespunte ofrece la máxima fuerza y durabilidad. Todas las hebillas, cremalleras y sujeciones deben resultar cómodas y estar bien acolchadas. Compruebe que la tela sea lavable, que no encoja y que lleve el logotipo que garantiza que cumple las normas de seguridad.

Los portabebés de algodón, acolchados y lavables a máquina son los mejores para transportar al bebé. Cuando sea mayor y más pesado, es mejor utilizar mochilas más robustas, con armazón de metal.

Sillas para el coche

Es una compra esencial antes de que nazca el bebé, ya que necesitará tenerla cuando se lo lleve a casa desde el hospital. Las sillas para bebés se sujetan mediante el cinturón del coche, con el niño de cara hacia la parte de atrás, para aumentar su seguridad. Estas primeras sillas se pueden usar hasta que el bebé pese unos 13 kg, por lo general hasta los seis meses. Las más cómodas tienen un arnés con tres puntos y se abren con un solo movimiento, un asa también de un movimiento, un soporte que se ajusta a la cabeza del bebé para evitar que vaya de un lado para otro y unos laterales altos y acolchados. Estas sillas pueden usarse fuera del coche; algunas tienen balancín y otras vienen con un chasis y se pueden usar como sillitas de paseo.

Las sillas que pueden colocarse en ambos sentidos se instalan en el coche y le durarán más, aunque su diseño es menos adecuado para un bebé muy pequeño porque suelen ser demasiado rectas. Al principio se usan como una primera silla; luego se convierten en asientos colocados en el sentido de la marcha y pueden usarse hasta que el niño pese 18 kg.

ALIMENTACIÓN

El tipo de equipo que necesitará depende de si piensa dar el pecho o el biberón. Incluso si quiere amamantar al bebé, necesitará algunos utensilios para extraer la leche y biberones para darle esa leche extraída o agua.

Biberones

Pueden ser normales o de boca ancha, tener una forma normal, el cuello ancho o un diseño que facilita cogerlos y pueden tener la boca recta o inclinada. La forma inclinada sirve para que el bebé no trague tanto aire y evitar así los gases. Los biberones pueden ser de plástico o de cristal. Los de plástico pueden contener bisfenol A, del que se sospecha que puede provocar problemas reproductivos, neurológicos y del sistema inmune, por lo que es importante comprar biberones sin esta sustancia. También los hay con interiores desechables; son caros pero cómodos para viajar.

Para un recién nacido, el tamaño de 115 gramos es suficiente, pero es más práctico comprar el tamaño mayor, que podrá seguir usando cuando crezca. La mayoría de esterilizadores aceptan los biberones normales y los de cuello ancho, pero en algunas bolsas de viaje solo caben los normales.

Tetinas

Hay una gran variedad de tetinas, de látex o de silicona; las de látex empiezan a deteriorarse al cabo de un mes y las de silicona duran hasta un año. Las tetinas naturales o con forma ortodóntica imitan la succión del pecho y pueden ser la mejor elección si piensa en una lactancia mixta. Las tetinas anticólico permiten la entrada de aire en el biberón según el bebé lo vacía; así reducirá la cantidad de aire que trague al succionar. Al principio, elija los tipos con el agujero más pequeño o con un flujo variable.

Sacaleches

Tanto si trabaja como si quiere que su pareja pueda alimentar igualmente al bebé, un sacaleches puede ayudarla a extraer la leche del pecho y guardarla para usarla más tarde. Puede escoger un modelo eléctrico o uno manual, dependiendo de sus necesidades.

EL EQUIPO INICIAL DEL BEBÉ

Alimentación

Lactancia materna

- 2 biberones y tetinas.
- Tabletas esterilizadoras o aparato esterilizador.
- Cepillo para limpiar biberones.
- Almohadillas para el pecho, sin forro de plástico.
- Sacaleches (opcional).

Lactancia con biberón

- 6 biberones y tetinas.
- Esterilizador.
- Cepillo para limpiar biberones.
- Calentador de biberones (opcional).

Para cambiarlo

- Colchoneta o cambiador.
- Toallitas limpiadoras para bebé.
- Pomada contra las escoceduras.
- 70 pañales desechables de la primera talla o 24 pañales de tela.

Para los pañales de tela

- Imperdibles.
- Bragas de plástico.
- 2 cubos para pañales.
- Fluido esterilizado.
- Forro para pañales.

Ropa

- 4 peleles.
- 2 camisones o pijamas o 2 peleles más.
- 4 camisetas de algodón.
- 3 jerséis.
- 2 baberos.
- 2 toquillas.
- Gorro, para el frío o el sol dependiendo de la estación.
- Manoplas.

Para dormir

- Moisés o cuna pequeña, o cuna normal y colchón.
- 3 sábanas bajeras ajustables de algodón.
- 3 sábanas encimeras, (opcionales).
- 2 o 3 mantas ligeras.

Baño

- Bañera para bebés.
- Algodón.
- Productos de baño para bebé.
- 2 toallas grandes y suaves.
- Toallita o esponja.
- Cepillo para el pelo.
- Tijeras de punta roma.

CAMBIAR Y BAÑAR AL BEBÉ

Vale la pena tener un cambiador para cambiar al pequeño; así se evitará el dolor de espalda. Elija un cambiador con bandejas o cajones para guardar los pañales, toallas, cremas, etc.

No obstante, también puede usar una colchoneta especial colocada encima de una superficie que esté a la altura de la cintura. Es preciso que las colchonetas se limpien fácilmente y sean ligeramente acolchadas para que el bebé esté cómodo. Cuando salga con el bebé, una pequeña colchoneta de viaje será de un valor inestimable; las plegables son baratas y fáciles de meter en la bolsa de viaje del bebé.

Productos para el bebé

Hasta que tenga unos tres meses, es mejor no usar ninguna clase de jabón ni productos para el baño. El agua es suficiente. No obstante, puede ser útil el aceite o la leche hidratante para bebés, si el pequeño tiene la piel seca y escamosa. No use polvos de talco, ya que hay pruebas que señalan que el bebé podría ahogarse si los inhalara. Asegúrese de que la piel del bebé está protegida del sol con cremas de protección total contra los rayos ultravioleta. Hay muchos productos especiales para bebés.

ROPA

La ropa para bebés se vende, generalmente, por edades: recién nacido, tres meses, seis meses, etc. La ropa hecha en Europa suele venderse por tallas, expresadas en centímetros y empezando en los 50 centímetros. Quizá no encuentre ropa para un bebé de gran tamaño en las tallas para recién nacidos. Si se prevé que su bebé pese 4,5 kilos o más, quizá tenga que empezar con una talla para tres meses. Hay tallas especiales para bebés muy pequeños o prematuros.

Es probable que al bebé no le guste que lo vistan y desvistan, así que elija ropa que sea fácil de poner y quitar. No compre ropa que tenga que lavar a mano o planchar —no tendrá tiempo— y elija fibras naturales ya que reducen al máximo el sudor y la irritación. Compruebe siempre que las costuras sean planas y que no haya etiquetas ásperas.

Peleles

Estos trajes tienen cierres en la parte frontal y en la entrepierna para que resulte fácil cambiar el pañal. Los huesos del bebé son muy blandos y es esencial que los peleles tengan mucho espacio en las piernas y pies para que no impidan el crecimiento.

Camisetas

Deben tener un cuello ancho o de sobre para que puedan deslizarse con facilidad por la cabeza. Muchas marcas de camisetas, del tipo body o ranita, llevan cierres en la entrepierna; esto proporciona calor extra y mantiene el pañal en su sitio. Una vez más, la ropa debe quedar holgada para cuando el bebé crezca.

Ropa para dormir

La mayoría de camisones se cierran con un cordón ajustable en la parte inferior, pero si no es así, el bebé necesitará calcetines para que no se le enfríen los pies. Quizá prefiera ponerle un pelele para dormir o, si hace calor, una camiseta y el pañal.

Ropa para la calle

Los bebés pierden mucho calor por la cabeza, que es grande en proporción con su cuerpo; por ello es esencial un gorro en invierno y aconsejable en primavera y otoño. En verano también se necesita, si piensa pasar mucho tiempo al sol. Si hace mucho frío y la sillita no ofrece mucha protección contra los elementos, necesitará una cubierta de plástico. Las toquillas, las chaquetas de punto y las manoplas son útiles contra el frío y deben ser de punto apretado para que no se enganchen los dedos del bebé. Si hace mucho calor, compre unos cuantos peleles ligeros para el verano.

PREPARARSE PARA EL PARTO

Conforme se acerque el término de su embarazo, tendrá que prepararse para el parto, tanto física como emocionalmente. Ahora es el momento de pensar en qué cosas puede hacer para estar más cómoda y resolver cualquier preocupación que tenga sobre el alumbramiento.

Aunque puede sentirse ilusionada con la idea de tener un hijo, quizá no sienta tanto entusiasmo respecto al parto en sí mismo. Es muy natural, ya que el acto de dar a luz afecta a una parte muy sensible y privada de su cuerpo, lo cual entraña abundantes sentimientos y emociones. Esté preparada para reaccionar de forma emotiva, además de física, al proceso de dar a luz y procure resolver todos sus miedos por adelantado para que el parto sea una experiencia positiva y sin problemas.

Los temores emocionales pueden tener un efecto físico muy directo en el parto. Una mujer que no esté preparada para el dolor de las contracciones normales puede creer que algo va mal e incluso asustarse. Esto suele alterar su respiración, aumentar la tensión de los músculos y, por ello, el dolor; e incluso puede disminuir el flujo de oxitocina, la hormona que hace que el útero se contraiga. Aprender todo lo relativo al parto y recibir un buen apoyo durante el mismo puede ayudar a trabajar con las contracciones, en lugar de resistirse a ellas.

La mejor manera de evitar esa resistencia es procurar detectar y resolver cualquier problema emocional que pudiera tener enterrado profundamente en su subconsciente. No es ninguna coincidencia que sus fantasías y temores afloren al final del embarazo para ayudarla a hacer frente a los problemas antes del parto y puede aprovechar esta oportunidad para eliminarlos de su vida para siempre. Si ha tenido experiencias especialmente difíciles y traumáticas, como abusos sexuales o un parto anterior que fue mal, puede resultarle beneficioso buscar consejo profesional.

5 consejos para ayudarla en el período final del embarazo

1. Lleve ropa ligera y holgada. Sentirá más calor del habitual, principalmente debido al aumento de los depósitos de grasa y a la aceleración de su metabolismo.

2. Procure dormir todo lo que pueda. Complemente el sueño de la noche con siestas durante el día, especialmente si se despierta a menudo por la necesidad de ir al lavabo.

3. Manténgase hidratada. Beba mucho líquido para responder mejor a la aceleración de su metabolismo y para aliviar la hinchazón de pies y piernas.

4. Tómese un descanso siempre que pueda. Si tiene los pies y las piernas hinchados, siéntese y ponga los pies sobre un taburete durante 10 o 15 minutos, tres veces al día.

5. Aumente su ingesta de proteínas. Leche, huevos, carne y pescado pueden aliviar algunos de los problemas del final del embarazo.

Programa de ejercicios para el final del embarazo

En este estadio de su embarazo debe seguir haciendo sus ejercicios diarios (véase p. 117). A partir de las 28 semanas, podrá añadir algunos más a fin de estar en forma para el parto.

Sentada estilo sastre. Esta posición ayuda a mejorar la flexibilidad en preparación para el parto. Póngase unas almohadas debajo de los muslos para apoyarlos y siéntese con la espalda recta y las plantas de los pies juntas. **(1)** Acerque los talones hacia el perineo, utilizando los brazos para empujar los muslos hacia abajo. Relaje los hombros y la nuca y respire profundamente. Mantenga el estiramiento mientras cuenta hasta doce y repítalo diariamente.

Conforme gane flexibilidad, puede retirar las almohadas de debajo de los muslos **(2)**, y empujar las rodillas, acercándolas al suelo.

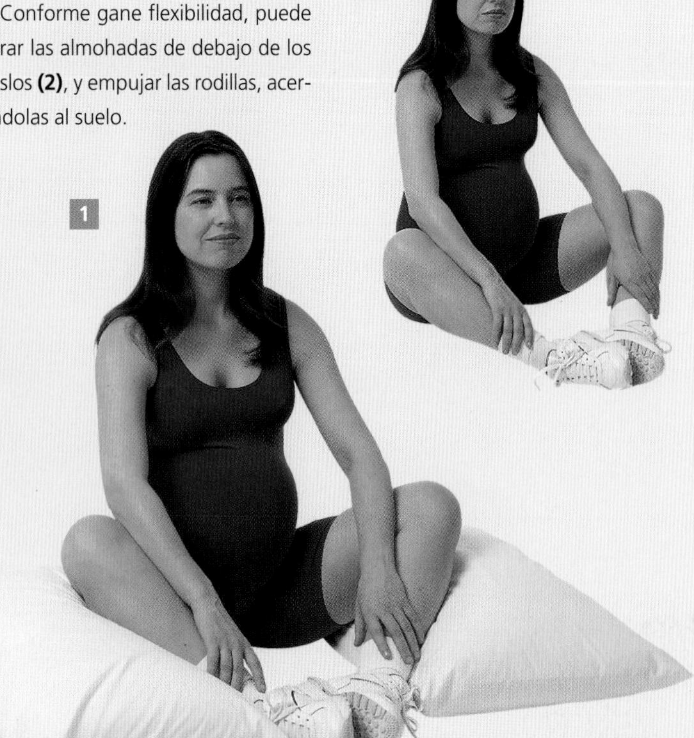

PEZONES PLANOS E INVERTIDOS

La lactancia puede complicarse si se tienen los pezones planos o invertidos, aunque con el consejo acertado de su comadrona o asesora de lactancia podrá ayudar a su bebé a mamar sin problemas (véase p. 301). Existen prótesis de plástico especialmente diseñadas que contribuyen a la erección de los pezones y que pueden facilitar la lactancia. Si practica ahora poniéndoselas y llevándolas, llegado el momento podrá decidir más fácilmente si le conviene o no usarlas.

MÚSCULOS PELVIANOS

Alrededor de las 28 semanas, vaya aumentando la intensidad de los ejercicios de Kegel (véase p. 122). Empiece por mantener cada contracción mientras cuenta hasta diez y repítalo doce veces, tres veces al día.

Varíe su técnica. Intente cambiar la velocidad de las contracciones para adquirir mayor flexibilidad y control. Cuente rápidamente hasta 10 o 20, contrayendo y relajando el suelo pélvico cada vez que diga un número. O hágalo despacio: contraiga mientras cuenta lentamente hasta cuatro, mantenga la contracción mientras cuenta hasta 10, y luego relaje lentamente los músculos mientras vuelve a contar hasta cuatro.

Postura en cuclillas adaptada

Bajar mucho en la postura en cuclillas no es aconsejable en esta etapa, pero una postura adaptada refuerza los músculos de los muslos y puede ayudar a que el bebé descienda a la pelvis de forma adecuada. De pie, con los pies separados, en línea con las caderas y a unos 60 centímetros de la pared, apoye las manos esta. Mantenga la espalda plana contra la pared y baje lentamente hasta que los muslos estén casi paralelos al suelo. Vigile que las rodillas no sobresalgan de los pies. Manténgase en esta postura un momento y luego vuelva a enderezarse lentamente. Repita el ejercicio doce veces, dos veces al día.

Balanceo de la pelvis

Este ejercicio puede aliviar el dolor de espalda al final del embarazo y durante el parto. Póngase a gatas, con las rodillas en línea con las caderas. Ponga el cuello y la cabeza rectos, siguiendo la línea de la columna, y la espalda recta **(1)**, no deje que se hunda. Curve los hombros y la espalda lentamente y deje caer la cabeza **(2)**, contrayendo el abdomen y las nalgas al hacerlo. Mantenga la postura un momento y luego vuelva gradualmente a la posición inicial. Repita el ejercicio diez veces, dos veces al día o siempre que note que está tensa.

MASAJE PERINEAL

A partir de las 34 semanas puede utilizar esta técnica para dar elasticidad al tejido de alrededor de la vagina y el perineo como preparación para el parto.

Lávese siempre las manos antes y después de este ejercicio. Utilice un espejo de mano para localizar la abertura vaginal, el perineo y la uretra.

Siéntese o recuestese cómodamente, con una toalla debajo de las caderas. Con un lubricante que no contenga petróleo, por ejemplo el gel K-Y, cúbrase los pulgares y la zona perineal. Meta los pulgares 3 o 4 centímetros dentro de la vagina. Presione suavemente hacia abajo y hacia los lados. Estire hasta que note cierto hormigueo. Mantenga la presión unos dos minutos.

Sin dejar de ejercer presión, masajee suavemente hacia delante y hacia atrás por la mitad inferior de la vagina durante tres o cuatro minutos. Tenga cuidado de no tocar la uretra durante el masaje debido al riesgo de infección del tracto urinario.

A muchas mujeres les resulta muy útil darse una vuelta por la sala de partos con antelación. Al hacerlo, puede imaginarse dando a luz y prepararse emocionalmente para cuando llegue el momento de la verdad.

SU CUERPO AL FINAL DEL EMBARAZO

Durante las últimas semanas del embarazo seguramente le resultará cada vez más difícil estar cómoda, ya que el bebé ocupa más y más espacio y es probable que tenga una serie de problemas menores. Para más información, véase el capítulo 2.

La indigestión es una de las molestias más habituales al final del embarazo. Mientras las hormonas relajan el esfínter entre el estómago y el esófago, el bebé presiona cada vez más en el abdomen, provocando un reflujo de gases y jugos gástricos al interior del esófago. Puede aliviar esta molestia si no toma comidas abundantes, si no come cerca de la hora de dormir y durmiendo más incorporada, con almohadas extra, para impedir que los ácidos suban. Los antiácidos que contienen carbonato de calcio no suelen ser efectivos porque causan un aumento de la acidez en el estómago.

El estiramiento abdominal le puede causar una desagradable sensación de quemazón en la tensa barriga. Son unos dolores muy comunes y superficiales, llamados, a veces, puntos calientes; si nota el dolor más en el interior del abdomen, debe informar a su médico. Esos puntos calientes pueden irritarse si se lleva ropa ajustada o pesada, así que no utilice pantys, sino ropa holgada y aplíquese una bolsa de hielo para aliviar la quemazón.

Usado de vez en cuando, el cinturón abdominal diseñado para el embarazo es útil para el dolor de espalda,

¿Cómo está colocado el bebé?

Cabeza abajo

Esta es la mejor postura para el nacimiento y más de un 95 % de bebés la adopta antes del inicio del parto. Si el bebé tiene la espalda hacia el abdomen de la madre, esto se llama postura occipitoanterior; si la tiene hacia la columna vertebral, se llama postura occipitoposterior. Esta segunda postura puede provocar fuertes dolores de espalda durante el parto.

Presentación de nalgas

Hasta un 4 % de bebés se coloca con las nalgas o los pies abajo. Esto se conoce como presentación de nalgas. Como hay algún riesgo, pequeño pero importante, en el parto vaginal de un bebé en esa postura, especialmente si se trata de un primer parto, algunos médicos practicarán siempre una cesárea. No obstante, puede realizar ejercicios para que el bebé se coloque cabeza abajo (véase a la derecha).

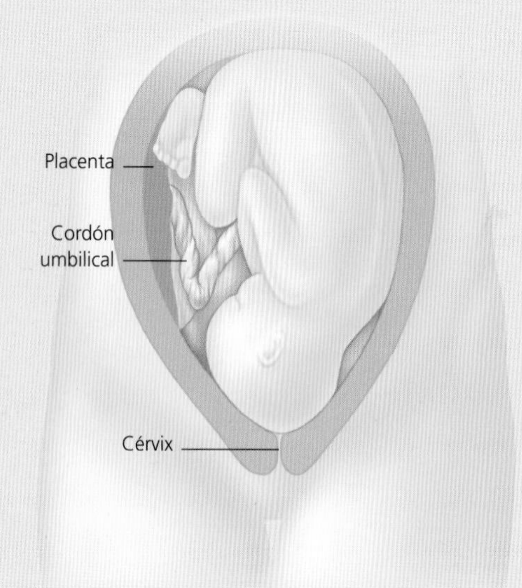

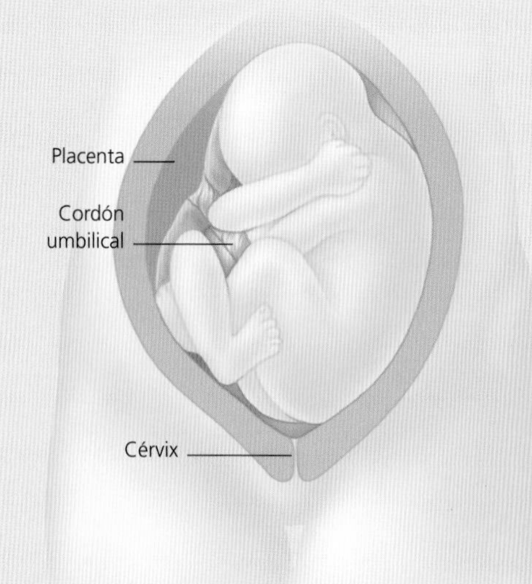

especialmente para las mujeres cuyos músculos abdominales se han estirado debido a unos embarazos frecuentes o poco espaciados. En la página 123 encontrará ejercicios para reforzar los músculos abdominales.

AYUDAR A UN BEBÉ QUE ESTÁ DE NALGAS A DARSE LA VUELTA

Cuando el bebé es todavía relativamente pequeño, antes de las 32 semanas, tiene espacio para cambiar de postura con frecuencia. Luego, la mayoría se acomoda en su postura preferida (véase abajo) y es importante saber cuál es, ya que esto puede tener un profundo efecto en el parto. Su médico puede saber la postura del bebé palpando el abdomen de la madre. Si está colocado de nalgas o transversal, quizá se pueda hacer que adopte la postura de vértice o cabeza abajo con las siguientes técnicas:

Presentación transversal

Menos de un 1 % de bebés están colocados a través del útero. Esta posición se conoce como transversal u oblicua y hace que el parto vaginal sea imposible. A veces es posible cambiar estas posiciones practicando el giro de nalgas después de las 32 semanas y la técnica externa después de las 37 semanas.

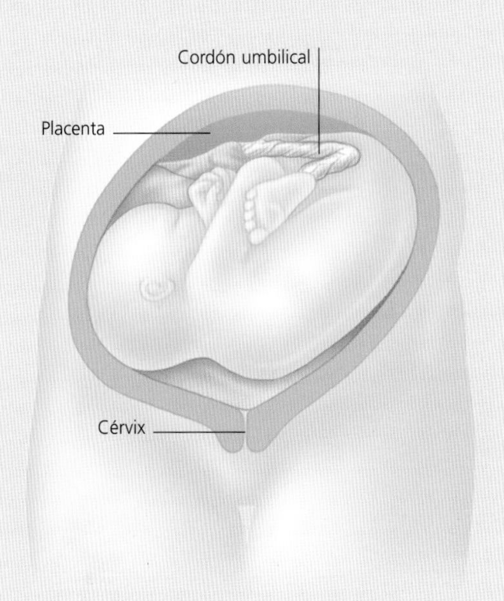

Giro de nalgas

Acuestese de espaldas con las rodillas dobladas y coloque cuatro almohadas o cojines mullidos debajo de las nalgas para que la pelvis esté más alta que el estómago.

También puede arrodillarse en el suelo con las nalgas levantadas lo más arriba posible y la cabeza apoyada en los brazos doblados. Permanezca en esta posición durante un mínimo de 10 minutos cada día. Al estar la pelvis más alta que el estómago, permitirá que la cabeza del bebé flote, lo cual lo animará a darse la vuelta para que la cabeza se mueva hacia arriba, en la pelvis.

Visualización

Con el estómago vacío, concéntrese en relajar el abdomen mientras visualiza al bebé dándose la vuelta. Esta técnica fue desarrollada por la doctora Juliet DeSa Souza, que descubrió que tenía éxito en dar la vuelta a un 89 % de presentaciones de nalgas, por lo general en dos o tres semanas.

Técnica fetal externa

Si el bebé no se da la vuelta antes de las 37 semanas de embarazo, algunos tocólogos practican una técnica externa, manipulando el abdomen de la madre para que el bebé gire lentamente. Este procedimiento no carece de riesgos, que su tocólogo discutirá con usted. La técnica externa se lleva a cabo, preferentemente, en las semanas 37 o 38, cuando hay suficiente líquido amniótico para permitir cierto movimiento. La tasa de éxito varía entre el 50 y el 70 %.

COLOCACIÓN DE LA CABEZA DEL BEBÉ

Otro aspecto que afecta al parto es la forma en que la cabeza del bebé gira mientras desciende por la pelvis. Dado que la abertura superior de la pelvis es ovalada, con el eje largo de lado a lado, el bebé entra en la pelvis mirando hacia un lado. Pero la abertura inferior es ovalada con el eje largo de delante atrás y la parte más ancha delante. Esto significa que la cabeza debe girar durante el descenso de forma que el bebé mire hacia la columna de la madre, en lo que se conoce como postura occipitoanterior. Por desgracia, un 20 % de bebés giran en busca de una postura occipitoposterior, mirando hacia delante. Esto puede llevar a un parto prolongado (véase p. 250).

HACER LAS MALETAS

Bolsa para el parto

- Monedas para llamar por teléfono, aparcar o para tentempiés.
- Teléfono móvil.
- Números de teléfono para cuando empiece el parto: acompañante para el parto, *doula*, médico/comadrona, familia.
- Números de teléfono para después del parto: amigos, parientes, ambulatorio, pediatra.
- Cámara o equipo de vídeo.
- Revistas, libros y otras cosas para distraerse.
- Tentempiés para usted y su acompañante.
- Reloj con manecilla para cronometrar las contracciones.
- Loción o polvos para masaje.
- Bolsas frías y calientes para aliviar la espalda.
- Zapatillas y calcetines gruesos para los pies fríos.
- Cepillo, pasta de dientes y elixir bucal.
- Cepillo para el pelo, clips y cintas.
- Almohada, si es conveniente.

Bolsa para después del nacimiento

- Bata, camisones y ropa interior.
- Compresas sanitarias.
- Accesorios para dar el pecho: sujetadores y almohadillas especiales para la lactancia, lanolina purificada para los pezones.
- Bolsa y pañales para cambiar al bebé.
- Ropa para el bebé.
- Artículos de tocador.
- Tarjetas para anunciar el nacimiento, lista de direcciones y bolígrafo.
- Un álbum del bebé para las huellas de los pies.
- Carretes extra de película.

Bolsa para ir a casa

- Ropa holgada y zapatos cómodos.
- Bolsa para llevarse los regalos y lo que le den en el hospital.
- Silla de bebé para el coche.
- Ropa de calle para el bebé: camisita, pelele, toquilla y ropa de invierno si es necesario.
- Pañales y toallitas limpiadoras.

CONTROLAR EL BIENESTAR DEL BEBÉ

Cuando empiece a notar los movimientos del bebé, entre la semana 18 y la 20, es buena idea llevar un registro de sus niveles de actividad en una hoja llamada de «recuento de patadas». Después de la semana 28 tendría que poder contar diez movimientos al día, por lo menos, entre las nueve de la mañana y las nueve de la noche. Es una prueba fiable del bienestar del bebé; si nota menos de ese número, llame al médico lo antes posible. Siempre debe informar de cualquier disminución significativa del movimiento del bebé, tanto si lo apunta como si no.

PREPÁRESE PARA IR AL HOSPITAL

Conforme crece la excitación, hacia el final del embarazo, tiene que asegurarse de que todo estará a mano cuando lo necesite. Por lo menos cuatro semanas antes de salir de cuentas tiene que hacer las maletas, dejando espacio para las cosas de última hora, y hacer los preparativos finales para el trayecto al hospital. Si va a dar a luz en casa, también hay que hacer unos preparativos especiales, así que hable con su médico.

Planes de viaje

Decida cómo va a ir al hospital. ¿Tiene confianza en el transporte que ha organizado? Es una buena idea tener un plan alternativo. Hable con una amiga o tenga a mano el teléfono de una compañía de taxis fiable. Trace un mapa con la ruta más fácil y pruébela; quizá descubra que necesita otra diferente para las horas punta. También puede ser necesario encontrar un aparcamiento barato. Averigüe cuál es la entrada que tiene que usar en el hospital y adónde tiene que ir una vez dentro.

Si tiene hijos, tendrá que reservar a una canguro para que se quede con ellos en casa o los vaya a recoger enseguida. De nuevo, asegúrese de que cuenta con un par de alternativas, por si acaso.

HOJA MUESTRA DE «RECUENTO DE PATADAS»

	SEMANA 39							SEMANA 40						
HORA	**L**	**M**	**Mi**	**J**	**V**	**S**	**D**	**L**	**M**	**Mi**	**J**	**V**	**S**	**D**
9														
9.30														
10														
10.30														
11														
11.30														
12														
12.30														
13														
13.30														
14														
14.30														
15.00														
15.30														
16.00														
16.30														
17.00														
17.30														
18.00														
18.30														
19.00														
19.30														
20.00														
20.30														
21.30														
Si hay menos de diez movimientos hasta las 9 de la noche, anote el número total aquí														
9														
8														
7														
6														
5														
4														
3														
2														
1														

SALIR DE CUENTAS

Los días o semanas que pasen de su fecha de término pueden ofrecerle un período crucial de descanso extra antes del parto. Solo un 5 % de mujeres da a luz en la fecha prevista; la mayoría lo hace un poco después.

La razón principal de que la fecha prevista raramente sea precisa es que se calcula en torno a las 40 semanas desde el principio de su último período. Se espera que el bebé nazca entre dos semanas antes y dos después de esa fecha, así pues, oficialmente solo se considera que un parto se retrasa después de las 42 semanas.

También es corriente que un bebé se retrase si es el primer embarazo. Un primer embarazo se prolonga, como término medio, hasta ocho días después de la fecha prevista. El segundo niño suele nacer con tres días de retraso. Igualmente, una mala colocación de la cabeza del bebé puede retrasar el parto.

Muchas mujeres prefieren no preocupar a su familia y amigos y les dan unas fechas vagas, como, por ejemplo, a mediados de junio. Esto las ayuda a prepararse para continuar después de salir de cuentas. Si el embarazo se acerca a las 42 semanas, el médico estudiará la inducción al parto (véase p. 186).

CONTROLAR AL BEBÉ QUE SE RETRASA

Un pequeño número de embarazos dura más que la capacidad de la placenta para nutrir al feto. Dado que esto puede causar problemas al bebé, la comadrona o el médico le recomendarán precauciones especiales después de la semana 40 para garantizar que la criatura esté bien:

- *Hojas para llevar la cuenta de las patadas.* Debe contar por lo menos 10 movimientos durante un período de 12 horas durante el día (véase p. 207). Si no es así o si el bebé parece menos activo de lo habitual, llame al médico o vaya al hospital inmediatamente.
- *Control del latido cardíaco fetal.* Suele hacerlo la comadrona en la consulta o bien en la sala de partos del hospital.
- *Perfil biofísico.* Se obtiene mediante ultrasonidos que miden los movimientos y respiración fetales y la cantidad de líquido amniótico.

6 medios naturales para inducir al parto

1. Los ejercicios para colocar al bebé (véase p. 205) pueden ayudar a evitar que el embarazo se prolongue más de lo debido.

2. Las relaciones sexuales pueden ayudar a preparar el cérvix para el parto. El semen es rico es prostaglandinas, unas hormonas conocidas por ablandar el cérvix. El orgasmo estimula, asimismo, las contracciones uterinas.

3. La estimulación de los pezones provoca la secreción de la hormona oxitocina, que estimula el útero a contraerse. En ocasiones la estimulación de los pezones puede provocar unas contracciones fuertes y prolongadas y tener como resultado una disminución del flujo sanguíneo hasta el bebé. Esta técnica se debe usar bajo la supervisión de un profesional preparado.

4. La preparación emocional es un componente del parto del que raramente se habla. Las mujeres que no están emocionalmente preparadas pueden impedir, inconscientemente, el parto. Si le preocupa el efecto que el bebé tendrá en su vida, hable de ello con su pareja o con su médico.

5. Ciertos remedios homeopáticos y de hierbas pueden estimular la actividad uterina. No hay estudios científicos que determinen lo seguros o eficaces que son esos remedios; así pues, no tome nada sin contar con el consejo médico.

6. Despegar las membranas fetales requiere introducir un dedo enguantado en el cuello uterino y separar las membranas de la parte inferior del útero. Según algunos, pero no todos, los estudios realizados, este procedimiento reduce la posibilidad de que el parto se retrase más de la cuenta. Solo debe hacerlo un médico.

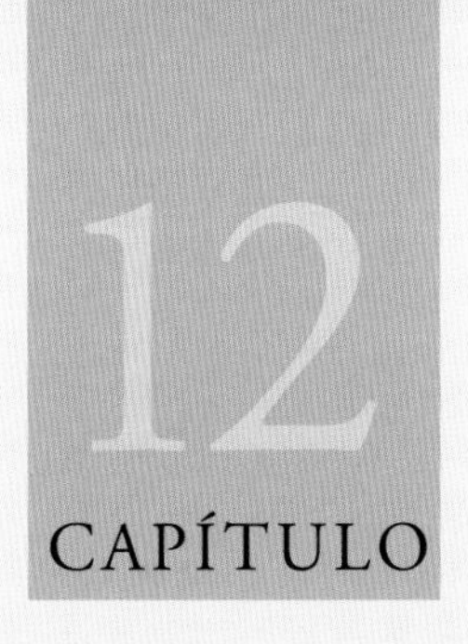

EL PARTO Y LA EXPERIENCIA DE DAR A LUZ

Ya está cerca el momento en que tendrá que pasar por el proceso del parto, que culminará en el nacimiento del bebé. Es una perspectiva que impone, pero le será de incalculable valor aprender todo lo que pueda sobre lo que sucede durante el parto y el alumbramiento. Esa información hará que se sienta más dueña de la situación, más segura de sí misma y más capaz de disfrutar de ese acontecimiento especial.

RECONOCER EL INICIO DEL PARTO

Antes de que empiece el parto, su cuerpo tiene que experimentar ciertos cambios. Para la mayoría de mujeres, estos preparativos previos al parto se producen en algún momento de las tres semanas anteriores o las dos posteriores a su salida de cuentas; solo un 5 % de mujeres dan a luz en la fecha prevista.

Sus emociones pueden sufrir grandes altibajos antes del parto. Al pensar en la llegada del bebé tanto puede sentirse ilusionada como, al momento siguiente, creer que no está en absoluto preparada para el parto, el alumbramiento y la maternidad. Todos estos sentimientos son completamente naturales. Es también corriente sentirse un poco desanimada durante estas últimas semanas de embarazo; parece como si el bebé ocupara totalmente su cuerpo y su vida. Si se siente así, procure mantener una actitud positiva, regalándose una tarde loca de compras para el bebé o saliendo a almorzar con alguna amiga.

INDICIOS DE QUE SE ACERCA EL PARTO

En los días o semanas antes de que nazca el bebé puede tener una serie de síntomas de que el cuerpo se está preparando para ese momento. Si va a ser madre por vez primera, estos cambios físicos empezarán semanas antes del momento de dar a luz. En los siguientes embarazos, es más probable que los cambios se produzcan más cerca del parto.

Encajamiento

Cuando la parte inferior del útero se ablanda y ensancha, la cabeza del bebé desciende hacia la pelvis. Esto se conoce como encajamiento y en ese momento descubrirá que tiene más espacio para respirar. Puede que, si ha tenido acidez, desaparezca y no se sentirá tan llena e incómoda después de comer. El encajamiento suele producirse entre dos y cuatro semanas antes del comienzo del parto si es su primer bebé; en los siguientes embarazos, con frecuencia se produce cuando el parto está a punto de empezar.

Presión sobre la pelvis

Cuando la cabeza del bebé esté encajada, puede notar algunas molestias menores. Es probable que tenga que orinar y defecar más a menudo, debido a la presión que la cabeza ejerce sobre la vejiga y los intestinos. La relajación de las articulaciones y ligamentos puede pro-

CÓMO SE ENCAJA LA CABEZA

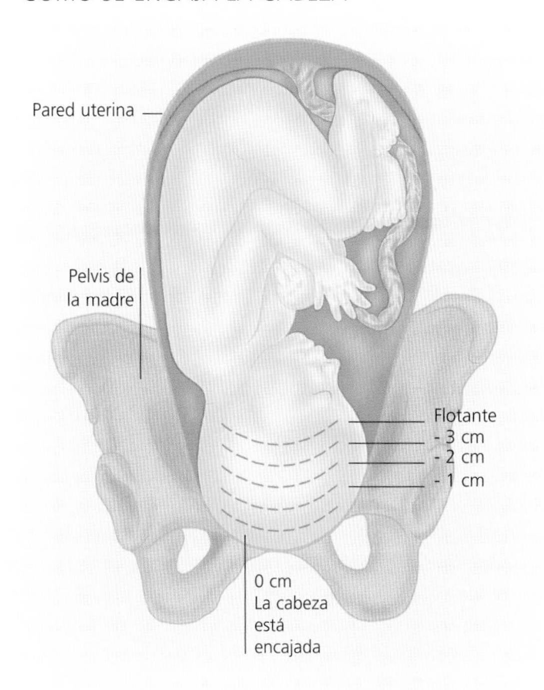

vocarle dolores en los huesos del pubis y en la espalda y quizá note unas punzadas agudas cuando la cabeza del bebé presione sobre la base de la pelvis. La compresión de los vasos sanguíneos de la pelvis puede hacer que sus piernas y pies se hinchen. Practicar los ejercicios de balanceo de la pelvis (véase p. 203) y echarse sobre el costado izquierdo pueden aliviar parte de esa presión.

Secreción vaginal

Muchas mujeres experimentan un aumento en las secreciones vaginales cuando el cérvix se ablanda. Estas mucosidades suelen ser como la clara de huevo, pero también pueden estar teñidas de rojo. Una secreción amarilla o espumosa puede ser un síntoma de infección, así que debe informar a su médico de inmediato.

Preparar el nido

Si durante el último mes descubre que la asalta un súbito deseo de vaciar cajones, ordenar armarios y limpiar la casa de arriba abajo, está experimentando lo que se conoce como el «instinto de preparar el nido», un impulso materno innato de preparar el hogar para la inminente llegada del bebé. Aunque quizá quiera sacar el máximo partido de este estallido de energía, tenga cuidado de no exagerar. Tiene que conservar sus fuerzas para el momento del parto.

Contracciones de Braxton Hicks

Denominadas así por el médico que las identificó, no son verdaderas contracciones, sino «prácticas» destinadas a estirar la parte inferior del útero, para que la cabeza del bebé encaje en la pelvis, y ablandar y adelgazar el cérvix. En el tiempo que queda hasta el parto, estas contracciones de práctica pueden intensificarse, produciéndole la sensación de que el útero se endurece y se contrae. Por lo general, tumbarse la ayudará a aliviar las molestias.

Escalofríos y temblores

Cuando empiecen los síntomas del parto o del preparto, puede sentir escalofríos o temblores sin ninguna razón aparente, con frecuencia sin que tenga sensación de frío o debilidad. Esto suele estar producido por las hormonas del estrés o por una alteración en los niveles de progesterona.

Diarrea

Las prostaglandinas, que son las sustancias químicas liberadas en los inicios del parto, a veces pueden provocar diarreas.

INDICIOS DE QUE EL PARTO ES INMINENTE

Sigue sin conocerse la causa exacta del inicio del parto. La teoría que goza de mayor respaldo es que el bebé produce sustancias que tienen como resultado un cambio en las hormonas del embarazo. También es posible que, hacia el final del mismo, la madre desarrolle mayor sensibilidad a unas sustancias que producen las contracciones uterinas. Así pues, ¿cómo saber que se ha puesto de parto si no hay un principio claramente definido? Esto es lo que preocupa a todas las mujeres embarazadas, pero puede tener la seguridad de que cuando llegue el momento, lo sabrá.

LA SALUD ES LO PRIMERO

Coloración del líquido. **Si al romper aguas estas están teñidas de amarillo, verde o marrón, el líquido amniótico contiene meconio, que es la primera deposición del bebé y que normalmente se expulsa después del nacimiento. Si esto sucede antes, podría ser una señal de que existe sufrimiento fetal; por ello, póngase enseguida en contacto con el médico.**

Aunque el único síntoma seguro de que el parto ha empezado son unas contracciones regulares, que hacen dilatar ela cérvix, hay otras señales que indican que el parto es inminente.

Expulsión del tapón mucoso

A medida que el cuello uterino se adelgaza y dilata, se desprende el tapón mucoso que cierra el cérvix. Este desprendimiento suele aparecer con la forma de una pequeña cantidad de mucosidad de color castaño o rojo brillante. También puede producirse un flujo más abundante o pasar sencillamente inadvertido. Aunque puede ser una señal de que el parto puede ser inminente, a veces se produce hasta seis semanas antes. No obstante, cuando aparezca, es mejor llamar al médico para que la aconseje.

Rotura de membranas

El saco amniótico que contiene el líquido que envuelve al bebé suele romperse en algún momento durante el parto. A esto se lo conoce como «romper aguas». No obstante, en algunas ocasiones se rompe antes de que empiecen de verdad las contracciones. La mayoría de las mujeres se ponen de parto en las veinticuatro horas después de romper aguas, ya que esa rotura causa la liberación de prostaglandinas, unas sustancias que estimulan las contracciones. A veces incluso una mujer puede haber tenido contracciones antes de romper aguas, sin haberse dado cuenta. Una vez rotas las membranas, pueden intensificarse las contracciones ya que la parte de presentación del bebé (la parte que saldrá primero) ahora presiona directamente contra el cérvix.

Si rompe aguas en casa, tome nota de la hora y de la consistencia del fluido y avise a su médico. El líquido amniótico suele ser claro e inodoro y una vez que el saco se ha roto continuará goteando hasta el alumbramiento. Si aún no ha salido de cuentas, o si el bebé no estaba encajado o estaba muy arriba en la pelvis en su último examen, el médico puede aconsejarle que vaya

¿ESTÁ DE PARTO O ES UNA FALSA ALARMA?

Las contracciones son el único medio seguro de saber si está de parto o no. Utilice este cuadro para averiguar si sus contracciones son auténticas.

Está de parto	Falsa alarma
Las contracciones siguen un ritmo regular: aparecen cada cinco minutos.	Las contracciones son irregulares, aparecen primero cada tres minutos y luego entre cinco y diez.
Son cada vez más fuertes.	No se intensifican con el tiempo.
No desaparecen al andar o descansar.	Pueden disminuir al cambiar de postura o actividad.
Pueden ir acompañadas de la expulsión del tapón mucoso.	No suelen ir acompaladas de una mayor mucosidad ni de una secreción sanguinolenta.
Progresiva dilatación del cuello uterino.	No se detectan cambios significativos en el cuello uterino.

al hospital para que evalúen su situación antes de que empiecen las contracciones.

Después de romper aguas es importante no introducir nada en la vagina, ya que existe el riesgo de infección. Es preferible ducharse que bañarse hasta que el parto propiamente dicho haya empezado y el médico haya evaluado la situación del bebé.

Si siente algo dentro de la vagina después de romper aguas, puede ser el cordón umbilical prolapsado; llame de inmediato al médico y vaya directamente al hospital.

Contracciones regulares

El parto verdadero se identifica porque el cérvix se dilata de forma continuada y las contracciones son más regulares. A veces se dice que las primeras contracciones son una «falsa alarma» porque solo se producen de forma intermitente mientras preparan al útero para el verdadero parto. Estas primeras contracciones estiran la parte inferior del útero para dar cabida al bebé cuando descienda. También ablandan el cérvix, pero no tienen como resultado un cambio en el cuello uterino, como sucede con las contracciones regulares. Las ayudas para el parto o los analgésicos pueden favorecer su relajación y permitir que el útero funcione de forma más eficiente.

En algún momento, las contracciones breves e irregulares son sustituidas por otras que tienen un ritmo estable y duran más tiempo. Estas contracciones van estrechando progresivamente la parte superior del útero mientras ensanchan la parte inferior y abren el cérvix. Por medio de este mecanismo, los fuertes músculos de la parte superior del útero empujan al bebé a través de la parte inferior elástica del mismo.

A veces se produce un parto de riñones (véase p. 251). Si siente dolor de espalda cada cinco minutos, llame al médico y vaya al hospital.

CUÁNDO HAY QUE IR AL HOSPITAL

La primera parte del parto puede durar horas. Si no se siente excesivamente mal, es mejor quedarse en casa, en un ambiente familiar, donde hay muchas cosas para distraerse. No obstante, si tiene muchas molestias, quizá quiera ir antes al hospital. Como recomendación, piense en ir al hospital cuando las contracciones sean tan intensas que no pueda mantener una conversación mientras tiene una y si ha tenido contracciones regulares durante más de una hora, a intervalos de cinco minutos y de una duración de entre 45 y 60 segundos cada una. Las contracciones intensas que se repiten cada tres minutos suelen ser la señal de que el alumbramiento está muy cerca. Si ya ha dado a luz antes, recuerde que el segundo hijo tarda en llegar, por término medio, la mitad de tiempo que el primero.

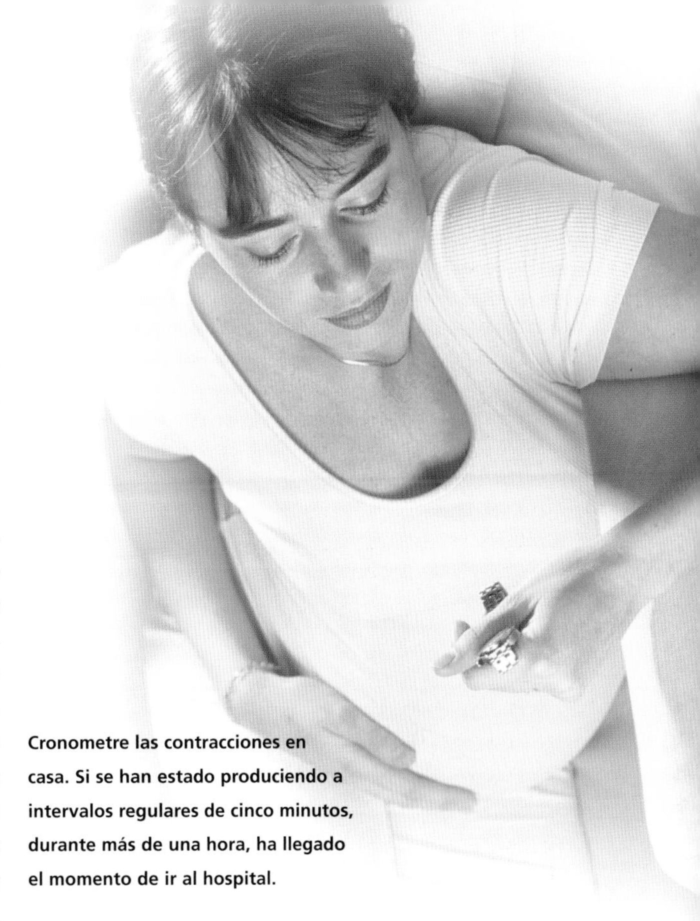

Cronometre las contracciones en casa. Si se han estado produciendo a intervalos regulares de cinco minutos, durante más de una hora, ha llegado el momento de ir al hospital.

Romper aguas en medio de unas contracciones regulares puede ser la señal para ir al hospital. Si rompe aguas antes de que se produzcan las contracciones regulares cada cinco minutos, consulte con el médico. Si no está segura de si verdaderamente está de parto o si se trata de una falsa alarma, no se avergüence de ir al hospital para que evalúen su estado o de pedir a la comadrona que la examine. Es fácil confundir las señales de parto, especialmente si se trata de un primer embarazo; y es mejor pecar por exceso de precaución.

Qué pasará cuando llegue al hospital

Aunque las normas de ingreso en los hospitales varían mucho, una vez admitida tendrá que pasar la misma rutina. Por lo general, en la mayoría de casos, se envía a la mujer a la sala de maternidad o de partos directamente, aunque en algunos hospitales pueden pedirle que vaya a urgencias para que la trasladen a la habitación en silla de ruedas. No se olvide de tener consigo el historial del embarazo. A continuación, puede que la lleven a la sala de dilatación y parto o a la habitación en que dará a luz, donde una comadrona evaluará su progreso mediante los siguientes exámenes:

- *Signos vitales.* A lo largo de la dilatación, le tomarán repetidamente el pulso y la presión sanguínea y comprobarán su respiración y temperatura. También le preguntarán cómo son sus contracciones, si ha roto aguas y si ha comido hace poco.
- *Monitores.* Se controlarán sus contracciones y el ritmo cardíaco del bebé.
- *Examen interno.* Le harán un examen interno para ver si el cérvix está dilatado. Si está en la primera fase de dilatación y todo va bien, es posible que la envíen de vuelta a casa hasta que se ponga de parto.
- *Breve historial.* Le preguntarán qué tipo de embarazo ha tenido y qué analgésico para el dolor quiere, si es que desea alguno. Es probable que le den una bata de hospital para ponerse, aunque algunos hospitales le permitirán llevar su propia ropa si lo prefiere.
- *Vía intravenosa.* Quizá le coloquen una vía intravenosa si le han hecho una cesárea anteriormente o si corre el riesgo de sufrir una hemorragia después del parto. Esa vía es también necesaria si le van a poner la epidural más tarde. Puede que, asimismo, le tomen una muestra de sangre para saber su grupo sanguíneo y comprobar si tiene anemia.

¿SABÍA QUE...?

El segundo parto suele ser más rápido que el primero. Esto se debe a que el canal de parto ya se ha ensanchado para dar cabida al primer bebé y el útero tiene menos trabajo que hacer. Por término medio, el segundo parto dura unas ocho horas y la segunda etapa —empujar— dura la mitad de tiempo que en el primero. El cérvix de una mujer que es madre por segunda vez puede dilatarse más antes de iniciarse el parto propiamente dicho.

Cuando ingrese en el hospital, es posible que la comadrona le pregunte si tiene un plan de parto. Puede comentarlo con ella cuando se lo dé.

LAS FASES DEL PARTO

El parto se divide en tres fases. Durante la primera, las contracciones uterinas trabajan para dilatar el cérvix. En la segunda el bebé deja el útero, desciende por el canal de parto y sale al mundo exterior. La tercera fase es la expulsión de la placenta.

Aunque cada mujer tiene una experiencia única del alumbramiento, todas pasan por estas tres etapas. Todo el proceso dura, como promedio, hasta 18 horas para el primer hijo y hasta 12 para los posteriores. No obstante, algunos partos progresan más lentamente durante la primera fase y luego aceleran al principio de la segunda. Hay diversas razones que motivan que el parto vaya más lento:

- *El bebé está mal colocado.* La mayoría de bebés encaja en el canal de parto con la cabeza doblada hacia abajo, mirando hacia un lado de la madre al pasar por la pelvis y hacia su espalda al salir al exterior. Si el bebé no está colocado de esa manera, puede llevarle un tiempo colocarse bien. Si usted cambia de postura y permanece de pie lo máximo posible, puede ayudarlo a que se encaje bien para nacer.
- *Es preciso moldear y dilatar más.* Mientras baja por el canal de parto, la cabeza del bebé tiene que moldearse y los tejidos de la pelvis tienen que dilatarse. Estas tareas pueden llevar tiempo.
- *Sus contracciones son débiles.* Las contracciones pueden ser ineficaces, especialmente si se trata de un primer parto. El médico puede ayudar a que sean más fuertes mediante el sintocinon (oxitocina sintética) inyectado por vía intravenosa.

LA PRIMERA FASE

La dilatación, la primera etapa, suele dividirse en tres fases: dilatación precoz o latente, dilatación activa o establecida, y dilatación de transición. Para muchas mujeres, estas tres fases son claras y distinguibles. Otras mujeres quizá no identifiquen unas diferencias tan claras.

Dilatación precoz o latente

Aunque suele ser la parte más larga, generalmente es la más fácil. Durante este período, el cérvix continúa borrándose (adelgazándose) y dilatándose hasta los tres o cuatro centímetros. En esta etapa quizá note las contracciones, pero suelen ser soportables y tal vez no lleguen ni a despertarla.

Las contracciones suelen ser cortas, entre 20 y 60 segundos. Al principio, entre una y otra pueden pasar hasta 20 minutos y aumentar progresivamente de intensidad y frecuencia durante un período que puede ir de seis a ocho horas. En esta fase es posible que se produzca la expulsión del tapón mucoso o que se rompan las membranas. A menos que haya una razón médica para que vaya enseguida al hospital, estará mucho más cómoda en casa durante esta fase inicial.

MÁS **SOBRE** el control activo del parto

En el caso de un primer parto, muchos hospitales siguen una política de control activo del mismo. Esto significa que se espera que el parto obedezca a ciertas pautas temporales y el médico interviene si parece que dura más de lo previsto. Una vez diagnosticado el inicio del parto —con contracciones frecuentes y dolorosas, dilatación (abertura) del cérvix y, a veces, rotura de aguas— se espera que el alumbramiento se produzca dentro de las 12 horas siguientes. Se harán frecuentes exámenes vaginales para comprobar que el cuello uterino se dilata a un ritmo de entre 0,5 y 1 centímetro por hora. Si parece que el parto no progresa, se romperán artificialmente las membranas (véase p. 228) y se administrará una dosis de oxitocina. En los hospitales que lo practican, este control activo ha ayudado a acortar la duración de los primeros partos y a reducir la tasa de cesáreas.

Si nota las contracciones por la noche, siga descansando todo lo que pueda. Si no puede descansar, levántese y haga cualquier tarea que la distraiga pero que no sea agotadora. No se olvide de tomar un tentempié ligero. Antes se aconsejaba a las mujeres que no comieran nada desde el momento en que se pusieran de parto, por si era necesario administrarles anestesia general, en cuyo caso podrían vomitar y regurgitar el material vomitado. Sin embargo, los estudios realizados demuestran que este riesgo es muy pequeño, mientras que tomar alimentos sólidos ligeros durante la dilatación puede incluso mejorar todo el proceso; el parto es un trabajo duro y el cuerpo necesita mucha energía para poder superarlo.

Los síntomas de esta primera fase pueden parecerse a los del preparto: calambres, dolor de espalda, orinar e ir de vientre con mayor frecuencia, aumento de las pérdidas vaginales, presión en la pelvis y calambres en las piernas y las caderas. Hay muchas mujeres que experimentan un súbito estallido de energía, pero procure reservarla para más tarde.

Dilatación activa

Se alcanza esta etapa cuando el cérvix empieza a dilatarse rápidamente. Para las mujeres que van a tener su primer hijo, esta dilatación será, por lo general, de un mínimo de un centímetro por hora. Las contracciones son claramente más intensas y, si se realiza un examen del cuello uterino, probablemente se verá que la dilatación es de cuatro centímetros. Ahora las contracciones duran entre 45 y 60 segundos y son cada vez más fuertes y frecuentes; de tenerlas cada cinco o siete minutos, pasará a sentirla cada dos o tres minutos.

Conforme las contracciones se hagan más fuertes y largas, tendrá que esforzarse para relajarse mientras duran y en los intervalos entre ellas. Pruebe a moverse y cambiar de postura para aliviar la tensión muscular. El mero esfuerzo físico de la dilatación puede hacer que se le acelere la respiración y el ritmo cardíaco, aumente el sudor e incluso que sienta náuseas. Es importante tomar muchas bebidas isotónicas para prevenir la deshidratación.

Las contracciones serán más fuertes ahora y notará que le aumentan el dolor y el cansancio. Puede que rompa aguas, si todavía no lo ha hecho. Es probable que se sienta mucho menos comunicativa y pierda el interés por lo que la rodea. En esta etapa, es fácil pensar que el parto no va a acabar nunca. Procure recordar que esta fase suele ser rápida y que el cuello del útero alcanzará pronto la máxima dilatación, y que con cada contracción su bebé está más cerca. Si le preocupa saber cómo va todo, pregúntele al médico cualquier cosa que la inquiete. Si esto le resulta difícil, pídale a su acompañante que se ocupe de ello y lo haga por usted.

Dilatación de transición

Dura entre una y dos horas y es la fase más difícil y dolorosa. En este tiempo el cérvix se dilata por completo desde los ocho a los diez centímetros. Las contracciones se hacen muy intensas; se producen a

¿SABÍA QUE...?

«Picar» algo puede ayudarla durante la dilatación. El sistema digestivo trabaja más lentamente durante el parto, así que no podrá hacer frente a un estómago lleno, pero «picar» (comer repetidas veces en pequeñas cantidades) la ayudará a mantener la energía. Elija alimentos energéticos y fáciles de digerir, como una tostada con mermelada, plátanos o sopa. No tome nada difícil de digerir, como carne, productos lácteos y grasas.

DILATACIÓN DEL CÉRVIX

Durante el parto, el cérvix se dilatará hasta los diez centímetros, como mostramos en este diagrama.

2 4 6 8 10

intervalos de dos a tres minutos y duran entre 60 y 90 segundos. Mientras que durante la segunda fase puede haber hecho unos progresos rápidos, ahora todo parece ir más lento. No obstante, tenga la seguridad de que el final está a la vista.

Debido a su intensidad, esta fase puede ir acompañada de enormes cambios físicos y emocionales. Conforme el bebé es empujado dentro de la pelvis, notará una fuerte presión en la parte inferior de la espalda o en el perineo, o en ambas zonas. Puede sentir una necesidad urgente de empujar o de evacuar y notar temblores y debilidad en las piernas. No es raro tener reacciones intensas debidas al estrés. Puede sentir sudor, hiperventilación, escalofríos, náuseas, vómitos y agotamiento. Sin desearlo de verdad, hay mujeres que rechazan la ayuda de sus acompañantes en el parto y no soportan que las toquen o intenten ayudarlas. Muchas mujeres pierden toda inhibición y pueden dar rienda suelta a su angustia gritando y soltando tacos.

No pierda de vista su meta. Pronto llegará el momento de empujar y sus molestias serán mucho más controlables. Recuerde que unas contracciones fuertes llevan al final de la fase con más rapidez. No tenga miedo de decir qué siente; deje claro qué la ayuda y qué no. Procure relajarse; es la clave para conservar las fuerzas y el mejor medio de ayudar a que las contracciones cumplan su objetivo.

CÓMO SOPORTAR EL DOLOR DURANTE EL PARTO

El parto es una dura labor. Es un trabajo realizado por un órgano muscular muy fuerte. Como el músculo uterino es liso, igual que el corazón, la mayor parte de las sensaciones que le produzca su actividad procederán de los músculos y nervios que rodean el útero. Los músculos del abdomen y la pelvis tienen que relajarse para que el útero pueda realizar su trabajo con eficacia, empujando al bebé a través de dichos músculos y expulsándolo fuera de su cuerpo. La sensación que experimente puede ir desde fuertes molestias a un dolor extremo.

Control del bebé por monitor

Ser empujado por el estrecho canal de parto, aunque sea un proceso natural, es una experiencia llena de tensión para el bebé; por ello, el médico querrá vigilar su bienestar mediante un monitor. La manera menos agresiva de hacerlo es comprobar su latido cardíaco con un Doppler, un aparato ultrasónico manual. Se harán lecturas a intervalos regulares de entre 15 y 30 minutos durante la dilatación y cada cinco minutos mientras dura el alumbramiento.

También es posible usar un monitor fetal externo que tiene dos dispositivos que se fijan con esparadrapo al abdomen de la madre. Uno mide los latidos del corazón del bebé y, el otro, las contracciones. Este tipo de control se puede usar de forma intermitente y usted podrá pasearse entre control y control.

Si parece que el bebé sufre, puede ser necesario utilizar un monitor interno para medir sus progresos. Una vez rotas las membranas, se pasará un pequeño electrodo a través de su vagina, que se fijará a la cabeza del bebé para comprobar su ritmo cardíaco.

Si los médicos creen que necesitan más información, pueden llevar a cabo un análisis del pH del cuero cabelludo. Con un pequeño tubo introducido en la vagina se tomará una muestra de sangre del cuero cabelludo del bebé. Esta sangre se analizará para averiguar su nivel de acidez, el cual indica si el bebé recibe suficiente oxígeno. Estos resultados ayudarán al equipo médico a decidir qué medidas debe tomar a continuación.

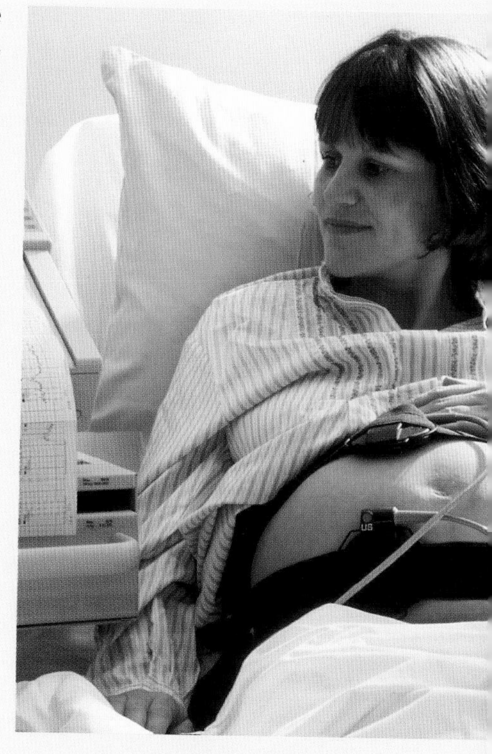

El propósito del dolor

Un esfuerzo físico duro exige el oxígeno y la nutrición adecuados para que los músculos que se están usando no sufran en exceso. Cuando a esos músculos se les obliga a trabajar sin oxígeno ni alimento, elaboran y acumulan ácido láctico, lo que hace que sintamos dolor. Ese dolor puede señalar que el cuerpo necesita oxígeno y nutrición extra. Igual que cambiaríamos de actividad si de repente empezáramos a sentir dolor mientras hacemos ejercicio, también el dolor del parto puede ser una señal para que cambiemos nuestro ritmo respiratorio, relajemos los músculos o aumentemos la nutrición para facilitar el funcionamiento del útero.

Si no se ha preparado para el parto, el miedo a lo desconocido puede ser un problema importante; ya que ese miedo provoca una reacción de estrés, que puede acarrear dolor. Saber qué ocurrirá durante el parto y el alumbramiento puede ser muy útil para reducir dicho miedo. Si es un temor profundamente arraigado o si ha visto u oído contar experiencias aterradoras, le resultará útil comentar sus preocupaciones con el médico.

MÁS **SOBRE** | concentrar sus pensamientos

En el parto, como en la mayoría de situaciones, experimentar sensaciones fuertes, sin comprenderlas, puede desatar miedo, tensión y dolor. Comprender qué le está pasando a su cuerpo y entender que esas sensaciones son totalmente normales puede ayudarla a interpretar las contracciones como «trabajo» y no como «dolor».

Otra manera en que su mente puede facilitar el trabajo del organismo es centrándose en una meta, en este caso la llegada de su hijo. Asimismo, verá que distraerse le resulta útil para hacer frente a las sensaciones físicas angustiosas. Hay toda una serie de técnicas mentales de distracción que puede utilizar y que van desde la respiración y el masaje a la meditación, la creación de imágenes y la hipnosis.

Mientras ponga a prueba estrategias mentales para soportar las molestias físicas, no deje por completo de lado al cuerpo. Por ejemplo, quizá sienta molestias si el bebé está descendiendo mal colocado y cambiando usted de postura puede ayudar a que se dé la vuelta. También puede tener la vejiga llena y vaciándola puede activar el descenso del bebé. Las náuseas o la debilidad pueden ser señal de un bajo nivel de azúcar en la sangre o de deshidratación. Sea consciente de que el parto es una experiencia y un proceso asombrosos, pero su cuerpo está muy bien equipado para llevarlo a cabo. Colabore con su cuerpo y mantenga una actitud positiva en todo momento.

Control médico del dolor

Hay una serie de medios para combatir las desagradables sensaciones del parto. Para más detalles, véase el capítulo 10. Siempre es mejor comentar las opciones con el médico antes del parto, para tener claros los riesgos y beneficios de cada tratamiento en particular. Para comprender el proceso de su propio parto, sobre todo si está considerando utilizar algún tipo de terapia médica, también puede resultarle útil informarse por adelantado de cómo se desarrolla un parto en general. Algunos tratamientos serán menos adecuados si está cerca del momento del alumbramiento porque muchos fármacos atraviesan la placenta y pueden afectar a la capacidad del bebé para adaptarse a una vida propia. Además, si sabe que solo faltan una o dos horas para que dé a luz, eso puede bastar para desencadenar y acelerar el alumbramiento.

Llevar el parto de forma natural

Procure no confiar únicamente en la terapia médica para hacer frente a las contracciones. A lo largo de los siglos, las mujeres han descubierto una serie de técnicas y métodos que pueden hacer que el parto sea más cómodo y la intervención médica menos necesaria. Más abajo recogemos algunas técnicas de eficacia demostrada. Para saber cómo puede ayudarla la persona que la acompañe durante el parto, véase la página 182.

- *Posturas de parto.* Practique diferentes posturas para ver en cuál se siente más cómoda. Pruebe a apoyarse en la pared o en su acompañante, a sentarse a horcajadas en una silla, de cara al respaldo; a arrodillarse inclinada hacia delante apoyándose en un montón de cojines o a ponerse a gatas, una postura buena para el dolor de espalda. Puede haber momentos en que le resulte más cómodo tumbarse; si es así, apoye el cuerpo en cojines, colocados debajo de la cabeza, por debajo de la barriga y debajo y entre los muslos (véase p. 71). Cambiar de postura también puede ser de ayuda para guiar al bebé por la curvatura de la parte inferior del abdomen y la pelvis.

- *Respiración.* Un buen suministro de oxígeno es esencial en cualquier esfuerzo físico y el parto no es una excepción. Cuando están privados de oxígeno, los músculos producen ácido láctico y la acumulación de este ácido causa dolor. Si no llega suficiente oxígeno hasta el útero y la placenta, el bebé puede sufrir. Por eso, respirar correctamente es una parte importante de un buen parto.

  En las clases de preparación al parto suelen enseñarse ejercicios respiratorios como herramienta para distraer a los padres de otras sensaciones provocadas por el parto y garantizar que la madre y el bebé reciben la cantidad de oxígeno adecuada. Este tipo de respiración no funciona bien para todo el mundo y puede causar confusión si no lo ha practicado antes. Si quiere obtener más información sobre qué es y cómo funciona, pregúntele a la persona que está a cargo de las clases prenatales.

Caminar puede servir de ayuda durante la dilatación. Es una distracción útil y hace que la gravedad colabore con el parto, empujando al bebé a través de la pelvis.

  Al principio de la dilatación, respirar lentamente ayuda a facilitar y mantener la relajación. Respirar hondo y relajadamente al principio y al final de cada contracción aumenta el aporte de oxígeno. Cuando respire, procure no dejarse dominar con el pánico e hiperventilarse (respirar demasiado rápidamente) y no aguante la respiración durante un período prolongado.

  Al final de la dilatación, si el descenso del bebé la impulsa a empujar antes de que el cuello del útero esté totalmente dilatado, el médico puede recomendarle que jadee o sople, como si tratara de mantener una pluma en el aire. Este tipo de respiración es también útil si necesita empujar más lentamente en el momento de la salida de la cabeza del bebé. Espirar impide que los pulmones se ensanchen y presionen sobre el útero en un momento en que empujar no es oportuno.

- *Masaje.* Amasar o acariciar los músculos puede ayudar a liberar la tensión muscular y favorecer la relajación y ésta, a su vez, puede estimular el aporte de sangre a los músculos para garantizar que estos tengan suficiente oxígeno. Entre contracciones, el masaje puede proporcionar una agradable sensación física que le ayude a levantar el ánimo, mientras que, durante las contracciones, la ayudará a no pensar en el dolor.

  Si le duele la parte inferior de la espalda, puede pedirle a su acompañante que le frote suavemente en esa zona, en especial en torno al sacro (donde la columna se une a la pelvis). Debe dibujar una serie de grandes círculos con la palma de la mano, seguidos de círculos más pequeños con los pulgares.

- *Técnicas de relajación.* La relajación contrarresta la reacción automática del cuerpo a la tensión. Es una respuesta innata de «huye o lucha», que ha protegido a los seres humanos desde el principio de los tiempos. No obstante, esa reacción no es útil durante el parto, porque hace que los músculos se tensen preparándose para la acción, gastando energía a un ritmo muy alto, y desvía el suministro de sangre hacia los órganos vitales del cuerpo —el corazón y el cerebro— alejándolo del útero.

  El esfuerzo mental necesario para respirar más lentamente y relajar los músculos puede servir también para distraerse del dolor de las contracciones. Si

Posturas para el parto

Para dar a luz lo mejor es una postura erguida, ya que se cuenta con la ayuda de la gravedad para empujar el bebé afuera. Quizá quiera elegir una sola postura o probar varias; ponga en práctica la que haga que se sienta más cómoda. Hay diversas posturas en las cuales se puede dar a luz y puede adoptar una de ellas o varias para aliviar el dolor o acelerar el alumbramiento.

Acurrucada. Si el bebé que espera es grande, esta postura puede ayudar a aliviarle el dolor de espalda y a girar al bebé si está mirando hacia atrás. Puede ser útil para frenar el descenso del bebé si va demasiado rápido. Arrodíllese y apoye los brazos en un montón de cojines. Si le duele la espalda, pruebe a balancear las caderas de un lado a otro.

En cuclillas. Es la postura más común. Favorece un descenso rápido del bebé y puede dilatar la pelvis hasta 2 cm. No tiene que hacer tanto esfuerzo para empujar, pero puede resultarle cansada si la mantiene mucho tiempo. Le será útil que su pareja la sostenga desde atrás o usar una silla de partos.

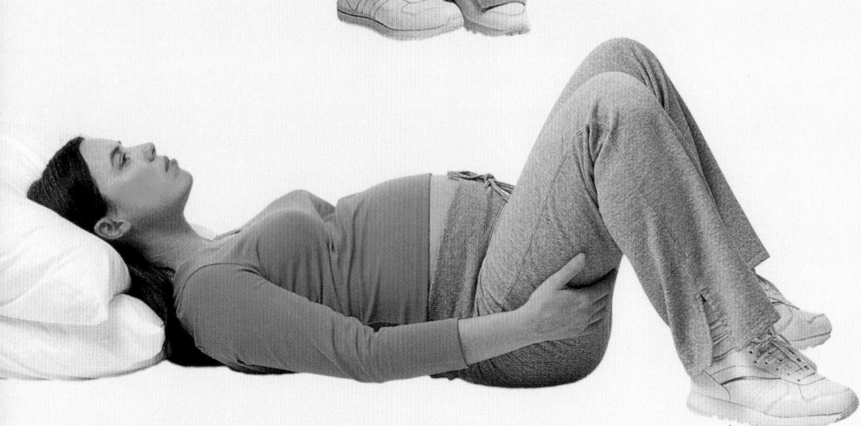

Tumbada de espaldas. Esta es la postura preferida por los tocólogos, ya que facilita su intervención. También es la más segura si a la parturienta le han administrado la epidural. No obstante, no aprovecha la gravedad y la presión del bebé sobre la espalda de la madre y puede aumentar el riesgo de dolor de espalda y de sufrir daños perineales.

Sentada. Es una buena postura si se siente cansada. Adempas, en el caso de que el bebé necesite estar controlado con un monitor electrónico, es una postura recomendable. Siéntese tan erguida como pueda, apoyando la espalda en unas almohadas, con las piernas separadas. Esta postura se usa con frecuencia en la cama de partos. También funciona bien si se ha administrado la epidural.

Echada de costado. Si le han puesto la epidural o si se cansa, esta es una buena postura porque puede hacer que las contracciones sean más efectivas y el descenso del bebé más lento si viene demasiado rápido. Échese en el suelo, sobre un costado, apoyándose en unas almohadas. Si se le cansa la pierna que sostiene en alto, puede pedir a su acompañante que la sostenga.

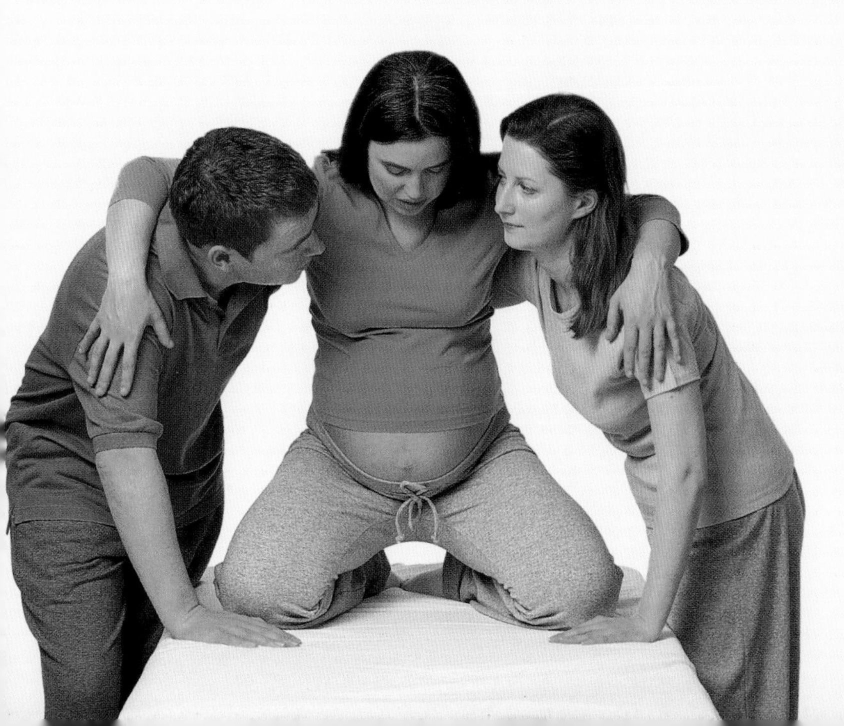

Arrodillada con ayuda. Si el bebé se encuentra en posición occipitoposterior (mirando hacia su espalda) esto puede ayudarle a girar. Arrodíllese en la cama, entre su acompañante y una asistente sanitaria o el médico. Descanse los brazos en sus hombros para apoyarse mientras empuja.

sus músculos están relajados, al útero le resultará más fácil hacer su trabajo y estarán más flexibles cuando el bebé pase por la pelvis.

Es importante aprender las técnicas de relajación antes del parto. Comprender qué pasa durante la dilatación y el alumbramiento puede ayudarla a relajarse. Si sabe que las fuertes sensaciones que experimenta son normales, a su mente le será más fácil relajarse y podrá liberar la tensión física.

- *Agua.* La inmersión en agua puede aliviarle el dolor de forma considerable durante la dilatación e incluso ayudar a que esta sea más rápida (véase p. 181). La mayoría de hospitales que usan el agua para el alivio del dolor durante el parto, la mantienen a la temperatura corporal o más baja; las temperaturas altas se han asociado con el sufrimiento fetal. A veces, incluso un corto tiempo en el agua puede hacer avanzar el parto tan rápidamente que dé a luz antes de salir de la piscina. El alumbramiento bajo el agua no parece ser perjudicial. La mayoría de médicos aconseja sacar al bebé a la superficie inmediatamente después del nacimiento para que respire, ya que la placenta puede empezar a separarse a los pocos segundos de nacer el bebé y este necesitará oxígeno rápidamente. Los niños nacen con un «reflejo de buceo» intacto que les permite aguantar la respiración mientras están sumergidos; no respirarán hasta que lleguen al aire más fresco de la superficie.

LA SEGUNDA ETAPA

Una vez transcurrido el período de transición, ha llegado el momento de empujar al bebé para que salga fuera. Esta segunda etapa suele llevar una hora, pero también puede durar solo diez minutos o prolongarse hasta

El momento del nacimiento

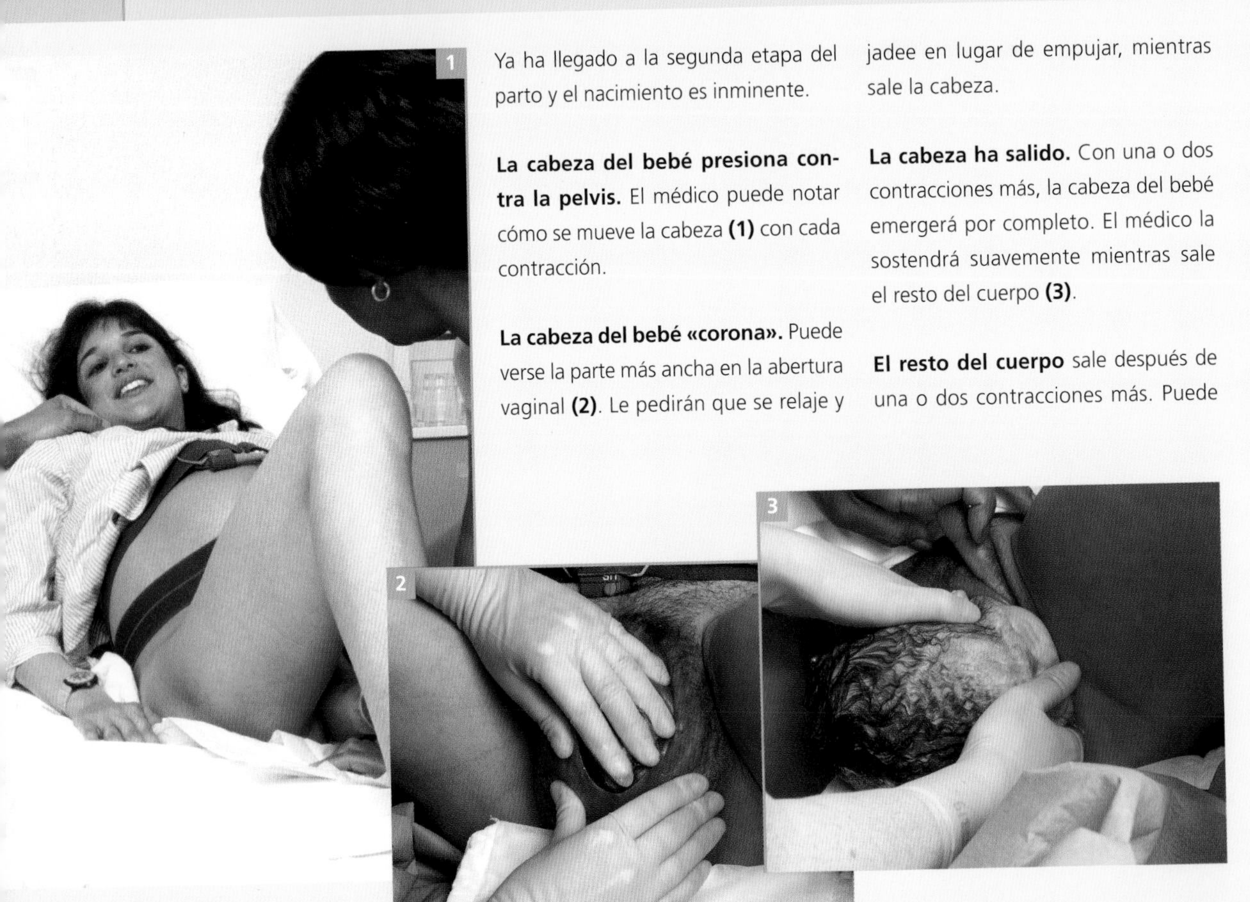

Ya ha llegado a la segunda etapa del parto y el nacimiento es inminente.

La cabeza del bebé presiona contra la pelvis. El médico puede notar cómo se mueve la cabeza **(1)** con cada contracción.

La cabeza del bebé «corona». Puede verse la parte más ancha en la abertura vaginal **(2)**. Le pedirán que se relaje y jadee en lugar de empujar, mientras sale la cabeza.

La cabeza ha salido. Con una o dos contracciones más, la cabeza del bebé emergerá por completo. El médico la sostendrá suavemente mientras sale el resto del cuerpo **(3)**.

El resto del cuerpo sale después de una o dos contracciones más. Puede

tres horas. Al igual que sucede con la primera fase, puede alargarse considerablemente si se ha administrado anestesia.

Incluso después de una primera etapa larga y agotadora, muchas mujeres sienten un nuevo ramalazo de energía en la segunda, porque han logrado la completa dilatación del cuello del útero y saben que el nacimiento es inminente. Ahora su participación puede ser más activa y menos traumática, y eso le hará sentir mejor y más animada.

La segunda etapa puede tener otro beneficio añadido: al trabajar al unísono con las contracciones puede parecer que las molestias desaparecen. Mientras esta fase no sea demasiado rápida y permita que el perineo se dilate gradualmente, puede ser un tiempo de presión, no de dolor. Con frecuencia, la extrema presión del bebé, que está muy encajado con el espacio justo para salir, y la subsiguiente tensión nerviosa llevan a una especie de anestesia. En muchas mujeres, esta tensión nerviosa bloquea la sensación de desgarro perineal, incisiones y suturas quirúrgicas.

Las contracciones de la segunda etapa siguen durando entre 60 y 90 segundos pero pueden producirse con una frecuencia de entre 2 y 4 minutos. Su postura puede influir en el ritmo; estar erguida puede intensificarlas, estar reclinada o acurrucada provocará que sean más lentas.

Sentirá la necesidad irresistible de empujar, pero es importante esperar a que el médico le diga que puede hacerlo. Notará una enorme presión en el recto y una sensación de hormigueo y quemazón cuando la cabeza del bebé aparezca en la entrada de la vagina. Sus emociones pueden oscilar desde el agotamiento y ganas de llorar a la excitación al pensar que, por fin, va a ver a su hijo.

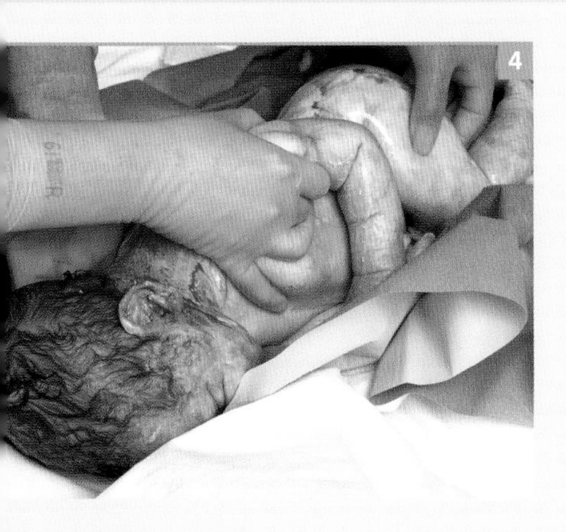

estar cubierto de vérnix y tener rastros de sangre en la piel **(4)**.

Le entregan el bebé. Una vez que corten el cordón umbilical y examinen al bebé, lo envolverán y se lo darán **(5)**. Póngalo sobre el estómago para que se sienta reconfortado por el latido familiar de su corazón y de su ritmo respiratorio.

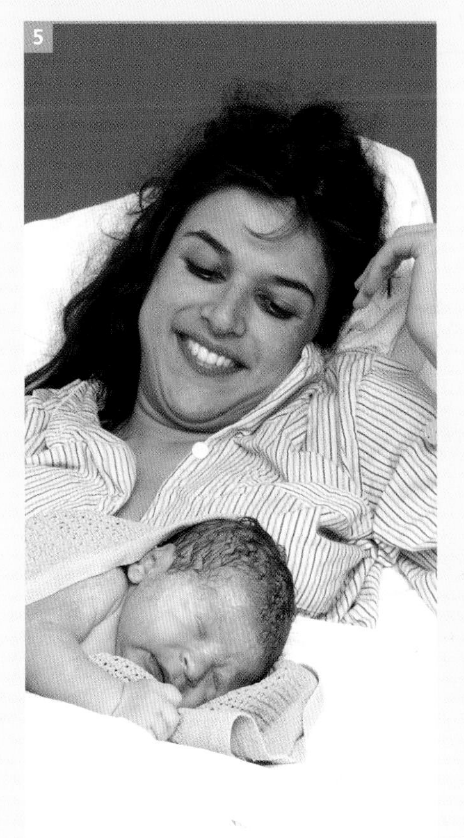

CORTAR EL CORDÓN UMBILICAL

El médico puede pinzar y cortar el cordón umbilical de inmediato o esperar hasta que deje de latir. A veces el médico tirará suavemente del cordón umbilical durante una contracción para ayudar a la parturienta a expulsar la placenta.

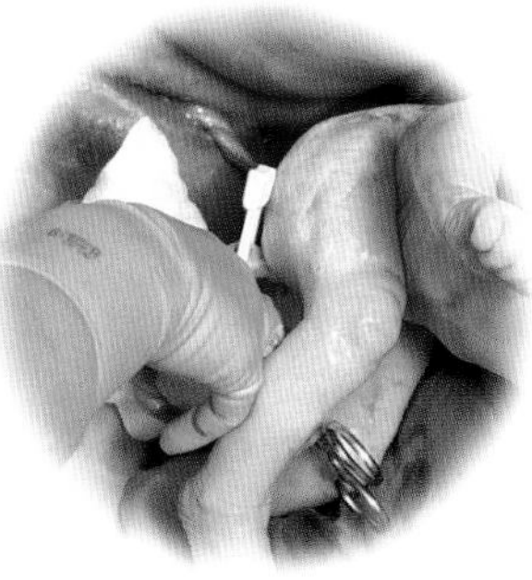

Después del nacimiento, el bebé puede tener un tinte azulado, pero su color no tardará en ser normal.

Hora de empujar

Si le han dicho que empuje, hacerlo cuando tiene necesidad le producirá un muy satisfactorio alivio de las sensaciones contenidas. Los cuerpos de muchas mujeres les avisan antes de que el médico se lo diga que el cérvix se ha dilatado del todo y es la hora de empujar. Mientras el bebé presiona en los músculos del suelo pélvico, los receptores transmiten la necesidad de empujar. Este impulso a menudo se confunde con la necesidad de evacuar, debido a que la presión del bebé en el recto estimula los mismos receptores del movimiento intestinal.

Por lo general esta necesidad de empujar aparece entre dos y cuatro veces dentro del curso de una contracción, aunque puede usted sentir un único impulso prolongado. Haga una inspiración profunda, relaje los músculos pélvicos y empuje con los músculos abdominales. Lo importante no es el tiempo que dedique a empujar, sino que esté sincronizado con la contracción. Empujar durante cinco o seis segundos cada vez es lo correcto y permite que entre una mayor cantidad de oxígeno en su torrente sanguíneo.

Algunas veces el labio frontal del cérvix puede no estar dilatado del todo cuando se produce por primera vez la necesidad de empujar. Esto puede ocurrir porque el bebé ha bajado con excesiva rapidez o está en una mala posición. Empujar contra un cérvix no dilatado puede provocar inflamación y retrasar el proceso. Para reducir el labio cervical o anterior, como se le llama, intente recostarse sobre su costado izquierdo, o póngase a cuatro patas durante unas cuantas contracciones. Algunas veces respirar «soplando» puede ayudarle a no empujar contra el labio: consiste en respirar como si estuviese soplando para apagar una vela; eso evita que contenga el aliento, lo que produciría una presión cervical descendente. Adoptar una posición fetal puede reducir la presión sobre el cérvix y los músculos pélvicos, y disminuir el deseo de empujar.

La llegada del bebé

La primera señal de que su bebé está a punto de nacer es la distensión del ano y el perineo. Con cada contracción, la cabeza del bebé se hace cada vez más visible en la abertura vaginal. Una vez que ha dejado de deslizarse hacia atrás, permanece en la abertura; a esto se le llama coronamiento.

En un período muy breve, el perineo se adelgaza de un grosor aproximado de cinco centímetros a menos de uno. Esto es totalmente natural y la distensión se invierte al cabo de unos pocos minutos después del nacimiento. Usted puede percibir este relajamiento como una presión muy fuerte, acompañada posiblemente por un ligero escozor a medida que la cabeza o las nalgas del bebé amplían la abertura vaginal. Este es el momento en que quizá le propongan una episiotomía si parece que hay peligro de que pueda producirse un desgarro considerable.

Mientras nace el bebé, lo mejor es empujar de una manera lenta y controlada, porque eso permite que el perineo se estire gradualmente y ayuda a prevenir las laceraciones. Su médico incluso puede decirle que no empuje para que el útero consiga la expulsión final con menos fuerza.

Cortar el cordón

Después del nacimiento de su bebé, ligarán el cordón umbilical en dos puntos y lo cortarán entre las dos ligaduras. No es vital ligar y cortar el cordón inmediatamente, pero permite que su médico pueda revisar al bebé, si es necesario. También le dará a usted una mayor libertad de movimientos para sujetar al bebé. Algunos médicos prefieren esperar a que se detenga el pulso antes de cortar el cordón. Si la madre y el bebé están bien, esta es una alternativa razonable.

LA TERCERA ETAPA

En la tercera etapa del parto se produce el final del proceso con la expulsión de la placenta. En la mayoría de los partos es relativamente automática y requiere muy poco esfuerzo. En cuanto el bebé sale del útero, este continúa contrayéndose, con una muy considerable reducción de volumen que, por lo general, es suficiente para desprender de sus paredes la placenta, que es menos flexible. Nuevas contracciones acaban por expulsarla.

La mayoría de doctores recomienda un control activo de la tercera etapa del parto para prevenir grandes hemorragias. Inmediatamente después del nacimiento, a usted le inyectarán en el muslo una dosis de sintocinon o sintometrina, para ayudar al útero a que se mantenga contraído. Esto permitirá que el asistente al parto colabore en la expulsión de la placenta o tirando suavemente del cordón. Si usted está acostada, esa persona puede hacerle un masaje en el útero o pedirle que empuje.

Amamantar desde el primer momento ayuda a prevenir las hemorragias en el lugar donde estaba la placenta, dado que la estimulación de los pezones libera oxitocina, una hormona que provoca las contracciones uterinas. Si usted tiene una hemorragia, su médico quizá le suministre sintocinon (oxitocina sintética), por vía intravenosa, para ayudar a la contracción del útero y disminuir la hemorragia posparto. Una vez que la placenta está fuera, se revisará a la parturienta para comprobar que no haya fragmentos de la placenta en el interior del útero. Muy de vez en cuando se presenta el caso de que la placenta quede en el interior del útero. Para retirarla, el obstetra necesita palpar en el interior del útero y sacarla manualmente. Esto se hace generalmente en el quirófano y con anestesia epidural.

En el momento del nacimiento, la placenta pesa unos 500 gramos. El lado fetal es suave y cubierto de vasos sanguíneos. El lado que estaba pegado a su útero es rojo oscuro y tiene el aspecto de un hígado crudo.

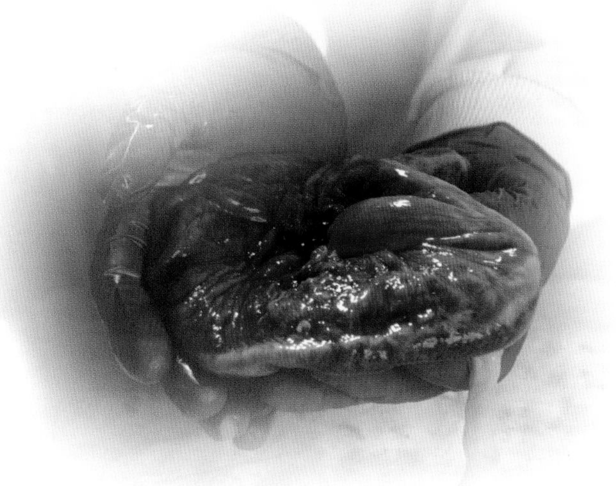

INMEDIATAMENTE DESPUÉS DEL PARTO

Su bebé ha nacido finalmente y usted experimenta una amplia gama de emociones muy fuertes: alivio, entusiasmo, alegría, nerviosismo, incluso incredulidad ante el hecho de que ahora es madre. Quizá tirite de frío y, desde luego, tendrá hambre y sed, algo muy natural después de tantos esfuerzos.

Antes de salir de la sala de partos, la coserán si le han hecho una episiotomía o ha sufrido un desgarro. La mayoría de las mujeres ni siquiera se da cuenta, porque están muy ocupadas con sus bebés, pero le aplicarán un anestésico local si es necesario. La lavarán y le darán un camisón limpio o el que se trajo usted. No se alarme si comienza a sangrar. Esto es algo perfectamente normal; la descarga, llamada loquios, desaparecerá al cabo de unas semanas (véase p. 321). Mientras tanto, tendrá que usar compresas especiales.

Después de dejarlo un tiempo con usted, se llevarán al bebé para bañarlo, someterlo a una revisión pediátrica y hacer los trámites habituales. Quizá luego la lleven a maternidad o a su habitación. A continuación le traerán al bebé y colocarán una cuna junto a su cama.

Partos especiales

De nalgas

Los bebés que se presentan de nalgas están colocados de manera que las piernas y las nalgas están más cerca del cérvix. Esta colocación puede hacer que el parto sea difícil porque la cabeza del bebé es la parte más grande de su cuerpo y podría quedar atrapada si el cuerpo se desliza a través de un cuello uterino que solo está parcialmente dilatado. El parto vaginal es posible con una presentación de nalgas, pero a veces es necesaria una cesárea para evitar daños al bebé y a la madre.

Gemelos y más

La perspectiva de dar a luz a dos o más bebés puede arredrar a cualquiera, por decirlo suavemente. No obstante, muchas mujeres dan a luz a dos niños por vía vaginal sin ningún problema y el alumbramiento tiende a ser más rápido que con un solo bebé. No obstante, en el caso de un parto múltiple, es preciso un cuidado extra, así que habrá un anestesista a mano, por si acaso hay que practicar una cesárea. El primer bebé puede salir por la vagina sin ningún problema, pero el segundo puede estar colocado en una postura difícil y necesitar ayuda. El segundo bebé debería nacer entre 10 y 20 minutos después del primero. Si el progreso es lento, puede que el médico le administre sintocinon a la parturienta o use los fórceps para acelerar el parto. La placenta o placentas pueden salir poco después o le pondrán una inyección para que las expulse. Si espera usted trillizos o más, lo más probable es que nazcan por cesárea.

Posterior

Un bebé que desciende al canal de parto con la cabeza hacia abajo y la espalda hacia la columna de la madre —presentación llamada occipitoposterior— puede tener más dificultades para salir. Los bebés en esta potura presentan un diámetro de la cabeza algo mayor para pasar por el estrecho canal de parto y el alumbramiento posterior puede ser más largo o causar en la parturienta más dolor de espalda. No obstante, no es raro que el bebé gire sobre sí mismo hacia la mitad del parto o durante la fase de empujar. Si el bebé no se da la vuelta de forma espontánea, el médico puede animarlo a hacerlo intensificando las contracciones con una intravenosa de sintocinon.

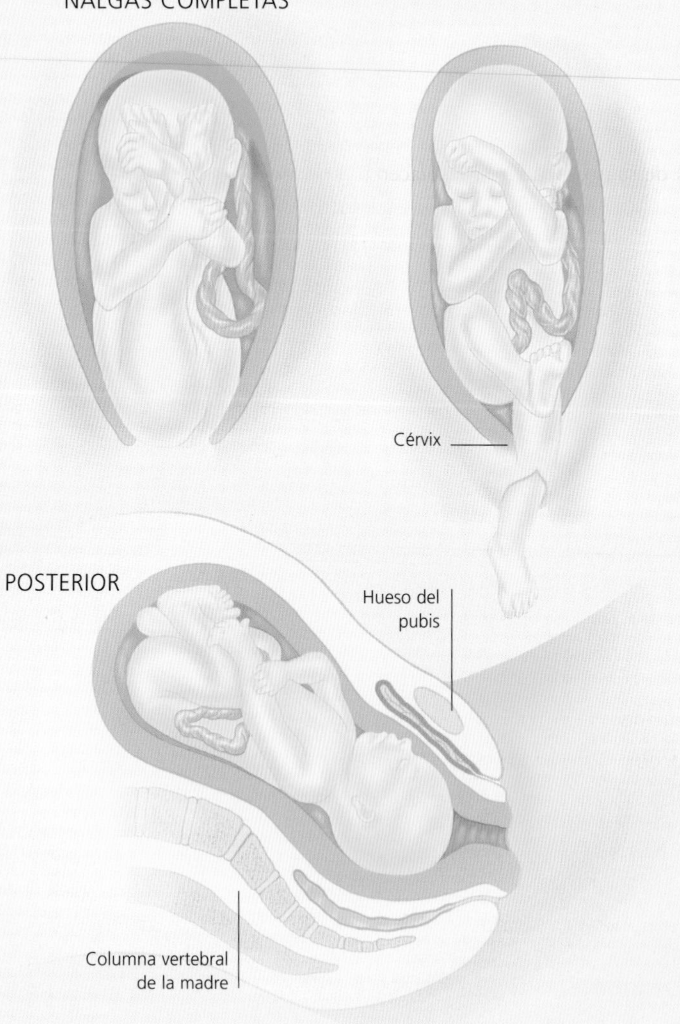

INTERVENCIONES MÉDICAS ESPECIALES

No todos los partos empiezan ni se desarrollan como deberían. En estos casos, puede ser necesaria la intervención médica para ayudar a que nazca el bebé.

Aunque el médico procurará respetar sus deseos si usted ha planeado un parto lo más natural posible, puede haber casos en que su intervención sea necesaria. Esa intervención puede consistir en una inducción, una episiotomía, el uso de fórceps o ventosas o bien una cesárea.

INDUCCIÓN AL PARTO

En ocasiones el médico puede recomendar que se induzca el parto, debido a que existe algún riesgo para usted o el bebé. La razón más común es que esté usted postérmino. Se considera que una o dos semanas después de salir de cuentas, la placenta puede dejar de funcionar bien y el bebé corra peligro debido a la reducción de oxígeno y la mala nutrición.

El médico dispone de varios métodos para inducir el parto. Puede romper las membranas o darle prostaglandinas. Si sus membranas ya se han roto espontánea o artificialmente, se le puede poner un gotero con sintocinon. A menudo hay que combinar varios métodos.

Si el riesgo es bajo, la inducción puede realizarse en una unidad antenatal, o en la sala de partos, donde hay más sistemas de monitorización, si la madre o el bebé presentan un riesgo mayor, como una cesárea anterior o un bebé que esté muy poco desarrollado.

La rotura de las membranas

Esta técnica se ofrece a todas las mujeres cuando salen de cuentas. Puede realizarla un médico especializado o una comadrona. El profesional introduce un dedo en el cérvix para romper o distender las membranas y separarlas de la cara interna del cérvix. El procedimiento es un tanto molesto, pero no aumenta el riesgo de infección o de hemorragia. El objetivo es provocar el inicio del alumbramiento, y es muy eficaz. También reduce la probabilidad de tener que recurrir a otros métodos de inducción.

Prostaglandina

El organismo produce de forma natural muchos tipos diferentes de prostaglandina, algunos de los cuales son importantes para estimular cambios en el cérvix y provocar las contracciones uterinas. Antes de iniciarse el parto, el cérvix se vuelve más suave, más adaptable y empieza a acortarse y abrirse. Estos cambios los puede causar su organismo, al producir prostaglandina, o ser estimulados por la prostaglandina sintética.

El medio más habitual de administrar prostaglandina es por la vagina. El médico se asegurará primero de que el bebé está bien controlando su ritmo cardíaco durante unos 30 minutos. Se realizará un examen vaginal para ver si está lista para la inducción. Se com-

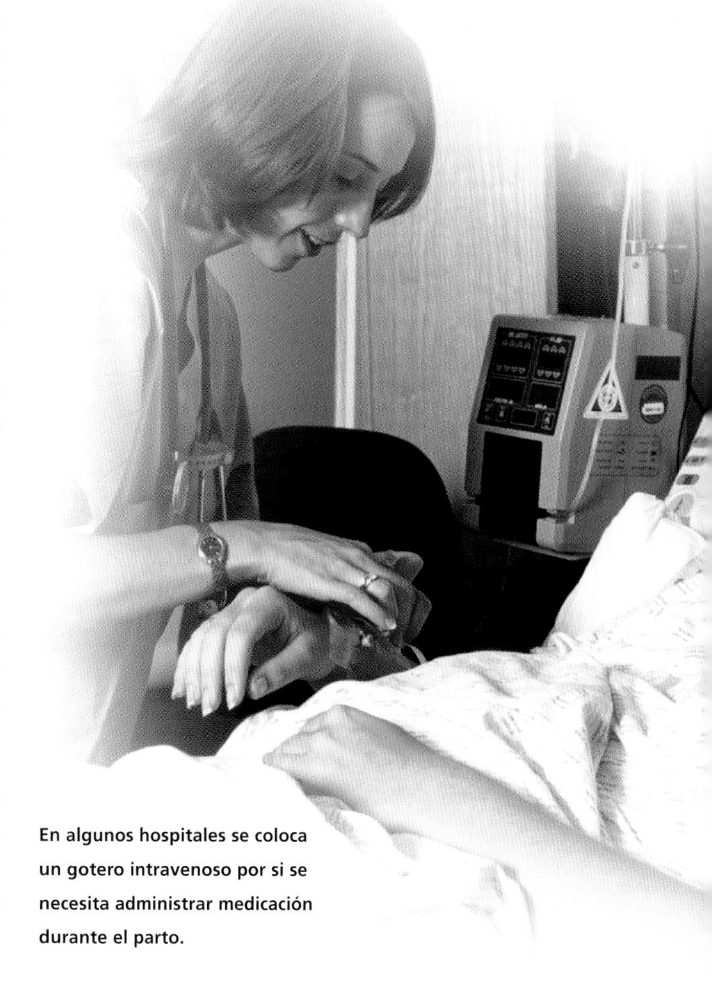

En algunos hospitales se coloca un gotero intravenoso por si se necesita administrar medicación durante el parto.

probará la longitud, dilatación y morbidez del cérvix, así como la posición de la cabeza del bebé.

La prostaglandina sintética se puede administrar en forma de tabletas o gel vaginales, aunque se prefieren las tabletas. Algunas mujeres empiezan a tener contracciones después de la primera dosis de prostaglandina, mientras que otras parecen no responder hasta después de algunas horas. Volverán a examinarla por la mañana —algunas inducciones, especialmente si se trata del primer bebé, empiezan por la noche— o entre tres y seis horas después de su primera dosis de prostaglandina. Si el cérvix ha cambiado lo suficiente como para que el médico rompa las membranas, lo hará en este momento. Si no es posible romperlas, puede que le den otra dosis de prostaglandina.

Rotura artificial de membranas

Uno de los métodos más corrientes para inducir el parto o acelerarlo es romper las membranas que rodean al bebé. Esto se llama rotura artificial de membranas o amniotomía y suele realizarse durante el examen vaginal. No es más dolorosa que un examen de rutina y se hace utilizando un instrumento de plástico de unos 25 centímetros de largo con un extremo parecido a la punta de un ganchillo. Este instrumento se introduce por el cuello uterino, se engancha al saco de membranas y lo rompe para que salga el líquido amniótico. Esta rotura incrementa la cantidad de prostaglandina producida y acelera el parto.

Sintocinon

Es la hormona que más se usa para inducir el parto una vez que el cérvix se ha ablandado y se han roto las membranas. Es una versión sintética de la oxitocina (la hormona que inicia las contracciones) y suele administrarse por vía intravenosa. Si se induce el parto por ese método, se irá aumentando la dosis progresivamente hasta que las contracciones sigan una pauta regular y el cambio del cuello del útero esté en marcha. Se puede seguir administrando sintocinon durante todo el parto o interrumpirse cuando este ya se esté desarrollando. Por lo general, exige un control constante, ya que puede producir el sufrimiento fetal. Si lleva una gotero intravenoso y está conectada a un monitor fetal, no le será tan fácil moverse de un lado para otro y cambiar de postura.

Soportar la inducción

Está prácticamente demostrado que los partos inducidos duran más, por lo menos en la fase latente. En consecuencia, si le inducen el parto, debe hacerse a la idea, mentalizarse y dar por sentado que tendrá un parto más largo. Algunas inducciones tardan días en hacer efecto para acabar, igualmente, en un parto vaginal normal. No se desanime. Prepárese para distraerse durante un período más largo de tiempo mientras espera a que empiece la dilatación activa.

Muchas mujeres creen también que las contracciones inducidas por el sintocinon son más intensas; y así es si se presentan demasiado seguidas. Cuando el músculo uterino se contrae, su suministro sanguíneo cae momentáneamente y le llega menos oxígeno. Por fortuna, en general es posible interrumpir la administración de sintocinon una vez que la dilatación activa está en marcha.

Alternativas naturales a la inducción

Aunque a veces los profesionales sanitarios no se ponen de acuerdo sobre la eficacia de estas técnicas, existen varias alternativas médicas para inducir el parto.

La estimulación de los pezones provoca la emisión de oxitocina. Hable con su médico antes de probarlo usted misma.

Entre otras técnicas de inducción naturales están la actividad sexual, remedios herbales y ejercicios de posturas. Para más información, véase la página 208.

EPISIOTOMÍA

Hay varias razones que hacen que la episiotomía (un corte para agrandar la abertura vaginal) sea necesaria durante el parto: que el perineo no se haya dilatado lo suficiente durante la fase de empujar, que la cabeza del bebé sea demasiado grande, en un parto de nalgas, cuando el bebé sufre o si se debe usar fórceps para evitar una herida importante. Si el médico opina que es necesaria una episiotomía, le administrarán un anestésico local en la zona perineal, a menos que ya le hayan anestesiado una zona más amplia. Cuando la zona esté dormida, se hará el corte con unas tijeras cuando la cabeza del bebé esté coronando y el perineo esté tenso al máximo. Hay dos tipos de incisión: la mediana, que se realiza directamente hacia atrás, hacia el recto, y la mediolateral, que se dirige hacia un costado, alejándose del recto. Aunque la mediana es más fácil de suturar y provoca menos pérdida de sangre, existe un ligero riesgo de que se desgarre por completo hasta el recto debido a una presión excesiva. Por esa razón, es más común realizar la incisión mediolateral.

FÓRCEPS Y VENTOSA OBSTÉTRICA

Si el bebé ha entrado en el canal de parto con una inclinación forzada, si está sufriendo o si la madre tiene una

CORTES ALTERNATIVOS

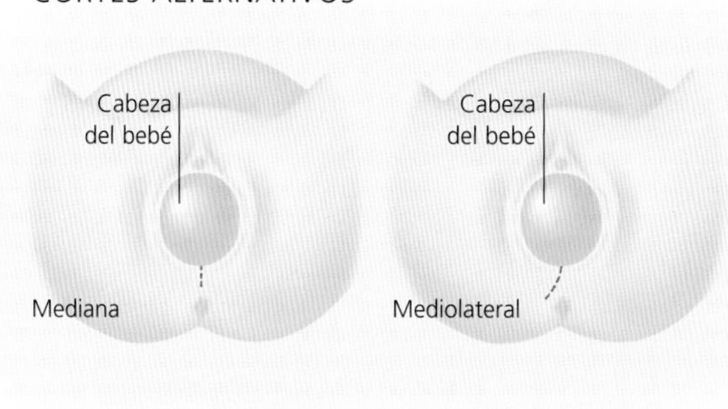

enfermedad, por ejemplo de corazón, o está tana gotada o debilitada por los fármacos que no puede empujar de forma eficaz, el médico decidirá que es necesario usar el fórceps o la ventosa obstétrica para ayudar a salir al bebé y acortar la segunda etapa. Del diez al 15 % de los partos vaginales requieren los fórceps o la ventosa obstétrica.

Si el médico debe usar fórceps, primero le darán un anestésico local o un fármaco contra el dolor para insensibilizar la zona. Si le están administrando la epidural, aumentarán la dosis. También pueden aconsejar un anestésico peridural.

El fórceps se parece a unas pinzas para la ensalada y se separa en dos piezas. El tocólogo deslizará suavemente primero un lado del fórceps y luego el otro en la vagina. Esas piezas se adaptan a los lados de la cabeza del bebé como lo harían sus manos si las pusiera simétricamente a lo largo de las mejillas desde arriba. Mientras usted empuja, el médico ayudará suavemente a sacar el bebé hacia fuera, aprovechando las contracciones.

Si se usa una ventosa, el médico aplicará la parte cóncava de plástico o goma a la parte superior de la cabeza del bebé, encima del occipucio (la parte de atrás de la cabeza). Este utensilio se parece a un embudo de los que se usan para desatascar. La succión se crea mediante una bomba y el médico tira lentamente del instrumento para ayudar a salir al bebé mientras usted empuja. Aunque la ventosa entraña menos riesgos de trauma para la madre, puede que se prefiera el fórceps si se dispone de poco tiempo. Es probable que al bebé le quede una hinchazón pronunciada en la cabeza durante 24 horas, que luego desaparecerá por completo.

CESÁREA

A veces hay circunstancias en que el propio parto puede ser considerado un peligro para la madre o el bebé; en estos casos, se planeará por anticipado un parto por cesárea. En otras ocasiones surgen emergencias durante el parto o, de forma inesperada, antes de este, que obligan a practicar una cesárea de urgencia.

En el caso de una cesárea planeada, se fija un día, se puede reunir la familia, se puede usar la anestesia local y los riesgos son mucho menores. En el caso de una cesárea de urgencia, suele haber poco tiempo para prepararse mentalmente y quizá tengan que administrarle anestesia general.

PARTO ASISTIDO

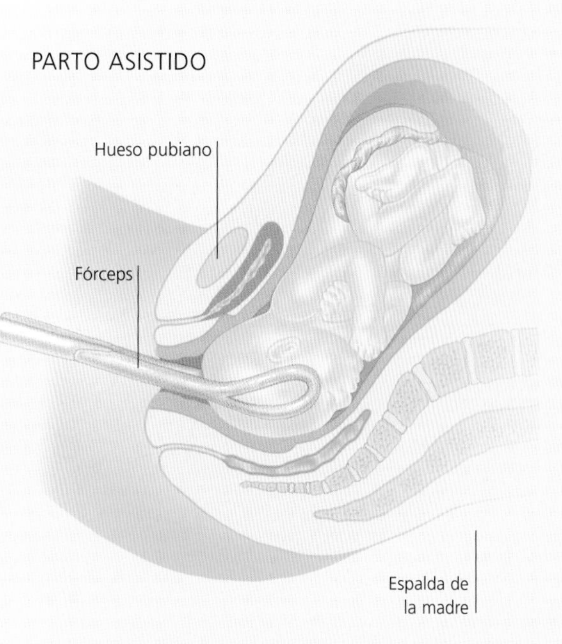

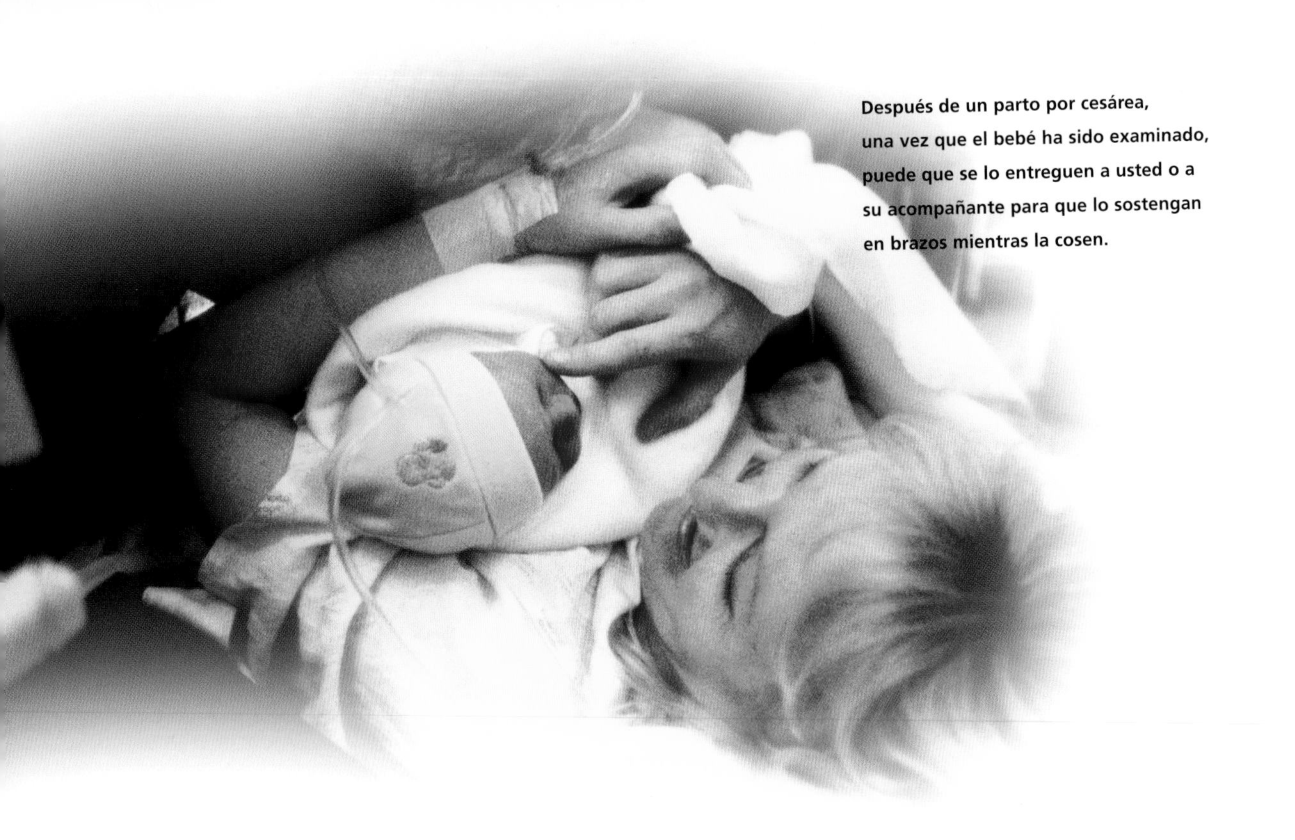

Después de un parto por cesárea, una vez que el bebé ha sido examinado, puede que se lo entreguen a usted o a su acompañante para que lo sostengan en brazos mientras la cosen.

Por qué se puede planificar una cesárea

La causa más habitual para efectuar una cesárea es que los anteriores embarazos hayan sido por cesárea. A muchos médicos les preocupa que un parto vaginal no planeado, después de una cesárea, pueda resultar muy arriesgado debido a la falta de instalaciones quirúrgicas de urgencia en los hospitales pequeños. Y a muchas madres les preocupa que el parto prolongado y posiblemente doloroso que conllevó su anterior cesárea pueda repetirse si intentan de nuevo un parto vaginal.

También puede planearse una cesárea si el bebé está colocado en una postura que no sea con la cabeza hacia abajo (véase p. 226) o cuando se espera que sea demasiado grande para pasar por la pelvis, una situación conocida técnicamente como desproporción cefalopélvica. A veces el bebé o la madre tienen una anomalía o lesión que pueda reproducirse o resultar dañada como resultado de un parto vaginal; por ejemplo, la madre puede tener una herida anterior en el músculo pélvico o uterino, o se puede sospechar que el bebé padece una afección hemorrágica.

Qué sucede durante una cesárea planificada

No debe comer ni beber nada, ni siquiera agua, por lo menos ocho horas antes de la intervención. Esto ayuda a evitar complicaciones con la anestesia. El ingreso en el hospital tiene lugar por lo menos dos horas antes de la intervención. Antes de la operación, una comadrona revisará su historial clínico y embarazos anteriores. Le colocarán un gotero intravenoso en el brazo para mantenerla hidratada y en situación de recibir cualquier medicación que necesite.

Dependiendo de su situación médica y de la razón para efectuar la cesárea, le administrarán anestesia general o local. La anestesia general consiste en un gas anestésico mezclado con oxígeno que se administra por medio de un tubo introducido por la boca hasta la garganta. Se dormirá y no recordará nada. La anestesia local incluye la epidural y la peridural, que bloquean el dolor de cintura para abajo (véase p. 179). Si le ponen anestesia local, estará despierta y atenta y podrá ver y, quizá, tocar al bebé o cogerlo en brazos. Es preferible que hable con el anestesista antes de la operación para aclarar todas las opciones. Antes de la operación le colocaran un catéter (un fino tubo) en la vejiga para drenar la orina durante la cesárea y durante varias horas después. Antes de empezar la operación, la comadrona le afeitará una pequeña zona en la parte inferior del abdomen, donde se hará la incisión. Y antes de la operación, el médico debe explicarle el tipo de incisión que hará (véase p. 232).

Según la normativa del hospital, podrá acompañarla una persona en el quirófano para darle su apoyo. Si es así, deberá sentarse o estar de pie detrás de su cabeza para comunicarse con usted, seguir las instrucciones del personal médico, no moverse de su sitio y no tocar nada.

Dispondrán unas sábanas estériles en torno al abdomen y lo lavarán con una solución antiséptica. Le practicarán una incisión a través de la piel en la parte baja del abdomen. Los músculos del abdomen no suelen cortarse, sino que se separan por la línea media y se apartan a un lado. Puede que empujen hacia abajo la vejiga para protegerla del instrumental. Le practicarán otra incisión en el útero. Quizá oiga una especie de gorgoteo cuando succionen el líquido amniótico.

Cuando el útero esté abierto, extraerán al bebé por la incisión. En este momento es frecuente que presionen la parte superior del útero —igual que haría usted al empujar— y notará la presión y una sensación de arrastre. Se entregará el bebé a otro miembro del equipo, que le hará un examen médico, así como algunas pruebas básicas, incluyendo el test de Apgar (véase p. 287). Podrá ver a su bebé inmediatamente o una vez que hayan realizado ese examen.

Después de que el médico extraiga la placenta, le suturarán las incisiones practicadas en el útero y en la pared abdominal. Estos puntos de sutura son absorbibles, así que no tendrán que quitárselos. Luego la piel se cerrará con sutura o grapas. Una vez hecho esto y antes de dejar el quirófano, probablemente le entregarán al bebé.

Cuando haya terminado la operación y usted y su hijo estén en condiciones de ser trasladados, la llevarán a una sala de recuperación donde podrá cogerlo en brazos, empezar a conocerlo y amamantarlo. Para informarse sobre la recuperación de una cesárea, véase la página 324.

¿SABÍA QUE...?

Usted puede facilitar que no se realice una cesárea innecesaria. Las estadísticas señalan que en el año 2002 más del 21 % de los nacimientos en España fueron por cesárea. Una vez comenzados los dolores del parto, usted puede evitar una cesárea de varias maneras: no llegue al hospital demasiado temprano; camine y cambie de postura frecuentemente; mantenga una posición erguida; practique técnicas naturales de relajación y de alivio del dolor; intente descansar entre las contracciones.

Por qué pueden tener que practicarle una cesárea de urgencia

Será necesario si el bebé corre el riesgo de trauma debido al parto, por ejemplo en el caso de bebés muy prematuros o cuando exista sufrimiento fetal. O también puede ser necesario cuando una enfermedad grave, como la preeclampsia (véase p. 254), hace que sea preciso un parto rápido.

Qué sucede durante una cesárea de urgencia

Aunque el proceso quirúrgico de una cesárea de urgencia es casi el mismo que el de una cesárea planeada, las circunstancias pueden hacer que esta experiencia cause más estrés a la madre. Puede parecer que el personal va más acelerado, quizá le pidan a su acompañante que salga de la sala y tal vez a usted le administren anestesia general. Si el bebé está mal colocado, o si es necesario trabajar con rapidez, puede ser preciso practicar una incisión más larga. No obstante, procure confiar en la capacidad de su médico y estar convencida de que el resultado —el nacimiento sin peligro de un bebé sano— es más importante que el proceso.

Opciones de alivio del dolor para las cesáreas

Los partos por cesárea son más seguros para la madre y el bebé si pueden realizarse con anestesia local, epidural o peridural (véase p. 179). Al bebé le llega menos medicación y la madre puede estar despierta para recibir al recién nacido.

No obstante, a veces, es necesario administrar anestesia general por la seguridad de la madre o del bebé. Por lo general, la anestesia general es una combinación de medicación por vía intravenosa y administración de gas anestésico.

Durante la intervención quirúrgica, la anestesia general suele requerir el uso de un respirador para proteger a la madre del riesgo de una neumonía grave y evitar que inhale partículas de comida y ácido del estómago llevándolas a los pulmones. La anestesia general es más rápida y puede ser necesaria si se trata de una emergencia, por ejemplo si existe sufrimiento fetal. Algunas madres pueden necesitar anestesia general debido a ciertos problemas médicos, como una dolencia de espalda, que hagan descartar la anestesia local.

Incisiones alternativas

Durante un parto por cesárea, el médico hará dos incisiones independientes: una a través de la piel y la pared abdominal y la otra, por debajo de ésta, en la pared uterina. La cicatriz que se ve por fuera no coincide necesariamente con la incisión hecha en el útero.

La incisión en la piel que se realiza con mayor frecuencia es la incisión «bikini», practicada a través de la parte inferior del abdomen, justo por encima del vello púbico. Es preferible porque deja una cicatriz pequeña, casi imperceptible. En raras circunstancias puede ser necesario practicar una incisión vertical desde la zona púbica hasta el ombligo, por ejemplo si el médico necesitara una zona amplia para trabajar cuando es preciso extraer al bebé rápidamente.

De forma parecida, la incisión uterina más corriente es la transversal baja (de lado a lado), que se realiza a través de la parte inferior del útero (véase en el dibujo de arriba). Como este es el segmento del útero que más que contraerse, se estira, las incisiones hechas en esta zona tienen un menor riesgo de volver a abrirse o desgarrarse en partos posteriores. Muchas mujeres a quienes se les ha practicado esta incisión tienen un parto vaginal la siguiente vez. Una desventaja es que se tarda más en hacerla, por lo cual quizá no se practique en el caso de una cesárea de urgencia, donde el tiempo es mucho más crucial.

La incisión uterina vertical ofrece más espacio para evitar traumas debido al parto tanto a la madre como al bebé, en el caso de que el feto esté mal colocado, se trate de un embarazo múltiple o el segmento inferior del útero no esté lo bastante dilatado para permitir el paso del bebé por una incisión transversal. Si precisa una incisión vertical y esta se extiende hasta la parte superior del útero, tendrán que hacerle una cesárea en otros partos futuros ya que hay un riesgo mayor —superior al 2 %— de que se le abra la cicatriz.

INCISIONES UTERINAS EN UNA CESÁREA

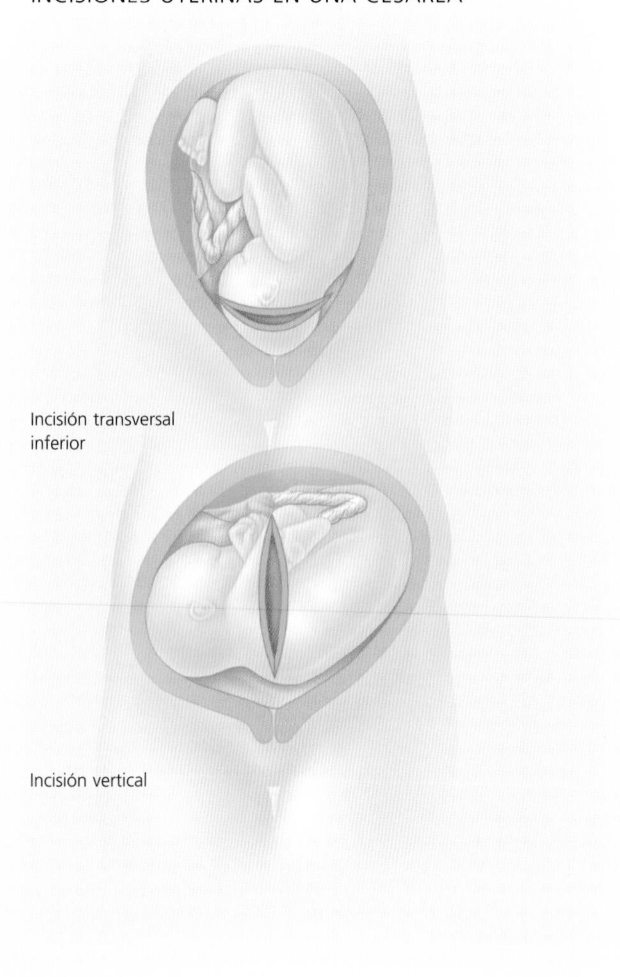

LA EXPERIENCIA DE NACER PARA SU HIJO

El parto no es solo un proceso prolongado y físicamente extenuante para usted; también entraña considerables cambios para su hijo al adaptarse a la vida fuera del útero.

El bebé está bien preparado para este viaje al mundo exterior. Por ejemplo, como las placas óseas del cráneo todavía no están fijas, este puede «amoldarse» al canal del parto para atravesarlo. La cabeza del bebé recuperará la forma normal entre 24 y 48 horas después del alumbramiento. También parece que las conexiones neuronales que le llevarían a interpretar las sensaciones del parto como «dolor» no se han desarrollado todavía en ese momento.

ADAPTARSE A LA VIDA

En realidad, la presión sobre el cuerpo del bebé mientras se abre paso por el estrecho canal del parto es útil porque lo prepara para la vida fuera del útero. La presión en la cabeza provoca la emisión de las hormonas tiroides y adrenalina, que le ayudarán a regular su temperatura después del nacimiento. La compresión en el pecho le ayuda a expeler líquido y mucosidad de los pulmones. Esta presión también impide que respire e inhale líquido y sangre mientras desciende, lo cual le ayudará a respirar por primera vez cuando salga.

Cuando el bebé atraviesa el canal del parto se produce una corta hipoxemia (privación de oxígeno) ya que el cordón umbilical está comprimido. Una vez fuera, el pecho del bebé puede ensancharse y la presión sobre la cabeza desaparece, dos cosas que activan la respuesta instintiva contra la hipoxemia, la inhalación, esto es, el impulso de respirar.

El primer aliento del bebé

Para que el corazón y los pulmones del bebé le proporcionen su propio suministro de oxígeno después de que pincen y corten el cordón, deben producirse importantes cambios. Mientras el bebé estaba en el útero, ese oxígeno le era suministrado por los vasos sanguíneos de la madre en la placenta y no por su propia respiración. Como el corazón tenía que bombear sangre por el cordón umbilical así como por todo el cuerpo, la sangre era desviada de los pulmones.

La primera vez que el bebé respira, inicia cambios de gran envergadura en su organismo. Cuando sus pulmones se llenan de aire, las diminutas bolsas de aire que hay en ellos empiezan a ensancharse. El oxígeno hace que los vasos sanguíneos de los pulmones se relajen y esto pone en marcha un aumento en el flujo sanguíneo. Las aberturas del corazón que permitían desviar la sangre de los pulmones fetales se cierran poco después del nacimiento. El cordón umbilical se estira y, como resultado, las arterias se cierran; de lo contrario el bebé perdería sangre cuando la placenta se separa.

El primer llanto del bebé

Aunque no todos los bebés lloran al nacer, la conmoción del nacimiento suele producir alguna reacción en el recién nacido. Puede llorar durante varios minutos o soltar un chillido de sobresalto y luego tranquilizarse. No obstante, si está sedado por la medicación que le dieron a la madre durante el parto, quizá no llore hasta un rato después.

¿SABÍA QUE...?

El bebé busca instintivamente el pezón. La habilidad que tiene el bebé para encontrar el pezón de la madre tan pronto nace es extraordinaria. Las investigaciones han demostrado que el bebé relaciona el olor del líquido en sus manos con el olor de los pezones de su madre. Si lo colocan sobre el abdomen de la madre, hace movimientos como de gateo para tratar de llegar al pecho. También puede usar el tacto y la vista para intentar encontrarlo. Por esta razón, la primera hora puede ser crucial para un amamantamiento con éxito.

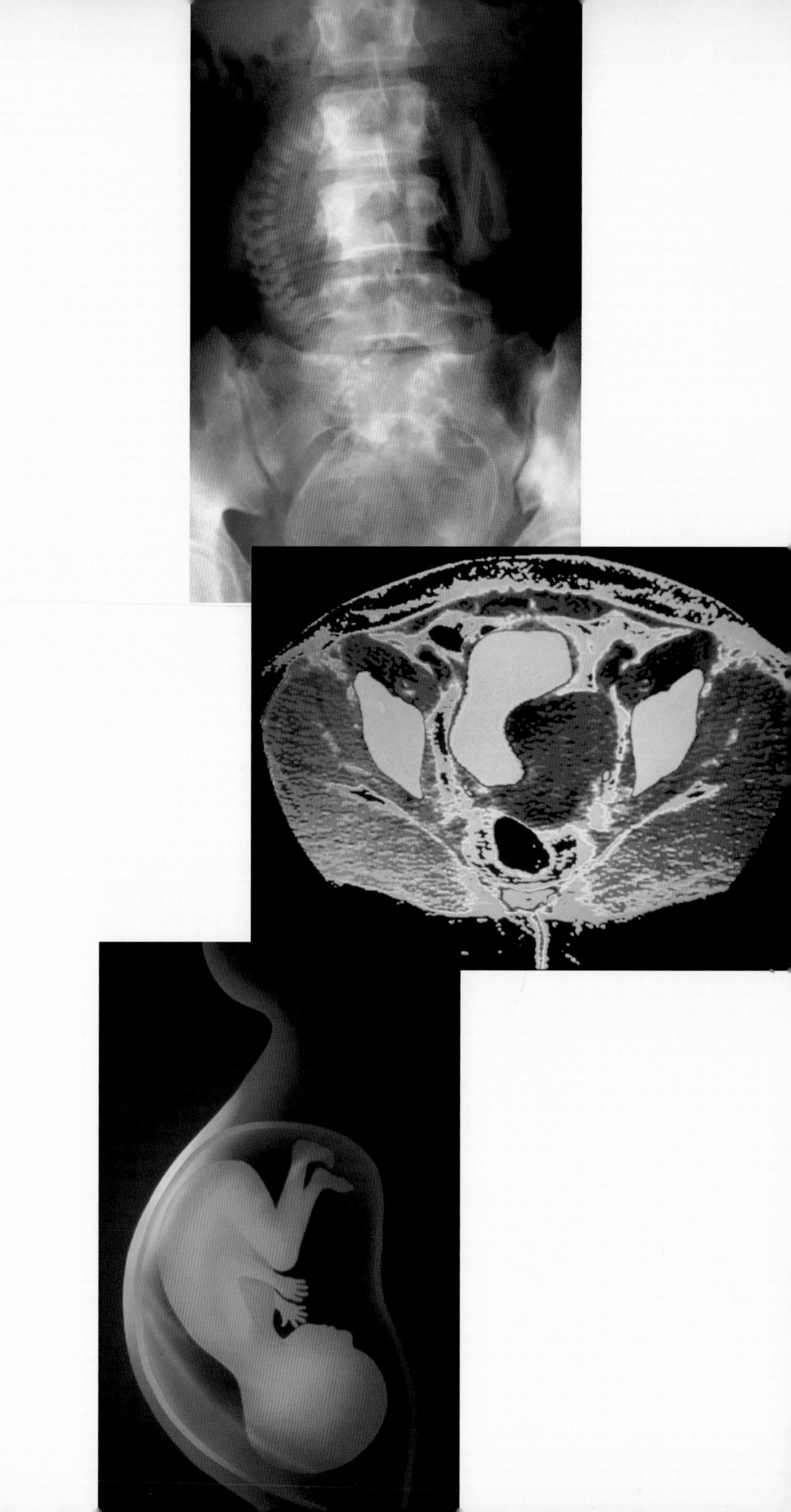

PARTE III

GUÍA PRENATAL

PRUEBAS PRENATALES

Durante el embarazo, el médico puede recomendarle una serie de pruebas para confirmar que el bebé se desarrolla con normalidad. Usted decide si quiere hacérselas o no; no tiene que someterse a ningún procedimiento con el que no se sienta cómoda. Comprender qué son esos procedimientos, por qué le han aconsejado que se haga esas pruebas y qué le dirán de su bebé le permitirá tomar una decisión con conocimiento de causa.

PRUEBAS DE DIAGNÓSTICO

Se trata de exámenes ultrasónicos o análisis de sangre que se realizan para descartar anomalías en el bebé o enfermedades en la madre. Su atractivo para muchas mujeres reside en que, a diferencia de los test de diagnóstico, no son agresivos y, por tanto, no representan ningún peligro para el feto. No obstante, no le darán un «sí» o un «no» definitivos si quiere saber, por ejemplo, si el bebé padece el síndrome de Down. También pueden mostrar unos «resultados positivos falsos», que señalen que hay un problema cuando no lo hay, o «resultados negativos falsos», que indiquen que todo está bien, cuando no es así.

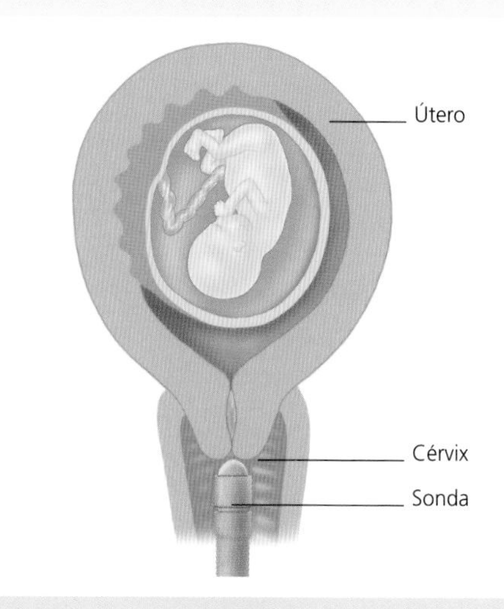

En un examen ultrasónico transvaginal se inserta una sonda en la vagina para conseguir una imagen clara del bebé en el primer trimestre.

Ultrasonidos

Esta tecnología emplea las ondas sonoras y sus ecos para crear una imagen del útero y del bebé en desarrollo. Los exámenes con ultrasonidos no causan ningún dolor y no son perjudiciales, ni a corto ni a largo plazo, para usted ni para su bebé.

Los escáneres de ultrasonidos se pueden realizar por vía intravaginal, mediante una sonda insertada en la vagina, o bien por vía abdominal externa, mediante un transductor que se desplaza sobre el vientre de la madre. La tecnología del escaneo está progresando rápidamente, y hoy día la tecnología 3D es cada vez más accesible. Con esta técnica las imágenes tomadas en cada uno de los tres planos de visión del escáner se combinan para formar una imagen tridimensional del bebé. El ordenador las fusiona en una sola. El concepto 4D hace referencia a una imagen en 3D en movimiento. Estos escáneres tardan el mismo tiempo que los bidimensionales, porque las imágenes se toman todas a la vez.

La ecografía Doppler busca rastros del flujo sanguíneo entre la placenta y el bebé por medio del cordón umbilical. Usando el color, el sonógrafo puede identificar con mayor facilidad los diversos vasos sanguíneos. La ecografía Doppler suele realizarse durante el escaneo en busca de anomalías (véase p. 238), para detectar los posibles problemas en la placenta.

Las ecografías realizadas antes de las 8 o 10 semanas de embarazo suelen hacerse por vía intravaginal, porque así se obtiene una imagen más clara, dado que se acercan más al bebé en este estadio del embarazo. Cuando el embarazo está más avanzado puede requerirse la realización de un escáner por ultrasonidos para examinar el cuello uterino. Aunque es lógico preocuparse, no hay evidencias de que la sonda pueda perjudicarle a usted ni al bebé.

Las ecografías realizadas en fases más avanzadas del embarazo suelen hacerse por vía extra abdominal, dado que entonces el bebé es claramente visible en el abdomen. Se extiende un gel sobre la piel del vientre y el transductor se desplaza sobre éste. Las ondas sónicas viajan por el líquido, como por el fluido amniótico, pero rebotan en las estructuras más sólidas como el corazón, el cerebro y la pared uterina. La calidad de estas imágenes depende de diversas variables:

- *La calidad del ecógrafo.*
- *La formación y habilidad de la persona que realice la prueba.*
- *El tiempo que dure el escaneo.*
- *La posición del bebé (a veces el escáner no capta bien al bebé, de modo que le pueden solicitar que se dé un paseo para cambiar la posición del pequeño antes de seguir con la prueba).*
- *Si tiene usted sobrepeso o mucho tejido cicatricial.*

Durante el embarazo, los escáneres por ultrasonidos se utilizan por diversos motivos, dependiendo del estadio del embarazo. Al principio, la ecografía puede ayudar a confirmar las fechas y darle la seguridad de que el embarazo se produce dentro del útero, no en la trompa (embarazo ectópico), así como detectar si el bebé es viable (es decir, que no ha padecido un aborto). Las ecografías pueden usarse, por ejemplo, para diagnosticar un problema, o si tiene gemelos, y también como técnica de cribado para ver si padece un riesgo alto o normal de tener un bebé con síndrome de Down o dolencias cardíacas congénitas. También ayuda a saber si la placenta está en el lugar correcto, si el bebé se desarrolla bien y de qué sexo es. Por último, la ecografía se usa como apoyo para otras pruebas, como la amniocentesis y la CVS.

Aunque esta es una herramienta útil, puede ofrecer una información limitada, detectar anomalías que luego se arreglarán solas, o bien pasar por alto problemas pequeños. En la Seguridad Social, se le ofrecerán al menos dos ecografías durante el embarazo.

Ecografía temprana/de datación

Suele realizarse entre las semanas 11 y 14. A todas las mujeres que acuden al médico antes de esa fase se les asesora y se les ofrece la ecografía de translucencia nucal (o triple *screening*) en esta cita. La ecografía es útil para lo siguiente:

La ecografía a través del abdomen es un procedimiento indoloro que suele practicarse, por lo común, a partir del primer trimestre para comprobar el bienestar del bebé.

- *Localizar el embarazo.* ¿Está dentro del útero?
- *Fijar una fecha precisa de parto.* Las ecografías realizadas antes de las 20 semanas ofrecen una indicación mucho más clara de la fecha de parto que las que se hacen después.
- *Comprobar el número de bebés.* Si tiene gemelos (o más), el aspecto de la membrana que los separa y la posición de la placenta pueden indicar si los bebés comparten una misma placenta o tienen una cada uno.
- *Examinar el útero y los ovarios.* Se evalúa el tamaño y la forma del útero y el aspecto del cuello uterino, y si padece fibromas (masas benignas que se forman en la pared muscular del útero) se pueden medir. A veces se detecta un pequeño quiste ovárico, que se formó cuando se liberó el huevo. Estos quistes del cuerpo lúteo se dispersan durante el embarazo. En ocasiones se detectan quistes ováricos más grandes, que no tienen relación con el embarazo.
- *Evaluar el riesgo de síndrome de Down* midiendo el pliegue nucal y, a veces, la longitud del hueso nasal (véase abajo).

Ecografía de translucencia nucal (TN)
Consiste en medir el grosor del líquido de una zona especial que se encuentra bajo la piel a la altura de la nuca del embrión. Si es más gruesa de lo habitual, el riesgo de que el bebé tenga síndrome de Down aumenta y se le ofrecerá la posibilidad de realizar pruebas ulteriores (véase p. 241). Tenga en cuenta que, aunque el riesgo sea alto, todavía hay muchas posibilidades de que el bebé sea absolutamente normal.

Longitud del hueso nasal
La presencia del hueso nasal en la ecografía del primer trimestre es un marcador temprano y concluyente de que existe bajo riesgo de síndrome de Down.

Ecografía de anomalías
Se realiza en torno a las semanas 16-22, y es mucho más detallada que la ecografía temprana. Se usa para evaluar:

- *La anatomía fetal.* Esta ecografía examina todos los órganos del bebé, incluyendo el cerebro y la médula espinal, el corazón, la cavidad pectoral, el estómago, el rostro, los riñones y la vejiga, así como los brazos y las piernas. Incluso se puede contar el número de dedos de las manos y los pies. Si el escáner detecta una anomalía, pueden solicitar que se haga una resonancia magnética nuclear (MRI) para confirmar los datos.
- *La edad gestacional.*
- *El índice de crecimiento.* La longitud del bebé se mide de la cabeza hasta las nalgas; es la llamada longitud coronilla-nalgas (CRL).
- *La cantidad de líquido amniótico.*
- *La posición de la placenta.* Se comprueba la posición, el tamaño y el funcionamiento de la placenta. Si ésta se encuentra muy abajo, cerca del cuello uterino o a través de él, en una fase posterior del embarazo volverán a examinarla. Si más tarde se aprecia que la placenta o sus vasos sanguíneos cubren el cuello uterino, tendrán que practicarle una cesárea. La placenta se puede examinar más a fondo usando un escáner Doppler cromático para seguir el paso de la sangre por el cordón umbilical.
- *El sexo del bebé.* Después de la semana 16 suele ser fácil saber si tendrá un niño o una niña. De todos modos, ¡no se fíe al cien por cien!

Ultrasonidos posteriores
Es posible que tengan que hacerle más exámenes con ultrasonidos si se da alguna de estas circunstancias:

- *Embarazo múltiple.*
- *Problemas con el índice de desarrollo del bebé (demasiado pequeño o demasiado grande).*
- *Exceso o defecto de líquido amniótico.*
- *Riesgo elevado de parto prematuro.*
- *Diabetes, hipertensión u otros problemas médicos que puedan afectar al crecimiento del bebé.*
- *Si está embarazada y tiene hemorragias.*
- *Si la placenta está muy baja.*
- *Si el embarazo supera la semana 41.*

ANÁLISIS DE SANGRE MATERNA

Al principio del embarazo, por lo general en la primera cita antenatal con el médico, le harán una analítica para descubrir una posible anemia, revelar el grupo sanguíneo y el factor Rhesus, y para evaluar su inmunidad o exposición previa a diversas infecciones.

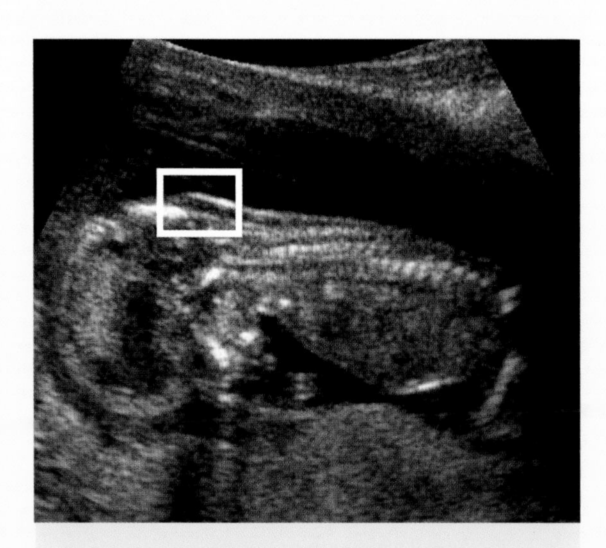

Los ultrasonidos se utilizan en la prueba de la traslucencia nucal, que consiste en examinar la zona llena de líquido de la nuca. Esta prueba se recomienda alrededor de las 12 semanas (véase, arriba, un feto de 12 semanas).

Hoy día se examina a todas las mujeres para detectar rubéola, hepatitis B, sífilis y VIH. Antes de realizar estas pruebas recibirá asesoramiento médico. En un momento ulterior del embarazo puede que le hagan un análisis de sangre para evaluar el riesgo de que el bebé padezca síndrome de Down.

Grupo sanguíneo y factor Rh

Es necesario que el médico sepa cuál es su grupo sanguíneo por si necesita una transfusión durante el embarazo o el parto. Determinar el factor Rh es importante debido a un problema del embarazo llamado incompatibilidad de Rh.

Si la madre es Rh negativo y el bebé es Rh positivo, la sangre de la madre puede desarrollar anticuerpos contra la sangre del bebé cuando las dos sangres se mezclen, por ejemplo durante el parto. Aunque es improbable que esto afecte en el primer embarazo, podría causar problemas en el segundo, si el bebé también es Rh positivo, ya que los anticuerpos que se han formado en el cuerpo de la madre pueden atacar y destruir los glóbulos rojos del bebé. Esto causará al recién nacido una enfermedad hemolítica y otros problemas que van desde una ictericia benigna hasta una anemia grave.

No obstante, por fortuna estos problemas son raros. A las madres con un Rh negativo se les administran inyecciones de inmunoglobulina antiD en las semanas 28 y 34, así como después del parto. Esta inyección impide que la madre desarrolle anticuerpos que puedan atravesar la placenta y atacar los glóbulos rojos del bebé. La antiD puede administrarse también si la madre padece sangrado vaginal después de la semana 12 y después de una biopsia de las vellosidades coriónicas, una amniocentesis o una técnica externa (véase p. 205). Si una mujer es Rh negativo, es necesario ponerle la inyección, a menos que sepa con total certeza que el padre también es Rh negativo, en cuyo caso el bebé lo será igualmente.

Hematograma completo

Este análisis verifica los niveles de cada tipo de glóbulo sanguíneo: glóbulos rojos, glóbulos blancos y plaquetas. El nivel de glóbulos rojos es especialmente importante (véase p. 90) ya que un nivel bajo puede significar que la embarazada sufre anemia.

Hacia el final del embarazo, algunas mujeres experimentan una reducción en los niveles de plaquetas. Aunque raro, es posible que un nivel muy bajo pueda afectar al procesos de coagulación de la sangre y someter a la mujer a un grave riesgo de hemorragia durante el parto. Asimismo, un nivel bajo puede impedir la administración de la epidural. Por esas razones, se comprobará el nivel de plaquetas en la primera visita y, por lo menos, otra vez durante las últimas semanas del embarazo. Si el recuento es bajo, el médico controlará sus niveles muy atentamente.

Las embarazadas suelen tener un conteo elevado de glóbulos blancos, pero si este supera determinada cifra podría indicar infección, por lo cual el médico lo comprobará si sospecha que puede haberla; por ejemplo, si existe una rotura temprana de membranas.

Rubéola

La mayoría de mujeres es inmune a este virus, sea por haber contraído la enfermedad cuando eran niñas, sea por haberse vacunado. Un simple análisis le indicará si ese es su caso (véase p. 89).

Si no es inmune y entra en contacto con alguien que tiene o se sospecha que pueda tener rubéola, debe decírselo a su médico inmediatamente, ya que esta enfermedad puede causar problemas graves en el embarazo (véase p. 258).

Hepatitis B

Esta infección vírica del hígado suele contagiarse a través de la sangre (incluso si se trata de unas gotas) utilizada en transfusiones, o a través de las agujas contaminadas de tatuadores, acupuntores o drogadictos; o manteniendo relaciones sexuales sin protección con una persona infectada.

La hepatitis B es la enfermedad de hígado más corriente del mundo, y en algunos países se está considerando la posibilidad de una vacunación generalizada para todos los bebés. En la actualidad, solo se vacuna a los nacidos de una madre que sufre la enfermedad. Si es portadora de ese virus, podría infectar al bebé en el momento del parto. Para reducir ese riesgo, lo vacunarán tan pronto nazca.

La hepatitis C es una enfermedad vírica inevitable que puede causar graves daños en el hígado; hay un riesgo muy bajo de que pase a su bebé si usted sufre la infección. La hepatitis C no es una parte rutinaria del cuidado prenatal. Si cree que tiene alto riesgo de padecerla, háblelo con su médico quien lo comprobará mediante un análisis de sangre. Si la padece, le mandarán a un especialista y le harán un análisis de sangre a su bebé cuando haya nacido.

Sífilis

Aunque es una enfermedad muy rara en nuestros días, sigue habiendo una posibilidad de que la madre la haya contraído en el pasado sin mostrar ningún síntoma, razón por la cual le harán un análisis de sangre de rutina durante el embarazo. El organismo que causa la enfermedad puede transmitirse al bebé en una fecha temprana del embarazo y puede ocasionar anormalidades faciales y retraso mental. Por fortuna, una vez identificada, la sífilis puede tratarse antes del cuarto mes con antibióticos, por lo general penicilina, que no solo impedirán que el bebé se contagie, sino que además la curarán también a usted.

VIH

En España se ofrece a todas las mujeres embarazadas un análisis de sangre para comprobar la existencia de VIH, ya que es posible estar contagiada sin saberlo. Los médicos cuentan ahora con muchos medios para impedir que el VIH se transmita al feto, así que las perspectivas para las madres VIH positivas son mejores que nunca (véase p. 268).

Prueba de tolerancia a la glucosa

La diabetes gestacional, una forma de esa enfermedad, puede ser una complicación del embarazo. Esta diabetes se detecta de diversas maneras. En la primera

ANÁLISIS DE SANGRE PARA ENFERMEDADES HEREDITARIAS

Si en su historial o el de su pareja hay alguna enfermedad hereditaria en la familia, le recomendarán que se haga un análisis de sangre para diagnosticar si el bebé corre peligro (véase p. 246).

También le pueden recomendar el análisis si hay una posibilidad por encima de la media de que usted y su pareja sean portadores de un gen deletéreo de un trastorno genético, aunque no se conozcan casos de la enfermedad en su familia cercana. Por ejemplo, en Reino Unido a las parejas judías originarias de Europa Oriental se les debería ofrecer un análisis para detectar las enfermedades de Tay-Sachs, de Canavan, fibrosis quística y disautonomía familiar.

Los afrocaribeños pueden ser examinados para detectar la anemia falciforme, ya que corren un riesgo mayor de sufrir esa enfermedad. A veces en las personas cuyas familias proceden originariamente del Mediterráneo se comprobará la existencia de talasemia, que es una forma hereditaria de anemia.

Los análisis de sangre se utilizan, asimismo, para identificar enfermedades que pueden transmitirse por el padre o la madre portadores, como la hemofilia, o por el padre o la madre aquejados, como la corea de Huntington.

El médico le aconsejará sobre las pruebas genéticas y quizá la envíe a un especialista.

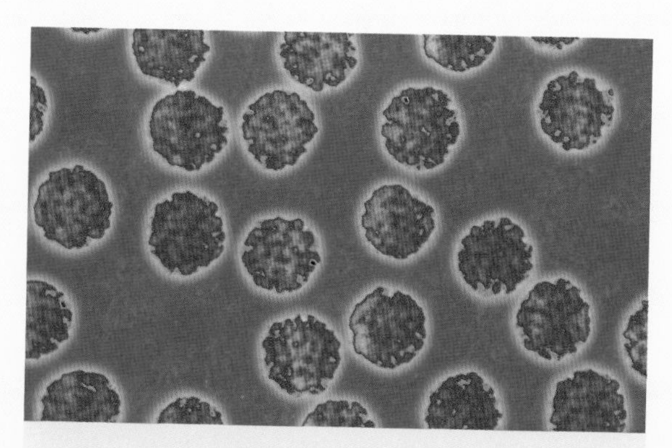

El virus de la hepatitis B (que mostramos arriba) es la causa de la hepatitis sérica o hepatitis B, que se suele transmitir a través de la sangre o de las relaciones sexuales sin protección.

visita, en algunos consultorios le darán una bebida azucarada y, una hora después, le tomarán una muestra de sangre que enviarán al laboratorio para analizarla. En otros, puede que le hagan una prueba de glucosa en la sangre cada tres meses o que solo se la hagan si está dentro de uno de los grupos de riesgo o se descubre que hay azúcar en su orina. El momento más corriente para que le hagan este análisis es entre la semana 26 y la 28.

RECONOCIMIENTO PRENATAL PARA DETECTAR EL SÍNDROME DE DOWN

El riesgo de tener un bebé con síndrome de Down puede calcularse mediante una prueba combinada de ecografía de translucencia nucal (TN) (véase p. 238) y análisis del suero materno, que forman parte del plan de cuidados prenatales típico. Estas pruebas perciben entre el 80 y 90 por ciento de mujeres en riesgo. No obstante, el análisis del suero materno no está indicado en embarazos múltiples, ya que el índice de estas sustancias en la sangre es naturalmente mucho más alto en estas circunstancias, lo que invalida el test. El diagnóstico final solo puede hacerse mediante una muestra de vellosidades coriónicas o con una amniocentesis, en las que se examinan los cromosomas del bebé.

Análisis del suero materno

Existen sustancias específicas en la sangre materna procedentes del bebé y de la placenta que son elevadas cuando hay síndrome de Down. Son la alfafetoproteína (AFP), la gonadotropina coriónica humana (GCh), una sustancia placentaria (PAPP-A), el estriol y la inhibina A. Están disponibles las siguientes pruebas:

- *De la semana 11 a la 14.* La prueba combinada (TN, GCh y PAPP-A).
- *De la semana 15 a la 23.* (Si no se hubiera hecho la TN) La prueba cuádruple (GCh, AFP, uE3, inhibina A).
- *De la semana 10 a la 13 y de la semana 14 a la 22.* La prueba integrada (primero una ecografía para comprobar la TN y un análisis de sangre para analizar la GCh y la PAPP-A; seguido de un análisis de sangre para comprobar la AFP, el estriol, la inhibina A y la GCh).

Un índice elevado de AFP en la sangre materna puede indicar un defecto del tubo neural, como la espina bífida (véase p. 375), o problemas en la pared abdominal del feto, aunque este tipo de trastornos suelen verse en la ecografía de las 20 semanas para detectar malformaciones del feto.

PRUEBAS DE DIAGNÓSTICO PRENATAL

Dependiendo de su edad, de su historial médico, obstétrico y familiar, así como de otros factores, tal vez desee, o le aconsejen, someterse a una o más pruebas diseñadas para detectar ciertas enfermedades y que evalúan los cromosomas de su bebé en desarrollo. Las anomalías en el número o en la estructura de los cromosomas pueden ocasionar problemas en el bebé. La anomalía cromosómica más común entre los bebés que logran sobrevivir es el síndrome de Down, que va asociado a graves dificultades de aprendizaje. Las pruebas pueden detectar anomalías mediante la elaboración de un cariotipo, una imagen ampliada de los cromosomas de cada individuo.

Además, el ADN obtenido de estas pruebas puede utilizarse para detectar ciertas enfermedades hereditarias que pudiera haber basándose en el historial familiar o étnico; por ejemplo, la enfermedad de Tay-Sachs, la fibrosis quística o la anemia falciforme. No obstante, a menos que se sepa que una pareja corre especialmente el riesgo de sufrir uno de esos raros trastornos genéticos, no se hará esa prueba especializada de forma habitual.

Por lo general, en España a las mujeres que tienen más de 35 años o que los cumplan antes del término del embarazo se les ofrecerá la posibilidad de someterse a estas pruebas prenatales para comprobar si hay alguna anomalía. Treinta y cinco años es la edad a partir de la cual los riesgos de tener un bebé con alguna anomalía cromosómica aumentan de forma

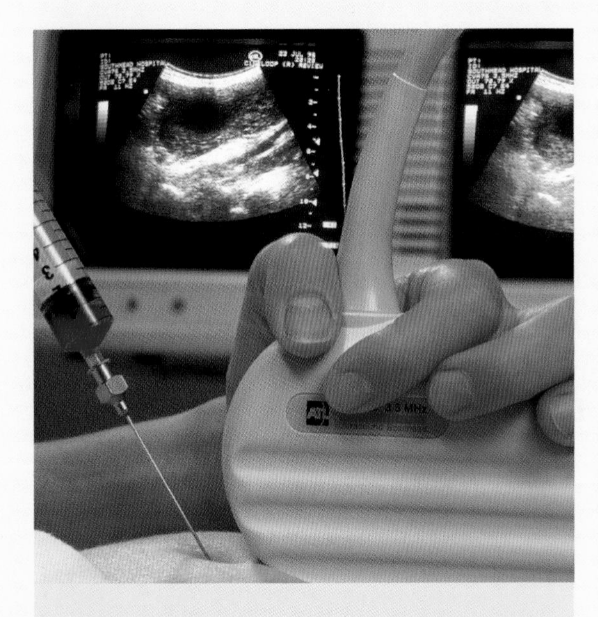

Durante el análisis transabdominal de las vellosidades coriónicas (AVC), se usan los ultrasonidos para determinar la localización de la placenta y para guiar la aguja a través del abdomen y la pared del útero hasta la placenta, sin dañar al feto.

significativa (también si el padre del bebé es mayor, véase p. 93). Es asimismo la edad en que el riesgo de abortar como consecuencia de la propia prueba es casi igual a la posibilidad de que el bebé tenga una anomalía cromosómica. No obstante, aunque el peligro de esas anomalías es mucho menor en mujeres menores de 35 años, la mayoría de bebés que nacen con el síndrome de Down son de mujeres que están por debajo de esa edad, porque nacen muchos más niños de mujeres menores de 35 años que de las que ya los han cumplido.

¿Qué sucede si le advierten que corre un alto riesgo de trastornos cromosómicos, pero piensa que el riesgo de aborto que supone la amniocentesis es demasiado alto o si ha decidido que no querrá poner fin al embarazo, aun en el caso de que exista una anormalidad? ¿Puede negarse? Sí que puede; tiene el derecho a decidir si acepta o no cualquier procedimiento que se le ofrezca, pero recuerde que, incluso si poner fin al embarazo no es algo que quiera tener en cuenta, saber por adelantado si existe una anomalía puede darle más tiempo para prepararse a recibir un niño que quizá tenga necesidades especiales.

Aunque tenga menos de 35 años, es absolutamente razonable que quiera que comprueben si el bebé padece alguna anomalía cromosómica, siempre que comprenda los riesgos y beneficios que esa prueba entraña.

Análisis de las vellosidades coriónicas (AVC)

La placenta tiene unas proyecciones de tejido parecidas a dedos diminutos, conocidas como vellosidades coriónicas. Estas vellosidades evolucionan desde unas células que salen del óvulo fecundado, así que tienen los mismos cromosomas y formación genética que el feto. Una muestra de estas vellosidades permitirá que el médico vea si los cromosomas son normales en número y estructura o no lo son. El ADN de las vellosidades coriónicas puede usarse también para detectar algunas enfermedades genéticas, si se cree que el feto corre peligro.

La principal ventaja que tiene el AVC sobre la amniocentesis es que se dispone de los resultados en una etapa más temprana del embarazo. Esto significa que si el análisis revela una anomalía en el feto y si abortar se considera una opción, puede hacerse antes, lo cual es más fácil para la madre, tanto física como emocionalmente.

¿Cómo se efectúa?

El AVC suele hacerse entre la semana 11 y 13 del embarazo y puede realizarse de dos maneras: sea tomando muestras del tejido de la placenta, que contiene las vellosidades coriónicas, mediante una aguja hueca introducida a través del abdomen —AVC transabdominal— o a través de un tubo delgado y flexible insertado a través del cérvix —AVC transcervical—. Se utilizan imágenes ultrasónicas para guiar al médico hasta el lugar adecuado y evitar causar daños al feto. El tejido se analiza en un laboratorio y se elabora un cariotipo (una imagen de los cromosomas). La decisión de realizar el AVC a través del abdomen o del cérvix depende de dónde esté situada la placenta dentro del útero y de la forma y colocación de este.

Riesgos y efectos secundarios

En el caso de los dos sistemas de AVC —transabdominal y transcervical— ninguno es más arriesgado que el otro, pero cualquier prueba invasora aumenta siempre el peligro de que se produzca un aborto espontáneo (1:1.000). Los estudios demuestran que la experiencia de la persona que lleva a cabo el procedimiento es importante para reducir los riesgos.

A principios de los años noventa, creció la preocupación de que el AVC aumentara el riesgo de que el bebé naciera con deformidades en las extremidades. Desde entonces, un registro internacional ha reunido datos de más de 200.000 madres que se han sometido al AVC y no se han encontrado pruebas de que hayan aumentado esas deformidades, cuando la prueba se realizó después de las nueve semanas. Por esa razón, no se efectúa el AVC antes de la semana once.

Después de un AVC pueden producirse pérdidas de sangre vaginales que no deberían ser causa de preocupación, aunque debe decírselo al médico si duran tres días o más. Hay también un riesgo muy pequeño de infección; así que si tiene fiebre en los días siguientes a la prueba, avise al médico.

Resultados

Los resultados del AVC están disponibles en siete días, aunque pueden ser necesarias dos o tres semanas para elaborar un informe completo. Esos resultados proporcionan una imagen completa de la estructura genética del bebé.

Amniocentesis

Esta prueba consiste en extraer líquido amniótico del útero, que contiene células del feto que se analizan para obtener información sobre sus cromosomas.

Para detectar anomalías genéticas suele hacerse una amniocentesis entre las semanas 15 y 20. El análisis comprueba si están presentes los 23 pares de cromosomas y si sus estructuras son normales. No examina de forma habitual todas las enfermedades genéticas o las anomalías estructurales posibles. También puede emplearse para detectar trastornos genéticos específicos, que se sabe que representan un alto riesgo para el bebé; por ejemplo, si se sabe que tanto el padre como la madre son portadores de la fibrosis quística o de la

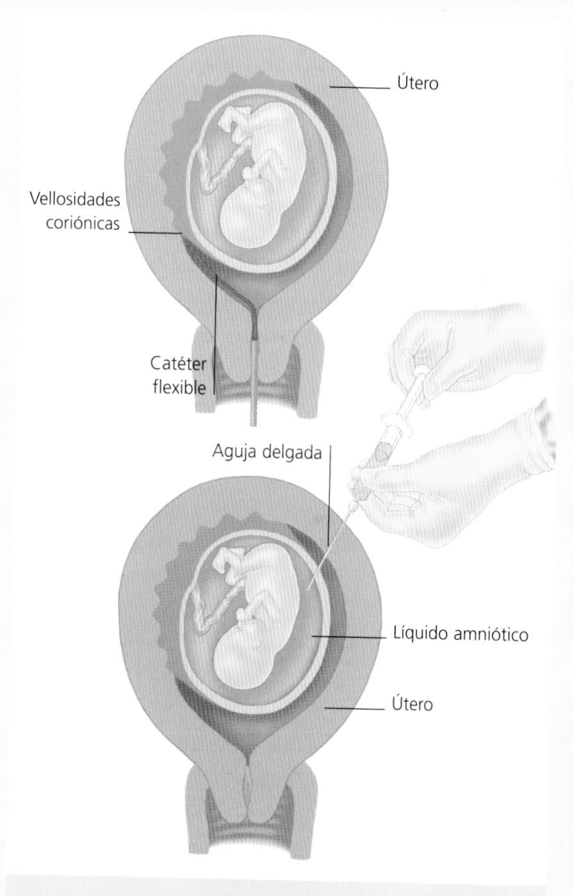

El AVC (arriba) y la amniocentesis (abajo) son pruebas de diagnóstico que se pueden realizar si se sospecha alguna anomalía. Usted y su médico deberán discutir sobre qué pruega elegir. No hay diferencias estadísticas entre las dos en lo que se refiere a la posibilidad de sufrir un aborto. En ambas pruebas se usan las imágenes ultrasónicas para guiar al médico hasta el lugar adecuado del útero y evitar dañar al feto.

enfermedad de Tay-Sachs o que uno de los dos es portador de una enfermedad genética que pueda ser transmitida solo por uno de ellos, por ejemplo la corea de Huntington.

Le propondrán hacer una amniocentesis si los resultados de las pruebas precoces para el síndrome de Down muestran que es una paciente de alto riesgo o si la ecografía era anormal e indicaba, por ejemplo, un mal crecimiento fetal o posibles anomalías estructurales.

Amniocentesis posterior

Puede que le propongan hacerse una amniocentesis en un momento más avanzado del embarazo para comprobar lo siguiente:

- *Infecciones.* Algunas mujeres embarazadas corren el riesgo de sufrir infecciones como la toxoplasmosis, el citomegalovirus (CMV) o el parvovirus. Se puede analizar el líquido amniótico para detectar preventivamente esos problemas en las mujeres que se considera que están en una situación de riesgo.
- *Sensibilización al Rh.* A veces a las mujeres con un Rh negativo que han desarrollado anticuerpos anti-Rh, se les hace una prueba conocida como delta OD-450, en la cual se examina el líquido amniótico para detectar si hay glóbulos rojos fetales dañados.
- *Anomalías.* Si en la ecografía se detectó cualquier anomalía (véase p. 238), se puede sospechar que hay algún trastorno cromosómico.
- *Parto prematuro.* Una infección en el líquido amniótico puede causar un parto prematuro. Si se sospecha que existe infección, puede enviarse una muestra de líquido amniótico para confirmar si realmente existe o no. Si hay infección, el médico puede sugerir un parto provocado para minimizar cualquier efecto dañino para ti o tu hijo.
- *Análisis de madurez de los pulmones.* En ocasiones el doctor necesita saber si los pulmones del bebé son suficientemente maduros para que nazca. Algunos análisis de líquido amniótico pueden determinar la madurez pulmonar. Una aminocentesis realizada en las últimas fases del embarazo —por ejemplo, en el tercer trimestre— no comportará riesgos de aborto. Solo conlleva un riesgo muy menor de infección, de rotura de membranas (rotura de aguas) o de inicio del parto.

¿Cómo se efectúa?

Este procedimiento suele estar a cargo de un tocólogo especializado. Mediante la ecografía se identifica una «bolsa» de líquido amniótico que esté lejos del feto. Se inserta una fina aguja hueca a través del abdomen y la pared del útero hasta llegar al líquido amniótico. Se extraen entre 15 y 20 cc (entre una y dos cucharadas) de líquido amniótico, y luego se retira la aguja.

Algunas mujeres piensan que la inserción se hace a través del ombligo, pero no es así. El punto exacto dependerá de dónde estén el feto, la placenta y el saco amniótico dentro del útero.

Muchas mujeres han oído decir que la aguja es extraordinariamente larga y temen que les produzca dolor. Pero la longitud de la aguja, que le permite alcanzar el saco amniótico, no la convierte en dolorosa. El grueso de una aguja determina el dolor que causa y una aguja de amniocentesis es muy fina, o sea que la molestia debe de ser mínima.

El procedimiento dura solo uno o dos minutos, aunque quizá parezca más largo. Es ligeramente molesto, pero no muy doloroso. La mayoría de mujeres dice que no era tan malo como esperaban. En general, se nota una ligera y breve sensación de calambre cuando la aguja penetra en el útero, seguida de otra sensación extraña de arrastre cuando se succiona el líquido a través de la aguja. Aunque algunos médicos deciden poner una inyección de anestésico local, otros opinan que la molestia causada por la propia inyección no se ve compensada por el beneficio. Después de todo, la anestesia solo insensibiliza la piel y no el útero, que es donde se notarán las molestias. Una vez haya acabado, el médico le aconsejará que descanse uno o dos días y evite realizar todo tipo de actividades físicas agotadoras o tener relaciones sexuales durante esos días.

Riesgos y efectos secundarios

Esta prueba entraña un pequeño riesgo (1/10.000) de provocar un aborto. Después, algunas mujeres experimentan calambres durante varias horas. El mejor tratamiento es el descanso. Puede producirse una pérdida de líquido amniótico por la vagina, no más de una cucharada. Si es poca cantidad y se detiene al cabo de poco, no pasa nada, pero si se trata de un chorro, llame al médico inmediatamente. También puede sufrir una hemorragia muy ligera o pérdidas menores, que durarán unos días.

A muchos padres les preocupa que la amniocentesis pueda causar daño al feto, pero las posibilidades de que esto ocurra son muy escasas, gracias a la utilización de las imágenes ultrasónicas.

Resultados

Las células de líquido amniótico recogidas durante la amniocentesis deben incubarse y cultivarse, lo cual lleva algo de tiempo. Se suele disponer de los resultados al cabo de una o dos semanas. En ciertas circunstancias, los laboratorios llevarán a cabo una prueba rápida preliminar denominada hibridización fluorescente *in situ*, cuyos resultados tardan entre 24 y 48 horas. Una hibridización fluorescente *in situ* no proporciona el resultado final y solo comprueba si existen ciertas anomalías cromosómicas comunes. Se utiliza corrientemente si se sospecha la existencia de anomalías como el síndrome de Down, la trisomía 18 o la trisomía 13.

Análisis de la sangre fetal

Conocido también como muestreo percutáneo de sangre umbilical, o cordocentesis, consiste en extraer sangre fetal del cordón umbilical. Suele realizarse después de la semana 18 de embarazo y permite que el médico disponga de sangre para realizar un diagnóstico cromosómico rápido en los casos en que es crucial disponer urgentemente de un resultado. También se efectúa para diagnosticar algunas enfermedades fetales, detectar pruebas de anemia fetal o diagnosticar y tratar una dolencia denominada hidrops fetal, que hace que se acumule líquido de forma anormal en el feto.

Algunos bebés padecen anemia, que puede ser tratada dentro del útero mediante una transfusión de sangre. Esa transfusión se realiza durante una prueba de sangre fetal y la sangre se introduce en el cordón umbilical. Entre los trastornos que pueden conducir a una anemia están ciertas infecciones, como el parvovirus, las enfermedades genéticas (véase p. 246) o algunas incompatibilidades del grupo sanguíneo (véase p. 90).

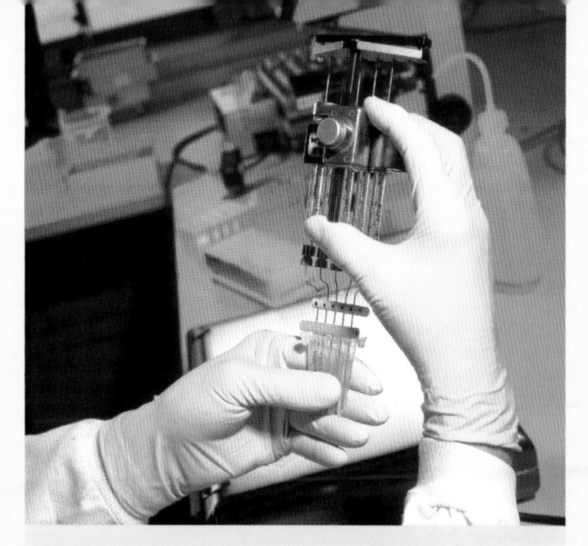

Durante la prueba sanguínea percutánea del cordón umbilical, se extrae sangre fetal del cordón para analizarla en el laboratorio (véase arriba). La sangre se puede usar para diagnosticar una serie de trastornos diferentes.

¿Cómo se efectúa?

Lo lleva a cabo un especialista en medicina materno-fetal y se realiza contando con la guía de ultrasonidos. Es similar a una amniocentesis, excepto que la aguja se introduce en el cordón umbilical en lugar de en el líquido amniótico.

Riesgos y efectos secundarios

El riesgo de perder al bebé es más alto que con la amniocentesis. Otros factores de riesgo son la infección y la rotura de las membranas.

Resultados

Suelen ser necesarios tres días para contar con los resultados. Aunque actualmente no hay ninguna investigación concluyente sobre la fiabilidad de la prueba, se cree que los resultados son muy precisos.

ASESORAMIENTO GENÉTICO

Pueden recomendarle que vaya a ver a un especialista en genética antes, durante o después de un embarazo si creen que corre un alto riesgo de tener un bebé con una anomalía. Lo ideal sería que esa consulta tuviera lugar antes de la concepción. Es mejor tomar decisiones si no se hace apresuradamente y, además, lleva tiempo reunir toda la información pertinente y recibir los resultados de las pruebas.

¿POR QUÉ PUEDE QUERER ASESORARSE?

El propósito de la consulta genética es:

- Determinar la probabilidad de que su hijo sufra alguna anomalía congénita (presente en el momento de nacer) o un problema genético.
- Explicar los efectos de ese trastorno y el riesgo que corre el bebé.
- Describir los tratamientos disponibles.
- Informar de las pruebas prenatales disponibles para detectar el problema.
- Informar sobre qué medidas se pueden tomar si existe alguna anomalía.
- Ayudarle a tomar la decisión más adecuada.

Muchas anomalías fetales pueden detectarse antes del nacimiento. No obstante, esas pruebas son totalmente opcionales y se pueden rechazar. Si una madre decide someterse a una prueba prenatal y le dicen que hay un posible problema o si se descubre que el bebé padece una anomalía grave —que aparecerá durante el embarazo o después del parto—, es posible estudiar las consecuencias en una sesión de asesoramiento genético con un médico, una comadrona y un especialista genético.

Muchas persones creen, erróneamente, que todos los tipos de anomalías congénitas se producen con mayor frecuencia si la madre es mayor. De hecho, la mayoría de anomalías no está relacionada con la edad de la madre y, como la mayoría nacen de madres de menos de 40 años, esos bebés representan la población más numerosa que sufre anomalías congénitas.

No obstante, las madres de más edad sí que corren un riesgo mayor de tener un hijo con el síndrome de Down y otros problemas cromosómicos.

¿Por qué pueden enviarla a un consultorio de asesoramiento genético?

Las parejas que corren un riesgo por encima de la media de tener un bebé con una enfermedad hereditaria o una anomalía congénita deberían visitar a un especialista en genética antes del embarazo o en sus inicios. Entre esas personas estarían las que:

- *Han tenido otros hijos con anomalías.* Si la madre o algún miembro de la familia han tenido o perdido un bebé con una anomalía, es preciso informar el médico. Se puede ofrecer asesoría para hablar de qué riesgos existen de tener otro bebé con el mismo problema.
- *Pertenecen a un grupo étnico en particular.* Algunos trastornos genéticos son más corrientes entre ciertos grupos raciales o culturales. Por ejemplo, las personas de origen judío ashkenazi tienen un riesgo superior a la media de portar un gen de una enfermedad genética degenerativa llamada enfermedad de Tay-Sachs. Los afrocaribeños, por otro lado, tienen un riesgo superior a la media de portar el gen de la anemia falciforme y las personas con ascendencia asiática o mediterránea tienen un riesgo mayor de portar el gen de la talasemia.
- *Son portadores.* Si uno de los progenitores es portador de un gen anormal o algún cromosoma poco común —detectados mediante pruebas debidas al origen étnico, historias familiares, repetidos abortos o en un examen— el genetista puede determinar sus repercusiones.
- *Son primos.* Si los futuros padres son primos hermanos, compartirán uno de cada ocho genes; los primos segundos comparten uno de cada treinta y dos. Por tanto, hay un riesgo superior a la media de que ambos tengan un mismo gen anormal y, por ello, las posibilidades de que el bebé tenga una enfermedad congénita de herencia recesiva están también por encima de la media. Sin embargo, es importante recordar que la mayoría de matrimonios entre primos conciben niños normales y sanos.
- *Ha sufrido repetidos abortos espontáneos.* El médico puede encargar a la madre unas pruebas cromo-

sómicas si ha abortado repetidas veces, ya que la causa podría ser un modelo cromosómico inusual en el padre o en la madre. No se suelen proponer las pruebas hasta que ha habido dos o tres pérdidas, porque los abortos espontáneos son corrientes y no suelen indicar que haya un problema ni en el padre ni en la madre.

- *La madre ha estado expuesta a sustancias dañinas.* Si la madre sospecha que puede haber estado expuesta a algo peligroso, como rayos X, productos químicos o ciertos medicamentos que pudieran haber afectado al feto, es preciso informar al médico inmediatamente, ya que puede ser necesario acudir a un especialista en genética.
- *Se ha detectado un problema potencial.* Si un examen de ultrasonidos u otra prueba prenatal detecta alguna anormalidad, debe acudir al especialista.

¿Qué sucede durante una sesión de asesoramiento genético?

El especialista en genética, la enfermera especializada o el médico le hará preguntas sobre su familia, para construir un árbol genealógico a fin de averiguar si hay enfermedades que parecen ser «de familia» y evaluar las posibilidades de que su hijo herede esa dolencia. Es posible que para conseguir una información más detallada se pida a ambos padres y a otros miembros de la familia una muestra de sangre o saliva para analizar los cromosomas o los genes.

ANÁLISIS POR MICROMATRIZ

También llamado a veces array-CGH (hibridación genómica comparativa), esta prueba utiliza la última tecnología para comprobar aproximadamente 150 alteraciones genéticas. Se coloca una diminuta cantidad de ADN en un pequeño «chip». Si el ADN contiene alguna de las anomalías incluidas en el chip, se producirá una reacción química que hace que el chip cambie de color en la zona correspondiente a la anomalía. Un escáner especial puede detectar el cambio de color e identificar la anomalía. Esta tecnología es muy complicada y cara, y no puede conseguirse fácilmente.

Se utiliza una muestra de saliva para hacer una prueba genética o cromosómica con el fin de evaluar el riesgo de una enfermedad hereditaria. Se frota la parte interior de las mejillas con una varilla de algodón que luego se envía al laboratorio para ser analizada.

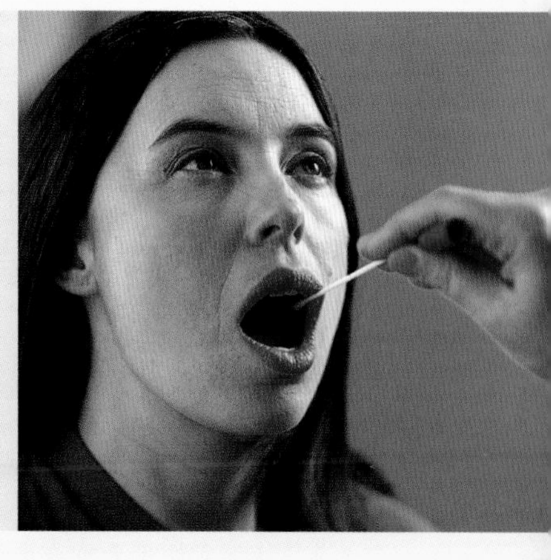

Si se cree que el bebé corre un gran peligro de padecer una anomalía cromosómica, le recomendarán que se haga una amniocentesis (véase p. 243) o un análisis de las vellosidades coriónicas (véase p. 242) o, si la madre lleva ya 20 semanas de embarazo, le propondrán un análisis de sangre fetal.

Si, una vez conseguida toda la información y los resultados de las pruebas, se descubre que el bebé padece un trastorno, le explicarán cómo le afectará esa anomalía, qué tratamientos hay disponibles y si es posible poner fin al embarazo. No le dirán qué tiene que hacer. Todas las pruebas son voluntarias y cualquier cosa que decida usted es aceptable. El especialista en genética o el médico le expondrán los pros y los contras de las diferentes opciones, pero no tomarán las decisiones por usted.

¿Cómo se heredan las enfermedades?

Un bebé tiene dos genes para cada característica: uno de la madre y otro del padre (véase p. 17). Es probable que los padres y el niño tengan algunos genes anormales —así sucede en la mayoría de los casos—, pero también que esos genes no causen problemas. Un gen anormal solo puede causar problemas si es dominante, si es recesivo y el feto ha heredado dos copias del gen afectado o si está asociado al cromosoma X y el bebé que se espera es un chico (véase p. 248). Las cifras registradas expresan el riesgo medio para los diferentes tipos de herencia. Recuerde que, igual que una pareja puede tener seis chicos o seis chicas seguidos, también puede tener muchos hijos con un problema —y ese riesgo es de uno de cada dos o uno de cada cuatro—, o tener muchos hijos normales sin ese problema.

GENES DOMINANTES

Ejemplos de enfermedades: corea de Huntington, acondroplasia y distrofia miotónica.

Si una persona es portadora de un gen dominando anómalo, es probable que ya lo sepa, porque tendrá la enfermedad, a menos que los efectos no sean visibles hasta una etapa más avanzada de su vida. Si se porta ese gen anómalo, cada óvulo o espermatozoide producido tiene una posibilidad del 50 % de contenerlo.

Probabilidad de que el bebé herede el problema: cada niño tiene una posibilidad entre dos de verse afectado.

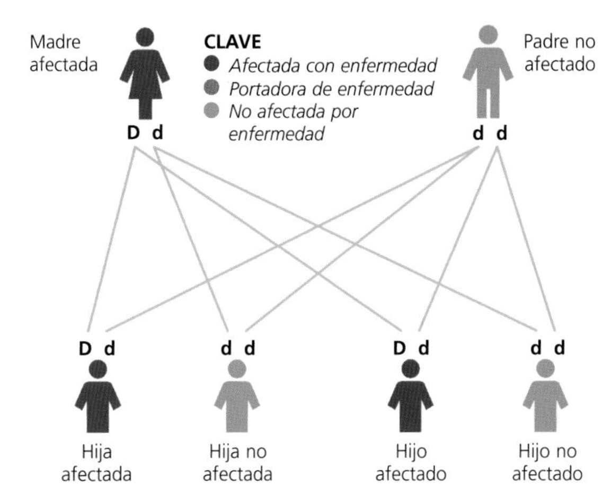

GENES RECESIVOS

Ejemplos de enfermedades: fibrosis cística, talasemia y anemia falciforme.

Un gen anormal recesivo no afectará a la salud de la madre o el padre siempre que el gen con el que forma pareja sea normal. No obstante, si un bebé hereda dos copias de un gen anormal, una del padre y otra de la madre, se verá afectado. Si hereda una sola copia, será un portador sano de la enfermedad, como su padre o madre.

Probabilidad de que el bebé herede el problema: cada niño tiene una posibilidad entre cuatro de verse afectado. Cada niño no afectado tiene dos posibilidades entre tres de ser portador.

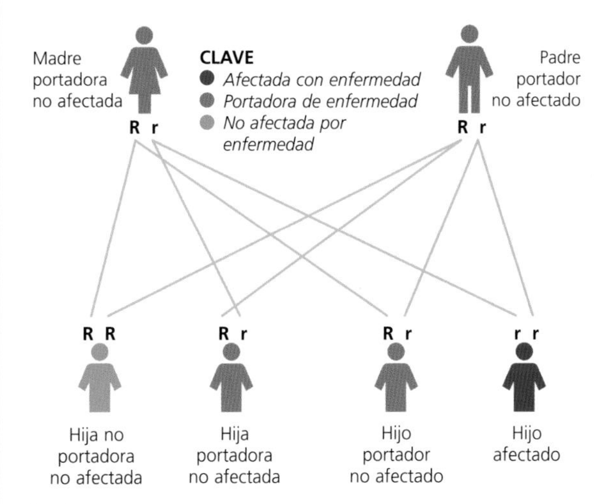

GENES LIGADOS AL CROMOSOMA X

Ejemplos de enfermedades: hemofilia, distrofia muscular de Duchenne y daltonismo.

Si una mujer es portadora de un gen anormal en un cromosoma X, es probable que no tenga ningún problema, ya que, seguramente, su otro cromosoma X llevará una versión normal del gen. Un hombre portador de un gen anormal en su cromosoma X padecerá la enfermedad, ya que no tendrá otro cromosoma X con una versión normal del gen.

Probabilidad de que el bebé herede el problema: si la madre es portadora, la hija tiene una probabilidad entre dos de ser también portadora. Sus hijos tendrán una probabilidad entre dos de verse afectados. Si el padre está afectado, todas las hijas serán portadoras y los hijos no se verán afectados.

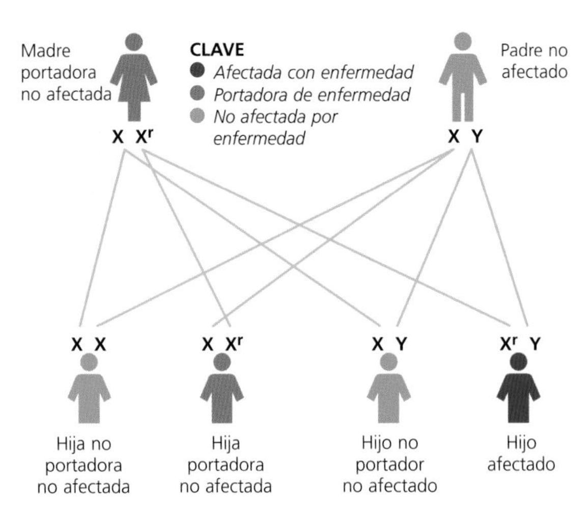

Nuevas mutaciones

A veces un bebé nace con un problema ligado al cromosoma X o dominante que no tienen ni el padre ni la madre; es una nueva mutación. Estas mutaciones surgen de un error al copiar un gen durante el proceso de producción del óvulo o el espermatozoide. Si usted concibe un bebé con una nueva mutación, aunque los hijos que pueda tener en el futuro no corren un gran riesgo de repetir el problema, el niño afectado podría pasarle el gen a sus propios hijos.

PROBLEMAS CROMOSÓMICOS

Es muy importante que el bebé herede el número correcto de cromosomas (46); un cromosoma de más significa miles de genes extra; uno de menos equivale a una carencia de miles de genes.

Trisomías (incluyendo el síndrome de Down)

Si un bebé hereda una copia extra de un cromosoma, tendrá tres copias en lugar de las dos normales. Este trastorno se denomina trisomía. La mayoría de fetos afectados por trisomía no llega a nacer, ya que son abortados espontáneamente, pero en algunos casos el feto se desarrolla y sobrevive. Entre estos últimos, el más corriente es el síndrome de Down, llamado también trisomía 21 porque el bebé tiene tres copias del cromosoma 21. Los síndromes de Edwards (trisomía 18) y de Patau (trisomía 13) son más raros y revisten más gravedad. El riesgo de tener un hijo con el síndrome de Down aumenta a medida que la edad de la madre es mayor: a los 20 años, es de uno entre 5.000, a los 30, de uno entre 900 y a los 40 de uno entre 100.

TRASTORNOS POLIGÉNICOS O MULTIFACTORIALES

Muchas anormalidades, como la espina bífida (véase p. 375) o ciertas cardiopatías (véase p. 374) no son causados, usualmente, por un gen o un cromosoma anómalos, sino que son el producto del efecto combinado de muchos genes diferentes y del entorno. Se denominan trastornos poligénicos o multifactoriales. Cuando un bebé nace con uno de esos trastornos, el riesgo de recurrencia de que se informa a los padres se basa en las observaciones de lo que les ha pasado a otras parejas que han tenido niños afectados de forma similar.

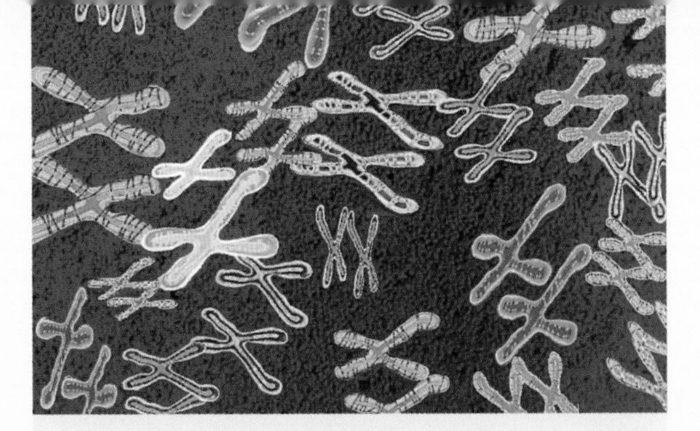

Los cromosomas sexuales masculinos se muestran aquí de color amarillo intenso (centro izquierda) con el cromosoma X, más grande, debajo del cromosoma Y. El cromosoma Y es el responsable de las características masculinas.

Cromosonas sexuales extra

Los estudios muestran que, por lo menos, uno entre cada mil bebés tiene un cromosoma sexual extra. Esos bebés suelen ser normales en apariencia y conducta, y muchos progresan en la vida sin que se les diagnostique ese cromosoma de más. No obstante, algunos pueden tener problemas; por ejemplo los hombres con un cromosoma X extra son estériles. Si las pruebas prenatales muestran que el bebé tiene un cromosoma X o Y extra, le propondrán que consulte a un especialista en genética para que le explique qué repercusiones puede haber.

Translocaciones

Alrededor de una persona entre quinientas tiene uno o más cromosomas en los cuales algunas partes se han intercambiado con otro cromosoma o se han desprendido. Esos cambios de sitio se llaman translocaciones. Si se ha equilibrado, no causará problemas, ya que todos los genes están presentes, aunque en un lugar diferente. Si no lo ha hecho (si hay información genética extra o desaparecida) suele producirse un aborto. Si el bebé nace, podría sufrir importantes trastornos físicos e intelectuales. Las personas con translocaciones equilibradas corren mayor riesgo de producir óvulos o espermatozoides con esas mismas translocaciones.

SÍNDROME DEL X FRÁGIL

Aquí, uno de los genes del cromosoma X es defectuoso. Como la forma normal del gen fabrica una proteína necesaria para el desarrollo del cerebro, el síntoma principal es el retraso mental. Afecta a 1 de cada 3.600 hombres, y a 1 de cada 4.000 a 6.000 mujeres, sin distinción de raza ni grupo étnico.

PARTOS COMPLICADOS

Cada mujer tiene una experiencia diferente del parto y la experiencia del nacimiento de cada bebé es única. Algunos bebés se toman su tiempo para nacer, otros llegan sin armar ningún alboroto. También están los que se retrasan y los que se adelantan. En ocasiones surgen problemas que afectan a la evolución del parto.

PARTO PREMATURO

No todos los partos tienen lugar en la fecha de término (entre las semanas 37 y 41 después de su último período menstrual). Si las contracciones regulares empiezan antes de las 37 semanas, se presentan a un ritmo de seis o más en una hora y no desaparecen con el descanso, puede ser que esté teniendo un parto prematuro. Como quizá el bebé no haya madurado lo suficiente para arreglárselas solo si nace demasiado temprano, deben reconocerla en el hospital lo antes posible.

Al igual que sucede con el parto a término, nadie sabe exactamente qué provoca el parto prematuro, pero parece que hay muchas causas posibles y que intervienen muchos factores. Entre ellos, tenga en cuenta los siguientes:

- Infección de orina, que puede disparar la emisión de prostaglandinas, que inducen el parto.
- Problemas o incompetencia de la placenta, lo cual puede hacer que el bebé emita sustancias que provoquen un parto antes de tiempo.
- Anomalías uterinas, como grandes fibromas, que disminuyen la capacidad del útero para estirarse y dar cabida al bebé cuando este crece.
- Esperar más de un bebé.
- Polihidramnios (exceso de líquido amniótico) (véase p. 262).

Las contracciones prematuras pueden parecer tan fuertes como las del parto a término, posiblemente porque no se esperaban. Algunas mujeres las notan como un dolor persistente o rítmico en la parte inferior de la espalda o una presión en la pelvis; otras, como calambres menstruales o como si les tiraran de los riñones. Una mayor pérdida vaginal, especialmente si está teñida de sangre, puede ser una señal de que el cérvix se está dilatando.

¿Qué hacer?

Si cree que está teniendo contracciones prematuras, tomar mucho líquido y descansar en la cama pueden aliviar los síntomas. Preste atención a su cuerpo. Póngase la mano sobre la parte inferior del abdomen, encima del útero. Si nota episodios repetidos de tensión, que persisten cuando está descansando, llame al hospital y pida que la vean lo antes posible.

PARTO LENTO

Hay varios tipos de parto en los cuales el progreso es lento o inexistente. Entre ellos están los siguientes:

Primera fase del alumbramiento demorada

El diagnóstico de que existe una demora en la primera fase del parto debe tener en cuenta todos los aspectos del progreso, y no un momento puntual. Los factores importantes que inciden sobre el diagnóstico son:

- Para las primerizas, la dilatación del cuello uterino de menos de 2 cm en 4 horas, o la aminoración del progreso en partos ulteriores.

En esta ilustración se ve al bebé en el útero, colocado cabeza abajo, listo para el alumbramiento.

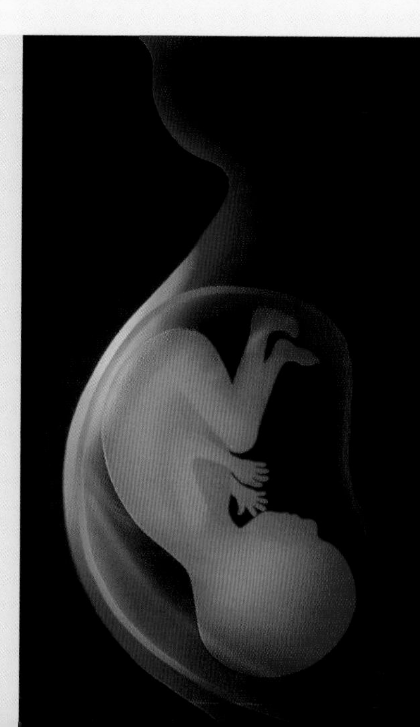

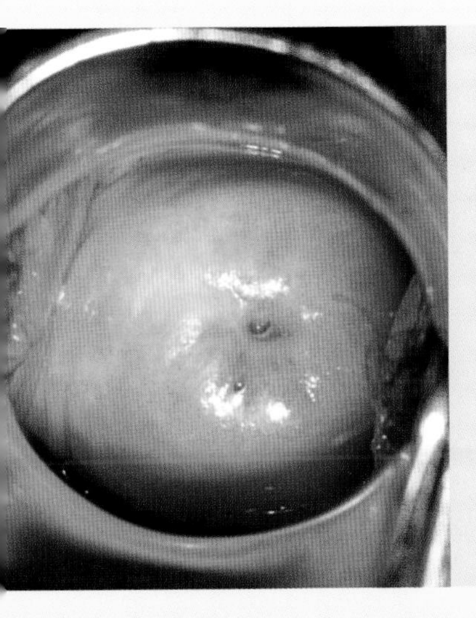

Durante el embarazo, la abertura del cérvix (centro izquierda) permanece firmemente cerrada. Las hormonas y un mayor suministro de sangre le dan un intenso color rosa.

- Los cambios en la fuerza, la duración y la frecuencia de las contracciones uterinas.
- El retraso en el descenso y la rotación de la cabeza del bebé.

Una primera fase demorada puede tratarse con sedantes y descanso. A veces esto distingue el parto verdadero del falso. Pasear puede ayudar al bebé a colocarse bien. Sin embargo, no se agote; necesita ahorrar energía para la fase activa de la dilatación y el parto.

Fase activa prolongada

La fase activa del parto empieza cuando la dilatación progresiva del cérvix avanza a uno o más centímetros por hora. Esto suele suceder cuando la madre ya ha dilatado entre tres y cinco centímetros. Una vez que empieza la fase activa, suele alcanzarse la dilatación completa entre 4 y 8 horas. Las contracciones son más intensas durante esta fase ya que actúan para dilatar plenamente el cérvix y hacer descender al bebé a la pelvis, en general un centímetro más cada hora.

Una fase activa prolongada se produce cuando el progreso se detiene y cuesta más de una hora dilatar un centímetro. Esto puede suceder si el bebé no está bien colocado o si hay un exceso de medicación o analgesia epidural. Es algo que ocurre con mucha frecuencia en el primer parto. Puede que le administren sintocinon, una forma sintética de la oxitocina para estimular las contracciones. Si el parto no avanza, quizá la cabeza del bebé sea demasiado grande para pasar por la pelvis —un problema conocido como desproporción fetopélvica— y será necesario practicar una cesárea.

PARTO DE RIÑONES

Muchas mujeres notan las contracciones con más fuerza en la espalda. Esto suele suceder porque el bebé no está colocado de la forma más corriente para el parto, sino en la colocación occitoposterior, es decir, mirando en sentido contrario a la columna vertebral, con la parte posterior de la cabeza presionada contra la parte inferior de la columna de la madre. Es posible aliviar el dolor adoptando una postura acurrucada, balanceando la pelvis, paseando o manteniendo una postura erguida para facilitar el descenso del bebé, ya que estos suelen darse la vuelta cuando bajan. También son útiles el masaje en la espalda y, algunas veces, la acupresión y la terapia del agua. Para obtenerer información sobre estas técnicas, véase el capítulo 2.

PARTO RÁPIDO

En ocasiones, el cuello uterino se dilata con gran rapidez y alcanza la dilatación completa en muy poco tiempo. Este parto «precipitado» —en total menos de 3 horas— no suele causar problemas al niño. No obstante, en raras ocasiones puede privarle de oxígeno o tener como resultado el desgarro u otros daños en el cérvix, la vagina o el perineo. Se puede administrar medicación para reducir el ritmo de las contracciones y que el bebé nazca sin peligro y sin causar daños a la madre.

PARTO DE NALGAS

Un parto de este tipo siempre se considera un ensayo, que solo se permitirá continuar si sigue un curso normal. Algunos médicos no administran sintocinon si la evolución es lenta, porque esa lentitud podría ser señal de que el bebé es demasiado grande para salir por vía vaginal. Cualquier desviación de un parto normal hará que el médico recomiende una cesárea. Cuando el cérvix está completamente dilatado, la práctica común es esperar que se vean las nalgas del bebé en la entrada de la vagina antes de pedir a la madre que empuje. Si el parto vaginal prosigue, se suele dejar que el bebé sea expulsado de forma natural hasta la salida al exterior de las piernas y el cuerpo. Entonces el médico extrae los hombros y la cabeza. En ocasiones es necesario hacer una episiotomía y emplear fórceps.

COMPLICACIONES EN EL EMBARAZO

Muchas mujeres padecen pequeños problemas de salud durante el embarazo, pero en ocasiones surgen también complicaciones más graves. Cuando es así, suele ser necesario tratarlas; por tanto, es importante informar de inmediato al médico de cualquier síntoma inusual.

ENFERMEDADES DE LA SANGRE

Anemia

Es una dolencia común durante el embarazo. Se produce cuando no hay suficientes glóbulos rojos en la sangre de la madre. Muchas mujeres embarazadas sufrirán cierto grado de anemia en algún momento, pero los casos leves no causarán ningún problema. Además, como su organismo desvía los recursos a favor del feto, es improbable que él tenga un déficit de hierro. Sin embargo, si la anemia es el resultado de anomalías hereditarias en hemoglobina, esto puede poner en peligro su salud y la de su bebé.

La anemia más común en el embarazo es la anemia dilucional. La cantidad de sangre que circula por el organismo aumenta hasta en un 40 o un 50 % para abastecer al feto. Este espectacular aumento se consigue principalmente mediante el incremento del componente sérico de la sangre. A menos que los glóbulos rojos aumenten al mismo ritmo, se diluirán, causando anemia dilucional.

La deficiencia de hierro es la otra causa principal de anemia durante el embarazo. Como el organismo tiene que producir suficientes glóbulos rojos para usted y el bebé, para mantener el volumen de sangre durante el embarazo necesita más hierro. A menos que la mujer durante el embarazo tome un suplemento de hierro, tendrá poca cantidad de éste en el momento del parto, lo cual supone un riesgo si se producen hemorragias posnatales.

La anemia por déficit de hierro también puede ser causada por una carencia de ácido fólico, por pérdida de sangre o por una enfermedad crónica.

Síntomas

- Fatiga y pérdida de energía.
- Palidez.
- Menos defensas para luchar contra las enfermedades.
- Mareos, desmayos, falta de aliento.

Tratamiento

Durante el embarazo, esta anemia se trata con un suplemento de hierro. Además, los alimentos ricos en hierro —carne roja, alubias, espinacas, pescado, pollo y cerdo— deben ser una parte importante de la dieta. Para aumentar la absorción de hierro es necesaria la vitamina C, así que tome una pastilla de hierro con zumo de naranja, de tomate o de verduras.

En raras ocasiones existe una incapacidad para absorber la cantidad adecuada de hierro y será necesario administrarlo por medio de inyecciones. También se puede tomar ácido fólico o vitamina B_{12}. En casos graves puede ser necesario hacer transfusiones de sangre, especialmente si el parto está cerca.

Trombosis venosa profunda (TVP)

Este problema se produce cuando un coágulo sanguíneo bloquea una vena en una pierna, por lo general en la pantorrilla, en el muslo o en la entrepierna.

Síntomas

- Dolor, sensibilidad e hinchazón de la pantorrilla, el muslo o la entrepierna.
- La zona hinchada se nota caliente.

Tratamiento

Si cree que tiene una trombosis, debe ir inmediatamente al hospital. No es un problema que pueda pasarse por alto, porque si no se trata, el coágulo podría desplazarse a los pulmones y causar una embolia pulmonar, que pondría en peligro su vida. Puede realizarse un análisis de sangre especial para confirmar el diagnóstico. También puede usarse un escáner de ultrasonidos llamado Doppler que dirá rápidamente a los médicos si existe trombosis. El tratamiento suele consistir en inyecciones o medicamentos anticoagulantes.

Es fácil confundir una trombosis en una vena profunda con una tromboflebitis superficial, una dolencia que no entraña peligro. A veces las pequeñas venas superficiales de la parte inferior de las piernas provocan enrojecimiento y dolor, especialmente si padece usted sobrepeso. Una pomada local y medias elásticas son todo lo que se necesita en estos casos.

Diabetes gestacional

Se trata de un tipo de diabetes particular del embarazo, en el cual el cuerpo no produce cantidades adecuadas de insulina para enfrentarse a la mayor cantidad de azúcar en sangre que hay durante ese período. En el embarazo la placenta produce una hormona, el lactógeno placentario humano, que actúa contra la insulina y puede generar diabetes. Para las mujeres con diabetes gestacional, la principal complicación es que el bebé pueda ser demasiado grande. Suele recomendarse provocar el parto antes de la semana 40 de gestación.

Corre el riesgo de padecer diabetes gestacional si la ha tenido antes, si tiene más de 35 años, si sufre sobrepeso o es asiática, si su anterior bebé pesaba más de 4 kilos, si su padre, su madre o un hermano tiene diabetes o si otro hijo nació muerto o con una anomalía. El diagnóstico se basa en la comprobación de los niveles de azúcar en la sangre en ayunas o después de ingerir una cantidad dada de azúcar.

Síntomas

- Azúcar en la orina.
- Sed excesiva.
- Orinar de forma frecuente y copiosa.
- Fatiga.

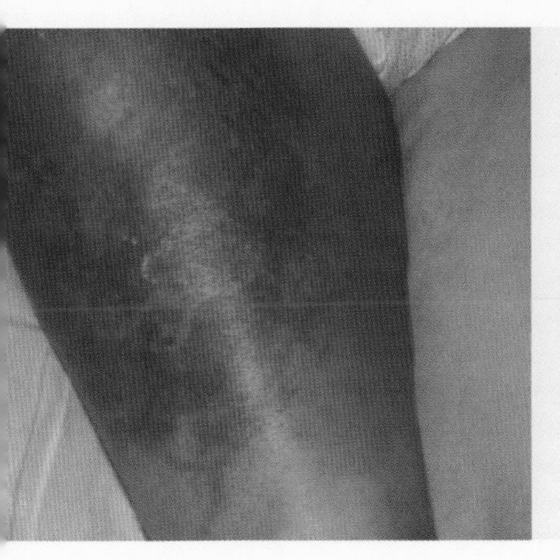

La trombosis en vena profunda, causada por un coágulo en una vena del muslo, se distingue como una zona inflamada y caliente al tacto.

Tratamiento

La mayoría de mujeres con diabetes gestacional puede controlar sus niveles de azúcar siguiendo una dieta relativamente libre de azúcar. Para algunas mujeres esto no es suficiente, no porque no sigan la dieta sino debido al propio embarazo, y tendrán que empezar inyectándose insulina por lo menos dos veces al día inyecciones de insulina, para controlar su nivel de azúcar. En el hospital, el equipo especializado en diabetes le enseñará cómo comprobar sus niveles de azúcar y cómo ponerse usted misma las inyecciones.

Tensión arterial alta (hipertensión)

Si la tensión arterial de una mujer (TA) es elevada antes del embarazo, esto se conoce como hipertensión esencial. Si la tensión arterial se eleva solo durante el embarazo, es una hipertensión inducida por el embarazo (PIH). La PIH complica entre el 10 y el 15 % de los embarazos, y se define como una TA superior a 140/90. Normalmente se presenta tras las 20 semanas, y es más frecuente cuanto más se aproxima la fecha de parto y en los primeros embarazos.

La tensión arterial no demasiado alta no tiene por qué dar problemas. La presión arterial muy alta puede provocar insuficiencias renales o embolias. El mayor riesgo indica que una de cada cuatro mujeres con PIH acabará desarrollando preeclampsia (véase más adelante).

Síntomas

No suele haber síntomas de hipertensión hasta que algunos órganos, como los riñones y los ojos, se ven afectados por el menor suministro de sangre que puede acompañarla. Como una hipertensión no tratada puede llevar a complicaciones graves (véase p. 254), los controles son una práctica habitual en las visitas prenatales.

Preeclampsia

Es un síndrome que solo aparece en el embarazo y se caracteriza por la tensión arterial alta, existencia de proteína en la orina y fuerte hinchazón en las piernas y los pies. Aparece entre el 8 y el 10 % de embarazos y el 85 % de estos son primeros embarazos. Las mujeres de más de 40 años, las adolescentes, las diabéticas, las que tienen un historial de problemas de hipertensión o preeclampsia previa, o trastornos renales o reumatológicos; las que espoeran gemelos o más hijos también tienen un riesgo mayor.

Muchas mujeres con preeclampsia se sienten perfectamente bien y solo se enteran de que sufren ese problema cuando les dicen que tienen la tensión alta. Si aparecen los siguientes síntomas, la enfermedad es más grave.

Síntomas

- Edema (hinchazón) súbito y excesivo en la parte inferior de las piernas o excesivo aumento de peso.
- Dolores de cabeza persistentes.
- Visión borrosa, aparición repentina de luces o puntos luminosos delante de los ojos.
- Dolor gástrico fuerte en el lado derecho del cuerpo, justo debajo de la caja torácica.

Tratamiento

La causa de la preeclampsia sigue siendo desconocida, aunque se sospecha de una proteína, y, en consecuencia, ningún tratamiento ha demostrado poder prevenirla o tratarla sistemáticamente. El parto es la única cura y se suele provocar en el caso de que la fecha de término esté cerca o la enfermedad sea grave. Al principio del embarazo o si se trata de un caso benigno, la medicación para la hipertensión puede ayudar a reducirla. Una dosis baja de aspirina —75 mg diarios— y posiblemente calcio pueden reducir el riesgo de preeclampsia. No se salte ninguna visita médica, de forma que cualquier problema se pueda detectar lo antes posible. Procure controlar el estrés, ya que puede hacer que le suba la tensión. Coma bien y alimentos sanos; reduzca el sodio y las grasas, coma

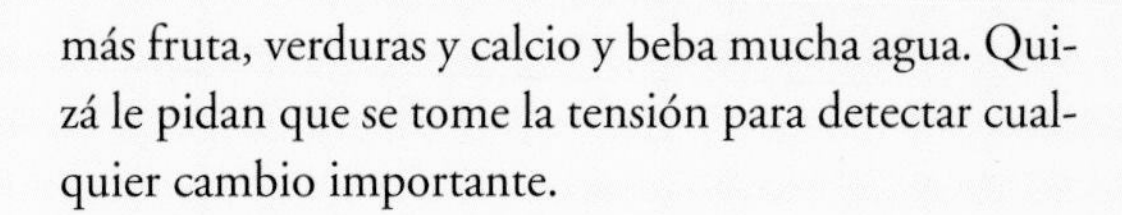

más fruta, verduras y calcio y beba mucha agua. Quizá le pidan que se tome la tensión para detectar cualquier cambio importante.

Eclampsia

La preeclampsia puede progresar hasta una eclampsia, una enfermedad rara pero muy grave.

Síntomas

- Convulsiones.
- Posible coma.

Tratamiento

Se trata de una urgencia médica y se administrarán oxígeno y fármacos para impedir que se repitan las convulsiones. Suele ser necesario provocar urgentemente el parto para permitir un tratamiento adecuado de la madre.

Síndrome de HELLP

Es una variante de la preeclampsia y una enfermedad que puede causar la muerte. La sigla representa sus características (expresadas en inglés): H por hemolisis (desintegración de los hematíes sanguíneos), EL por enzimas hepáticas elevadas y LP por plaquetas bajas. Este síndrome aparece de la mano de la preeclampsia, pero como algunos de sus síntomas pueden darse antes que los de esta, puede confundirse con otra enfermedad. Como resultado, es posible que no se administre el tratamiento adecuado, dejando a la madre y el feto en una situación muy vulnerable. En el Reino Unido, por ejemplo entre el 8 y el 10 % de las mujeres embarazadas sufren preeclampsia. De estas, entre el 2 y el 12 % acaban padeciendo el síndrome de HELLP. Las mujeres blancas, de más edad y con más de un hijo son las que corren mayor riesgo de desarrollar la enfermedad.

Síntomas

- Dolor de cabeza.
- Náuseas, vómitos.
- Dolor en la parte superior derecha del abdomen, debido a la distensión del hígado.

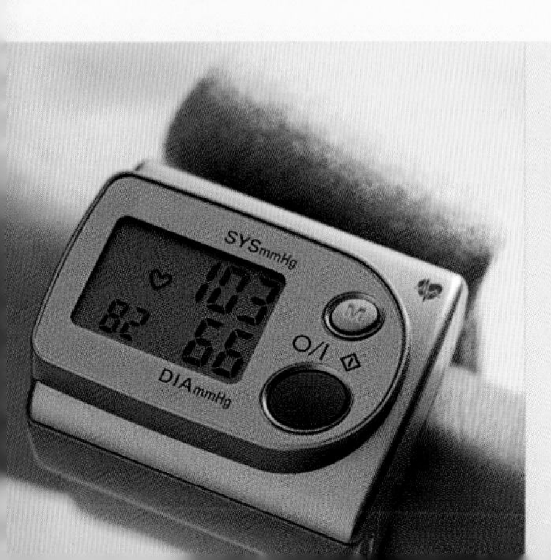

Si se cree que corre el riesgo de sufrir preeclampsia, puede usarse un sencillo aparato casero para tomar la tensión.

Los siguientes síntomas pueden estar o no presentes:

- Fuerte dolor de cabeza.
- Trastornos visuales.
- Hemorragias.
- Hinchazón.
- Tensión arterial alta.
- Proteína en la orina.

Tratamiento

El único tratamiento eficaz es el parto. Cuanto antes se detecte y trate la preeclampsia, menor será el resultado para la madre y el bebé.

Colestasia obstétrica

También llamada CO o colestasia del embarazo, este es un trastorno poco conocido y multifactorial que se origina en el hígado. Por lo general se ve afectado el 0,7 % de todos los embarazos, pero si usted tiene raíces asiáticas, su riesgo se duplica.

La función hepática incorrecta provoca una acumulación de bilis en el riego sanguíneo, provocando un intenso picor y, en consecuencia, falta de sueño. Aunque no existe perjuicio para la madre y el trastorno desaparece tras el parto, este problema origina algunos riesgos para el bebé. Puede que se le anticipe el parto, y existe un pequeño riesgo de que el bebé muera antes de nacer (muerte intrauterina).

Síntomas

- Comezón, que puede darse por todo el cuerpo pero normalmente en las palmas de manos y pies.
- Aparición de enzimas hepáticas anómalas en los análisis de sangre.

Tratamiento

Se puede dar un suplemento de vitamina K a la madre y de vitamina K posnatal al bebé. Puede aconsejarse un parto temprano, aunque no hay muchas evidencias que lo respalden. No se conoce ni se puede predecir el riesgo de mortinatalidad.

PROBLEMAS UTERINOS Y DE TROMPAS

Miomas

Se trata de tumores benignos que se forman en la pared del útero; son más comunes en las mujeres de más edad y no suelen afectar al embarazo. Las hormonas del embarazo pueden hacer que los fibromas crezcan y, en algunas ocasiones, llegar a causar problemas, como impedir que el feto se desarrolle normalmente. Además, el lugar donde está el fibroma puede imposibilitar el parto vaginal.

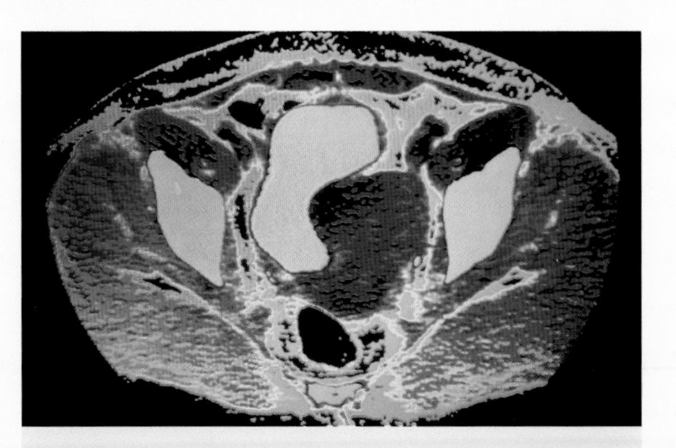

En esta ecografía coloreada es posible ver un fibroma grande, un tumor benigno (zona negra y redonda), en el útero (amarillo). En ocasiones, los fibromas pueden causar problemas durante el embarazo.

Síntomas

- Dolor.
- Sensibilidad abdominal.
- Fiebre ligera.

Tratamiento

Si un fibroma causa molestias, el único tratamiento durante el embarazo suelen ser los analgésicos. El tamaño del fibroma suele disminuir en las semanas que siguen al parto. Si continúa siendo un problema, puede extirparse mediante una operación quirúrgica unos meses después de haber dado a luz.

Se considera peligroso extirpar los fibromas en el momento de practicar una cesárea, debido al riesgo de fuerte pérdida de sangre y la posible necesidad de una histerectomía para controlar la hemorragia.

Embarazo ectópico

Se trata de un grave trastorno que ocurre cuando el bebé comienza a desarrollarse fuera del útero, normalmente en las trompas de Falopio. Puede parecer un aborto, ya que los signos y síntomas pueden ser muy parecidos, en el dolor abdominal y el sangrado vaginal, aunque por lo general el sangrado es ligero. Debería hacerse una ecografía siempre que exista dolor al principio de la gestación para excluir que se trate de un embarazo ectópico. A menudo son necesarios análisis de sangre para controlar los niveles de gonadotropina coriónica humana (GCh) en la sangre antes de que se pueda diagnosticar este tipo de embarazo.

Síntomas

- Severo dolor abdominal que puede ir acompañado de dolor en los hombros o en el recto.

Tratamiento

Normalmente se utiliza una laparoscopia para extraer el embarazo ectópico. En la actualidad varios hospitales utilizan un fármaco llamado metotrexato para tratar algunos embarazos ectópicos.

Mola hidatiforme o embarazo molar

Se trata de una extraña complicación del embarazo que afecta alrededor de 1 de cada 2.000 gestaciones. Las células del troboflasto, que normalmente forman la placenta, crecen descontroladas e impiden que el huevo fertilizado se desarrolle con normalidad. El útero se llena de tejido anómalo, lo que da lugar a niveles altos de la hormona GCh. Puede confirmarse el diagnóstico mediante una ecografía.

Síntomas

- Flujo amarronado.
- Náuseas matutinas severas.
- Útero excepcionalmente largo.
- Ausencia de latidos fetales.

Tratamiento

El procedimiento de dilatación y raspado se utiliza para extraer el tejido anómalo del útero, ya que algunas veces puede extenderse a otras partes del cuerpo. Se controlarán los niveles de la hormona GCh durante varios meses para garantizar que se haya retirado todo el tejido. Deberán posponerse un año los intentos para volver a quedarse embarazada, hasta que haya desaparecido todo rastro de la hormona del embarazo.

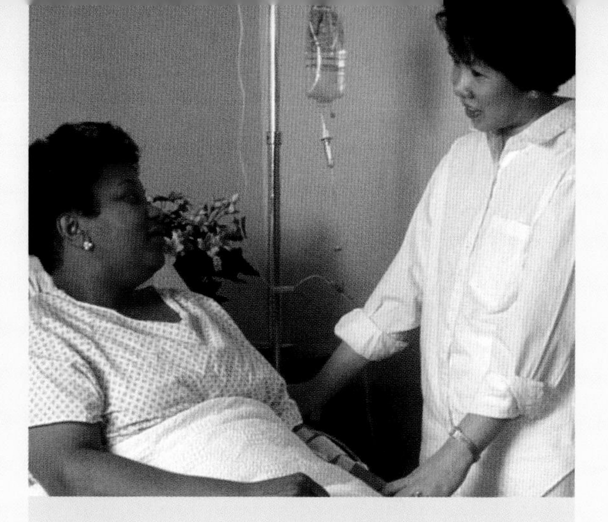

La desidratación causada por hiperémesis gravídica puede necesitar hospitalización, porque la rehidratación se realiza por vía ultravenosa.

Fisura anal

En ocasiones, el embarazo o un parto difícil pueden provocar un desgarro de la mucosa anal (el revestimiento del ano). Al ir de vientre se puede volver a abrir este desgarro, que sangrará y causará un intenso dolor; si se abre continuamente, no llegará a curarse y puede tener como resultado la aparición de tejido cicatricial.

Las fisuras anales suelen ir ligadas a problemas intestinales; el estreñimiento o las evacuaciones frecuentes pueden provocar esfuerzos que exacerben el problema. Las fisuras anales también pueden ser causadas por la sífilis, la tuberculosis, la enfermedad de Crohn y los tumores.

Las fisuras anales suelen diagnosticarse por medio de una proctoscopia, en la que se examina el recto y puede descartarse que se trate de hemorroides (dilatación varicosa de las venas del ano) o de verrugas genitales.

Este tipo de fisuras pueden prevenirse evitando el estreñimiento. Tomar mucha fibra y productos para ablandar las heces ayuda a conseguirlo.

Síntomas

- Dolor durante y después de ir de vientre.
- Hemorragia de color rojo vivo.
- Estreñimiento.

Tratamiento
Las fisuras anales pueden ser agudas o crónicas y es importante tratarlas lo antes posible, ya que pueden acarrear complicaciones. El tratamiento depende de la gravedad del problema. Las fisuras agudas o recientes suelen ser tratadas con un laxante y una pomada anestésica local. En los casos graves, puede ser necesaria una intervención quirúrgica. Después del tratamiento, es importante seguir una dieta rica en fibra, comer de forma regular y beber mucho líquido.

Hiperémesis gravídica
En raras ocasiones, los mareos matutinos pueden convertirse en una enfermedad más grave. Aproximadamente una de cada doscientas mujeres tienen que ser ingresadas en el hospital al principio del embarazo, porque vomitan en exceso y hay que rehidratarlas mediante un gotero intravenoso. Si no se trata, la hyperémesis gravídica puede provocar unos niveles bajos de potasio en la sangre e impedir que el hígado funcione de forma adecuada.

Síntomas
- Náuseas y vómitos excesivos.
- Pérdida de peso.
- Orina de color amarillo oscuro.
- Orinar en cantidades pequeñas.

Tratamiento
Por fortuna, el ingreso en el hospital y el tratamiento, que consiste en detener toda ingesta oral y administrar líquidos rehidratantes por vía intravenosa (gotero), suelen tener mucho éxito. Luego se vuelve a dar alimento, gradualmente, y se tramita el alta en unos días.

INFECCIONES
Citomegalovirus
El citomegalovirus (CMV), un virus que pertenece a la familia del herpes, y es una infección congénita corriente, que se contagia por el contacto con la saliva, la orina y las heces. Aunque alrededor del 1 % de recién nacidos se contagian cada año, la enorme mayoría no muestra ninguno de los efectos perjudiciales causados por este virus. Solo alrededor de 8.000 bebés al año desarrollan incapacidades duraderas, como problemas de aprendizaje, sordera y ceguera.

Una mujer que contrae el CMV por primera vez durante el embarazo tiene entre el 30 y el 40 % de probabilidades de pasárselo al feto. Parece que las mujeres que lo contrajeron como mínimo seis meses antes de quedar embarazadas corren muy poco riesgo de tener complicaciones. Una prueba de laboratorio puede determinar si la mujer ha tenido la infección antes y hacerse un cultivo de una muestra de orina para detectar la infección activa. Si se diagnostica el CMV puede hacerse un análisis al feto, mediante amniocentesis, para ver si está infectado. En los recién nacidos, se identifica la presencia del virus en los líquidos corporales en las tres semanas posteriores al parto.

Síntomas
- Garganta irritada.
- Fiebre.
- Dolores en el cuerpo.
- Fatiga.

Tratamiento
En este momento no hay ningún tratamiento preventivo contra el CMV, pero un nuevo medicamento antiviral, llamado ganciclovir, puede ayudar a los bebés infectados. Entretanto, el riesgo de contraer CMV puede reducirse siguiendo cuidadosamente las normas de higiene, como lavarse las manos después de tener contacto con la saliva o la orina de niños pequeños.

Las bacterias de la toxoplasmosis se ven aquí como células parasitarias con forma de media luna y color amarillo. Si una mujer embarazada se infecta, el feto puede verse afectado.

Toxoplasmosis

Aunque bastante rara en España, esta infección puede afectar gravemente al feto. Se contagia por el contacto con gatos callejeros y corderos, por comer carne poco hecha y verduras sin lavar. Si una mujer embarazada se infecta, las posibilidades de que transmita la infección al bebé y los posibles efectos que esta pueda tener dependen en gran medida de cuándo la contraiga. Si es durante el primer trimestre, el riesgo es menor en un 2 %, aunque los efectos que tiene en el desarrollo del feto son mayores. Si la infección no se contrae hasta que el embarazo está más avanzado, el riesgo es mayor, pero los efectos son mucho menos graves. Puede haber algunos síntomas generales (véase abajo), pero es posible padecer la infección sin saberlo.

Aunque algunos médicos hacen de forma habitual, al principio del embarazo, un análisis para detectar la toxoplasmosis, otros no. Con frecuencia, depende de los factores de riesgo de la madre, como tener un gato que pasa tiempo en la calle o estar cerca de corderos.

Síntomas

- Sentirse mal en general.
- Ligera fiebre.
- Ganglios hinchados.
- Sarpullido.

Tratamiento

Si los análisis de sangre demuestran que tuvo toxoplasmosis antes del embarazo o la tiene ahora, debe ver a un especialista en medicina maternofetal o a su propio médico para hablar de las posibles repercusiones. Quizá sea necesario recetarle antibióticos para disminuir las posibilidades de transmitir la infección al bebé y, posiblemente, hacer una amniocentesis (véase p. 243) en el segundo trimestre para determinar si el bebé ha contraído la infección. Incluso si el feto está infectado, el tratamiento con los antibióticos adecuados ofrece grandes posibilidades de que no tenga problemas.

Listeriosis

Causada por la listeria, una bacteria que se encuentra en las verduras crudas sin lavar, en la leche y el queso no pasteurizados y en la carne, el pollo, el pescado y el marisco crudos o poco cocidos, la listeriosis puede causar una enfermedad grave durante el embarazo susceptible de provocar un aborto, un parto prematuro o que el bebé nazca infectado o muerto. La listeriosis es difícil de detectar, ya que los síntomas aparecen en cualquier momento entre las 12 horas y los 30 días después de haber tomado un alimento contaminado y tal vez no se les preste atención, ya que son similares a los de la gripe, o se confunden con molestias típicas del embarazo.

Síntomas

- Dolor de cabeza.
- Fiebre.
- Dolores musculares.
- Náuseas y diarrea.

Tratamiento

Si la infección está presente, se necesitarán antibióticos para tratarla y curarla.

Rubéola

La rubéola es una infección relativamente leve, pero que durante el embarazo suele tener consecuencias muy graves, ya que puede causar defectos congénitos que van desde la sordera a la encefalitis (inflamación del cerebro) y cardiopatías. Por fortuna, la mayoría de mujeres es inmune a la enfermedad, sea debido a que están vacunadas o a que la han tenido de niñas.

Lo ideal es hacerse un análisis de sangre para comprobar si está inmunizada incluso si ya ha tenido la enfermedad o ha sido vacunada (la protección puede desaparecer); y si no lo está, vacunarse contra la rubéola y luego esperar tres meses antes de intentar concebir. Si la han vacunado antes de saber que estaba embarazada, el riesgo de que cause daño al bebé es muy bajo. A las 18 semanas puede llevarse a cabo una ecografía para comprobar el progreso del bebé.

Síntomas

- Sarpullido que aparece primero en la cara y luego se extiende a otras partes del cuerpo.
- Fiebre.
- Ganglios inflamados.

Tratamiento

Si contrae rubéola durante el embarazo, el riesgo para el feto dependerá del momento en que se contagió. Si

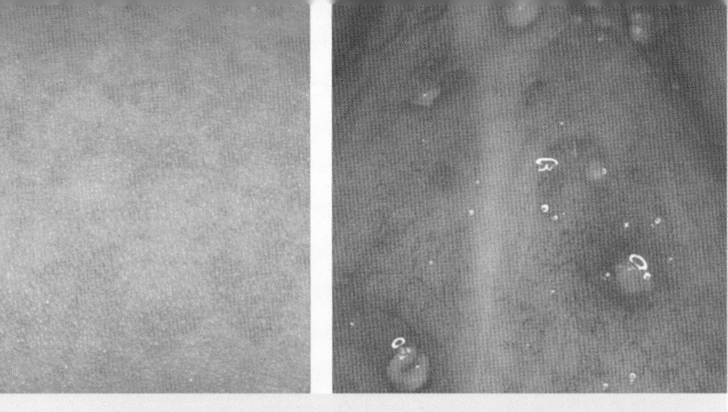

El sarpullido es un síntoma tanto de la rubéola (izquierda) como de la varicela (derecha). Aunque la mayoría de adultos son inmunes a estas enfermedades, si una mujer se infecta durante el embarazo le pueden causar serias complicaciones.

fue durante el primer mes, hay una posibilidad entre dos de que el bebé se vea afectado. Al tercer mes, el riesgo baja a una entre diez. Por desgracia, durante el embarazo no se puede hacer nada para proteger al bebé. El médico le explicará las opciones existentes y las pruebas que hay disponibles.

Varicela y herpes zóster

Ambas enfermedades están causadas por el virus de la varicela-zóster; la varicela es la enfermedad que se contrae la primera vez que se coge el virus, mientras que el herpes es la reactivación de ese virus. Como en España la mayoría de adultos han pasado esta enfermedad de niños, son inmunes a ella y no volverán a cogerla aunque se esté en contacto con una persona infectada (si bien es mejor evitarlas). Si la madre se infecta, el riesgo para el bebé es muy pequeño. No obstante, de vez en cuando, una enfermedad rara pero devastadora conocida como síndrome congénito de la varicela puede causar graves defectos congénitos, que resultan fatales.

Síntomas

- Sarpullido con pústulas y picor.
- Fiebre.
- Malestar.
- Fatiga.

Tratamiento

Si está embarazada, no es inmune a la varicela y ha estado en contacto con alguien que la tiene, informe al médico lo antes posible. Le administrarán una inyección de IGVZ (inmunoglobulina de la *varicela-zoster*) para tratar de evitar que caiga enferma, ya que, en los adultos, esta enfermedad puede derivar en neumonía. Si cae enferma, también pueden administrarle fármacos antivíricos para tratar la infección. La varicela, justo antes del parto, puede hacer que el bebé sufra graves complicaciones neonatales. En ese caso le administrarán IGVZ al nacer.

Infecciones por levaduras

En el embarazo es habitual que se produzca flujo vaginal debido a que aumenta la producción de mucosidad. Mientras ese flujo sea ligero y blanco —aunque puede volverse amarillo al secarse— probablemente es algo normal. No obstante, los cambios hormonales durante el embarazo pueden fomentar que se multipliquen los microorganismos en la vagina y causen infecciones por levaduras provocadas por un hongo denominado *candida albicans.* Este hongo es muy común, un 25 % de mujeres lo tienen.

Síntomas

- Flujo espeso y blanco, con aspecto de requesón.
- Quemazón, rojez y picor en la vulva.

Tratamiento

Aunque el hongo no afectará al embarazo, si no se trata la infección esta puede transmitirse al bebé (en forma de aftas) durante el parto. Este hongo puede ser combatido con cremas, pomadas o supositorios vaginales y medicación oral. La mayoría se puede comprar sin receta, pero antes de usar cualquier medicamento hable con el médico. Para aliviar los síntomas e impedir el brote de *candida*, no use rociadores para la higiene femenina ni preparados para el baño. Reduzca los hidratos de carbono y azúcares de su dieta, ya que fomentan el crecimiento de levaduras. Use ropa interior de algodón y pantys con la entrepierna de algodón y evite las fibras sintéticas y las prendas ajustadas. Límpiese siempre de delante hacia atrás después de ir al lavabo. Tomar diariamente yogur que contenga cultivos de lactobacilos acidófilos vivos puede reducir el riesgo de infección.

Infección del tracto urinario (ITU)

Las ITU incluyen infecciones de la vejiga y los riñones, los uréteres (los tubos que van desde los riñones a la vejiga) y la uretra (el tubo que lleva la orina desde la vejiga al exterior del cuerpo). Las ITU son muy corrientes durante el embarazo. Pueden ser leves o graves e ir desde la existencia de bacterias en la orina hasta una infección de riñones. Como las ITU pueden estar presentes sin mostrar síntomas, durante el embarazo se suelen tomar muestras de orina para analizar. Si se encuentran bacterias, la administración de antibióticos puede detener la infección antes de que afecte a los riñones.

Síntomas

- Necesidad urgente de orinar.
- Fuerte dolor o sensación de quemazón al orinar.
- Se elimina muy poca orina y puede estar teñida de sangre, ser turbia o tener mal olor.
- La necesidad de orinar se repite siempre a los pocos minutos.
- Dolor agudo en el bajo vientre, en la zona lumbar o en los costados.
- Dolor de espalda, escalofríos, fiebre, náuseas y vómitos si la infección llega a los riñones.

Tratamiento

Una ITU no tratada puede desencadenar las contracciones y es posible que un parto prematuro. Debe avisar al médico, ya que suele ser necesario administrar antibióticos. Para evitar una recaída, beba mucha agua para ayudar a limpiar su organismo de bacterias. Vacíe la vejiga con frecuencia y, al hacerlo, inclínese hacia delante para asegurarse de que la ha vaciado por completo; la orina encharcada es un caldo de cultivo perfecto para las bacterias. El zumo de arándanos frescos también ayuda, ya que acidifica la orina y la hace mucho menos agradable para las bacterias.

Estreptococos del grupo B

Esta bacteria, normalmente inocua, se encuentra en la vagina de una de cada diez mujeres sanas. Se puede transmitir al bebé durante el parto y causarle enfermedades graves (véase p. 363).

Por esta razón, las mujeres que son portadoras de estos estreptococos deben ser tratadas con antibióticos desde el inicio del parto.

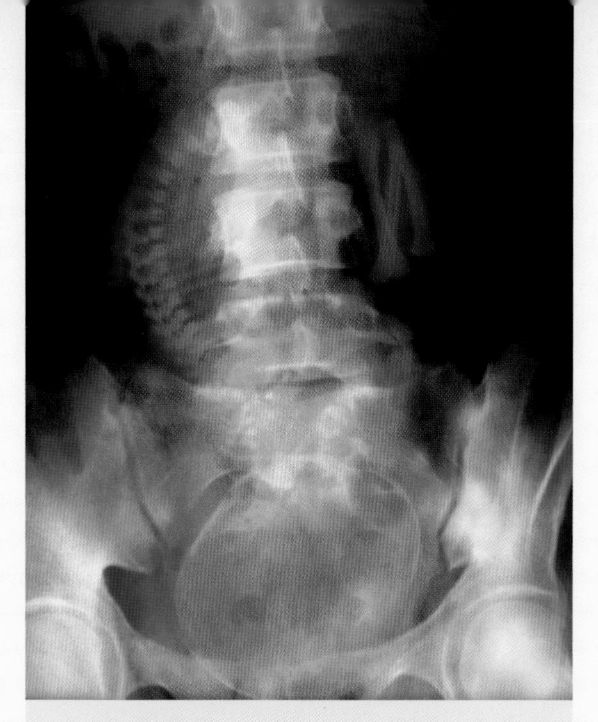

La presión ejercida por el bebé, al que vemos en esta radiografía coloreada colocado cabeza abajo en la pelvis, hace que, a veces, la junta inferior del hueso púbico o sínfisis púbica (por debajo de la cabeza del bebé) se separe.

PROBLEMAS DE ARTICULACIONES

Síndrome del túnel carpiano

El túnel carpiano está en la parte frontal de la muñeca y aloja los tendones y nervios que van a los dedos. Si durante el embarazo la mano y los dedos se hinchan en sintonía con otros tejidos, el túnel se hincha igualmente y presiona un nervio. Esta presión produce una sensación de hormigueo que se extiende por todos los dedos, excepto el meñique. Este dolor empeora por la noche, pero suele mejorar durante el día cuando se usan las articulaciones y se hacen más flexibles. Este trastorno debe desaparecer en los días siguientes al parto.

Síntomas

- Dolor en la muñeca.
- Hormigueo que se extiende desde la muñeca hasta los dedos.
- Rigidez en todos los dedos y articulaciones de la mano.

Tratamiento

Dormir con las manos en alto, sobre una almohada, puede impedir que el líquido se acumule. Al despertar, dejar colgar las manos al lado de la cama y sacudirlas con fuerza puede ayudar a dispersar el líquido y aliviar la rigidez. También puede ser útil llevar tablillas en la muñeca.

Separación de la sínfisis púbica

El cinturón pélvico está formado por tres huesos, uno detrás y dos delante, unidos por ligamentos. Los huesos se unen para formar tres juntas «fijas», una delante, llamada sínfisis púbica, y dos a cada lado de la base de la columna. En el embarazo, la hormona relaxina afloja todos los ligamentos de la pelvis para facilitar el paso del bebé. No obstante, un aflojamiento excesivo hace que la pelvis se mueva, especialmente cuando soporta peso. El peso del bebé empeora la situación y, a veces, la sínfisis púbica llega a separarse ligeramente. El resultado, un dolor que puede ir de leve a fuerte en la zona púbica, se denomina disfunción de la sínfisis púbica. Este trastorno puede aparecer en cualquier momento, a partir del primer trimestre. También puede producirse si la futura madre ha estado inmóvil durante mucho tiempo o si es excesivamente activa y, asimismo, después de una actividad como nadar braza o levantar peso de forma incorrecta.

Síntomas

- Dolor, por lo general en el pubis y/o la parte inferior de la espalda, pero se puede presentar también en la ingle, la parte interior de los muslos, las caderas y las nalgas.
- El dolor empeora si el peso recae solo en una pierna.
- Sensación de que la pelvis se separa.
- Dificultad para andar.

Tratamiento

Por desgracia, la separación de la sínfisis púbica no tiene tratamiento mientras dure el embarazo, ya que es un efecto de las hormonas. No obstante, debe mejorar una vez que se dé a luz y el cuerpo se recupere. Evite cargar peso en una sola pierna: siéntese para vestirse, para subir al coche coloque primero las nalgas en el asiento y luego levante las piernas para meterlas dentro del coche. No nade braza y procure no separar las rodillas cuando se dé la vuelta en la cama. Si el dolor es muy fuerte, pregúntele al médico qué calmantes puede tomar y pida hora para ver a un fisioterapeuta que quizá le aconseje llevar un cinturón de soporte.

Es necesario tener un cuidado especial durante la dilatación y el nacimiento. Es preciso mantener las piernas lo más juntas posible. Ponerse a gatas, arrodillarse contra el cabezal de la cama o echarse sobre un costado con la pierna superior apoyada son buenas posturas para el parto.

PROBLEMAS CON EL BEBÉ

A veces un feto parece estar creciendo con demasiada rapidez o con demasiada lentitud. Ambos casos pueden causarle problemas. El buen desarrollo del feto puede verse afectado por una serie de factores. Por ejemplo, si usted fuma, el bebé será, en general, más pequeño que la media, mientras que si tiene diabetes es probable que tenga un niño más grande. Si se sospecha que existe un problema de crecimiento, es probable que le hagan una ecografía para medir de forma más precisa el tamaño del feto y su crecimiento comparado con las fechas. También se puede comprobar la cantidad de líquido amniótico que rodea al bebé: es problemático tanto que haya mucho como que haya demasiado poco.

Por último, puede haber problemas con el cordón umbilical durante el parto o que el bebé sufra.

Un bebé demasiado pequeño

Es posible que un bebé muy pequeño se mueva con menos frecuencia, practique menos la respiración y sea menos activo. Junto con un control del ritmo cardíaco, esas características forman el perfil biofísico (PBF). Un PBF normal indica que el bebé está sano.

Otra prueba muy útil, cuando se trata de saber si un bebé que crece poco o es pequeño está sano, es la velocimetría de Doppler, que mide la velocidad del flujo sanguíneo en la arteria umbilical. Una velocidad lenta indica que la placenta no funciona bien.

Cuando se toma una decisión sobre el parto, se tienen en cuenta muchos factores; entre ellos lo maduro que está el bebé, si hay indicios de que padezca una enfermedad y la salud de la madre. Algunos bebés que están muy enfermos tienen que nacer por cesárea. Cuando un bebé está enfermo y necesita nacer prematuramente, es posible que a la madre le pongan inyecciones de esteroides para ayudar a que los pulmones del bebé maduren antes.

Un bebé demasiado grande

Las mujeres altas o gruesas tienden a tener bebés más grandes que las bajas o delgadas. Sin embargo, hay algunas enfermedades que hacen que un bebé sea demasiado grande. La más común es la diabetes.

A muchas madres les preocupa si serán capaces de dar a luz un bebé grande. Las ecografías no siempre son muy precisas al medir bebés grandes y en el cálculo del peso hay alrededor de un 10 % de error. Si su bebé es grande y usted está cerca del término del embarazo, puede que le propongan inducirle el parto para que el bebé nazca antes de crecer todavía más. Si el bebé es grande para las fechas, pero todavía falta algo de tiempo para el parto, es mejor elaborar un plan con el médico que tenga en cuenta la opinión de la madre y el consejo facultativo.

Polihidramnios (hidramnios)

Alrededor de un 2 % de mujeres embarazadas tiene demasiado líquido amniótico, un trastorno conocido como polihidramnios. La mayoría de casos son leves y son el resultado de la acumulación gradual de líquido durante la segunda mitad del embarazo. En muchos de los casos el problema desaparece y la mujer dará a luz un niño sano y sin problemas. En raras ocasiones ese trastorno puede ser una señal de alerta de que hay una malformación congénita o de que se ha producido un problema médico, como la diabetes gestacional.

El polihidramnios también puede aparecer en condiciones que causan anemia fetal o ciertas infecciones víricas. Si es grave, puede hacer que el útero se contraiga, provocando un parto prematuro.

Síntomas

- Un útero más grande de lo normal.
- Molestias abdominales.
- Indigestión.
- Hinchazón en las piernas.
- Falta de aliento.
- Hemorroides.

Tratamiento

El polihidramnios suele diagnosticarse por medio de ultrasonidos. Si la enfermedad está avanzada, puede realizarse una amniocentesis para extraer el exceso de líquido. Si se rompen las membranas, existe el riesgo de prolapso del cordón umbilical —cuando el cordón sale antes que el bebé—, así pues, debe ponerse en contacto con el médico de inmediato.

Oligohidramnios

Este trastorno se produce cuando hay muy poco líquido amniótico en el útero. La mayoría de mujeres que lo padecen tendrá un embarazo normal, pero en ocasiones puede señalar o acabar en problemas. El líquido disminuirá si la placenta no funciona bien. Al principio del embarazo hay un ligero riesgo de que provoque una deformidad en el pie del bebé porque no hay suficiente espacio para el crecimiento normal. Más tarde, puede ser una señal de sufrimiento fetal. En raras ocasiones se une a alguna forma de defecto fetal, como problemas en los sistemas digestivo o urinario. Si el oligohidramnios dura varias semanas del

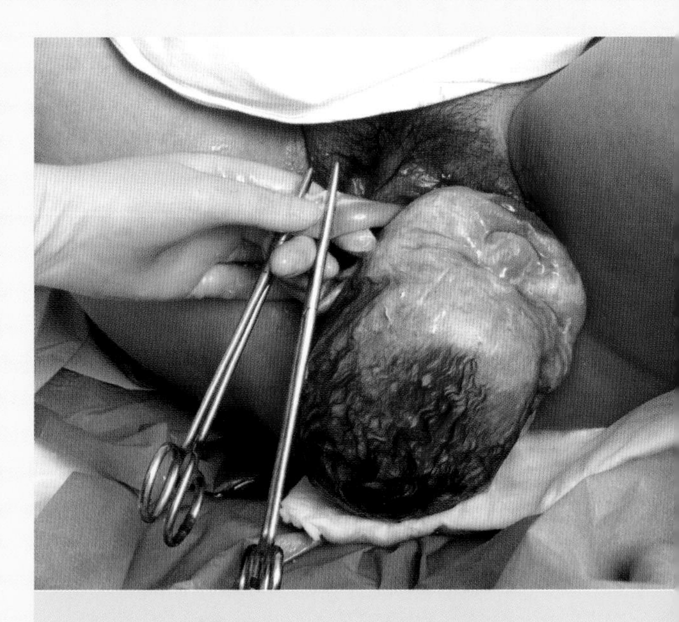

A veces el cordón umbilical se enrolla en el cuello del bebé y es necesario provocar el parto de inmediato. Cuando esto sucede, se pinza el cordón y se corta en cuanto ha salido la cabeza del bebé.

embarazo, puede generar hipoplasia pulmonar (subdesarrollo de los pulmones del feto).

Síntomas
- El útero puede ser más pequeño que la media.
- Movimiento fetal menos frecuente.
- Crecimiento más lento.

Tratamiento
La hidratación oral e intravenosa de la madre y el descanso en la cama pueden aliviar el problema. Los médicos de Estados Unidos han probado a reponer el líquido por medio de la amnioinfusión, un proceso en el que el líquido amniótico se «rellena» con una solución salina tibia bombeada directamente al interior del saco amniótico a través de un catéter introducido en el útero. Este tratamiento se considera experimental y no funciona en todos los casos. Si el bebé corre peligro y el problema se detecta en un momento en que es seguro que nazca, se inducirá el parto. Las mujeres con este problema deben cuidarse mucho y descansar, comer adecuadamente y beber mucha agua.

Cordón anudado
A veces el cordón umbilical se anuda o se enreda, lo cual hace que se enrolle alrededor del cuello del bebé. Esto puede disminuir el aporte de sangre al feto; por tanto, es vital que cualquier problema con el cordón se resuelva rápidamente.

Síntomas
- Disminución de la actividad fetal.

Tratamiento
Si el suministro de sangre al bebé se ha detenido por alguna razón, es necesario un parto inmediato, por lo general mediante cesárea.

Prolapso del cordón umbilical
En raras ocasiones el cordón cae al interior del canal de parto antes que la cabeza u otras partes del cuerpo. Un cordón prolapsado puede ser muy peligroso para el bebé. Si queda comprimido, el aporte de sangre y oxígeno al feto se interrumpe, lo cual puede tener consecuencias muy graves.

Este problema es más probable si existe polihidramnios, si el bebé está de nalgas o atravesado, durante el parto del segundo de los gemelos o si las membranas se rompen, sea de forma natural o durante un examen vaginal antes de que el bebé descienda a la pelvis.

Síntomas
- Disminución del ritmo cardíaco fetal.

Tratamiento
Si el cordón sigue latiendo y se puede ver o notar en la vagina, el médico sostendrá la parte del bebé que se presenta para eliminar la presión sobre el cordón. Es posible que le pidan que se ponga de rodillas, inclinada hacia delante. El médico mantendrá la mano en la vagina hasta que se extraiga el bebé por el medio más rápido posible, por lo general mediante una cesárea de urgencia o, si puede ser, usando fórceps o una ventosa obstétrica.

Sufrimiento fetal
Es un término usado para describir cualquier situación en la que se crea que el feto está en peligro, por lo general debido a un menor aporte de oxígeno. El sufrimiento puede ser causado por una serie de problemas entre ellos una enfermedad de la madre, como la anemia, la hipertensión, un problema cardíaco o tensión baja; una placenta que ya no funciona bien o se ha separado prematuramente del útero; un cordón umbilical comprimido o enredado; una infección o malformación del feto y unas contracciones prolongadas o excesivas durante el parto.

Síntomas
- Cambio en los movimientos fetales.
- Ausencia de movimiento fetal.
- Alteraciones en el ritmo cardíaco del feto.

Tratamiento
Suele recomendarse un parto inmediato. Si el parto vaginal no es inminente, es probable que se practique una cesárea de urgencia. Se administrará medicación a la madre, tanto para hacer más lentas las contracciones, lo cual aumentará el oxígeno que recibe el bebé, como para dilatar sus vasos sanguíneos, lo que mejorará el aporte de sangre al bebé.

ENFERMEDADES CRÓNICAS

Si padecía una enfermedad antes de quedarse embarazada, esta puede afectar a la manera de controlar su embarazo. Su médico querrá estar seguro de que el tratamiento que sigue no es perjudicial ni para usted ni para el bebé. A veces son necesarias unas precauciones especiales y puede que necesite unos controles prenatales más frecuentes.

ENFERMEDADES RESPIRATORIAS

Asma

Es la enfermedad respiratoria que padecen con más frecuencia las mujeres embarazadas; está presente entre el 1 y el 4 % de los embarazos. Su efecto en la gestación es muy variable, puesto que los síntomas se agravan en un 22 %, mejoran en un 29 % y siguen sin cambios en el resto de los casos. En general, el asma tiende a mejorar a partir de las 36 semanas y es muy infrecuente sufrir un ataque grave durante el parto. Se sabe que si está bien controlada, esta enfermedad tiene muy poco o ningún efecto en el embarazo.

No hay pruebas que señalen que el uso del inhalador durante el embarazo pueda causar daño alguno al bebé.

Tratamiento

Si tiene asma, puede empeorar durante el embarazo si no continúa con su medicación habitual. Puede usar un inhalador e incluso no será perjudicial tomar tabletas esteroides para controlar la enfermedad, si es necesario. En muy raras ocasiones, el uso prolongado de esteroides puede hacer subir la presión de la sangre o aumentar el nivel de azúcar, pero es posible tratar ambos problemas.

ENFERMEDADES INMUNITARIAS

El síndrome antifosfolípido (SAF), conocido también como lupus anticoagulante en plasma, es una enfermedad del sistema autoinmunitario que produce anticuerpos que dañan el organismo. Los anticuerpos hacen que la sangre se vuelva pegajosa y pueden provocar coágulos pequeños o grandes. Este síndrome puede ir acompañado de otro llamado lupus eritematoso diseminado (LED) y entonces recibe el nombre de síndrome antifosfolípido secundario. Se trata de una enfermedad grave, ya que puede provocar el aborto, la preeclampsia y los coágulos sanguíneos, así como que el niño nazca muerto.

Tratamiento

Puede tratarse con dosis bajas de aspirina —75 mg diarios— y, en determinados casos, con inyecciones diarias de heparin. Si padece esta enfermedad, tendrá que tratarla un tocólogo que vigilará de cerca el embarazo y el crecimiento del bebé. Es importante hablar de su situación con el médico en cuanto se confirme el embarazo, ya que con el tratamiento adecuado las posibilidades de llevar a buen término la gestación son superiores al 70 %, mientras que, sin tratamiento, hasta un 70 % de embarazos acabarán en aborto.

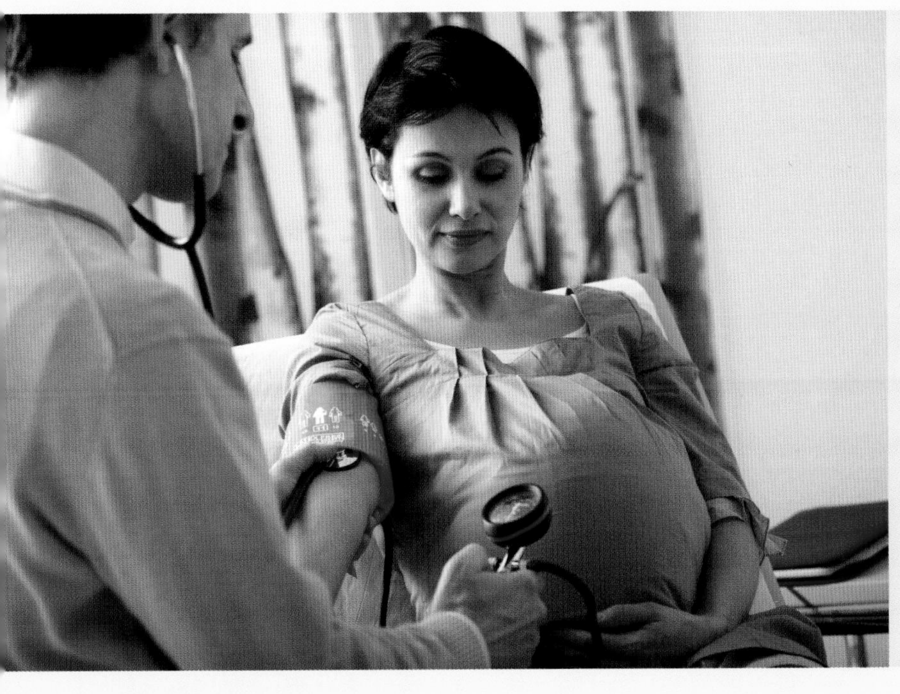

Las mujeres que padecen hipertensión crónica requieren frecuentes controles de la tensión arterial durante el embarazo, debido al riesgo de preeclampsia.

ENFERMEDADES DE LA SANGRE Y LA CIRCULACIÓN

Hipertensión crónica

Si tenía la tensión alta antes de quedarse embarazada, se dice que padece de hipertensión crónica. Es una enfermedad más corriente entre las mujeres mayores de 40 años, las afrocaribeñas y las que tienen madres o hermanas con la tensión alta. Ciertas enfermedades pueden hacer que ese problema sea más probable, como por ejemplo la diabetes, las enfermedades renales y el sobrepeso.

Durante el embarazo el principal peligro de la hipertensión es que aumenta el riesgo de preeclampsia (véase p. 254). En las mujeres con hipertensión anterior al embarazo, ese riesgo está en torno al 20 %. En general, a menos que aparezca esa enfermedad, los riesgos de la hipertensión para la madre y el bebé son pequeños.

Tratamiento

Dado que su embarazo se considerará de riesgo, la derivarán a un especialista hospitalario para que controle su embarazo. Es probable que le hagan más pruebas de las habituales. Es importante hablar de la medicación con el médico lo antes posible, ya que ciertos fármacos para la presión sanguínea no son seguros durante el embarazo. Es probable que la tensión baje en los primeros tres meses. Conforme avance el embarazo, no es raro que sea necesario aumentar la medicación e incluso añadir un segundo o un tercer tipo de medicamento.

Con la hipertensión es importante contar con una supervisión médica experta y que usted se cuide mucho, lo cual significa seguir una dieta baja en grasa, descansar mucho y hacer ejercicios de relajación como el yoga. De esta manera aumentará sus posibilidades de tener un buen embarazo.

Enfermedades cardíacas

La mayoría de mujeres que piensa formar una familia tiene un corazón sano. En el pasado, la forma más habitual de enfermedad cardíaca era debida a una infección denominada fiebre reumática, que puede dañar las válvulas del corazón. Esta dolencia ya no es corriente en países como España, aunque algunas mujeres pueden haberla sufrido cuando eran niñas, si se criaron en un país en vías de desarrollo. Si nació con una anomalía en el corazón, es importante hablar de ello con su médico. Quizá la única precaución necesaria sea administrarle antibióticos durante el parto para impedir que contraiga una infección cardíaca. Por otro lado, si tiene una anomalía compleja, es posible que el embarazo encierre algunos peligros, que hay que plantear antes de la concepción.

Si usted o su pareja nacieron con una cardiopatía, deben decírselo al médico en la primera visita prenatal. Más tarde, una ecografía detallada del corazón del feto suele poder mostrar si ha heredado un problema similar.

Tratamiento

Si ha padecido una enfermedad cardíaca reumática, probablemente llevará una válvula artificial. Si es así, el principal problema del embarazo es controlar la anticoagulación. Probablemente estará tomando warfarina para evitar que se forme un coágulo en el corazón alrededor de la nueva válvula. Este es un medicamento muy útil, pero no se debe tomar entre las semanas 6 y 14 del embarazo, por ello el cardiólogo lo cambiará por un preparado de heparina. Se trata de otro anticoagulante que solo puede administrarse mediante una inyección diaria, pero que no atraviesa la placenta. Algunos médicos continúan con la heparina hasta el parto; otros prefieren volver a recetar warfarina desde las 14 hasta las 36 semanas y luego heparin de nuevo hasta el parto.

Anemia falciforme

Es una anomalía de los glóbulos rojos hereditaria, está presente de forma predominante en los afrocaribeños y se desarrolla como protección natural contra la malaria. Si se hereda la anemia falciforme solo de uno de los padres, tiene poco efecto sobre la salud, pero protege, hasta cierto punto, de la malaria. Si se hereda del padre y de la madre, la embarazada puede ponerse enferma.

Esta anomalía provoca dolores articulares y anemia, que empiezan en la infancia. El embarazo puede representar un problema especial, ya que causa un estrés sobreañadido y puede precipitar una crisis. Entre las complicaciones más corrientes están los dolores articulares, la falta de aliento, el dolor en el pecho y la infección de pecho para la madre, un menor crecimiento del bebé y un parto prematuro.

Tratamiento

El médico trabajará en colaboración con usted para controlar el embarazo muy atentamente y decidir cuándo es útil que reciba una transfusión de sangre. Es posible que la traten con ácido fólico y penicilina durante todo el embarazo y también que le provoquen el parto a las 38 semanas de gestación.

ENFERMEDADES DE TRANSMISIÓN SEXUAL

Vaginitis bacteriana (VB)

Aunque clasificada como enfermedad de transmisión sexual (ETS), no es necesario ser sexualmente activo para contraer esta infección vaginal. Puede que le hagan un análisis para comprobar la VB en su primera visita. Si no se trata, puede aumentar el riesgo de un parto prematuro. Los síntomas principales son un flujo acuoso blanco o gris, con un olor muy desagradable, como a pescado. No obstante, es posible padecerla y no notar ningún síntoma.

Tratamiento

La vaginitis bacteriana suele tratarse con antibióticos, pero también son efectivas las pomadas vaginales.

Clamidia

Es una bacteria que suele transmitirse durante las relaciones sexuales. En los hombres, los síntomas pueden ser mínimos, lo cual significa que quizá no se den cuenta de que están infectados, aunque puedan experimentar dolor al orinar. En las mujeres, los síntomas pueden ser inexistentes, aunque algunas tienen flujo vaginal y pueden sentir dolor al orinar. A veces las mujeres sufren un fuerte dolor pélvico y se sienten mal debido a una enfermedad inflamatoria aguda de la pelvis. La gravedad de los síntomas no parece guardar relación con el riesgo de una infertilidad duradera.

Tratamiento

Si ha tenido clamidia en el pasado y tanto usted como su pareja han sido tratados para que no haya riesgo de una nueva infección, la única preocupación durante el embarazo es ver cómo puede haber afectado la infección a las trompas de Falopio. Si han resultado dañadas, puede correr un riesgo mayor de tener un embarazo ectópico. Si ya ha superado las 12 semanas de embarazo o si le han hecho una ecografía que muestra que el feto está en el interior del útero y no es ectópico, la anterior infección no tendrá ningún efecto perjudicial en el embarazo.

Con una clamidia no tratada durante el embarazo hay un ligero aumento de los partos prematuros y un pequeño riesgo de que el bebé se infecte durante el parto. Si eso sucede, puede sufrir una infección ocular y luego, entre una y tres semanas después del nacimiento, una infección pulmonar. Durante el embarazo, la clamidia debe ser tratada con eritomicina, no con tetraciclina, ya que esta puede afectar al desarrollo óseo del feto.

Gonorrea

Si se sospecha que corre un alto riesgo de tenerla, le harán una prueba de esa enfermedad de transmisión sexual en la primera visita. La gonorrea puede causar ceguera e infecciones graves en el feto. Entre los síntomas están las hemorragias anormales, quemazón al orinar, flujo vaginal y un fuerte picor.

Tratamiento

La gonorrea se suele tratar con antibióticos y le harán otra prueba más adelante durante el embarazo, para asegurarse de que la infección ha desaparecido.

Hepatitis B

Esta infección hepática viral es portada en la sangre y en las secreciones corporales y la forma más corriente de transmisión son las relaciones sexuales con alguien infectado, haberse contagiado durante el parto o usar agujas sucias. Si está infectada, es probable que sea portadora toda la vida y que pueda contagiar a los demás. A la larga, la hepatitis B puede causar daños en el hígado. En algunas partes del mundo, como en el oeste de África y en el sudeste de Asia, la hepatitis B está muy extendida.

Tratamiento

Consiste en el reposo en la cama, una dieta sana y también frecuentes análisis de sangre. Su pareja debe someterse a sendos análisis, ya que es posible inmunizarlo si todavía no ha cogido la enfermedad. La hepatitis B puede contagiarse al bebé en el momento del parto, pero se puede evitar que se desarrolle administrándole una serie de vacunas, la primera nada más nacer.

Virus del herpes

Hay dos tipos de herpes: el tipo 1 afecta a los labios y causa llagas y el tipo dos afecta a los genitales. Ambos se pueden transmitir por contacto íntimo, como los besos o las relaciones sexuales. En ambos padecerá unas úlceras dolorosas en la piel, que pueden aparecer en cualquier momento y suelen ir precedidas de una sensación de cosquilleo. Si su pareja tiene herpes, debe ponerse un condón durante el coito para no infectarla a usted. Esto es especialmente importante durante el embarazo.

Tratamiento

Si tiene herpes genital se puede transmitir al bebé durante el parto. En general solo es un problema si el primer ataque se produce durante el parto. Si ya tiene herpes, su organismo habrá desarrollado anticuerpos, que se transmitirán al feto antes de nacer y, por tanto, le protegerán durante los tres primeros meses de vida. Si el bebé se contagia de herpes durante el parto, podría sufrir una enfermedad cerebral conocida como encefalitis, que se presenta como letargo e incapacidad de alimentarse, pero puede llegar a ser una enfermedad que ponga en peligro su vida.

Para proteger al bebé, la mayoría de los médicos recomiendan un parto por cesárea si la madre sufre su primer ataque de herpes durante el parto y las membranas no se han roto. Si se trata de un ataque recurrente, algo mucho más común, la decisión

El herpes de tipo 2 afecta a los genitales y a la zona que rodea a la ingle. Aquí se puede ver la zona inflamada con costras amarillas.

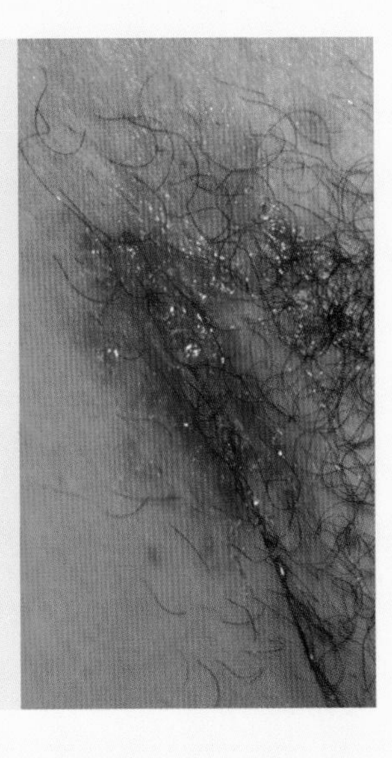

está menos clara. Algunos médicos recomiendan la cesárea, pero el riesgo de que el bebé enferme está por debajo del 1 % y muchos médicos opinan que un parto normal es seguro si se trata al bebé con Aciclovir —un medicamento antiviral— tan pronto como nace.

Virus de inmunodeficiencia humana (VIH) / sida

Las relaciones sexuales sin protección son la forma más común de la transmisión del VIH/sida, pero el contagio también puede producirse por usar agujas infectadas, por medio de una transfusión con sangre contaminada y durante el parto.

Tratamiento

Si tiene el VIH —que se conoce vulgarmente como ser VIH positivo—, hay entre un 15 y un 25 % de riesgo de que el bebé se infecte. Este riesgo puede quedar reducido al 1 o 2 %. El tratamiento consiste en medicación antirretroviral, parto por cesárea y abstenerse de dar el pecho. En algunas circunstancias, por ejemplo si sigue un régimen HAART y su carga viral es indetectable, es posible que el parto vaginal sea igual de seguro para su bebé. Si sigue un tratamiento antes de quedarse embarazada, puede que su médico le sugiera cambiar el régimen. Si se le suministra un único fármaco durante el embarazo (por lo general zidovudina), normalmente podrá suspender el tratamiento después del parto.

A las embarazadas se les debería ofrecer un examen sistemático para detectar VIH al principio del embarazo, porque la intervención prenatal adecuada reduce la transmisión de la infección de la madre al bebé. También se las debe examinar para detectar otras infecciones genitales lo antes posible, y hacerlo de nuevo en la semana 28. El seguimiento de las mujeres que han resultado ser seropositivas durante el embarazo debe realizarlo un equipo multidisciplinar.

Como es lógico, puede que la confidencialidad sea una cuestión importante para usted; por ello tendrá que decidir quién quiere que participe en las decisiones sobre su cuidado. Es necesario que su médico habitual esté informado de su tratamiento, ya que se ocupará de su salud y de la de su bebé durante mucho tiempo.

VIH: FACTORES DE RIESGO

Entre el 15 y el 25 % de mujeres embarazadas que son VIH positivas pasará el virus a su hijo. En un 70 % de casos el contagio se producirá en el momento del parto y en el otro 30 % antes del mismo. Entre los factores de riesgo están los siguientes:

- **Estadio clínico del VIH.**
- **Abuso de drogas.**
- **Deficiencia de vitamina A.**
- **ETS y otras infecciones.**
- **Parto prematuro.**
- **Trastornos de la placenta.**
- **Monitorización fetal invasora.**
- **Duración de la rotura de membranas.**
- **Parto vaginal.**

Sífilis

En la primera visita prenatal, le preguntarán si quiere hacerse la prueba para esta enfermedad. No obstante, la parte positiva es que los casos de sífilis durante el embarazo son actualmente más bajos que nunca.

Tratamiento

Para impedir que el feto resulte dañado, suele tener éxito administrar antibióticos durante el primer trimestre del embarazo.

Tricomoniasis

Aunque esta ETS no es demasiado grave, puede aumentar el riesgo de parto prematuro; así pues, es muy importante seguir un tratamiento. A menudo también se asocia a otras enfermedades de transmisión sexual, en especial la sífilis y el VIH. Los síntomas principales son flujo vaginal verdoso y espumoso, con olor a pescado, y picor.

Tratamiento

Suele darse medicación oral, que es segura durante el embarazo.

TRASTORNOS NEUROLÓGICOS

Epilepsia

Si padece epilepsia, lo más probable es que disfrute de un embarazo sin complicaciones. Quizá tenga fuertes mareos matutinos, pero siempre que se supervise cuidadosamente su medicación, no hay razones para temer que las cosas vayan mal.

Tratamiento

Es importante ver al médico antes de la concepción, para que reduzca su medicación, si es posible, y le cambie la dosis o los fármacos por otros más seguros para el embarazo.

Hay un mayor riesgo de tener un bebé con alguna anomalía, riesgo que puede reducirse tomando una dosis mayor de ácido fólico (5 mg diarios) durante tres meses antes de quedarse embarazada y continuar hasta que nazca el bebé. Si ya está embarazada, es importante ver al médico lo antes posible. Algunos fármacos contra las convulsiones pueden afectar a su capacidad para absorber la vitamina K, necesaria para que el hígado del bebé trabaje bien después del alumbramiento, por lo cual tendrá que tomar pastillas o ponerse inyecciones de vitamina K durante 36 semanas y deberán ponerle una inyección de vitamina K al bebé después de nacer. Los ataques pueden aumentar durante el embarazo, así que tal vez sea necesario cambiarle la medicación.

Esclerosis múltiple

Se trata de una enfermedad neurológica degenerativa de origen desconocido que tiene períodos de remisión y de recaída. No hay pruebas de que el embarazo afecte a la prognosis a largo plazo de la enfermedad, aunque no es raro que se produzca una recaída después del parto.

Tratamiento

Aunque no parece que la esclerosis múltiple afecte al embarazo, es preciso mantener un cuidado prenatal regular. Puede que usted sea más vulnerable a la anemia y a las infecciones del tracto urinario (véase p. 259). Cuide su salud todo lo posible, descanse mucho y evite el estrés y que la temperatura corporal suba en exceso. Si está tomando medicamentos, compruebe que son seguros durante el embarazo.

INFECCIONES

Síndrome de fatiga crónica

También conocido como encefalopatía miálgica (EM), es una enfermedad crónica debilitadora que parece iniciarse después de una infección vírica, aunque se desconoce la naturaleza de la infección y la causa de la fatiga crónica. Si padece esta enfermedad, tendrá que hablar con el médico de la medicación que está tomando —incluyendo hierbas y homeopatía— por si pudiera tener un efecto perjudicial en el embarazo.

Tratamiento

Algunas mujeres con esta enfermedad mejoran durante el embarazo, posiblemente como resultado de los cambios hormonales, pero tienden a sufrir una recaída después del alumbramiento. El propio parto puede ser un esfuerzo agotador. Tiene que planearlo bien y considerar la anestesia epidural para reducir el estrés y la fatiga que puede acarrear un parto largo y doloroso. No hay ninguna razón para no intentar un parto normal, pero quizá necesite ayuda en la segunda fase si está demasiado exhausta para empujar.

Lo más importante que hay que tener en cuenta es asegurarse de tener suficiente apoyo durante el embarazo, que le va a resultar muy cansado, y, en particular, después del parto. No vacile en aceptar las ofertas de ayuda de su pareja, de su madre y de sus hermanas y amigas.

OTRAS ENFERMEDADES CRÓNICAS

Diabetes

Es la tendencia a tener unos niveles altos de azúcar en la sangre. También puede aparecer durante el embarazo (diabetes gestacional, véase p. 253). Tanto si controla la diabetes con pastillas o con inyecciones de insulina, los riesgos para el bebé son similares. Los principales —aparte de mayor riesgo de anomalías— son la macrosomía (crecimiento excesivo) y la muerte perinatal. Los principales riesgos para la madre son la hiperglicemia (nivel de azúcar demasiado alto) y la hipoglicemia (nivel de azúcar demasiado bajo), algo corriente si padece de mareos matutinos. También corre un mayor riesgo de preeclampsia. Debido al riesgo de la muerte perinatal, muchos tocólogos

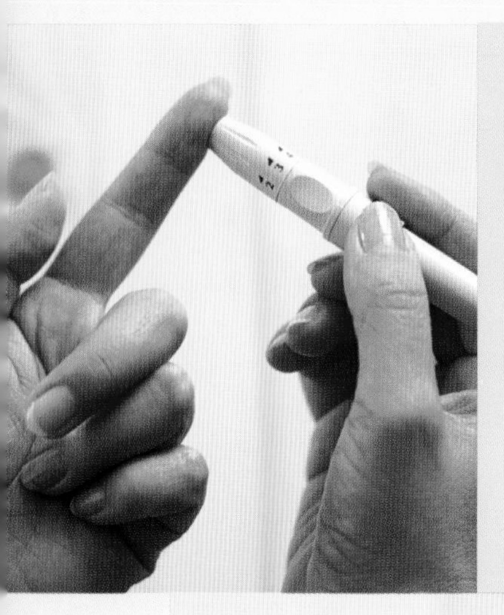

Existen aparatos caseros para medir su nivel de glucosa. Se extrae una gota de sangre de un dedo, utilizando un pequeño aparato con una lanceta (izquierda). La gota de sangre se aplica a la zona de recepción del electrodo y el monitor muestra el resultado (abajo).

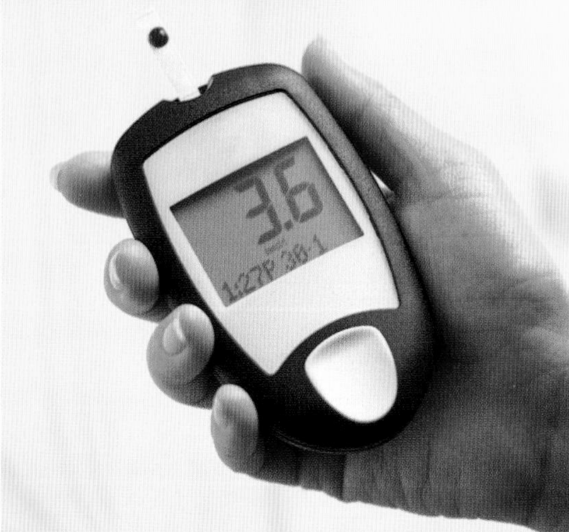

recomiendan el parto a las 38 semanas y provocarlo si no ha dado a luz para entonces.

Tratamiento

Es vital que controle sus niveles de azúcar antes de la concepción y en los primeros meses de embarazo, ya que esto reducirá las posibilidades de que el bebé sufra una anomalía. Una vez embarazada le cambiarán las pastillas por inyecciones de insulina. El objetivo durante el embarazo es controlar los niveles de azúcar lo más estrechamente posible, para conseguir que dos horas después de una comida el nivel de azúcar esté por debajo de los 7 mmol/L. Esto se suele lograr aumentando el número de inyecciones diarias de dos a cuatro. Conforme crece la placenta, la cantidad de insulina que necesite será mayor cada semana, hasta llegar alrededor de las 34 semanas.

Es importante tomar una dieta sana, equilibrada y estable que ayude a establecer cuánta insulina necesitará. No se preocupe si tiene que aumentar la dosis; eso no significa que esté comiendo demasiado.

Insuficiencia renal

Muchas mujeres tienen problemas renales. La mayoría son relativamente leves, como infecciones urinarias y cistitis (véase p. 259), pero pueden surgir otros más graves, como la insuficiencia renal. Si es así, la manera en que afecte al embarazo dependerá en gran medida de la gravedad del problema.

Tratamiento

Las mujeres con insuficiencia renal deben hablar de qué repercusiones tendrá su embarazo con el especialista en enfermedades del riñón y el de medicina materno-fetal. Las posibilidades de llevar a buen término la gestación dependen de cómo le funcionen los riñones. Si le han hecho un trasplante y el nuevo riñón funciona bien, entonces tiene muy buenas probabilidades de tener un bebé sano. La mayoría de fármacos usados para impedir el rechazo son seguros durante el embarazo; su médico la aconsejará sobre cualquier medicación que esté tomando.

Si está esperando un trasplante y se somete a sesiones de diálisis, los resultados no son tan buenos. Muchas mujeres a las que hacen diálisis ni siquiera consiguen quedarse embarazadas y las que lo consiguen tienen embarazos difíciles –y la mayoría de bebés son muy prematuros–. Las mujeres con un daño renal moderado corren el riesgo de preeclampsia y deben hablar de ese peligro con su médico para procurar reducir al máximo los riesgos asociados con la enfermedad.

Disfunción de la tiroides

La glándula tiroides puede ser hiperactiva o hipoactiva y ambos extremos son malos para la salud y pueden afectar al embarazo. Si su tiroides no funciona bien es probable que tenga que medicarse para recuperar el equilibrio. Aunque esto no debería afectar al embarazo, su médico la controlará muy atentamente hasta después de la visita posparto.

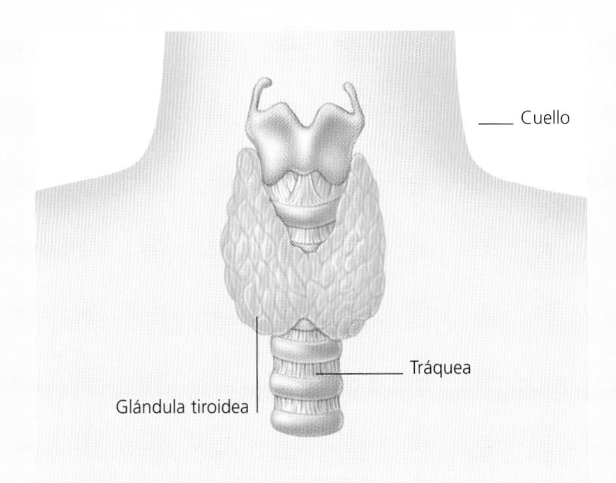

La glándula tiroides está situada en el cuello y es responsable de la producción de una hormona llamada tiroxina, que regula el metabolismo.

Tratamiento

El hipotiroidismo (o tiroides con una actividad baja) puede tratarse fácilmente con una tiroxina de sustitución. Durante el embarazo se debe controlar el nivel cada tres meses, pero no es probable que tengan que cambiarle la dosis.

Si padece de hipertiroidismo (o tiroides con una actividad excesiva) puede necesitar tratamiento con carbimazol o propiltiouracilo. Ambos medicamentos controlan la actividad de la tiroides. Si le diagnostican el problema durante el embarazo, puede que necesite una dosis alta para empezar, que se suele reducir al cabo de unos meses. Ambos medicamentos pueden atravesar la placenta y en algunos casos raros hacen que el bebé tenga una glándula tiroides inflamada y padezca hipotiroidismo. Si se administra la dosis mínima efectiva se reduce este riesgo.

Si sufre una enfermedad de la tiroides, es importante comprobar los niveles seis semanas después del parto, ya que en esa fase la tiroides puede inflamarse, un trastorno conocido como tiroiditis posnatal, y será necesario cambiarle la medicación.

Cáncer

No hay ningún indicio de que el embarazo afecte directamente a la evolución de un cáncer, pero sí que añade una complicación, ya que el tratamiento puede no ser bueno para el feto. Si se descubre que tiene cáncer cuando ya está embarazada, quizá tenga que considerar si continúa con el embarazo. Esto dependerá del tipo de cáncer, de lo avanzado que esté y de los efectos que el tratamiento óptimo tenga en usted y en su bebé.

Tratamiento

Durante el embarazo el médico tendrá que encontrar un equilibrio entre el tratamiento que es mejor para usted y la seguridad del bebé. La quimioterapia durante el primer trimestre aumenta el riesgo de malformaciones congénitas. Durante el segundo y tercer trimestres puede reducir el peso del bebé al nacer, pero el riesgo de que se produzcan otras complicaciones varía según la medicación que se administra. La radioterapia puede afectar o no afectar al feto, dependiendo del lugar donde esté el cáncer, la potencia de la exposición y lo avanzado del embarazo. El período en que el feto es más vulnerable es entre las 8 y las 15 semanas. Por lo general, es posible practicar una operación quirúrgica durante el embarazo y no suele representar un peligro para el bebé. No obstante, una inflamación o infección en el abdomen aumenta el riesgo de parto prematuro.

URGENCIAS MÉDICAS

La mayoría de embarazos son sencillos y se desarrollan sin problemas. Solo algunas veces surgen complicaciones que podrían poner en peligro a la madre y al bebé. Afortunadamente, si se detectan a tiempo la mayoría se puede tratar con éxito. Si ha sufrido un accidente, no se encuentra bien o le parece que hay algo que no tiene buen aspecto, consulte inmediatamente a su médico.

DOLOR ABDOMINAL

Es de esperar que durante el embarazo tenga a veces algún dolor o molestia pasajera, pero cualquier dolor abdominal que la haga sentirse mal o que parezca salirse de lo normal tiene que ser evaluado de forma urgente por el personal médico.

Los dolores agudos en la parte inferior del abdomen, solo en un lado o en ambos lados del útero, pueden ser debidos al estiramiento de los ligamentos (dolor de los ligamentos redondos), pero también pueden ser un síntoma de embarazo ectópico, aborto, separación prematura de la placenta o parto prematuro. Un dolor abdominal constante, acompañado de endurecimiento o sensación de tensión en el útero, es especialmente preocupante y necesita tratamiento urgente.

La primera señal de un embarazo ectópico suele ser el dolor en la parte inferior del abdomen, calambres o un dolor sordo, que puede producirse solo en un lado o extenderse por todo el abdomen. El dolor en los hombros y alrededor del recto, especialmente al ir de vientre, suelen presagiar lo mismo. Las hemorragias vaginales son corrientes, pero lo normal es que no sean demasiado abundantes. La atención hospitalaria es necesaria y urgente, porque las hemorragias internas pueden ser muy peligrosas.

El dolor en la parte superior del abdomen, en la zona del hígado (en el lado derecho, justo debajo de la caja torácica), podría ser señal de una preeclampsia grave y hay que acudir inmediatamente al médico. También puede ser un indicio de piedras en la vesícula o indigestión, que son mucho menos graves, evidentemente. No obstante, siempre debe hacerse caso a este tipo de dolor.

El dolor en las ingles o en la parte inferior de la espalda puede ser señal de una infección de riñón y se debe tratar urgentemente con fuertes antibióticos. El dolor puede ir acompañado de fiebre alta o escalofríos, que señalan que es necesario el tratamiento hospitalario con antibióticos por vía intravenosa.

Una embolia pulmonar —un coágulo de sangre en el pulmón (véase en una radiografía, arriba)—, es una afección seria que necesita urgente tratamiento médico.

DOLOR TORÁCICO

Nunca se debe dejar de lado un dolor en el pecho porque podría indicar la existencia de una embolia pulmonar (un coágulo de sangre en el pulmón) o de una pleuresía. Ambos casos exigen siempre un tratamiento urgente

RESFRIADOS Y FIEBRE

Si tiene una temperatura superior a los 37,8 ºC, sin otros síntomas, debe consultar al médico el mismo día. Si la fiebre supera los 38,9 ºC o tiene otros síntomas como dolor de garganta, tos o le falta el aliento, necesitará tratamiento inmediato ya que puede tener gripe A (véase p. 275) o una infección que requiera antibióticos y descanso. Si la fiebre no baja durante un período de tiempo prolongado, el desarrollo del feto podría verse perjudicado.

HINCHAZÓN EXCESIVA DE PIES (EDEMA) O AUMENTO EXCESIVO PESO

Es preciso prestar atención a estos síntomas, ya que pueden ir asociados a la preeclampsia.

VÓMITOS EXCESIVOS Y/O DIARREA

Llame al médico si vomita mucho o tiene diarrea. Existe el riesgo de mala nutrición si no puede retener ningún alimento, mientras que una diarrea excesiva la dejará deshidratada, lo cual es peligroso. Puede tener que ir al hospital y que le pongan un gotero intravenoso para sustituir los fluidos perdidos. Si los vómitos van acompañados de fiebre o si la diarrea contiene mucosidad o sangre, llame al médico inmediatamente.

CAÍDAS O ACCIDENTES DE COCHE

Las caídas no son siempre peligrosas, ya que el feto está bien protegido dentro del útero, rodeado de líquido amniótico, pero si se cae, llame al médico lo antes posible para explicarle lo que ha pasado. Si nota contracciones, goteo de líquido o algo de hemorragia, llame al médico inmediatamente.

DOLORES DE CABEZA, LUCES REPENTINAS DELANTE DE LOS OJOS O VISIÓN BORROSA

Todos estos síntomas indican preeclampsia y una presión peligrosamente alta, y exigen tratamiento hospitalario urgente.

SANGRADO VAGINAL EXCESIVO

Es normal tener pequeñas pérdidas de sangre durante las primeras semanas de embarazo (véase p. 20). También lo es manchar un poquito durante los primeros meses (véase p. 275). No obstante, su médico tendrá que reconocerla si tuviese pérdidas después del primer trimestre, o si estas fuesen excesivas. Cualquier pérdida que vaya acompañada de dolor puede indicar un aborto (véase p. 278) o un embarazo ectópico (véase p. 256) y debe ponerse en contacto con su médico urgentemente. Un sangrado abundante o acompañado de un dolor intenso necesita atención inmediata. Debe ir a urgencias sin perder un minuto.

PICOR POR TODO EL CUERPO

Puede ser señal de colestasis obstétrica (véase p. 255), especialmente si va acompañado de ictericia (piel amarilla y orina oscura). No hay peligro para la madre, pero sí un mayor riesgo para el feto. Por esta razón, si se diagnostica la enfermedad, los médicos recomiendan un control estrecho del bebé y, normalmente, se aconseja adelantar el parto.

PÉRDIDA DE LÍQUIDO POR LA VAGINA

Debe decírselo al médico de inmediato, porque podría ser líquido amniótico e indicar que se han roto las membranas; o también señal de un parto prematuro y dejaría al bebé expuesto a las infecciones.

MICCIÓN DOLOROSA O ARDIENTE ACOMPAÑADA DE FIEBRE, ESCALOFRÍOS Y DOLOR DE ESPALDA

Puede tener una infección del tracto urinario, que debe ser tratada con antibióticos.

CONVULSIONES

Cuando son el resultado de una eclampsia es una urgencia médica que exige oxígeno y medicamentos para impedir que se repita el ataque. Llame al servicio de urgencias sin perder un segundo, ya que suele ser necesario un parto inmediato para poder dar el tratamiento adecuado a la madre.

DISMINUCIÓN O AUSENCIA DE MOVIMIENTOS FETALES

Entre las 16 y las 20 semanas de embarazo se empieza a notar que el bebé comienza a moverse. Después de las 28 semanas, debe sentir por lo menos 10 movimientos cada día. Si el bebé parece menos activo durante 24 horas o si ha habido menos de 10 movimientos durante un período de 12 horas en todo el día, llame al médico y vaya directamente al hospital. Allí controlarán el latido cardíaco del feto durante 20 o 30 minutos en un monitor fetal para asegurarse de que todo va bien. Un menor número de movimientos fetales puede ser una señal clara de que el bebé sufre estrés. Nunca debe hacerse caso omiso de esta situación. Por otro lado, la mayoría de bebés empieza a moverse enérgicamente en cuanto se inicia la monitorización fetal y es evidente que todo va bien.

GRIPE A

Se trata de una nueva cepa de influenza, también llamada gripe porcina porque se cree que se originó en los cerdos (aunque esto no es cierto). Las mujeres embarazadas pertenecen al grupo de alto riesgo porque sus sistemas inmunes se ven naturalmente suprimidos; son más propensas a cogerla, y si lo hacen, es muy probable que desarrollen complicaciones. Una vez dicho esto, la mayoría de embarazadas solo tienen síntomas leves y el riesgo de sufrir complicaciones es muy pequeño.

Los síntomas son parecidos a los de la gripe común, fiebre alta (más de 38 ºC) y dos o más de los siguientes: cansancio inusual, dolor de cabeza, nariz congestionada, dolor de garganta, falta de aliento o tos, pérdida de apetito, músculos doloridos, diarrea o vómitos. Se suele tardar una semana en recuperarse; aunque las mujeres que están en el segundo o tercer trimestre de embarazo son más propensas a sufrir complicaciones como una neumonía (e infección de los pulmones), dificultad para respirar y deshidratación, lo que puede llevar a sufrir un parto prematuro o un aborto.

Puede reducir el riesgo de infección vacunándose (véase abajo), manteniendo buenos hábitos de higiene y evitando los viajes y las multitudes innecesarias cuando sea posible. Es probable que si algún miembro de su familia o persona cercana tiene la gripe A, su médico le prescriba como medida preventiva un medicamento antiviral (generalmente Relenza).

Si cree que usted (o alguien cercano) puede tener gripe A, consulte a su médico de inmediato. Si le confirma la enfermedad por teléfono, le prescribirá medicación antiviral a tomar tan pronto como le sea posible y le dirá cómo y cuándo recogerla. No vaya al consultorio. Normalmente le darán un curso sobre fármacos antivirales que tendrá que hacer en cuanto pueda. Se recomienda Relenza —que se toma con un inhalador— a las embarazadas porque alcanza fácilmente la garganta y los pulmones, donde se necesita, y no alcanza niveles significativos en la sangre y la placenta. No debería afectar a su embarazo ni a su bebé. No obstante, se le ofrecerá Tamiflu si tiene asma o alguna enfermedad pulmonar obstructiva crónica, si tiene dificultad para tomar antivirales inhalados o desarrolla alguna enfermedad grave debido a la gripe A (que probablemente tratarán en el hospital).

También puede tomar paracetamol para reducir la fiebre y otros síntomas.

Se aconseja a las mujeres embarazadas que se vacunen contra la gripe A, Pandemrix, no importa lo avanzado que esté el embarazo. No hay pruebas de que esta vacuna, que es inactivada, cause algún daño a las mujeres embarazadas o a sus bebés.

PIERNA HINCHADA O DOLORIDA

Si tiene la pierna dolorida, hinchada y caliente al tacto, puede ser que tenga trombosis venosa profunda (TVP). Llame al médico de inmediato si sospecha que puede tratarse de esto (véase p. 252). Puede confundirse con la tromboflebitis superficial, común e inocua, que afecta a las pequeñas venas superficiales en la parte inferior de las piernas, sobre todo si tiene exceso de peso. Una ecografía determinará si se trata de una cosa u otra.

SED Y MICCIONES POCO FRECUENTES

Si nota que de repente tiene más sed de lo normal y que apenas orina, podría deberse a que está deshidratada o a una insuficiencia renal; ambos trastornos son potencialmente peligrosos para la madre y el bebé. Póngase en contacto con su médico, que hará que la reconozcan.

HEMORRAGIAS DURANTE EL EMBARAZO

Aproximadamente una de cada cuatro mujeres tendrán una hemorragia vaginal durante el embarazo. Esa hemorragia puede variar desde manchas o gotas mínimas hasta una pérdida importante que exija un tratamiento hospitalario inmediato. Aunque es importante tomarse en serio cualquier hemorragia, recuerde que en por lo menos un 90 % de casos no va a causar ningún daño al embarazo.

HEMORRAGIAS AL PRINCIPIO DEL EMBARAZO (ANTES DE LAS 12 SEMANAS)

En las primeras semanas, es especialmente común que se produzcan hemorragias o manchas, pero eso no significa necesariamente que haya un problema. Un buen indicador es si la hemorragia va acompañada de dolor. Si es indolora no es tan preocupante como si va acompañada de calambres en la parte inferior del abdomen y/o dolor de espalda durante varias horas. Si tiene una hemorragia vaginal, el médico llevará a cabo varios reconocimientos; puede hacer un examen pélvico, una prueba con ultrasonidos o un análisis de sangre para medir los niveles de gonadotropina coriónica humana (GCh). Conforme avanza el embarazo, los niveles de GCh aumentan, así que pueden tener que hacerle más de un análisis. Con frecuencia no se encuentra ninguna causa para la hemorragia y el embarazo continúa sin problemas. Un pequeño número de mujeres experimentará una ligera hemorragia, de vez en cuando, durante todo el embarazo, sin que haya ninguna explicación evidente.

Hemorragia por implantación

En ocasiones se produce una pequeña hemorragia, que dura entre 24 y 48 horas, cuando el óvulo fecundado se adhiere a la pared del útero, unos 10 días después de la concepción. Es un proceso natural y no tiene importancia.

Hemorragia hormonal

Algunas mujeres experimentan una hemorragia ligera, parecida a una menstruación, entre las cuatro y las ocho semanas de embarazo, justo en el momento en que hubieran tenido el período. Por esta razón, algunas mujeres no se dan cuenta de que están embarazadas.

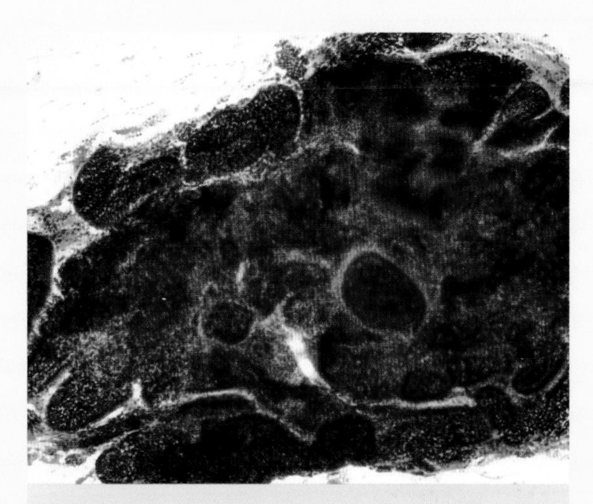

El ectropio cervical se produce cuando una capa de las células que normalmente se encuentran en el revestimiento interior del cérvix aparecen en el exterior. Arriba se puede ver un crecimiento anormal de células causado por el ectropio cervical.

Ectropio cervical

Las manchas al principio del embarazo pueden ser causadas por el ectropio cervical, que se produce cuando las células del revestimiento interior del cuello del útero se extienden hasta la superficie y se inflaman. Puede producirse una hemorragia después de tener relaciones sexuales porque el cérvix está más blando y delicado durante el embarazo. A menos que haya una infección, un ectropio cervical no afectará al embarazo.

HEMORRAGIAS A MEDIADOS O FINALES DEL EMBARAZO

Entre las semanas 12 y 24 es mucho menos común que se produzca una hemorragia. Asimismo, el riesgo de aborto es mucho menos probable en esta etapa del embarazo. Los abortos tardíos —después de las 20 semanas— pueden ser el resultado de una infección o de una anomalía en el útero, como el cérvix incompetente (véase p. 279), o en la placenta.

Siempre hay que informar al médico de cualquier hemorragia después de las 24 semanas. Con frecuencia no hay motivos de preocupación si la hemorragia es ligera, en especial si se produce después de tener relaciones sexuales o de un reconocimiento interno. No obstante, es normal que cuando una mujer informa de una hemorragia vaginal, especialmente si siente algún dolor, ingrese en el hospital durante 24 horas para quedar en observación.

A cualquier mujer que tenga un grupo sanguíneo Rh negativo, tras 12 semanas de embarazo se le debe administrar inmunoglobulina antiD si tiene una hemorragia, para evitar que forme anticuerpos contra la sangre fetal.

Si la hemorragia se produce en una etapa avanzada del embarazo deben investigarse los siguientes trastornos:

En el caso de placenta previa, esta está situada muy baja en el útero y puede cubrir parcial o completamente el cérvix (véase a la derecha). Existe riesgo tanto para la madre como para el niño debido a una hemorragia abundante.

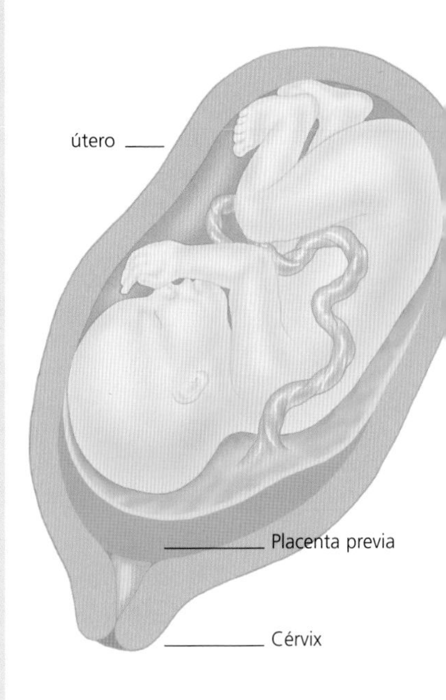

Hemorragia placentaria marginal

Puede producirse una hemorragia sin dolor como resultado de la rotura de uno de los pequeños vasos sanguíneos que hay al borde de la placenta. Por lo general la hemorragia se detiene rápidamente, aunque puede formarse un pequeño coágulo cerca del cuello del útero que ocasione una pérdida vaginal pardusca al cabo de unos días. A veces puede resultar doloroso, ya que la sangre irrita el útero y provoca unas ligeras contracciones. No hay una razón excesiva para preocuparse y, por lo general, suele prescribirse descanso y observación.

Placenta previa

Cuando la placenta está baja puede cubrir en parte o totalmente el cérvix. Muchas veces se informa a la mujer de que tiene una placenta previa (una placenta con una posición baja) cuando le hacen la ecografía habitual de las 20 semanas, pero durante las últimas semanas del embarazo la placenta tiende a moverse hacia arriba, de forma que ya no bloquea el cérvix. No obstante, en un 1 % de embarazos la placenta sigue tapando el cérvix. Eso significa que está peor adherida a la pared uterina y es más probable que sangre por uno o más del enorme número de vasos sanguíneos que hay en la superficie de la placenta. Afortunadamente, aunque la hemorragia puede ser abundante, suele detenerse por sí sola. Le aconsejarán que haga reposo en el hospital desde la semana 34 hasta que nazca el bebé para poder tratarla rápidamente si volviera a sangrar.

La placenta previa es más corriente en mujeres que han tenido más de un hijo, en aquellas a quienes se ha practicado una cesárea o en las que esperan más de un bebé. La hemorragia suele ser indolora, pero puede ser muy abundante. Quizá empiece con poca cantidad, pero se vuelve copiosa de repente y exige un tratamiento de urgencia para la madre, incluyendo una transfusión de sangre.

Placenta accreta

Hay una complicación muy poco frecuente en el embarazo que se produce cuando la placenta crece hacia las capas más profundas de la pared uterina y se adhiere fuertemente. Tiene tres variantes: la más corriente es la accreta, cuando la placenta se adhiere directamente a la pared uterina. En ocasiones la placenta penetra más profundamente en el músculo uterino y se conoce como increta. En la tercera variante, rarísima, la placenta se extiende a través de toda la pared del útero y se conoce como percreta.

Este trastorno es más corriente en mujeres a quienes han practicado una cesárea o que tienen cicatrices debido a operaciones anteriores. La causa también puede ser una placenta previa.

Con frecuencia no hay síntomas hasta la tercera etapa del parto, cuando la placenta no se separa de la pared del útero. En raras ocasiones puede causar la rotura parcial o total del útero. En la mayoría de casos hay que extraerla quirúrgicamente. En el caso muy raro de que no se pueda detener la hemorragia, hay que practicar una histerectomía.

Cuando la placenta se separa del útero *(abruptio placentae)*, puede hacer que se forme una bolsa de sangre entre la placenta y el útero, lo que requiere un tratamiento médico inmediato.

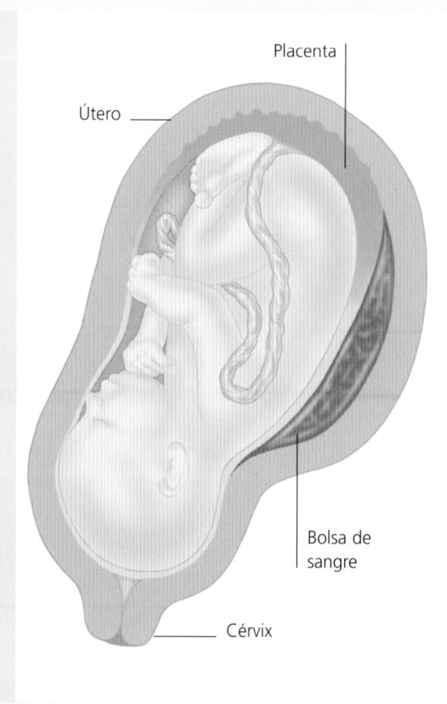

Abruptio placentae

Sucede cuando la placenta se separa o se desgarra de la pared uterina. Usualmente, la hemorragia va asociada a fuertes calambres abdominales, pero no siempre es así si la separación es pequeña. La hemorragia es variable, pero puede ser abundante y contener coágulos.

Una forma especialmente peligrosa de *abruptio* es la denominada *abruptio oculta.* Este raro trastorno se produce cuando la placenta se separa por el medio, haciendo que se forme un gran coágulo de sangre entre la superficie placentaria y la pared del útero. Por lo general, la madre tiene unos dolores muy agudos y siente como si fuera a desmayarse. No se ve hemorragia porque toda la pérdida de sangre queda retenida detrás de la placenta. Es esencial un tratamiento médico urgente y necesario desencadenar el parto inmediatamente.

Rotura del útero

En raras ocasiones se produce un desgarro o rotura del útero durante el embarazo o la dilatación. La causa habitual de la rotura es la debilidad de la pared del útero debido a la existencia de una cicatriz por cesárea o de una perforación uterina anteriores. Las anomalías de la placenta, como la placenta previa o la placenta accreta, pueden aumentar el riesgo. La inducción durante un PVTC (parto vaginal tras cesárea) aumenta también enormemente el peligro de rotura.

La primera señal suele ser un dolor agudo en el abdomen, acompañado de una sensación de «desgarro» interior y algo de hemorragia vaginal. Si la rotura se produce durante un parto vaginal a prueba después de una cesárea, es probable que las contracciones se hagan más lentas o cesen.

Cuando se produce una rotura, es necesario practicar una cesárea de inmediato, seguida de la reparación quirúrgica del útero. En raros casos se debe practicar una histerectomía.

Después de la rotura, la madre es estrechamente controlada y se le administrarán antibióticos para prevenir infecciones

ABORTO ESPONTÁNEO

A veces el embarazo acaba en un aborto. Hay muchas razones por las que esto puede suceder; en las primeras semanas suele ser la manera que tiene el organismo de rechazar un feto que nunca podría desarrollarse sano. En ocasiones, la causa es un problema que aparece durante el embarazo o debido a una enfermedad crónica de la madre. Si los abortos son recurrentes, es necesario estudiar sus causas, ya que puede ser necesario un tratamiento.

La pérdida de un feto de menos de 24 semanas (antes de que pueda sobrevivir fuera del útero) se conoce como aborto o aborto espontáneo. El momento más probable para que esto suceda es antes de las 12 semanas y los médicos suelen decir que es un aborto «precoz o de primer trimestre». Ese tipo de aborto es muy común y afecta a uno de cada cinco embarazos. Es probable que la cifra sea incluso mayor porque la mujer quizá ni siquiera sospechaba que estaba embarazada cuando aborta con lo que parece ser un período muy abundante. Si usted fuma, si es mayor, si ha tenido otros abortos o tiene fibroides, lupus o diabetes, se enfrenta a un riesgo mayor de abortar.

Por lo menos la mitad de los abortos del primer trimestre son causados por alguna alteración cromosómica que impide que el feto evolucione con normalidad. Las infecciones, una diabetes no controlada, problemas de tiroides, anomalías uterinas o la producción de ciertos anticuerpos también pueden provocar un aborto precoz.

Un síntoma de que el embarazo corre peligro es la hemorragia vaginal, que puede ser constante o intermitente, acompañada por dolor en la parte inferior de la espalda, parecido a los calambres de la menstruación. Pese a estos síntomas, sigue siendo posible que el embarazo no acabe en aborto.

Sin embargo, una vez que el útero empieza a expulsar el embrión o el feto, la pérdida es inevitable. El cérvix se abre y son expulsados trozos de un tejido parecido al hígado. En este caso, el sangrado vaginal y el dolor pueden ser muy fuertes.

Normalmente se utilizan los ultrasonidos para establecer si un embarazo continúa normalmente. También es útil efectuar un examen pélvico porque el cérvix cerrado indica que el embarazo es posible que no corra peligro.

Aborto completo

Cuando el útero ha expulsado enteramente el embrión o el feto, el aborto es completo. La hemorragia y el dolor disminuyen y un examen con ultrasonidos mostrará que el útero está totalmente vacío.

Aborto incompleto

Cuando el útero no expulsa totalmente al embrión o el feto y retiene trozos de tejido, se dice que el aborto es incompleto. Suele ser evidente con los ultrasonidos, pero los médicos pueden llegar a ese diagnóstico si la hemorragia es muy fuerte o si se puede ver tejido al examinar el cérvix.

En este estadio, es probable que le propongan una operación conocida como evacuación de productos retenidos de la concepción. Se dilata el cérvix y los tejidos fetales o placentarios se raspan del endometrio (el revestimiento del útero) y se extraen. También pueden esperar a que el tejido sea expulsado de manera natural en los días siguientes, siempre que la madre no sangre demasiado y esté lo bastante bien para soportarlo.

Aborto pasado por alto u óvulo malogrado

En ocasiones se produce un aborto sin ningún síntoma o con señales muy pequeñas, como una pequeña pérdida vaginal de color pardusco. Este tipo de aborto suele detectarse mediante los ultrasonidos, porque se ve un saco vacío dentro del útero, lo cual significa que el feto no ha llegado a formarse; se dice que es un óvulo malogrado. Para estar absolutamente seguro, el médico puede volver a hacer una ecografía al cabo de entre siete y diez días para comprobar que no se está desarrollando un embrión en el saco. En algunas ocasiones se puede ver un feto dentro del saco, pero el corazón no late, lo cual indica que ha muerto en un

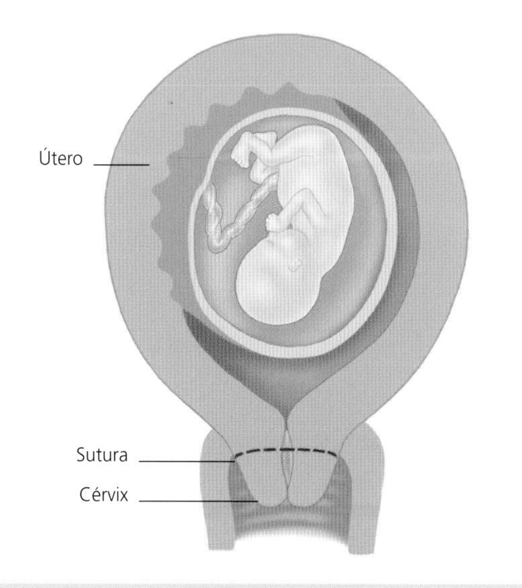

Si se diagnostica incompetencia del cuello uterino, puede insertarse un punto de sutura (véase arriba) para reforzar el músculo del cérvix. Esta intervención tiene más éxito si se realiza al principio del embarazo.

estadio muy temprano. Entonces le propondrán una intervención para extraer los productos de la concepción retenidos o le ofrecerán la opción de esperar para ver si su organismo expulsa de forma natural esos restos en los días posteriores.

Cérvix incompetente

Se cree que el cérvix incompetente es responsable de entre el 20 y el 25 % de los abortos que se producen en el segundo trimestre. Se trata de que el cuello del útero se abre bajo la presión del bebé y el útero, cada vez mayores. Lo puede causar una debilidad genética del cérvix, una extrema dilatación o fuertes laceraciones durante uno o más partos previos, una biopsia para determinar el cáncer del útero o la terapia con láser. Suele diagnosticarse cuando una mujer ha abortado previamente en el segundo trimestre o cuando los ultrasonidos o un examen vaginal muestran que el cérvix se acorta y abre.

Una vez diagnosticado, se llevará a cabo un procedimiento conocido como cerclaje cervical: la abertura del cérvix se cose o sutura para mantenerlo cerrado. La operación se realiza a través de la vagina bajo anestesia local o epidural, aproximadamente entre las 12 y las 16 semanas de embarazo. Los puntos o suturas suelen retirarse unas semanas antes de la fecha calculada para el término del embarazo; en algunos casos se dejan en su sitio hasta que ha empezado el parto. Con esos puntos, las posibilidades de llevar un embarazo a buen término son excelentes.

CÓMO ENFRENTARSE AL ABORTO

Que se malogre un embarazo largo tiempo deseado puede ser un golpe terrible. Es natural sentir dolor y también estar tristes y deprimidos. Con frecuencia, en los hospitales tratan este problema como si fuera una cosa de rutina, lo cual puede ser angustioso.

Puede ser muy duro aceptar que el aborto es algo muy corriente y que suele ser un medio que tiene la naturaleza para interrumpir un embarazo donde han surgido malformaciones en las primeras etapas de la evolución del embrión o del feto. No piense que es usted la culpable por alguna razón; se trata de un proceso natural y no es algo que usted haya causado. El lado bueno es que la próxima vez tiene unas posibilidades excelentes de llevar a buen término el embarazo.

Recuerde que debe continuar tomando ácido fólico y seguir una dieta bien equilibrada. No hay razón para esperar antes de concebir de nuevo, aunque muchas parejas se toman un descanso antes dei ntentarlo.

Un pequeño número de mujeres sufre abortos repetidos. Si ha tenido tres o más abortos seguidos, pídale a su médico que le hagan pruebas adicionales. Algunas mujeres son portadoras de anticuerpos en la sangre que impiden que el embarazo se implante de forma adecuada y se les puede administrar un tratamiento al principio del embarazo para ayudarlas.

PARTE IV AHORA SON UNA FAMILIA

SU MARAVILLOSO HIJO RECIÉN NACIDO

Después de todos esos meses de espera, por fin ha nacido el bebé y el momento en que lo tome en brazos por primera vez superará, sin ninguna duda, todas sus expectativas. Muy pronto lo conocerá o la conocerá, sabrá el aspecto que tiene y lo que puede hacer y comprenderá qué necesita para crecer y desarrollarse.

EL ASPECTO DEL RECIÉN NACIDO

A lo largo del embarazo, seguro que se habrá preguntado cómo sería su hijo o hija: «¿Tendrá mucho pelo y de qué color será?». «¿Será alta y delgada o pequeña y gordita?» «¿Se parecerá a mí?». Bien, pues ahora puede mirarla de la cabeza a los pies y comprobarlo.

Cuando tenga al bebé en brazos y empiece a examinarlo, quizá no parezca el pequeño querubín que usted imaginaba. El aspecto que tenga dependerá de cómo estuvo colocado en el útero, de su estructura genética y de cómo nació. Los bebés nacidos por cesárea, por ejemplo, que no han tenido que encogerse para bajar por el canal del parto, suelen tener la cabeza con una forma más normal y la cara menos aplastada que los que nacen por parto vaginal. No es raro que una madre se sienta un poco decepcionada ante el aspecto del bebé al nacer. Si ese es su caso, no se preocupe. Dentro de muy poco tiempo todos esos rasgos de recién nacido desaparecerán y será tan hermoso como pudiera desear. Entretanto, veamos algunas cosas que puede observar en el bebé.

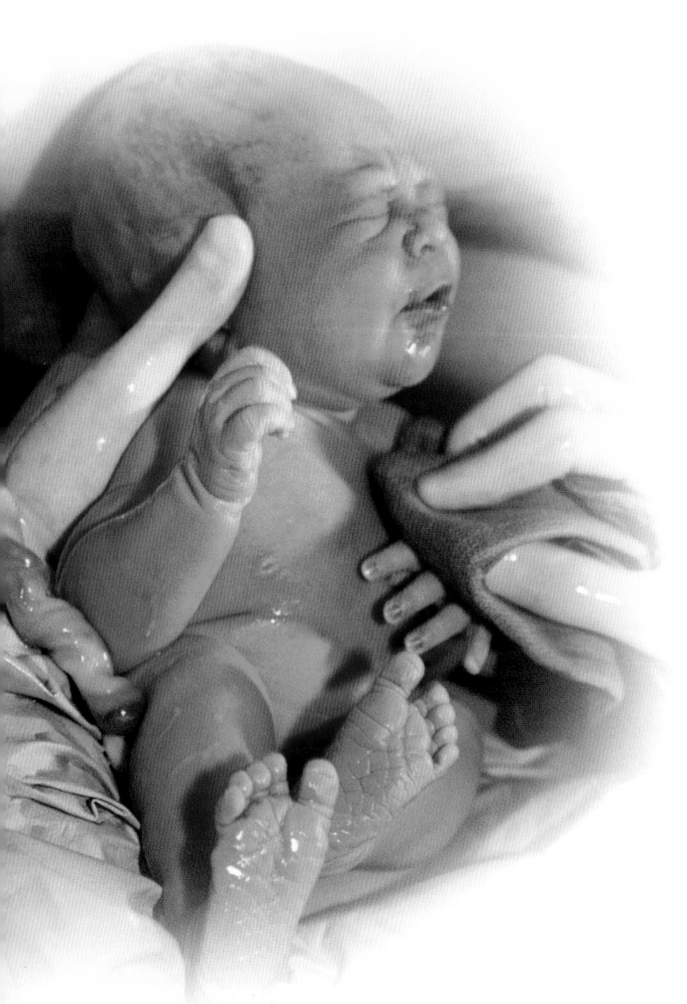

CARACTERÍSTICAS TÍPICAS DE UN RECIÉN NACIDO

Todos los recién nacidos comparten ciertos rasgos que pueden sorprender a los padres. No deje de aprovechar la oportunidad para hacer a los médicos o al personal sanitario cualquier pregunta que tenga sobre el aspecto del bebé. Utilice también, su experiencia profesional para aprender lo que necesita con objeto de atender las necesidades básicas del pequeño.

Cabeza alargada, hinchada y magullada

Al nacer, los huesos del cráneo del bebé son blandos para permitirle pasar por el canal del parto. Mientras desciende encogido y es expulsado al mundo exterior, esos huesos se amoldan, lo cual puede hacer que su cabeza adopte con una forma cónica y algo puntiaguda. Algunos bebés nacidos por cesárea incluso tienen cierto grado de deformidades en la cabeza, porque han pasado las últimas semanas cabeza abajo, encajados apretadamente en el útero de la madre. En cualquier caso, esa deformidad dura poco tiempo y, al cabo de unos días, observará que la cabeza se va redondeando.

Puede que el bebé tenga en la cabeza un bulto de tejido blando conocido como caput, que puede haber sido causado por la presión de la cabeza contra el cérvix en dilatación durante las contracciones o por la succión de un parto con ventosa (véase p. 229). El caput desaparecerá al cabo de unos días. Tal vez también tenga moretones, especialmente si en el parto se usaron fórceps o le pusieron un electrodo fetal en la cabeza (véase p. 217). Generalmente, esas magulladuras mejoran al cabo de más o menos una semana.

Las fontanelas

También puede observar una zona que late en la parte superior de la cabeza del recién nacido. Se llama fontanela anterior y hay dos. Son sencillamente huecos donde los huesos del cráneo todavía no se han solidificado y su función es permitir que la cabeza crezca rápidamente durante el primer año. Actúan también como un cojín que le protege la cabeza de las heridas. Para cuando cumpla los dos años, las fontanelas se habrán cerrado.

Aunque parezcan muy vulnerables, en realidad están cubiertas de un recio tejido fibroso, así que no le hará daño al pequeño si le toca esa zona con suavidad. También puede pasarle el peine sin ningún problema.

Cara aplastada

Mirando de frente la cara del bebé, puede observar que su nariz parece un poco aplastada, incluso torcida. Los ojos pueden estar hinchados y enrojecidos. Incluso puede que le cueste abrir uno de los ojos al principio. Todo esto se debe a la colocación del bebé en el útero y al apretado descenso por el canal de parto. Deben mejorar rápidamente al cabo de un par de días. Si el bebé tarda en abrir los ojos, no trate de abrírselos a la fuerza. Si quiere, puede animarle a que los abra por sí mismo levantándolo hasta que tenga la cabeza por encima de la suya.

Al mirarle los ojos, observe el color. Muchos recién nacidos tienen los ojos azul pizarra, porque la melanina, el pigmento natural del cuerpo, no está presente en el iris al nacer. El color de los ojos suele alterarse al aumentar la pigmentación y el cambio se ha completado a los 12 meses de vida.

Algunos bebés nacen con una dolencia denominada «ojo pegajoso». Si ese es el caso, probablemente tendrá una secreción amarillenta alrededor de los párpados (véase p. 365). Aunque no es grave, debe ser tratada por el médico.

Vérnix y cabello

Al nacer, la mayoría de bebés están cubiertos de sangre y mucosidad, además de una gruesa capa protectora de grasa blanca, llamada vérnix, que aparece durante el último trimestre del embarazo y protege la piel del bebé para que no se impregne de líquido. Los bebés prematuros tienen mucho vérnix, mientras que los posmaduros casi no tienen. En algunos hospitales eliminan el vérnix, lavándolo, mientras que en otros dejan que desaparezca de forma natural, por lo general al cabo de pocos días.

Muchos bebés, en especial los prematuros, tienen una capa de pilosidad fina, como plumón, en la piel; se denomina lanugo. No se sabe con certeza por qué está ahí, pero se cree que ayuda a mantener el vérnix en su sitio y regula la temperatura del cuerpo. La mayor parte del lanugo se caerá por sí solo durante los primeros meses.

Puede que el bebé haya nacido con mucho pelo o casi sin él. Si lo tiene, buena parte será reemplazado por cabello nuevo en unos meses, con un color y una textura que pueden ser bastante diferentes de los que tenía al nacer.

¿SABÍA QUE...?

La mayoría de cálculos sobre el peso del bebé resultan inexactos. Cuando se usan para calcular el peso, los ultrasonidos y la palpación manual pueden ser poco fiables. Sin embargo, en California unos investigadores han elaborado una fórmula matemática que calcula el peso al nacer con mucha mayor precisión, utilizando factores como el sexo, la estatura de los padres y el aumento de peso del feto en el tercer trimestre del embarazo. Incluso se ha tenido en cuenta la altitud; las personas que viven en las montañas tienen, por término medio, bebés más pequeños. Este descubrimiento podría permitir que las mujeres que esperan un bebé grande planearan una inducción temprana o una cesárea.

Una vez limpio y examinado el bebé por los médicos, es importante que pasen un tiempo a solas para empezar a conocerse.

Manos y pies azules y uñas largas

Las manos y los pies del recién nacido tendrán un tono azulado los primeros días. Este fenómeno, conocido como acrocianosis y causado por la mala circulación, es normal y mejorará al crecer el bebé. El resto del cuerpo debe ser de un bonito color sonrosado.

Puede que el recién nacido tenga las uñas largas, especialmente si nació después de término, pero son muy delicadas y es mejor no cortarlas en este momento. Puede limarlas con cuidado; le proporcionarán unos guantes especiales si temen que se arañe.

Hinchazón en los pechos

Puede observar que los pechos del bebé están ligeramente hinchados. En algunos recién nacidos incluso es posible que se produzca una ligera secreción blanca y lechosa. Es algo totalmente normal tanto en los niños como en las niñas. Tanto la hinchazón como la secreción están causadas por las hormonas del embarazo que permanecen en el cuerpo del bebé y desaparecerán en pocos días.

Hinchazón en los genitales

Si el bebé es niño, puede tener el escroto (la bolsa que rodea los testículos) algo hinchado. Esta hinchazón, conocida como hidrocele, está causada por el líquido que rodea los testículos y suele reducirse en pocos meses. Si no es así, hable con el médico, ya que puede ser necesaria una operación. Algunos niños nacen con una dolencia denominada testículos no descendidos, que significa que todavía no han salido al exterior del cuerpo. Si su hijo tiene ese trastorno, el médico lo irá controlando (véase p. 378).

Si el bebé es niña, puede tener los genitales ligeramente hinchados y soltar una secreción vaginal blanca. Entre algunos días y un par de semanas después de nacer, también puede tener una muy ligera hemorragia vaginal. Tanto la secreción como la hemorragia están causadas por las hormonas del embarazo que quedan en su cuerpo y cesarán cuando bajen los niveles hormonales.

El cordón umbilical

En el momento de nacer, el cordón umbilical se pinza y luego se corta (véase p. 225). No obstante, queda un trozo pequeño que irá cerrado con una pinza para impedir que sangre. Al cabo de pocas horas, el cordón se secará y pasará de ser suave y esponjoso a estar rígido y volverse negro. Al cabo de un par de semanas se desprenderá por sí mismo. Antes de que esto suceda, debe tratarlo con cuidado, especialmente cuando lave al bebé (véase p. 312).

Piel reseca y granos

Después del primer baño, la piel del bebé puede parecer reseca y agrietada, es debido al tiempo que pasó sumergido en líquido, la piel seca es más habitual en bebés nacidos después de término, porque todo el vérnix habrá desaparecido, dejando la piel sin protección. Cualquier zona seca mejorará en pocas semanas. Entretanto, es buena idea aplicar una crema hidratante muy suave en las zonas resecas de brazos y piernas. Asegúrese de que la crema no contiene ningún tipo de perfume, ya que podría irritar la delicada piel del bebé.

Durante los primeros días, es probable que el bebé tenga algún sarpullido. Hay varios que son comunes entre los recién nacidos. Por ejemplo:

- *Eritema tóxico.* Consiste en unos puntos rojos con la cabeza blanca en el medio y suelen aparecer sobre todo en el tronco del bebé. Sus causas son desconocidas.
- *Milia.* También conocido como «sarpullido de leche», se presenta en forma de puntos blanquecinos y amarillentos en la cara del bebé, especialmente en la nariz y, con menos frecuencia, en el paladar. Está causado por unas glándulas oleosas agrandadas que hay en la piel del bebé.
- *Melanosis pustular.* Suele empezar con pequeños puntos blancos que luego se rompen y se convierten en anillos escamosos de color marrón. Sus causas son desconocidas.

Todos estos sarpullidos son inocuos y desaparecerán por sí mismos durante el primer par de semanas de vida No obstante, siempre debe pedir al pediatra que examine las erupciones del bebé. En muy raras ocasiones son una señal temprana de infección que exigirá tratamiento (véase p. 364).

Cómo identificar las marcas de nacimiento

Son muy comunes y, por lo general, no encierran peligro. No obstante, el pediatra puede querer examinarlas conforme el pequeño va creciendo.

Picotazos de cigüeña. Son unos grupos de vasos sanguíneos dilatados que aparecen como una mancha roja en la nuca del bebé. Quizá no desaparezcan, pero pronto quedarán cubiertos por el cabello.

Manchas salmón. Son parecidas a las anteriores, pero aparecen en la frente **(1)**, encima de los párpados o debajo de la nariz. A diferencia de las anteriores, estas se desvanecen con el tiempo.

Manchas fresa. Estas marcas rojas y protuberantes **(2)** son grupos de capilares sanguíneos. Pueden aumentar durante el primer año, pero si no se tratan, casi todos desaparecen antes de los nueve años.

Manchas mongólicas. Son comunes en niños de piel oscura y parecen magulladuras. Son planas, de color gris azulado y se extienden por las nalgas **(3)**, los hombros, la espalda y los brazos. Son causadas por grupos de células pigmentarias y suelen desaparecen en el espacio de un año.

Manchas de vino de Oporto. Son rojas o púrpura, aparecen en la cara, la cabeza o el cuello y son poco corrientes. No desaparecen, pero es posible tratarlas con láser o cirugía plástica.

Manchas café con leche. Son pequeñas, planas, de color marrón o café y forma ovalada. Son muy corrientes y, por lo general, permanentes.

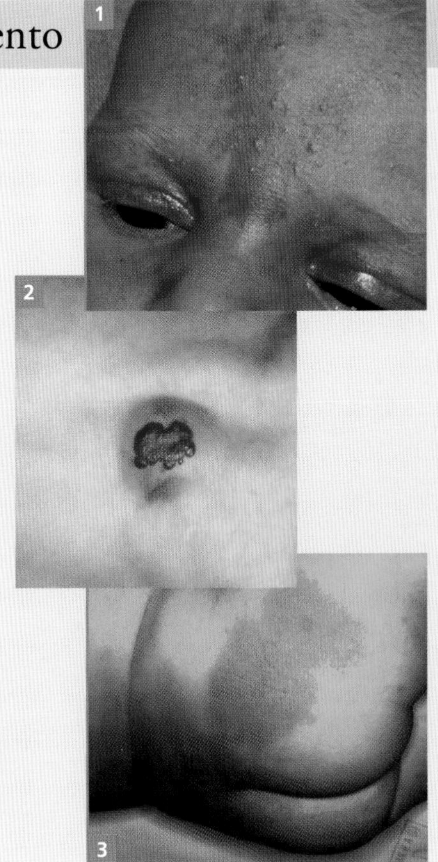

EL CUIDADO POSNATAL DEL BEBÉ

Después de que usted y su bebé hayan pasado un rato juntos para empezar a conocerse, es probable que se lo lleven a la sala de recién nacidos para bañarlo, realizarle un reconocimiento físico y llevar a cabo otros procedimientos de rutina. Si ha dado a luz en casa, todo esto lo hará su médico.

Es posible que permanezca en la misma habitación durante el anteparto, el parto y la recuperación; o bien, debido a sus necesidades especiales, dar a luz en una sala de parto y luego trasladarse la madre y el bebé a una habitación más cómoda. Tras el parto en un hospital, la mayoría de las mujeres vuelven a casa al cabo de 24 horas, dependiendo de cómo se encuentren. Algunas, si disponen de mucha ayuda en casa, ¡se van del hospital a las dos horas! Lo normal después de una cesárea es quedarse tres o cuatro días en el hospital. La duración depende del personal sanitario. Los factores primarios a tener en cuenta son la salud y el bienestar de usted y de su bebé, así como el grado de ayuda que vaya a recibir después de darle el alta. En el hospital estará en una pequeña unidad de maternidad posnatal o en una habitación individual, y su bebé estará junto a usted constantemente. Las madres y los bebés sanos no deben separarse, aunque puede disponer de una habitación aparte para bañar y amamantar al bebé.

Atención médica para el bebé

El bebé recibirá una considerable atención médica tan pronto nazca y durante sus primeros días de vida para comprobar que todo está bien.

Reconocimiento médico completo. Entre un minuto y cinco minutos después de nacer, el personal del hospital realizará el test de Apgar (véase el cuadro de la derecha). Luego, en algún momento de los días siguientes, se examinarán los rasgos, columna, ano, dedos de manos y pies del bebé. Lo pesarán y medirán su longitud y el tamaño de la cabeza **(1)**. También comprobarán las caderas para ver si están bien colocadas y se mueven correctamente **(2)**.

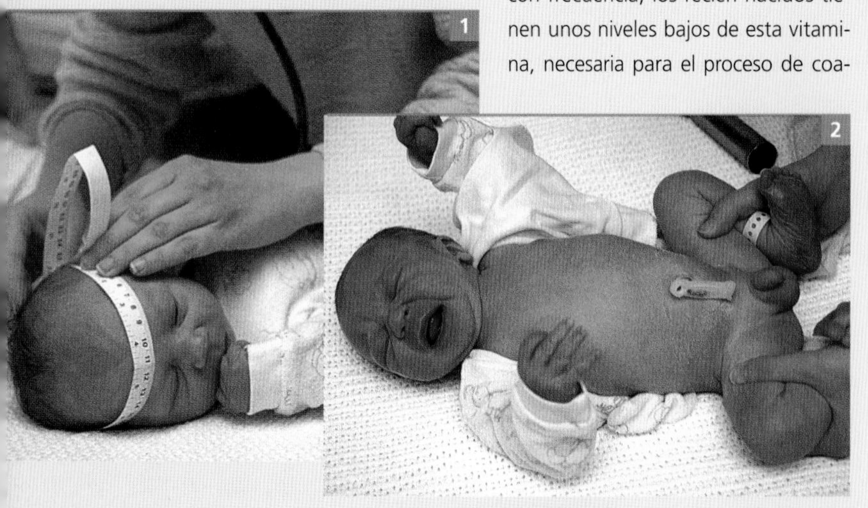

Inyección de vitamina K. En muchos hospitales, los bebés reciben una inyección o unas gotas de vitamina K poco después de nacer. Esto se debe a que, con frecuencia, los recién nacidos tienen unos niveles bajos de esta vitamina, necesaria para el proceso de coagulación normal de la sangre. Se administran más dosis en las semanas siguientes.

Prueba del talón. Cuando su bebé tenga entre cinco y ocho días, puede que tomen una muestra de sangre de su talón. Esta sangre se puede usar para comprobar la función tiroidea del bebé, así como ver si existe un raro trastorno metabólico llamado fenilcetonuria. Si hay antecedentes familiares de cualquier enfermedad, se puede hacer un análisis para comprobar si el recién nacido la padece. Las pruebas realizadas varían en función del médico y del hospital, así que es importante enterarse de cuáles le harán a su hijo.

Inyección contra la hepatitis B. Antes de darles el alta en el hospital, a algunos bebés se les pone la vacuna contra la hepatitis B para prevenir in-

Aprender a cuidar del bebé

Si no ha asistido a clases para futuros padres (véase p. 172), la estancia en el hospital puede ser útil para aprender a cuidar del bebé con la ayuda y apoyo de personal experto. Le enseñarán a cambiar un pañal, bañar al pequeño y curar el cordón umbilical. Además, le explicarán todo lo que necesita saber sobre la lactancia. Muchos hospitales organizan cursillos breves, en los cuales puede aprender cómo cuidar a su hijo. Estas clases también le ofrecen la oportunidad de conocer a otros padres que están pasando por la misma experiencia que usted. Esto le ayudará a estar lo más relajada posible a la hora de cuidar al pequeño por sí sola. Por supuesto, es lógico que, una vez en casa, surjan preocupaciones y dudas, pero el pediatra estará encantado de hablar con usted o de examinar al pequeño, si es necesario. Para más información sobre qué necesitará para el viaje de vuelta a casa, véase la página 206.

Si no va a dar a luz en un hospital, hable con su médico para saber dónde puede asistir a clases en la zona en la que resida.

fecciones del hígado. Se hace así si la madre u otro miembro cercano de la familia son portadores. Si se le pone esa vacuna, se completará en tres dosis antes de que cumpla un año.

Funciones corporales. Es una buena idea llevar un registro de la cantidad y la frecuencia en que come el bebé, así como anotar la frecuencia y aspecto de las heces y la orina.

Peso. Probablemente los primeros días pesarán al bebé de forma regular. No se alarme si al principio pierde peso; es normal que, en los primeros días, los recién nacidos pierdan hasta un 10 % del peso que tenían al nacer. Empezará a engordar antes de cumplir una semana.

Audición. Pocos días después de su nacimiento, al bebé se le examina para determinar su grado de audición.

MÁS **SOBRE** la puntuación de Apgar

Esta prueba fue elaborada por la doctora Virgina Apgar para obtener una rápida valoración de la salud del recién nacido. La palabra Apgar (por sus siglas en inglés) representa también los aspectos que observan los médicos y las enfermeras. Para cada uno le darán al bebé una puntuación de 0, 1 o 2. Es raro que un bebé reciba una puntuación total de 10, pero si está por encima de 6 suele ser buena. Si el bebé tiene una puntuación baja, no se preocupe; solo significa que necesita algo de ayuda médica temporal y un seguimiento más estrecho. No es un indicador de su salud en el futuro.

SIGNO	PUNTOS		
	0	**1**	**2**
Aspecto	Pálido o azul	Cuerpo rosado, extremidades azules	Rosado
Pulso	No detectable	Inferior a 100	Superior a 100
Mueca (reflejos)	Sin respuesta a la estimulación	Mueca	Llanto vigoroso, tos o estornudo
Actividad (tono muscular)	Flaccidez (actividad nula o débil)	Algunos movimientos de las extremidades	Mucha actividad
Respiración	Nula	Lenta o irregular	Buena (llanto)

QUÉ PUEDE HACER EL BEBÉ

Puede parecer que el recién nacido está indefenso, pero en realidad, tiene habilidades y personalidad. Durante las semanas y meses siguientes, irá aumentando sus conocimientos muy rápidamente, ya que está preparado para hacerlo.

Desde el momento en que nace, sus sentidos se inundan de información, que activa su cerebro para que se desarrolle vertiginosamente. Las neuronas (células nerviosas) empiezan a hacer horas extra, creando miles de conexiones con otras células. La estructura cerebral es estimulada y alterada físicamente por el tipo de mensajes que recibe. Si el cerebro del bebé no recibe suficiente información, puede que el desarrollo de una zona quede detenido u obstaculizado. Por ejemplo, si no se corrige a tiempo el estrabismo, el cerebro aprenderá a ver solo por un ojo y ese hábito no podrá corregirse, ni siquiera con gafas. Por otro lado, si habla con el bebé, le canta y juega con él desde muy temprano, estará estimulando activamente la formación de las conexiones neuronales.

No conseguirá que el bebé haga algo antes de que las conexiones cerebrales apropiadas se hayan establecido, sino que él o ella lo harán en su momento y a su propio ritmo de desarrollo. En realidad, el cerebro del bebé aumentará más del doble de tamaño durante el primer año de vida y para mantener ese fuerte crecimiento, usará el 60 % de la energía que recibe de la comida. Pero como ese proceso lleva tiempo, el bebé ya contará con algunas funciones físicas y ciertos reflejos que le ayudarán a sobrevivir (véase más adelante).

RESPIRAR, ALIMENTARSE Y DIGERIR

Quizá la habilidad más milagrosa que adquiere el bebé sea el arte de respirar de forma independiente. Mientras estaba en el útero, los pulmones no le eran necesarios, ya que la placenta le abastecía de oxígeno desde la sangre de la madre. En cuando nace, tiene que empezar a usar los pulmones para obtener el oxígeno esencial para vivir. Al respirar, el contacto con el aire exterior hace que los pulmones se ensanchen y la sangre llegue directamente a ellos, en lugar de a la placenta. Después de esa primera respiración, el recién nacido puede ponerse a toser para limpiar las vías respiratorias, pero en cuanto empiece a respirar normalmente, es probable que rompa a llorar.

Al principio puede hipar bastante, pero eso no le molestará. Estos hipos están causados por las contracciones súbitas e irregulares del inmaduro diafragma, que no ha alcanzado un ritmo constante de inspiración y espiración. Conforme los músculos implicados se fortalezcan, el bebé hipará menos.

El recién nacido está, también, perfectamente preparado para tomar y digerir alimentos. Si se pone a un recién nacido al pecho de la madre, seguramente se agarrará a él de inmediato gracias a su reflejo de succión que está muy desarrollado.

ADAPTARSE A SU ENTORNO

Al nacer, todos los sentidos del bebé están intactos y listos para funcionar. Aunque de manera borrosa, ya puede ver; asimismo, puede oír, gustar, oler y notar el contacto.

La vista del bebé

Tan pronto nace, quizá observe que el bebé la mira fijamente. Puede verla bastante bien, pero enfoca mejor a una distancia de entre 20 y 25 centímetros. Es curioso que esa sea la distancia aproximada que hay entre usted y la cara del bebé cuando lo tiene al pecho. Al bebé le encantará observarla y seguir sus movimientos durante períodos cortos. A veces, verá que tuerce los ojos; esto es algo normal que se debe a su falta de control sobre los músculos oculares. Según se acostumbre a ver, esto debe desaparecer en unas semanas; de lo contrario, hable con el médico.

El oído del bebé

Los bebés también oyen muy bien al nacer. Observará cómo el bebé se vuelve hacia usted cuando le habla y mostrará una clara preferencia por las voces que oyó mientras todavía estaba en el útero. Quizá note que la cara se le ilumina cuando oye su voz; es una reacción natural y útil, ya que usted es vital para su supervivencia.

Al bebé no le gustarán las voces o los ruidos fuertes, que lo sobresaltarán y puede que, incluso, hagan que rompa a llorar. Si llora y está inquieto, los ruidos «blancos» —el sonido grave de la lavadora o del lavavajillas, por ejemplo— pueden tener un efecto calmante milagroso. Es probable que esto se deba a que le recuerdan el tipo de sonidos que oía mientras estaba en el útero. De igual manera, si usted cantaba una canción concreta cuando estaba embarazada, cantársela de nuevo ahora que ha nacido le provocará una reacción de deleite.

El sentido del gusto del bebé

Parece que los bebés son capaces de distinguir ciertos sabores desde que nacen y muchos expertos creen que, en realidad, tienen un sentido del gusto más delicado que los adultos. Las investigaciones han demostrado que si al bebé se le dan biberones con agua y diferentes grados de dulzor, pasará más tiempo chupando la botella que contiene el agua más dulce.

El sentido del olfato del bebé

Los recién nacidos tienen unas preferencias sorprendentemente pronunciadas. Un bebé puede distinguir la leche del pecho de su madre de la de cualquier otra madre y reacciona mejor, evidentemente, a la primera. Incluso puede usar el olfato para encontrar el pecho. Los bebés también parecen mostrar preferencias por ciertos olores, sentirse repelidos por los que encuentran desagradables y atraídos por los que les parecen más agradables.

CÓMO establecer vínculos afectivos con el bebé

El bebé suele ser muy consciente de lo que le rodea desde el momento de nacer. Por esta razón el tiempo que pasen juntos en las primeras horas y días será importante para ambos. Tan pronto como nazca, sosténgalo muy cerca de usted y mírelo a la cara. Los bebés tienen una capacidad innata para distinguir a las personas de los objetos y su bebé querrá mirarla a la cara más que a otra cosa. Mírelo a los ojos y sonría para estimular este apego.

Comuníquele sus intensos sentimientos por medio de un estrecho contacto físico. Durante sus primeros días de vida, sosténgalo desnudo contra su piel, para que se familiarice con su contacto y olor. Háblele en voz baja y tranquilizadora; él reconocerá que su voz es la que oía antes de nacer. Cuando vaya creciendo, tratará de imitar los sonidos que usted hace para él, así como sus expresiones faciales. Al vincularse de esa manera, el bebé empezará a conocerla y aprenderá a apoyarse y confiar en usted. Asegúrese de que su pareja también tenga mucho contacto con el bebé, para que el pequeño pueda desarrollar vínculos afectivos con ambos. Las primeras etapas de su relación con su hijo pueden tener un gran efecto en su futuro y saber que puede contar con usted le dará el valor para aventurarse y explorar cuando crezca y sea independiente.

Si el bebé está inquieto, se sosegará si lo lleva en un portabebé estilo canguro, muy cerca de su cuerpo.

El sentido del tacto del bebé

A todos los bebés les encanta que los mimen y abracen, algo que suele calmarlos y tranquilizarlos. El bebé se sosegará al oír el latido del corazón de la madre y notar la cálida y segura presión de su cuerpo. Se ha descubierto que en particular los bebés prematuros prosperan con el contacto de piel a piel, o «cuidado de canguro» como también se le llama. Las investigaciones han demostrado que sacar a un bebé prematuro de la incubadora y ponerlo en contacto con la piel de la madre durante un corto período de tiempo cada día, suele llevar a un aumento de peso y un desarrollo más rápidos.

En el pasado se solía pensar que los bebés eran demasiado inmaduros en cuanto a desarrollo para sentir dolor, pero según un descubrimiento reciente, lo experimentan igual que nosotros, si no más. Incluso dentro del útero, se apartarán de la presión externa durante un reconocimiento.

LA PERSONALIDAD DEL BEBÉ

El bebé tiene su propia personalidad desde el momento de nacer. Hay cosas que le gustan y otras que no, y reacciona de manera particular hacia usted y su entorno.

Uno de los aspectos más apasionantes de ser padres consiste en identificar los modelos de comportamiento del bebé de una forma que nadie más puede hacer. Recién nacido, el bebé tiene unos medios muy limitados para comunicarse con usted. Pero, mediante la observación, poco a poco usted irá aprendiendo detalles de la personalidad de su pequeño y cuanto más se relacione y juegue con él, más fácil le resultará saber qué quiere.

Ir conociendo a su bebé

Algunos bebés necesitan que los mezan, mientras que otros prefieren que no los muevan mucho. A algunos les gusta ir bien envueltos, mientras que otros quieren tener los brazos y las piernas libres. Algunos se sienten incómodos enseguida si el pañal está húmedo, a otros esto no parece importarles lo más mínimo. Los modelos de comportamiento de un bebé están influidos por su temperamento. Pronto conocerá el temperamento de su hijo, pero los primeros días puede tener que probar varias estrategias para cuidarlo (véase p. 306), hasta averiguar qué es mejor para él.

Comprender el temperamento del bebé

Si el bebé llora mucho, quizá sea porque es muy sensible a los estímulos. A veces los bebés sensibles tienen problemas para adaptarse a una pauta de sueño o un programa de alimentación regulares. Si su bebé tiene este tipo de temperamento, quizá reaccione mejor a la paz y el silencio que a las luces brillantes y al exceso de estímulos. Preséntele gente nueva e introdúzcalo en las nuevas situaciones lentamente, para que tenga tiempo de acostumbrarse.

Los reflejos del bebé

El bebé nace con una serie de conductas innatas importantes. Son las respuestas automáticas que, según se cree, ayudan a los recién nacidos en sus necesidades básicas. Muchos de estos primeros reflejos irán desapareciendo lentamente a lo largo de los primeros seis meses.

El reflejo de succión. Es el instinto natural del bebé para chupar todo lo que se le mete en la boca. Chupará el pezón, la tetina del biberón o el dedo. Este reflejo es crucial para sobrevivir y una succión fuerte es la mejor señal de que el bebé está sano. También es posible que se chupe el dedo para tranquilizarse.

El reflejo de búsqueda. Se produce cuando usted le toca la mejilla; el bebé se girará hacia un lado buscando el pecho (o el biberón) **(1)**. Este reflejo le ayuda a encontrar comida. Puede ser útil tocar ligeramente los labios del bebé cuando lo está animando a comer.

El reflejo de agarre. Si mete un dedo en la mano del bebé, lo agarrará con fuerza, con tanta firmeza que casi podría levantarlo por los brazos **(2)**. Cuando trate de quitarle el dedo, aún lo apretará más.

El reflejo de Moro. Conocido también como reflejo de sobresalto, se produce cuando el bebé oye un ruido fuerte o lo mueven de repente. Al sobresaltarse, las manos del bebé saldrán disparadas hacia los lados con los dedos extendidos **(3)**. Luego volverá a poner los brazos junto al pecho con los puños cerrados y es probable que todo el episodio acabe en llanto.

El reflejo de andar. Llamado también reflejo de paso, se produce si usted sostiene al bebé derecho, cogiéndolo por debajo de los brazos, y deja que sus pies toquen una superficie plana. De forma natural, hará movimientos de paso y tratará de avanzar **(4)**.

El reflejo de buceo. Aunque no debe dejar nunca que el bebé nade bajo el agua, si se pone a un recién nacido debajo de esta durante un momento, nadará feliz y sin ningún problema. Esto se debe a que los pulmones se le cierran automáticamente en cuanto toca el agua.

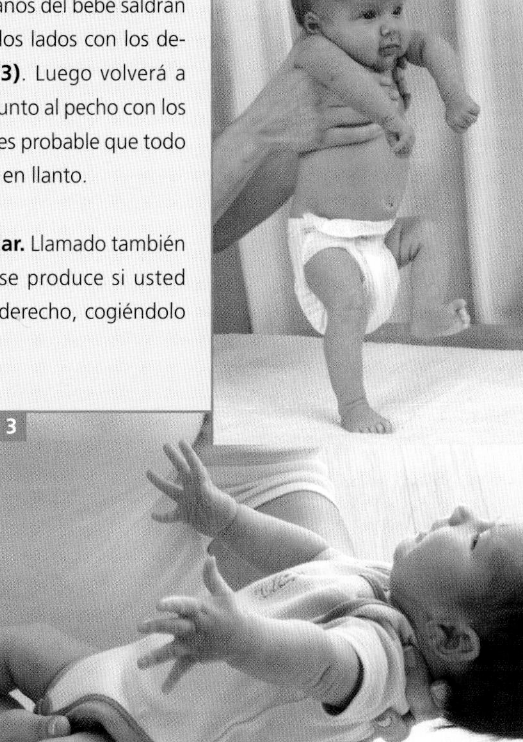

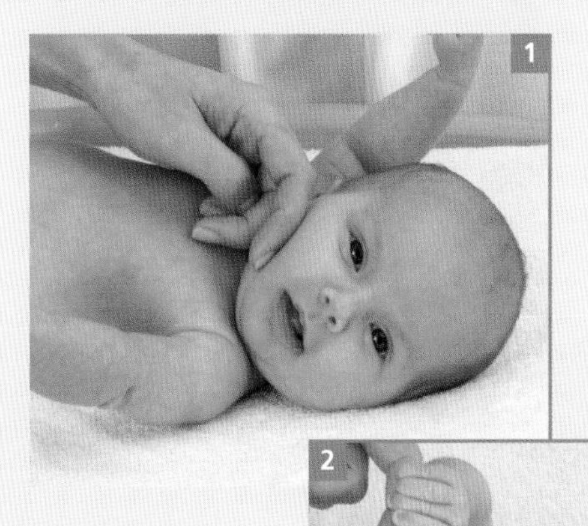

Un bebé de trato fácil se adaptará a gente nueva y lugares nuevos con facilidad y tendrá pocos problemas para dormir o comer. No obstante, si su hijo es así, es posible que llegue a tener un exceso de estimulación, puesto que no dará problemas al llevarlo a todas partes. Si aparta la mirada en lugar de mostrar interés o si se queda dormido de repente, quizá sea conveniente darle un respiro.

Cómo se comunica el bebé

Al principio, el llanto es el único medio que tiene su hijo para comunicarle cuáles son sus necesidades. Identificar su llanto puede resultar difícil, pero con observación, paciencia y la experiencia de probar cosas diferentes para consolarlo, aprenderá mucho sobre qué está tratando de decirle.

Todos los bebés tienen unas pautas de llanto diferentes. Algunos lloran parte del tiempo, otros lloran muy poco y otros lloran mucho. Es fácil calmar a algunos bebés, mientras que otros resultan más difíciles de apaciguar. A veces, un bebé llora sin razón aparente y nada parece consolarlo. La forma en que lloran también puede ser diferente: algunos lloran intensamente, otros solo lloriquean. El único factor común es que lloran porque necesitan algo y piden una reacción para esa necesidad (véase p. 346).

EL CRECIMIENTO DEL BEBÉ

Un recién nacido se desarrolla a un ritmo sorprendente en los tres primeros meses de vida. Aunque la mayoría de bebés pierde un poco de peso después de nacer, lo recuperan rápidamente (véase p. 295). Una vez que haya alcanzado su peso original de nuevo, aumentan, como promedio, entre 15 y 30 gramos diarios durante los primeros 6 meses.

Aunque puede resultar difícil apreciar el cambio diario, los amigos que vieron al bebé tras nacer se maravillarán de lo mucho que crece. Las visitas al pediatra confirmarán ese cambio y le permitirán ver lo mucho que ha crecido.

Además de aumentar de peso, desarrollará su fuerza muscular. Al nacer, apenas podrá levantar la cabeza. A las 4 semanas, podrá levantarla y volverla de un lado para otro, aunque todavía será necesario que usted se la sostenga cuando lo sujete derecho en brazos. Justo un mes más tarde, a las 8 semanas, podrá levantar la cabeza y el pecho cuando esté tumbado boca abajo. Luego, antes de que se dé cuenta, alrededor de las 12 semanas podrá levantar el pecho con los brazos extendidos.

¿SABÍA QUE...?

Los recién nacidos no tienen lágrimas. Aunque pasan mucho tiempo llorando, los bebés no pueden producir lágrimas hasta que tienen entre 3 y 12 semanas. Esto se debe a que el conducto lacrimal es muy eficaz para eliminar cualquier exceso de líquido procedente de las glándulas lacrimales antes de que desborde al exterior.

Hacia los 4 o 5 meses el bebé tendrá cierto control de las manos y podrá agarrar objetos. Sostendrá algo en la mano y utilizará la boca para explorarlo, chupándolo y mordiéndolo. Hacia los 6 meses, ya se dará la vuelta y es probable que haya aprendido a controlar la cabeza y el cuello y esté empezando a tratar de sentarse derecho él solo.

Socialmente, se relacionará cada vez más. Cuando usted lo vio por primera vez, al nacer, probablemente se la quedó mirando con una cara muy seria. Entre 4 y 8 semanas más tarde, habrá un momento inolvidable en que la mirará y le sonreirá, su primera señal de sociabilidad. Por el mismo tiempo, su comportamiento se hará más previsible y a usted le resultará más fácil interpretar sus estados de ánimo y necesidades.

También es posible que, hacia las 8 semanas, empiece a hacer ruiditos, como zureos de paloma, los inicios del desarrollo del habla. Hacia los 4 meses el bebé comprende todos los sonidos básicos de su idioma. Entre los 4 y los 6 meses descubre cómo hacer sonidos diferentes y empieza a «parlotear». Ese parloteo suele entrañar la práctica de los sonidos vocálicos una y otra vez. Sin embargo, en esta fase todavía se sigue comunicando por medio del llanto.

CÓMO CUIDAR AL BEBÉ

Aquí tenemos a un nuevo bebé, pero también a unos padres que se están estrenando. Tienen una enorme responsabilidad; ese ser diminuto depende por completo de ustedes para todo. No se preocupen; todos los padres y madres primerizos se pregunta si lo están haciendo bien, pero se sorprenderán de lo pronto que se sienten cómodos con su habilidad como padres.

EL «ABC» DE LA LACTANCIA

Es probable que las primeras semanas piense que alimentar al bebé tiene prioridad sobre todo lo demás. Puede ser necesario un tiempo para hacerse a una rutina cómoda, pero tener apoyo en casa —alguien que vigile su bienestar— puede hacer que el proceso sea más rápido y tenga más éxito.

Seguramente ya habrá decidido si quiere amamantar al bebé o darle el biberón (véase p. 190), pero ahora hay otras cosas que considerar, como con cuánta frecuencia hay que alimentar al pequeño y quién debe hacerlo. Al principio, puede que se preocupe por si lo está haciendo bien y su hijo recibe suficiente alimento, pero cuando vea cómo crece y progresa, se irá relajando y aprenderá a confiar en su propio criterio.

¿CON CUÁNTA FRECUENCIA HAY QUE ALIMENTARLO?

No hace tanto tiempo se alimentaba a los bebés siguiendo un horario rígido, cada cuatro horas, sin importar que estuvieran berreando de hambre antes de que el reloj dijera que había llegado la hora. Hoy, la mayoría de pediatras recomiendan un horario más flexible; es decir, dar de comer al bebé cuando tenga hambre. Es normal que un bebé quiera comer con frecuencia durante las primeras semanas de vida, así que si acepta que, al principio, si le da el pecho, tendrá que hacerlo cada dos horas y, si le da el biberón, cada tres, podrá planear el día en consecuencia.

Al principio le parecerá que no hace más que dar de comer a su hijo, pero ese período no durará siempre; piense en cada sesión como una oportunidad para sentarse y descansar. En las semanas siguientes, conforme el pequeño vaya creciendo, verá que los períodos intermedios se van alargando y que el bebé se adapta, por sí mismo, a una comida cada cuatro horas. No obstante, los niños varían en su capacidad para adaptarse, así pues, no se preocupe si al suyo le cuesta más que al de su amiga.

En ocasiones los bebés con menos peso y volumen, o los que están adormilados —quizá debido a los fármacos que le dieron a usted durante el parto— no siempre indican cuándo necesitan comer. En este caso, no deje pasar más de cinco horas sin ofrecerle el pecho o el biberón.

¿CUÁNTO NECESITA?

Las necesidades de cada bebé varían de forma considerable y es probable que descubra que su bebé toma unas veces más comida y otras un poco menos. Déjese guiar principalmente por su apetito, pero como recomendación general: si le da el pecho, el bebé tomará lo que necesita; si le da el biberón, necesitará entre 75 y 100 ml de leche por cada 0,5 kg de su peso. La mayoría de bebés que toma biberón necesita entre seis y ocho tomas al día, así que para un bebé de 3,5 kg, esto significaría que tiene que darle entre 415 y 620 ml de leche en un período de 24 horas.

¿SABÍA QUE...?

Los bebés crecen a tirones. Si el bebé estaba satisfecho con su pauta de alimentación, pero luego empieza a mostrarse intranquilo y pide leche con más frecuencia, quizá esté «pegando un tirón» y necesite más alimento. Esto suele suceder entre las 5 y las 6 semanas y de nuevo a los 3 meses, pero puede producirse incluso cuando solo tiene 3 semanas. Darle el pecho con más frecuencia durante un par de días aumentará su producción de leche para satisfacer el aumento de la demanda y el bebé volverá a acomodarse a su rutina.

¿El bebé también necesita agua?

La leche materna contiene suficiente agua para el bebé, así que, incluso en el clima más cálido, si le da el pecho no hay necesidad de darle bebidas suplementarias. Hacerlo puede confundirlo cuando está tratando de aprender cómo alimentarse del pezón. También podría llenar en exceso su diminuta barriga, lo cual, a su vez, interferiría en su apetito.

Si le da el biberón, puede darle un poco de agua extra si hace mucho calor y humedad y está deshidratado o febril. No obstante, no le dé demasiada ni con mucha frecuencia ya que puede interferir en su apetito. Si se la da, asegúrese de que está hervida y luego enfriada, hasta que el bebé tenga 6 meses.

Señales de que un bebé se desarrolla bien

Tanto si le da el pecho como el biberón, querrá tener la seguridad de que el bebé está creciendo bien. Una de las mejores maneras de hacerlo es llevarlo al pediatra de forma regular. Allí lo pesarán y anotarán el peso en un gráfico que compara el aumento de peso de su hijo con el promedio nacional. Si le preocupa algo de la alimentación, también podrá hablar de ello. No obstante, tendrá una idea de si el bebé progresa si:

- Aumenta de peso de forma constante.
- Tiene un buen color de piel.
- Está animado y tiene los ojos brillantes y un tono muscular firme.
- Está contento y parece satisfecho después de cada toma.
- Moja seis o más pañales en 24 horas.
- Sus heces son blandas.

CÓMO PREVENIR LOS GASES

Todos los bebés absorben algo de aire cuando comen, pero algunos parecen sufrir más de gases que otros. Si el bebé alimentado con biberón tiene muchos gases —lo sabrá porque parecerá molesto e inquieto después de una toma— compruebe que los agujeros de las tetinas son del tamaño adecuado. Para hacerlo, sostenga el biberón al revés y observe cómo gotea la leche; debe ser un flujo constante de una gota por segundo. Si es más lento, es que el agujero es demasiado pequeño y el bebé tiene que succionar muy fuerte para obtener su alimento. Esto puede hacer que, al comer, trague demasiado aire junto con la leche. Por otro lado, si el bebé tiende a engullir el contenido del biberón, compruebe que los agujeros no sean demasiado grandes.

Vigile también que el biberón esté siempre inclinado cuando alimente al bebé; el líquido debe cubrir por completo la parte superior del biberón y llenar la tetina.

Si le da el pecho, los gases pueden deberse a que el bebé no se agarra bien (véase p. 301). También puede que haya un flujo irregular. Si la leche tiende a salir a chorros antes de poner el bebé al pecho, pruebe a extraerse un poco (véase p. 302) antes de empezar a alimentarlo.

Procure también evitar que el bebé espere demasiado entre tomas. Si tiene hambre, puede llorar en exceso y tragar mucho aire justo antes de comer. También puede engullir la leche demasiado rápido, lo cual le provocará gases.

Cómo hacer eructar al bebé

Algunos expertos recomiendan que se haga eructar al bebé después de cada comida para eliminar el exceso de aire; otros sostienen que no siempre es necesario, especialmente en los niños criados al pecho. Los bebés tienen sus propias preferencias al respecto y puede que al suyo le guste mamar o tomarse el biberón sin parar y chillará indignado si trata de hacer que elimine el aire a media toma. O quizá necesite parar a la mitad para soltar un enorme eructo. Pronto averiguará qué prefiere su hijo.

Si el pequeño tiene molestias debidas a los gases y es incapaz de sacarlos por sí solo, siéntelo en las rodillas, inclinándolo ligeramente hacia delante y sosteniéndole la cabeza con una mano debajo de la barbilla (véase la imagen de la página 294). También puede sostenerlo derecho, apoyado en su hombro. Tenga una toalla a mano o póngasela sobre la ropa, por si regurgita algo de leche. También puede resultar útil darle unas palmaditas o frotarle la espalda. Si no consigue eliminar el aire en esas posturas, pruebe a tumbarlo boca abajo encima de sus rodillas y frótele la espalda.

Si su hijo tiene aires con frecuencia y le cuesta sacarlos, quizá sería interesante que un profesional le enseñara algunas técnicas de masaje. Una técnica sencilla que puede ayudar con los gases es la llamada «el tigre en el árbol» y la ilustramos en la página 346. Según algunas madres, darle al bebé gotas contra el cólico alivia el exceso de gases; según otras, no hay ninguna diferencia.

Si no parece que el bebé padezca de gases, no se pase horas tratando de que eructe; algunos bebés no lo hacen. También puede ser que prefiera esperar una hora y luego soltar un enorme eructo él solo.

REGURGITACIÓN

La mayoría de bebés regurgitan (sacan) pequeñas cantidades de leche de vez en cuando, por lo general cuando se está tratando de que eructen o cuando están tumbados. Puede ser debido simplemente a su inmadurez física; los músculos entre el estómago y el esófago (el tubo que conecta la boca con el estómago) carecen de coordinación en algunos recién nacidos. En otros casos, puede que el bebé trague mucho aire al comer y luego, cuando lo saca, regurgita un poco de leche al mismo tiempo. Mientras el bebé se encuentre bien, aumente de peso y el vómito no sea violento, no suele haber nada de que preocuparse. Puede tratar de ayudar a que no suceda haciéndolo eructar o sentándolo en una sillita para bebés justo después de comer. Es probable que los problemas de regurgitación se solucionen cuando el bebé tenga 6 meses y pase a tomar una dieta más sólida y beber menos leche.

Si el bebé regurgita con frecuencia o violencia o parece que siente dolor, quizá tenga algo más grave, por ejemplo una infección gástrica o trastornos digestivos o de regurgitación (véase p. 362). Póngase en contacto con el pediatra para que le aconseje.

INICIO DE LA LACTANCIA MATERNA

Durante el embarazo, su organismo se habrá preparado para alimentar al bebé y no hay duda de que la lactancia materna fortalecerá las defensas de su hijo.

Dar el pecho es una habilidad que tiene que aprenderse, igual que montar en bicicleta o conducir un coche, y a algunas madres y a sus bebés les resulta más fácil que a otros. Sin embargo, las madres que tienen pequeñas dificultades al principio, suelen descubrir que pueden superarlas fácilmente con paciencia y perseverancia. Si es necesario, pida ayuda a su médico o póngase en contacto con el Comité de Lactancia Materna de la Asociación Española de Pediatría para informarse de los grupos de apoyo de lactancia materna de su lugar de residencia.

LOS DOS PRIMEROS DÍAS

A menos que haya habido dificultades, como una cesárea de urgencia, por lo general la animarán a que amamante a su hijo poco después del parto. Muchos bebés se cogen al pecho de inmediato y empiezan a chupar felices y sin problemas. No obstante, algunos no están del todo preparados; por ejemplo, si el alumbramiento ha sido difícil o si el bebé es prematuro. Si este es su caso, igualmente puede acariciar a su hijo y empezar a conocerlo.

Al principio tampoco es raro que un bebé deje pasar de 6 a 8 horas entre tomas. No se preocupe pensando que quizá no toma suficiente alimento; los recién nacidos no necesitan mucho los primeros días.

LA PRODUCCIÓN DE LA LECHE MATERNA

Comprender el proceso de producción de la leche puede ayudarla a dar el pecho con éxito. Cada uno de sus pechos está dividido en 15 o 20 compartimentos denominados lóbulos. Dentro de cada uno hay varios más pequeños, llamados lobulillos. En estos están los alveolos, pequeños racimos de células que producen y almacenan la leche. La leche va desde los alveolos hasta los conductos lactíferos. Estos conductos se ensanchan por debajo de la areola (la zona oscura que rodea el pezón) para formar senos lactíferos, que dejan salir la leche a través de las 15 o 20 aberturas que hay en el pezón.

Si es posible, vista ropa que le permita dejar el pecho al descubierto fácilmente, por ejemplo una blusa suelta con el cuello ajustado con un cordón.

Cuando el bebé succiona, estimula las terminaciones nerviosas del pezón y la areola, que envían señales al cerebro diciéndole que libere dos hormonas: oxitocina y prolactina. La oxitocina hace que la leche fluya, un proceso conocido como reflejo de eyección (véase más abajo). La prolactina estimula la producción adicional de leche en los alveolos, lo cual significa que esa producción funciona según la ley de la oferta y la demanda: cuanto más succiona el bebé, más leche se produce.

El reflejo de eyección

Cuando la oxitocina fluye a los vasos sanguíneos de los pechos, hace que los alveolos se contraigan, empujando la leche a través de los conductos, dentro de los senos y al exterior por el pezón.

Algunas mujeres notan ese reflejo como un agudo pinchazo de aguja en los pechos y la leche empieza a salir a chorros. Otras mujeres sienten únicamente un cosquilleo o sensación de calor y la leche sale a gotas. El reflejo de eyección puede también iniciarse en respuesta al llanto del bebé o durante las relaciones sexuales. Algunas mujeres que amamantan a sus hijos no lo sienten en absoluto, pero eso no quiere decir que no funcione.

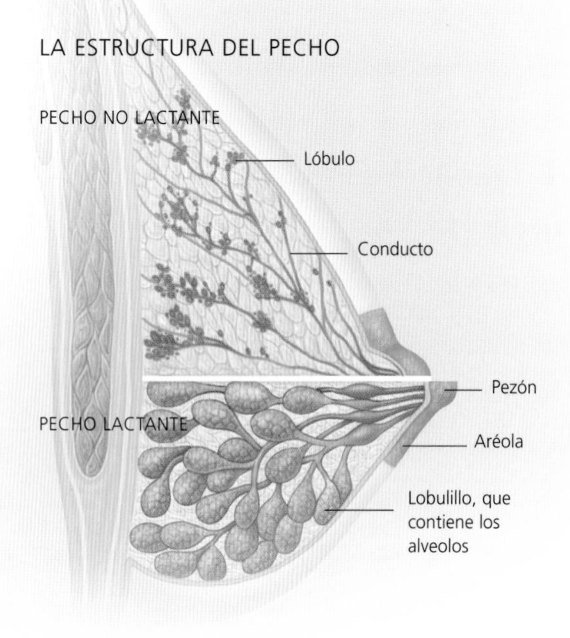

Si nota que le sale leche de los pechos cuando se acerca la hora de alimentar al bebé o cuando este llora, puede resultarle útil llevar unas almohadillas dentro del sujetador. Si empieza a fluir leche cuando no es el momento, pruebe a presionar con firmeza los pezones con la base de la mano o con el antebrazo para detener el flujo.

CAMBIOS EN LA LECHE MATERNA

A diferencia de la leche de farmacia, la composición nutricional de la leche materna cambia, no solo durante una toma, sino conforme pasen los días. Esto garantiza que contendrá todos los nutrientes y el agua que el bebé necesita, por lo menos para sus primeros cuatro o seis meses de vida.

Calostro

El primer alimento que el bebé recibe del pecho de la madre es el calostro, que se produce hacia el final del embarazo en respuesta a las hormonas estrógeno y progesterona. Es una sustancia nutritiva, de color amarillo-dorado, que aparece durante dos o tres días. Aunque solo hay una pequeña cantidad, es un alimento único y valioso para el bebé, porque contiene una cantidad de proteína mayor que la leche materna y todos los minerales, grasas y vitaminas que el pequeño necesita en los primeros días de su vida. El calostro es rico en anticuerpos, que ayudan a protegerlo de infecciones y fortalecen su sistema inmunitario. También funciona como laxante, limpiando el meconio (las primeras heces oscuras) de los intestinos del bebé. Incluso si no tiene intención de amamantar al bebé durante mucho tiempo, vale la pena ofrecerle ese valioso calostro durante los primeros días.

Leche materna de transición y madura

Después de dos o tres días, el calostro se convierte gradualmente en leche de transición. Lo podrá observar por la sensación de plenitud en sus pechos. Puede notar esa sensación de «leche que entra» tanto si le da el pecho al bebé como si no. La leche de transición, que es más ligera y blanca que el calostro, es una mezcla de este y de la leche madura.

Al cabo de entre una y tres semanas, se empieza a producir la leche madura. Tiene un aspecto acuoso, de un color casi azulado al empezar a fluir, que cambia a blanco cuando su contenido aumenta en grasa.

Leche inicial y leche final

El aspecto cambiante de la leche materna madura refleja el hecho de que está compuesta por dos tipos de leche: inicial y final. La primera es producida al principio de la toma. Tiene un aspecto ligero y acuoso, porque es baja en calorías y grasas y calma la sed del bebé antes de que empiece a alimentarse.

Cuando el bebé continúa succionando, el reflejo de eyección hace salir la leche final, que es rica en grasas, energía y nutrientes y que, aunque menos abundante que la primera, satisface el hambre del bebé y le da la energía que necesita para crecer.

El tiempo que tarda en brotar la leche final puede variar de un día a otro. A veces solo tarda medio minuto; otras tardan varios minutos. Para asegurarse de que el bebé toma suficiente leche final, vigile que se agarre bien y que vacíe a fondo el primer pecho antes de ofrecerle el otro.

CÓMO MANTENER UNA BUENA PRODUCCIÓN DE LECHE

La producción de leche es estimulada por la hormona prolactina, que reacciona al contacto de la boca del bebé en el pezón. Así pues, si alimenta al bebé siempre que parezca tener hambre o cuando tenga los pechos llenos, su organismo producirá toda la leche que su hijo necesita.

Algunas mujeres temen que su suministro de leche sea inadecuado y tratan de «hacer acopio» de reservas limitando el número de veces en que dan de mamar al pequeño. No obstante, esto puede ser contraproducente, ya que reduce la producción de leche. Si le preocupa que su hijo se quede con hambre poco después de una toma, la solución puede ser muy sencilla: amamántelo con mayor frecuencia y compruebe que se agarra bien cada vez.

CÓMO EVITAR PROBLEMAS

Los pezones doloridos y los pechos congestionados son corrientes durante los primeros días, pero procure no dejarse desanimar por ninguno de estos dos problemas. Dar el pecho al bebé cuando este lo pida la ayudará, así como adoptar la postura adecuada. En la página 357 hablaremos de otros problemas menos corrientes.

Pezones doloridos

Los primeros días de dar el pecho, muchas mujeres tienen los pezones sensibles y esta sensibilidad puede ir acompañada de una sensación de irritación o quemazón. En la mayoría de casos, ese dolor desaparecerá simplemente probando con una postura diferente; cambiándola quizá cada vez que amamante al bebé. También puede necesitar varios intentos antes de conseguir que el bebé se agarre bien al pecho. Si quiere cambiar de postura, recuerde que tiene que interrumpir la succión con el dedo antes de apartar al bebé del pecho; si intenta separarlo bruscamente puede agravar el dolor del pezón.

No descuide el cuidado de los pezones. Una piel muy húmeda o muy seca puede hacer que le duelan. Deje el sujetador abierto unos minutos antes de dar el pecho para que le dé el aire en la piel y asegúrese de que usa sujetadores de fibras naturales, como el algodón, que dejan «respirar» el pezón. También puede aliviar el dolor frotándose los pezones con un poco de su propia leche o poniéndoles encima bolsitas de té frías.

Si en cualquier momento los pezones se ponen rojos y brillantes o si nota punzadas de dolor en los pechos, consulte con el médico. Podría tener una infección (véase p. 358).

5 medios para aumentar la producción de leche

1. Para estar segura de que el bebé recibe suficientes nutrientes, procure seguir la misma dieta equilibrada que tomaba durante el embarazo, cuidando de que tenga suficientes proteínas y calcio.
2. Sus necesidades energéticas durante la lactancia son mayores que durante el embarazo; necesita 500 calorías más al día de las que tomaba antes de quedarse embarazada.
3. Quizá tenga más sed de lo habitual; por ello, beba agua con frecuencia, pero no se obligue a tomar grandes cantidades (véase p. 332).
4. Tome pocas bebidas alcohólicas o con cafeína. Lo que coma y beba pasará al bebé a través de la leche.
5. Vigile las reacciones del bebé. Si algo que usted come parece sentarle mal, debe de ser que no le gusta. Pruebe a sustituirlo por otro alimento de similar valor nutricional durante una semana.

La lactancia materna con éxito

Antes de empezar a amamantar al bebé, tanto si está en casa como en el hospital, procure que el ambiente esté en calma para que usted pueda relajarse lo máximo posible. Si es necesario, desconecte el teléfono o ponga un letrero en la puerta pidiendo que no la molesten. Tenga una bebida cerca para mantener el nivel de toma de líquidos.

PONERSE CÓMODA

Una postura cómoda puede ser la clave de una lactancia materna con éxito; pruebe varias para ver cuál le gusta más. En general, la mayoría de madres da el pecho sentada en una silla, con frecuencia con los pies levantados y una almohada encima de las rodillas, pero también pueden adoptarse otras posturas. Si está cansada o si le resulta incómodo estar sentada —quizá porque le han hecho una episiotomía— puede ser útil echarse sobre un costado **(1)**. Asegúrese de que tiene muchas almohadas para apoyarse. Ponga al bebé de cara a usted, con la boca en línea con el pezón y sosténgale la cabeza con el brazo. Si le han hecho una cesárea o si el bebé se mueve o arquea la espalda, doble las rodillas y apoye la espalda en una almohada. Póngase el bebé en las rodillas, con una almohada para que esté más alto, si es necesario **(2)**. Sosténgale la cabeza con la mano.

Cualquiera que sea la postura que elija, el bebé debe estar pegado, con todo el cuerpo encarado hacia usted. Debe poder acercárselo al pecho con facilidad.

La boca del bebé tiene que sellar con fuerza la mayor parte de la areola. Si este «agarre» no se consigue, el bebé mordisqueará o succionará el pezón, lo cual hará que tenga los pezones doloridos (véase p. 299) o agrietados (véase p. 358). Al principio, algunas madres tienen dificultades para lograr que el bebé se agarre bien. Con frecuencia es necesario practicar y tener paciencia durante los primeros días.

Cómo colocar al bebé

Antes de empezar a darle el pecho, asegúrese de que tanto usted como el bebé están cómodos. Si está sentada, puede apoyarle la cabeza y los hombros en su antebrazo o sostenérselos con la mano libre. La cabeza del pequeño debe estar a la misma altura que el pezón y debe poder alcanzar el pecho sin esfuerzo. Para otras posturas, véase la imagen de la izquierda.

Puede resultarle útil rodearse el pecho con la mano **(3)** o sostenerlo colocando dos dedos contra las costillas justo debajo de él. Procure no colocar dos dedos en forma de tijeras en torno al pezón, ya que podría impedir que el bebé se alimentara adecuadamente. Tampoco es necesario que presione el pecho para apartarlo de la nariz del bebé y que este pueda respirar; sus ventanas nasales le permiten respirar y alimentarse simultáneamente.

Puede que el bebé empiece a succionar instintivamente en cuanto note el contacto del pecho con la mejilla; si no, puede tocarle ligeramente los labios con el pezón para despertar el reflejo de búsqueda. Cuando abra bien la boca, acérqueselo rápidamente al pecho.

Compruebe que está bien agarrado. El bebé debe tener una parte del pecho tan grande como sea posible dentro de la boca. Si está bien colocado **(4)**, tendrá el pezón y la parte inferior de la areola dentro de la boca y su labio inferior debe estar retraído. Sus mandíbulas trabajarán rítmicamente, moviéndose hasta las orejas. Si las mejillas del bebé se hunden cuando está succionando, es que no está bien cogido al pecho. En ese caso, tendrá que volver a colocarlo y probar de nuevo.

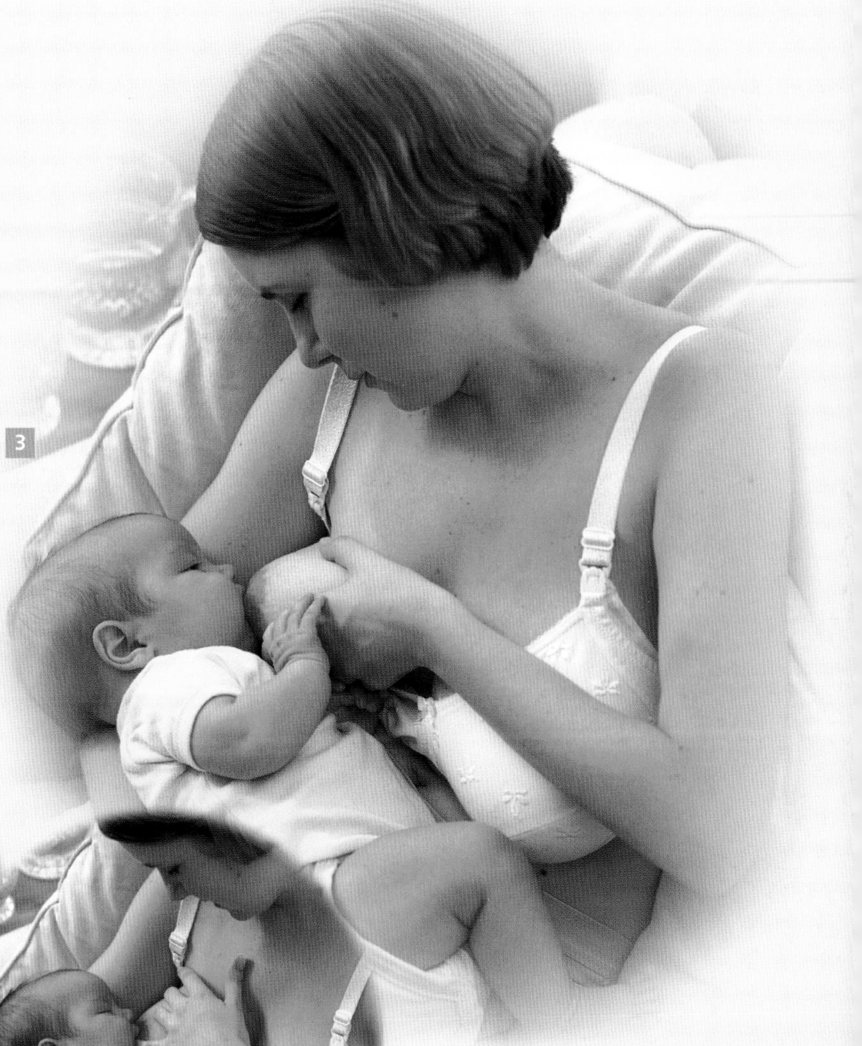

Puede detener la succión colocándole un dedo en la comisura de la boca **(5)**.

Cambie de pecho si es necesario. El ritmo de succión del bebé cambiará mientras mama, pasando de succiones cortas a otras más largas, con pausas intermedias. Le hará saber que el pecho está vacío de leche poniéndose a jugar con él, quedándose dormido o dejando que el pezón le resbale fuera de la boca. Entonces puede cambiar de pecho. Cuando tenga que retirarlo del pecho, interrumpa la succión con el dedo (como antes). No se preocupe si rechaza el segundo pecho, pero empiece por él en la siguiente toma. Es importante que el bebé vacíe un pecho antes de ofrecerle el otro, porque la última leche que extraiga está llena de calorías.

Congestión

Unos días después del parto, cuando sube la leche, muchas veces los pechos se congestionan, se notan hinchados, duros y doloridos debido a la acumulación de leche y sangre. Si le pasa esto, la lactancia puede resultar difícil, y a veces en extremo. Dar el pecho más a menudo —quizás ocho veces o más en 24 horas— puede ayudarle a evitar la congestión. Pero si nota los pechos muy llenos, pruebe a extraer un poco de leche antes de cada toma. Aplicarse un paño empapado en agua caliente encima de la areola antes de empezar y ponerse una compresa fría al acabar también puede ayudarla. A algunas mujeres las alivia ponerse hojas de repollo frías; lave las hojas exteriores de un repollo y póngaselas encima de cada pecho entre 10 y 20 minutos. El masaje es otra solución (véase p. 323).

COMBINAR EL PECHO Y EL BIBERÓN

Hay ocasiones —por ejemplo, si vuelve a trabajar— en que tendrá que darle al bebé leche materna en biberón o intercalar la leche materna y la de farmacia. Si puede, procure evitar hacerlo al principio, porque el bebé necesitará tiempo para acostumbrarse a tomar el biberón, ya que tendrá que aprender una nueva forma de succión. Una vez establecida la costumbre, puede probar a extraer la leche (véase más abajo). Si el bebé se resiste a tomar el biberón, tal vez le sea más fácil si es otra persona quien se lo da cuando usted no está en la habitación. También puede probar a alimentarlo con un cuentagotas o una cucharita.

Si quiere dejar de dar el pecho, es mejor hacerlo gradualmente, intercalando leche del pecho con leche de farmacia en biberón. Tanto el bebé como su propio organismo necesitarán tiempo para readaptarse. Si lo deja de repente, es posible que se le congestionen los pechos (véase a la izquierda).

CÓMO extraer la leche del pecho

A veces tal vez quiera tener una reserva de leche materna; por ejemplo, si su pareja se encarga de una toma o si usted va a estar fuera un rato. Puede extraerla usando las manos o un sacaleches.

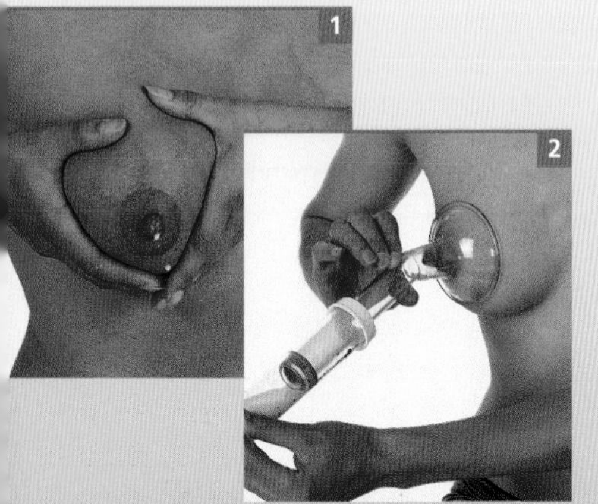

Debe extraerse directamente dentro de un biberón estéril, un recipiente de plástico estéril o una bolsa de congelado especial para leche materna. Puede guardar esa leche en el frigorífico durante veinticuatro horas o en el congelador durante tres meses.

Para extraer la leche a mano **(1)**, estimule la salida presionando suavemente desde la parte superior del pecho hacia la areola. Luego coloque los pulgares por encima de la areola y los otros dedos por debajo y empiece a apretar de forma rítmica la parte inferior del pecho mientras presiona hacia el esternón.

Muchas mujeres piensan que utilizar un sacaleches manual o eléctrico es más rápido, efectivo y fácil. Por ejemplo, para usar un sacaleches en forma de jeringa, solo tiene que colocar el embudo encima del pezón formando un sellado artificial **(2)** y luego meter y sacar el cilindro varias veces. Esto hace salir la leche. Quizá tenga que probar con varios sacaleches hasta encontrar el que le vaya bien; por ello, vea si puede pedir prestado uno para probar antes de comprarlo.

CÓMO ALIMENTAR AL BEBÉ CON BIBERÓN

Sostenga al bebé semisentado mientras toma el biberón. Esto le ayudará a tragar la leche más fácilmente.

Dar al bebé un biberón con una leche de fórmula es una alternativa segura a la lactancia materna, siempre que mantenga una buena higiene y siga cuidadosamente las instrucciones del prospecto.

Cuando haya tomado la decisión de criar al bebé con biberón, podrá establecer rápidamente su propia rutina para limpiar y esterilizar biberón y tetina, preparar la fórmula y darle el biberón. Puede que parezca demasiado trabajo, pero ahora todas estas actividades son mucho más rápidas y fáciles que en el pasado. Si todavía no ha comprado todo lo que necesita para alimentar al bebé, limpiar y esterilizar los utensilios, véase la página 198. También hay muchas fórmulas diferentes en el mercado para satisfacer las necesidades de cada familia y cada bebé. Al margen de la leche que compre, recuerde siempre que los bebés alimentados con biberón son más propensos a las infecciones que los alimentados al pecho, así que tendrá que prestar una atención especial a la higiene.

TIPOS DE FÓRMULAS

El Ministerio de Salud advierte que los bebés que no son alimentados al pecho deben tomar leche de fórmula hasta que tengan un año de edad. Todas las fórmulas para bebés son cuidadosamente elaboradas según las directrices sanitarias para garantizar que imitan a la leche humana lo más fielmente posible y que contienen las cantidades correctas de grasas, proteínas y vitaminas que el bebé necesita.

Los bebés menores de un año no deben tomar leche de vaca normal, porque contiene niveles altos de proteínas y minerales, que pueden representar demasiada presión para los inmaduros riñones del niño y causarle una deshidratación. Además, la leche de vaca no tiene suficiente hierro para un niño tan pequeño. La leche de cabra y las condensadas tampoco son adecuadas para esa edad.

Si no están seguros de qué fórmula es la mejor para su hijo, el pediatra domiciliario podrá orientarlos. Las fórmulas en polvo suelen ser las más baratas, mientras que las listas para tomar son las más caras, pero pueden ser útiles las primeras semanas, mientras ustedes se acostumbran o si tienen poco tiempo.

Hay dos tipos básicos de leche de fórmula: los que se basan en la leche de vaca modificada y las fórmulas especializadas, que suelen basarse en la leche de soja.

Preparado de leche de vaca

A la mayoría de bebés alimentados con biberón se le da una fórmula basada en la leche de vaca modificada y si a su hijo se la han dado sin problemas mientras estaba en el hospital, no hay razón para cambiar cuando vayan a casa. Si le preocupa que su hijo no aumente lo suficiente de peso o parece que sigue teniendo hambre después de haber tomado el biberón, piense en la conveniencia de cambiar de marca o de tipo. No obstante, pídale siempre consejo al pediatra antes de hacerlo. Pue-

Cómo preparar una leche de fórmula saludable

A diferencia de la leche materna, que está siempre limpia, es posible que las bacterias contaminen la leche de fórmula produciéndole dolor de estómago al bebé. Para evitarlo, limpie a fondo y esterilice todos los utensilios antes de preparar el biberón. Esto puede hacerse en el lavavajillas o utilizando productos químicos, vapor o el microondas.

Es mejor darle al bebé la leche de fórmula recién preparada; conservar la leche aumenta el riesgo de contaminación. Si tiene que darle el biberón a su bebé fuera de casa, utilice leche de fórmula preparada.

Lavar y esterilizar el equipo

Llene el fregadero con agua caliente y jabón. Limpie los biberones, las tetinas, las arandelas, los discos y las tapas individualmente eliminando todos los restos de leche. Utilice un limpiabiberones para fregarlos, especialmente alrededor de la rosca de la parte superior. Vuelva las tetinas del revés, fróte-las con un cepillo diseñado para ello y haga pasar agua por los agujeros para comprobar que no queden taponados. Por último, aclárelo todo a fondo con agua corriente tibia.

Si usa un esterilizador químico, vacíe el producto dentro de la unidad siguiendo las instrucciones del fabricante. Sumerja por completo todo el equipo en la solución durante el tiempo recomendado. Si no lo va a usar de inmediato, puede dejarlo en el esterilizador hasta 24 horas. Aclare con agua hervida fría antes de utilizarlos.

También puede usar el microondas o un esterilizador a vapor, o hervir el equipo en un cazo tapado durante 10 minutos, salvo las tetinas, que solo necesitan 3 minutos.

Preparar la leche de la fórmula

Preparar la leche de fórmula correctamente es vital para la salud y bienestar del bebé. Empiece por prepararlo todo y luego lávese las manos.

Lleve a ebullición agua del grifo o filtrada y déjela a fuego lento durante 1 o 2 minutos. Deje que se enfríe a unos 70 °C. No utilice agua embotellada, descalcificada o hervida repetidas veces, ya que estas aguas pueden contener un alto nivel de sales minerales. Si el agua del grifo tiene altos niveles de plomo, considere la conveniencia de comprar un filtro.

Ponga la cantidad precisa de agua, hervida y enfriada, en el biberón y añada el número de medidas que le corresponda. Utilice siempre la medida proporcionada con la leche de fórmula y añada solo el número de medidas recomendado por mililitro de agua. Vuelva a colocar el disco y la arandela y agite bien. Quítelos y coloque la tetina invertida en el biberón.

Tire la leche que no haya utilizado en un plazo de dos horas.

LA SEGURIDAD ES LO PRIMERO

Biberones de plástico

National Childbirth Trust recomienda no echar agua hirviendo directamente en un biberón de plástico para hacer leche de fórmula, y desechar los biberones con arañazos o dañados.

Medidas

Nunca llene en exceso, ni presione, una medida de leche de fórmula, ni añada una de más. Asegúrese de que la cantidad de agua es la adecuada. Si la leche está demasiado concentrada puede hacer que el bebé se deshidrate; pero si está demasiado aguada, no le proporcionará el alimento necesario. Para preparar más leche de fórmula, añada más agua y leche en polvo en las proporciones correctas.

de que el problema no sea la fórmula, sino la técnica de alimentación o una intolerancia a una marca en particular. También puede ser debido a un trastorno que exija investigar más a fondo.

Leche de fórmula especializada

Para los bebés nacidos a término y alimentados con biberón a quienes se diagnostica una intolerancia a la lactosa o las proteínas de la leche de vaca o que tienen otros problemas médicos o de alimentación, existe una serie de fórmulas especializadas. Si es necesario, el pediatra le recetará estas fórmulas. Entre ellas están las fórmulas hipoalergénicas y las leches de soja, que han sido preparadas para proporcionar al niño todos los nutrientes que necesita.

ALIMENTAR AL BEBÉ

En las primeras semanas, tal vez le resulte útil preparar varios biberones por adelantado. Puede guardarlos en el frigorífico hasta 24 horas, pero póngalos en el interior, porque la temperatura es algo más baja que en la puerta. Así podrá darle el biberón al bebé en cuanto tenga hambre y no se pondrá nervioso mientras espera, lo que puede hacer que se niegue a comer. Al principio, evite igualmente que le den el biberón demasiadas personas diferentes; deje que se acostumbre a usted y a su pareja. El momento de alimentarlo debe convertirse pronto en algo relajante y placentero, usted puede ayudar a que esto sea así, sosteniendo al bebé muy cerca y mirándolo a los ojos (véase p. 345). Observará que, cuando el bebé tenga 3 meses, empieza a mostrar su alegría cuando sabe que se acerca la hora del biberón.

Temperatura de la leche

Aunque es tradicional calentar el biberón a la temperatura del cuerpo, a la mayoría de bebés no le importa tomarlo un poco más frío, siempre que esté, por lo menos, a temperatura ambiente. Puede usar un calentador de biberones eléctrico o bien poner el biberón en un cazo con agua caliente, pero no hirviendo, durante unos minutos. No utilice un microondas para calentar la fórmula, ya que aunque el biberón se note frío, la leche, que continúa calentándose después de sacarla, puede estar muy caliente y escaldar la boca del pequeño. Compruebe siempre la temperatura de la leche antes de dar el biberón al bebé, dejando caer un par de gotas en su muñeca; debe notarla solo tibia. Una vez haya calentado el biberón, déselo al pequeño de inmediato. No conserve la fórmula caliente durante más de una hora y tire siempre cualquier resto que quede. Las bacterias pueden propagarse muy rápidamente en la fórmula caliente y podrían provocar una infección intestinal al bebé. Si va a salir con su hijo, llévese los biberones preparados en una nevera portátil y caliéntelos cuando el bebé tenga hambre.

LA SEGURIDAD ES LO PRIMERO

Atragantamiento. **Incluso cuando el bebé tenga ya unos meses, no lo deje que tome solo el biberón apoyado en algo, puesto que siempre existe el riesgo de que se ahogue. Debe comprobar las tetinas cada vez que las lave para estar segura de que no están gastadas o se han deteriorado. Si se rompe algún fragmento en la boca del bebé, puede ser peligroso.**

Cómo dar el biberón

Pónganse cómodos usted y el bebé antes de empezar y préstele toda su atención. Sosténgalo con firmeza en las rodillas con la cabeza en el hueco del codo y la espalda apoyada en su antebrazo (véase p. 303). Estimule el reflejo de búsqueda tocándole los labios con la tetina del biberón. Cuando esté dispuesto, métale la tetina en la boca. Compruebe a menudo que no se le salga, ya que podría impedir que succionara bien. Mientras come, mantenga el biberón inclinado en un ángulo de 45 grados, de forma que la parte superior esté siempre llena de leche y no de aire. Si la tetina se aplana, quítesela de la boca con suavidad para que vuelva a entrarle aire.

Para ayudar al pequeño a relajarse, abrácelo y háblele o cántele. No deje de mirarlo y responder a sus demandas. A algunos bebés les gusta detenerse para respirar o para eructar; otros prefieren tomarse todo el biberón sin descansar.

CÓMO SATISFACER LAS NECESIDADES DE SU HIJO

Que el bebé esté sano y feliz consiste sencillamente en satisfacer todas sus necesidades diarias. Además de alimento necesita cariño, consuelo, seguridad, calidez y protección contra las infecciones.

Cuando vaya conociendo a su bebé, empezará a saber qué necesita o quiere. Cambiarle los pañales o bañarlo puede ser un poco inquietante al principio, pero si presta atención a las siguientes orientaciones, será una experta en muy poco tiempo.

PROPORCIONAR CONSUELO

Todos los bebés lloran a veces, ya que es el único medio que tienen de decir a sus padres qué quieren. Si su hijo llora, puede ser señal de que tiene hambre, lleva el pañal húmedo, está muy cansado o tiene calor o frío. Atienda primero a esas cosas, pero si el pequeño sigue llorando, pruebe lo siguiente para calmar su angustia:

- *En brazos.* Coja a su bebé y estréchelo contra su pecho o póngalo en una mochila canguro y llévelo de un lado para otro mientras le habla, le canta, lo balancea o baila suavemente.
- *Movimiento.* Lléveselo a dar una vuelta en coche o un paseo en el cochecito, póngalo en una sillita balancín o siéntese en una mecedora y mézase con él encima de las rodillas. Pero no exagere: demasiada actividad puede hacer que un niño que llora se sienta peor.
- *Sonidos.* La música o el sonido de máquinas, como el aspirador o la lavadora, pueden calmar a algunos bebés, igual que un juguete musical.
- *Baño.* Si al bebé le gusta, dele un baño caliente. Cuando tenga dos meses, puede probar a poner en el agua una o dos gotas de aceite esencial de lavanda; este puede tener un efecto calmante y tranquilizador.
- *Envolverlo.* Doble la esquina superior derecha de una manta ligera de algodón hacia abajo unos 15 cm. Tumbe al bebé de espaldas con la cabeza en el pliegue. Pase la esquina izquierda a través del cuerpo del bebé y introdúzcala debajo de su espalda. Suba la esquina inferior hasta debajo de la barbilla. Finalmente, pase la esquina derecha a través del cuerpo y métala debajo de la espalda. La manta debe quedar segura, pero no apretada, y puede dejarle los brazos libres si el bebé lo prefiere. Tóquele la nuca con frecuencia para asegurarse de que no tiene demasiado calor.
- *Masaje.* Ponga al bebé boca abajo sobre sus rodillas y pásele las manos suavemente por la espalda y por las piernas. También puede sostenerlo en la postura del «tigre en el árbol» (véase p. 346). Para aprender más técnicas, intente asistir a algún curso en su lugar de residencia.
- *Chupete.* Si al bebé le gusta chupar, un chupete puede hacer maravillas. Pregúntele al pediatra o la enfermera qué tipo es mejor usar y límpielo siempre a conciencia antes de ponérselo.

Si su pareja participa en los cuidados diarios, tendrá la oportunidad de ir conociendo a su hijo.

LA SEGURIDAD ES LO PRIMERO
Sacudir al bebé. **Un bebé que no deja de llorar puede desatar unas emociones muy fuertes en algunos padres, pero sienta lo que sienta, trate siempre a su hijo con delicadeza. Si lo sacude puede causarle daños cerebrales o incluso la muerte. Si siente que no puede soportar su llanto, póngase en contacto con el pediatra o con un grupo de apoyo psicológico.**

Si el bebé no deja de llorar, por mucho que usted haga, consulte con el pediatra; un llanto persistente puede deberse a muchas causas. Pero si el pediatra dice que está sano y bien, no se culpe por su llanto. Algunos bebés lloran haga usted lo que haga y quizá solo necesiten llorar para desahogarse.

CAMBIAR EL PAÑAL

Los recién nacidos tienen una vejiga muy pequeña, así que pueden llegar a orinar hasta 20 veces al día en las primeras semanas de vida. Algunos bebés también defecan después de cada comida; por ello, cambiar pañales va a ocupar buena parte de sus primeras jornadas como padres.

Elegir los pañales

El tipo de pañales que elija dependerá de lo que prefiera y de su forma de vida. Recuerde que no tiene que limitarse a un solo tipo; puede cambiar y combinar a su gusto según sus necesidades.

Los pañales desechables son los favoritos de muchos padres, porque son más cómodos, ahorran trabajo y son fáciles de usar. No hay que lavarlos y secarlos ni preocuparse de comprar braguitas de plástico, ni imperdibles. Por estas razones, pueden ser especialmente útiles si ha de pasar el día fuera o se va de viaje. Los avances en la elaboración hacen que también sean muy eficaces absorbiendo la humedad de la piel del bebé y que ayuden a prevenir las irritaciones y escoceduras.

No obstante, si los usa todo el tiempo pueden resultar muy caros. También se dice que son dañinos para el medio ambiente, porque suelen estar hechos de pulpa de madera tratada con sustancias químicas y la mayoría acaba en vertederos, donde tardan cientos de años en descomponerse. Si se decide por ellos, los pañales blanqueados sin cloro son más ecológicos. Además, no los tire al váter. Hay pañales desechables de todas clases y medidas, así que quizá tenga que probar varias marcas para encontrar los que más convengan a su hijo.

A la larga, los pañales de tela pueden resultar más baratos que los desechables, ya que solo hay que comprarlos una vez. Incluso se pueden guardar cuando ya no se necesiten para otro hijo. Esos pañales han recorrido un largo camino en la última década; ahora muchos tienen un patrón adaptado para que sea fácil cambiarlos

MÁS **SOBRE** | las excreciones del bebé

Un aspecto curioso del hecho de convertirse en madre es que una acaba obsesionada por el contenido de los pañales del bebé. En realidad, eso es muy sensato, ya que ese contenido puede indicarle cómo va la salud de su hijo. Durante los dos primeros días de vida el bebé expulsará meconio. Esta sustancia verde oscura y pegajosa es el residuo del líquido amniótico que el bebé tragó dentro del útero. Luego las heces cambiarán, dependiendo de la alimentación que reciba: si toma el pecho, serán entre amarillo y naranja y blandas y no olerán muy fuerte; si toma biberón, serán marrón claro, más consistentes y olerán peor.

Al nacer, puede que aparezcan unas manchas rosadas o rojas en sus heces. Es normal, es el resultado de los uratos que hay en su orina. Si le preocupa cualquier cambio en la frecuencia, el color o la consistencia de las heces o la orina, dígaselo al pediatra. Si hay rastros de sangre en las heces o si son frecuentes, pálidas o acuosas, es necesario averiguar qué pasa.

y algunos llevan velcro en sustitución de los imperdibles. Otros llevan un forro impermeable que resulta útil, tanto en el momento de cambiar el pañal como en su limpieza. Si los que usted compra no tienen ese forro, tendrá que comprar braguitas de plástico para poner encima del pañal y hacerlo impermeable. Piense también en adquirir revestimiento para pañales; evitarán el contacto de la humedad con la piel del bebé e impedirán que se manche el pañal.

Lavar los pañales de tela

Lavar a fondo, desinfectar y secar estos pañales lleva tiempo, pero es necesario hacerlo para impedir que el bebé coja una infección. Puede lavarlos en casa; en algunos países existen servicios de lavandería de pañales, una alternativa ecológica al lavado individual.

MANTENER LIMPIO AL BEBÉ

Los recién nacidos tienen la piel muy sensible y se ensucian poco, lo que significa que diariamente solo tendrá que lavarle la cara, el cuello, las manos, las nalgas y los pies. Podrá hacerlo con una esponja (véase p. 312). Al cabo de un par de semanas, puede empezar a bañarlo. No obstante, solo será necesario hacerlo una o dos veces a la semana, como máximo. No se necesitan jabones, lociones, cremas ni aceites cuando lave o cambie al bebé, ya que algunos productos pueden resecarle la piel o provocar escoceduras.

Deberá tener un cuidado especial al limpiar al bebé alrededor del cordón umbilical y, si ha sido circuncidado, tendrá que ir con cautela en la zona de los genitales.

CÓMO tratar las irritaciones de la piel

La piel de los bebés es muy sensible y la mayoría sufre pequeñas irritaciones, como la costra láctea o escocedura en el culito, en un momento u otro. Puede prevenir y tratar con éxito ambos problemas aplicando los siguientes consejos.

La primera señal de escocedura puede ser una mancha rojiza o unos bultitos en las nalgas. La piel puede estar irritada y húmeda, con granitos abiertos o ampollas en las nalgas y entre las piernas.

Este trastorno es causado, principalmente, por el contacto prolongado con la orina y las heces; la mejor manera de prevenirlo es cambiar el pañal tan pronto como esté mojado o sucio. Si el bebé llega a estar escocido, limpie la zona con suavidad pero a fondo y aplique una pomada especial para escoceduras. Si deja el culito del bebé al aire durante un rato —quizá después de quitarle un pañal sucio—, ayudará a que se le cure la escocedura. Si no desaparecen con las pomadas corrientes y la piel se pone de color rojo brillante con granitos blancos o rojos entre los pliegues, puede que se haya infectado de aftas (véase p. 364). En este caso, consulte al pediatra.

La costra láctea es un trastorno inocuo que aparece en forma de escamas grasientas, blancas o amarillentas, en la cabeza del bebé **(1)**. Desaparece por sí misma al cabo de un tiempo, pero puede ser desagradable a la vista. Si quiere eliminarla, aplique crema líquida o aceite para bebé tibio. Déjelo actuar durante toda la noche y luego cepille la costra láctea **(2)**, o lávela. No trate nunca de arrancar las costras porque se podrían infectar.

En casos graves o persistentes hable con el pediatra, ya que la causa de ese problema de piel puede ser una enfermedad como el eccema (véase p. 364).

Cuidado del cordón

Los restos del cordón umbilical se volverán negros, se secarán y se desprenderán, normalmente entre 5 y 10 días después del nacimiento. Entretanto, manténgalo limpio y seco con agua hervida y tibia, gasas estériles o polvos antisépticos, según lo que le aconseje el pediatra. Si lo deja expuesto al aire tanto como sea posible, cicatrizará más rápido.

Colocar al bebé en la cuna de manera que sus pies casi toquen los barrotes de la cuna le permitirá moverse sin enredarse con las mantas.

VESTIR AL BEBÉ

La mejor ropa para el bebé tiene que ser fácil de poner, lavable a máquina y de fibras naturales, como el algodón o la lana, que calientan pero permiten que la piel respire. Para más información sobre la ropa que necesitará, véase la página 200.

Cuando vista al bebé, recuerde que el objetivo es mantenerlo caliente, pero no acalorado. Durante la primera semana de vida, más o menos, él no podrá regular su temperatura corporal, por eso es importante no abrigarlo demasiado, aunque tampoco debe pasar frío. A menos que en su casa haga mucho frío, no necesitará ponerle más que un pañal y un camisón o pelele por la noche y una camiseta, pañal y pelele durante el día, o solo la camiseta y el pañal si hace calor. En el exterior, dependiendo de la estación, añada un jersey y calcetines o patucos y si hace mucho frío un mono acolchado, guantes y gorro. Si lo lleva con usted de compras, vigile que no se acalore; en el coche o en una tienda quítele el gorro, los guantes y el abrigo.

Para proteger la delicada piel del bebé, lave su ropa con productos no biológicos para pieles sensibles. Evite acondicionadores y blanqueadores, ya que son causa potencial de irritación de la piel. Si le sale un sarpullido o un enrojecimiento que usted cree que pueda estar causado por los productos para lavar, pruebe a aclarar las prendas dos veces para eliminar cualquier rastro de jabón o detergente. Si el problema continúa, consulte con el pediatra.

UN LUGAR SEGURO PARA DORMIR

Durante sus primeras semanas de vida, el bebé dormirá y se despertará sin horario fijo. En esos primeros días, puede decidir llevarse al bebé con usted si sale por la tarde o dejarlo despierto hasta que se vayan a la cama. Quizá prefiera establecer un horario regular para dormir desde el primer momento (véase p. 348).

Prevenir la muerte súbita

Independientemente de lo que decida, la manera en que acueste a su hijo es importante. La mayoría de padres están preocupados por el síndrome de muerte súbita del lactante (SMSL), también llamado muerte en cuna (véase p. 383), que se produce cuando un bebé muere de repente y sin ninguna razón aparente. Por fortuna, la muerte súbita ocurre muy raramente y, según las investigaciones, se puede reducir mucho los riesgos asegurándose de que el bebé duerma en la postura y las condiciones correctas:

- *Acuéstelo siempre de espaldas.* Es la postura más segura para dormir, a menos que el pediatra le diga otra cosa. No obstante, mientras esté despierto debe pasar tiempo boca abajo, para desarrollar los músculos del cuello, los hombros y los brazos.
- *Remeta bien las sábanas y las mantas.* Métalas siempre bien debajo del colchón para que no le tapen la cara. Además póngalo más bien hacia los pies de la cuna

(véase p. 309), de forma que con los pies toque los barrotes de la cuna, con las mantas ligeras bien remetidas debajo del colchón y que le lleguen solo hasta el pecho. También puede acostar al bebé en un saco de dormir apropiado para su peso, sin cobertor.

- *Compruebe que la cuna cumple las normas de seguridad* y asegúrese de que el bebé duerma siempre en su cuna.
- *Asegúrese de que el colchón del bebé sea nuevo y esté limpio.* No utilice un colchón de segunda mano y asegúrese de que sea firme y esté seco.
- *No ponga cosas blandas en la cuna del bebé.* Esto incluye edredones, almohadas, sacos de dormir, tejidos lanosos y juguetes blandos.
- *No comparta su cama* y no deje dormir al bebé en lugares blandos como el sofá, el sillón, una cama de agua o un cojín. Puede acabar enterrado debajo de la ropa de cama. Sobre todo, es peligroso compartir la cama con el bebé si usted fuma, si ha tomado algún medicamento que produzca somnolencia o si está bajo los efectos del alcohol o de alguna droga ilegal.
- *No se duerma mientras amamanta al bebé.* Ni tampoco mientras lo tenga en brazos en un sofá o sillón.
- *Deje que el pequeño duerma en la misma habitación que usted.* Tener al bebé cerca es lo mejor durante los seis primeros meses. En caso de que duerma en otra habitación, puede usar un aparato electrónico para oírlo.
- *No caliente la habitación en exceso* y no deje que el bebé se acalore. La temperatura de la habitación debe ser cómoda para un adulto con ropa ligera: entre 16 y 20 ºC, siendo 18 ºC la temperatura ideal. Su bebé no debe dormir nunca con una botella de agua caliente ni con una manta eléctrica. Tampoco debe dormir cerca de un radiador, estufa, fuego o a la luz del sol.
- *No fume.* Y mantenga siempre al bebé fuera de ambientes con humo.
- *Anime al bebé a dormir con chupete.* Esto podría reducir el riesgo de muerte súbita. Una de las hipótesis plantea que la anilla abultada del chupete puede ayudar a que el aire le llegue al bebé incluso si la ropa de cama le cubre la cara. No se preocupe si el bebé pierde el chupete mientras duerme o si no quiere utilizarlo. No a todos los niños les gusta el chupete; no obligue nunca a su bebé a usar uno si no lo quiere.
- *Si el bebé no está bien, consulte con el pediatra rápidamente.* Para los síntomas que exigen que lleve el bebé al pediatra, véase el cuadro de la derecha.

SALVAGUARDAR LA SALUD DEL BEBÉ

Después del nacimiento del bebé, le dirán que lo lleve a la consulta del pediatra, en el ambulatorio de su barrio, para exámenes regulares. En cada visita pesarán y medirán al bebé y también su circunferencia craneal, para asegurarse de que está creciendo bien. También le harán controles de rutina cuando tenga entre 6 y 8 semanas y luego alrededor de los 8 o 9 meses y otra vez entre los 18 y los 24 meses. El propósito de todos estos controles es detectar lo antes posible cualquier problema que pueda afectar a la salud y el desarrollo de su hijo. Asimismo, estas visitas le ofrecen la oportunidad de aclarar cualquier preocupación que tenga sobre la salud y el bienestar del pequeño.

A las 8 semanas, la mayoría de bebés comienza su calendario de vacunación (véase p. 370). El pediatra le explicará cualquier posible efecto secundario de las vacunas antes de ponérselas.

LA SALUD ES LO PRIMERO

Síntomas. Con frecuencia, los bebés tienen enfermedades de poca importancia y a los padres primerizos les resulta difícil saber cuándo es necesaria la ayuda médica. A continuación se dan algunas orientaciones para saber cuándo hay que llamar al médico; son ligeramente diferentes para los recién nacidos (véase p. 360). Busque ayuda si su hijo:

- **Tiene convulsiones o no responde a los estímulos.**
- **Tiene dificultades para respirar, se pone azul o ha dejado de respirar.**
- **No es posible despertarlo o está inusualmente adormilado y no responde a los estímulos.**
- **Tiene fuertes vómitos o diarreas, parece tener fuertes dolores o hay sangre en sus heces.**
- **Rechaza la comida en dos tomas seguidas.**
- **Le sale una erupción púrpurea, parecida a moretones, en alguna parte del cuerpo.**
- **Tiene fiebre alta, superior a 38º C.**
- **Tiene un llanto agudo o desacostumbrado, o chilla y llora sin consuelo.**

CÓMO COGER AL BEBÉ

Es natural que, al principio, se sienta un poco nerviosa al coger al bebé, pero piense que es más resistente de lo que usted cree. No obstante, debe sostenerle siempre la cabeza.

Sostenga a su bebé. Póngale una mano debajo de la cabeza **(1)** y la otra debajo de la espalda y las nalgas.

Acérqueselo al pecho. Permanezca erguido y acérquese el bebé **(2)**. Manténgale la cabeza ligeramente levantada.

Descánselo en los brazos. Pase una mano por debajo de las nalgas y hasta la cabeza. Doble el otro brazo para que su cabeza descanse en su codo **(3)**. Use la mano libre como apoyo.

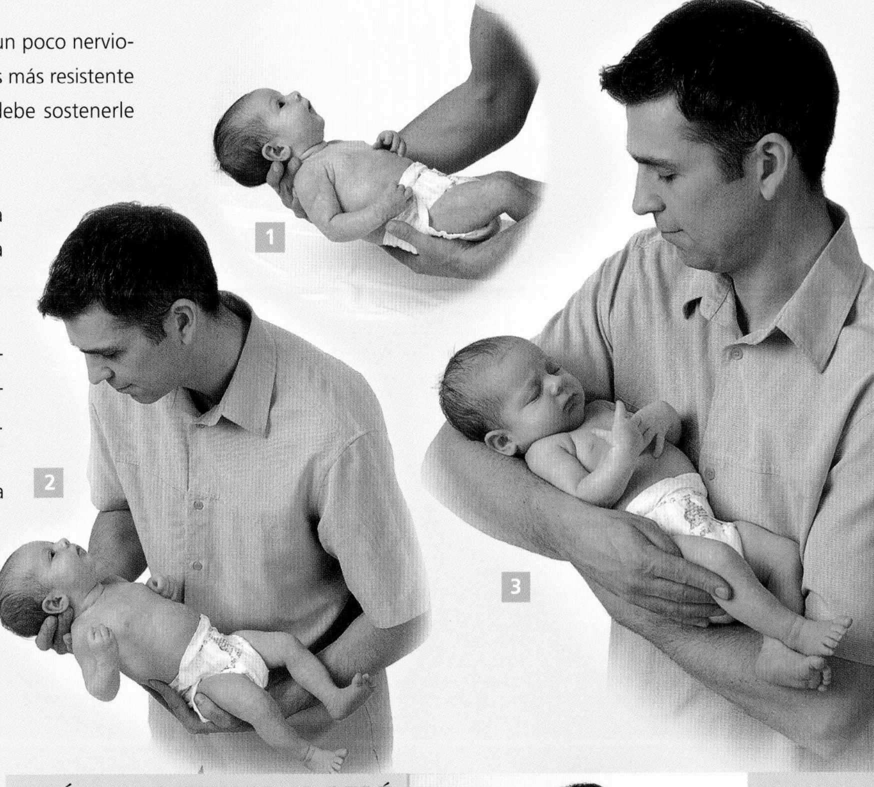

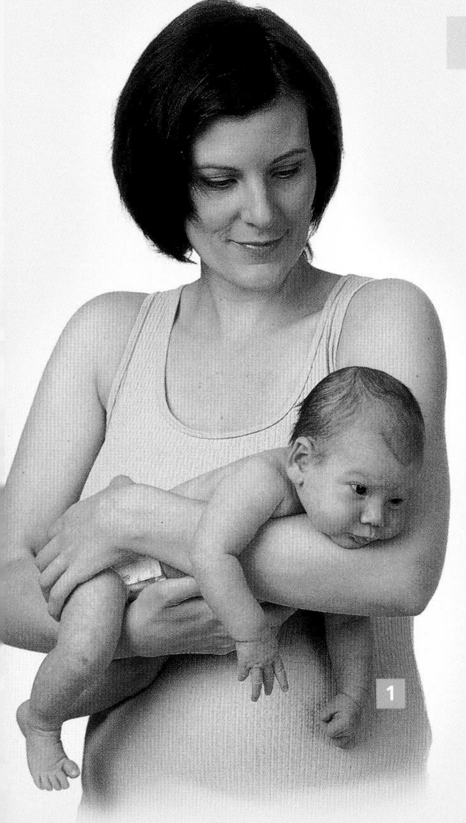

CÓMO SOSTENER AL BEBÉ

Puede que el pequeño tenga un aspecto frágil, pero no debe tener miedo de sostenerlo con firmeza. A los bebés les gusta sentirse seguros cuando están en sus brazos y al suyo le gustará la cercanía y calidez de su cuerpo. Además de estar en sus brazos como en una cuna, quizá le gusten las siguientes posturas:

Boca abajo. Ponga la cabeza del bebé justo por encima del codo con el antebrazo a lo largo del cuerpo para sostenerlo **(1)**. Colóquele la otra mano entre las piernas para sostenerle la barriga.

Apoyado en el hombro. Cuando sostiene al bebé erguido, le permite sentir y oír el latido de su corazón. Use una mano, colocada debajo de las nalgas **(2)**, para sostener el peso del bebé y con la otra para sujetarle la cabeza y la espalda.

CUIDADO DEL CORDÓN

Hasta que se desprenda, lávele esa zona cada día para prevenir infecciones. Hágalo al mismo tiempo que el aseo diario. Para limpiar el cordón, humedezca un poco de algodón en agua hervida y enfriada y luego páselo por el ombligo y la zona que lo rodea con suavidad. Séquelo a fondo con un algodón limpio.

Cuando le ponga el pañal, dóblelo hacia atrás por debajo del cordón a fin de que no se moje con la orina. Si la zona de alrededor está roja o si hay cualquier secreción, consulte con el pediatra.

EL ASEO DEL BEBÉ

Hasta que el cordón se desprenda, solo tiene que lavar diariamente la cara, el cuello, las manos, los pies, los genitales y las nalgas del recién nacido.

Para asearlo, tenga a mano un recipiente con agua hervida y tibia, algodón y una toalla suave. Para evitar las infecciones, use un trozo nuevo de algodón para cada zona del cuerpo. Si hace frío, déjele puesto el pañal mientras le limpia la parte superior del cuerpo, luego póngale una camiseta mientras le limpia la parte inferior.

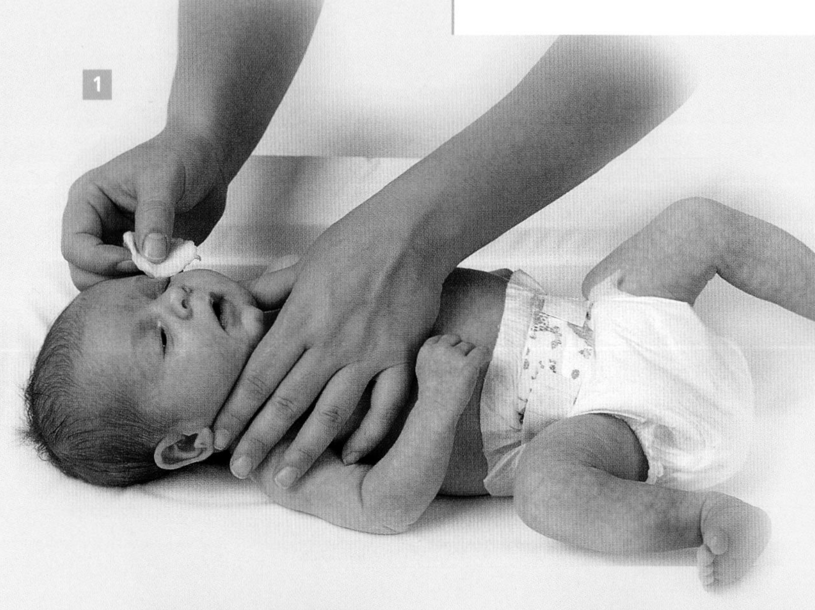

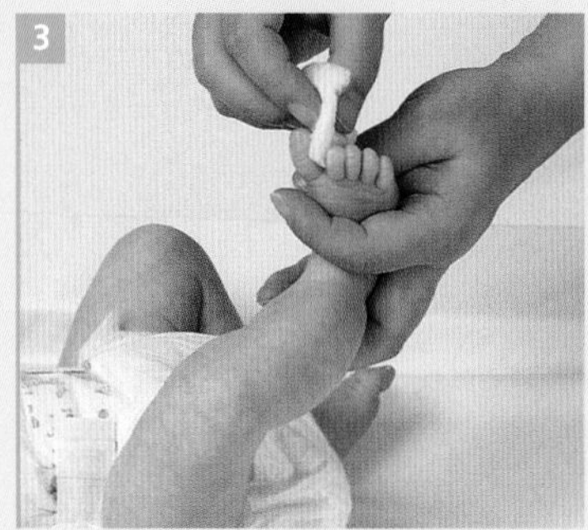

Lávele la cara. Moje un trozo de algodón en el agua y páselo por encima del párpado del bebé, desde la nariz a la sien **(1)**. Con otro trozo limpio, haga lo mismo con el otro ojo. Use más algodón humedecido para lavarle el resto de la cara, incluyendo la nariz y las orejas, pero no lo introduzca dentro de esas zonas tan sensibles. Lávele el cuello y luego séquelo dándole suaves golpecitos con la toalla.

Lávele las manos y los brazos. Abra con cuidado las manos del bebé y límpielas **(2)**, especialmente entre los dedos. Levántele los brazos y con un algodón nuevo lave la zona de la axilas. Seque esas zonas dando golpecitos con una toalla.

Lávele los pies. Use más algodón humedecido para lavar la parte superior y la planta de los pies del bebé y entre los dedos **(3)**. Sáquele cada pie cuidadosamente.

Quítele el pañal. Si el pañal está sucio, quíteselo despacio, utilizando la parte frontal para retirar la máxima suciedad posible **(4)**. Dóblelo, mételo en una bolsa de plástico y apártelo para tirarlo más tarde.

Lávele la barriga y las piernas. Sujetándolo con firmeza y suavidad, humedezca un poco de algodón y páseselo por la barriga. Use un trozo de algodón nuevo para limpiar entre los pliegues de las piernas **(5)**. Limpie hacia abajo y hacia fuera para evitar transmitir infecciones a la zona genital.

CÓMO CUIDAR A UN NIÑO CIRCUNCIDADO

Si han circuncidado a su hijo, no lo bañe hasta que la herida haya cicatrizado. Si lleva un vendaje, quizá durante un par de días tenga que cambiárselo cuando le quite el pañal. Utilice un vendaje ligero, por ejemplo, una gasa estéril, y ponga gel a base de aceite en la gasa para que no se le pegue a la piel.

La herida tardará entre siete y diez días en curar. Durante este tiempo, la punta del pene puede estar enrojecida y en carne viva; también puede haber una secreción amarillenta. Incluso puede ulcerarse si entra en contacto con los pañales húmedos. Si hay una hemorragia persistente, fiebre, ampollas purulentas o hinchazón, consulte con el pediatra.

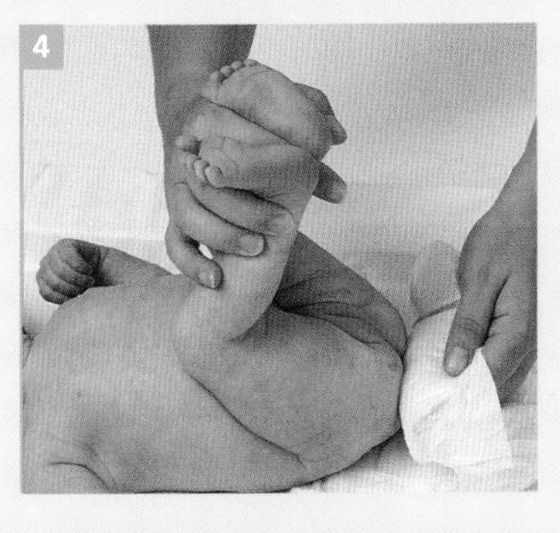
4

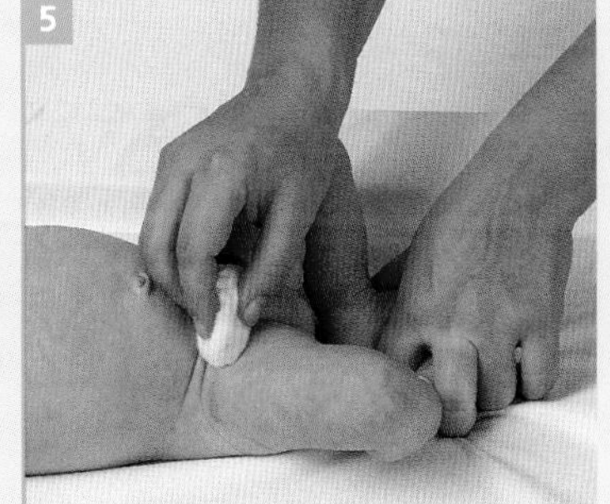
5

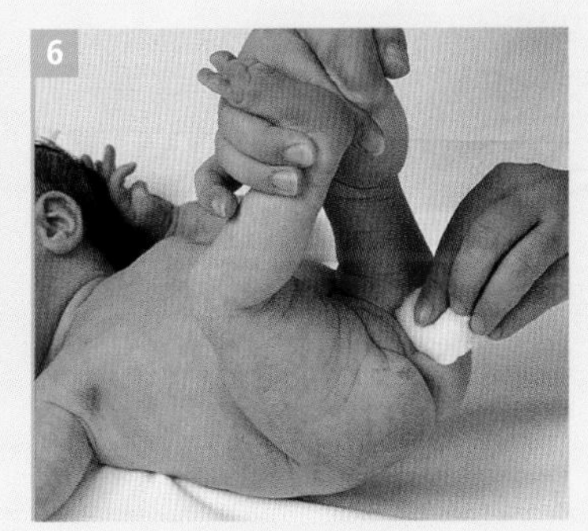
6

Lávele los genitales y las nalgas. Cuando asee a una niña, sujétela con suavidad por los tobillos con una mano, poniendo un dedo en medio, y levántele un poco las nalgas. Use un algodón limpio y lávele los labios exteriores de la vulva, pero no por dentro **(6)**. Al asear los genitales hágalo siempre hacia abajo, para no transferir bacterias del ano a la vagina. Luego, sosteniendo las nalgas levantadas, límpieselas usando otro trozo de algodón. Lávele la parte de atrás de los muslos y hacia la espalda si es necesario. Seque muy bien toda la zona.

CÓMO ASEAR A UN BEBÉ CIRCUNCIDADO

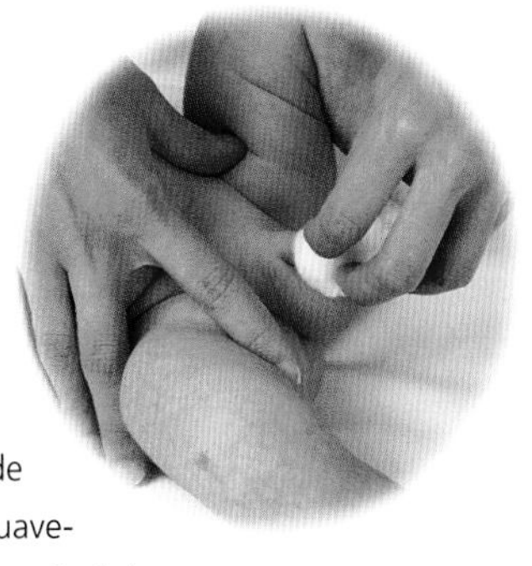

El niño puede orinar cuando le esté quitando el pañal; así pues, aséelo lentamente.

Utilice un algodón limpio y páseselo por el pene con un movimiento descendente; no retire el prepucio hacia atrás. Limpie también alrededor de los testículos. Levántele las nalgas suavemente y asee la zona anal y la parte de atrás de los muslos. Séquelo bien dando golpecitos con una toalla.

A la mayoría de bebés le encanta la hora del baño, y aunque no se ensuecien mucho, lo usual hoy en día es bañarles a diario o día sí día no. Como algunos bebés son frioleros, es mejor caldear la habitación y prepararlo todo antes de empezar. Necesitará dos toallas suaves, un recipiente con agua hervida y tibia para lavarle la cara, algodón, champú suave para bebés, una bañera de plástico para bebés y pañales y ropa limpios.

LLENE LA BAÑERA Y PRUEBE

Ponga la bañera encima de una superficie sólida y asegúrese de que no puede resbalar. Procure mantenerla alejada de las corrientes de aire.

Para evitar escaldar al bebé, ponga siempre primero el agua fría y añada la caliente. Mezcle bien y compruebe la temperatura con el codo o con la muñeca, para asegurarse de que está caliente pero no quema. Debería estar aproximadamente a la temperatura del cuerpo.

1

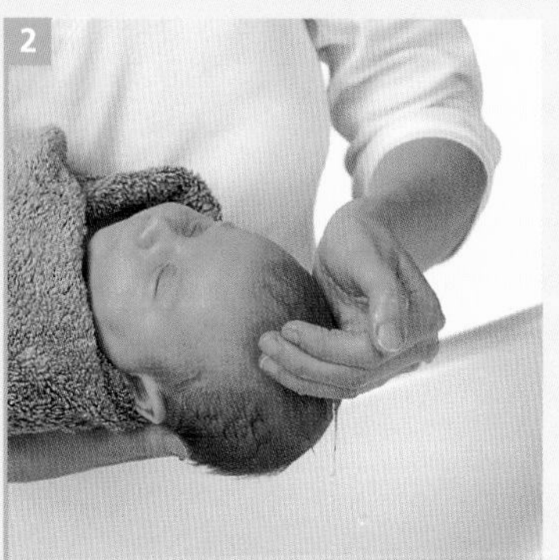

2

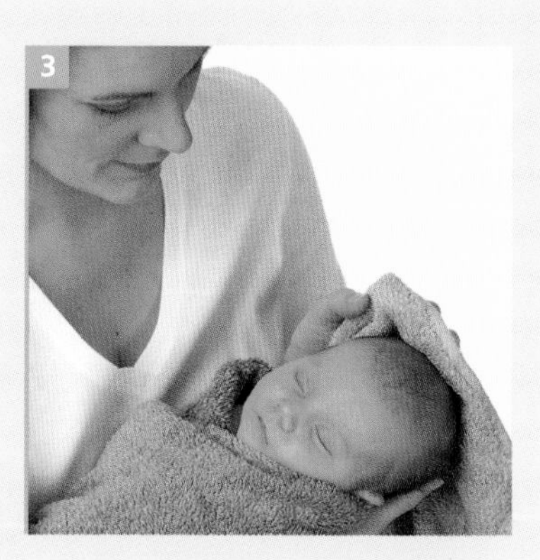

3

Lávele la cara. Para evitar cualquier riesgo de infección, es mejor lavarle la cara con un cuenco de agua hervida y tibia. Humedezca un poco de algodón y páselo suavemente por el párpado desde la nariz hacia la sien **(1)**. Con otro trozo de algodón limpio haga lo mismo con el otro ojo. Utilice algodón limpio para pasárselo alrededor de la boca, por la nariz, las orejas y el cuello, pero no lo introduzca dentro de la nariz ni de las orejas.

Lávele el pelo. Envuelva al pequeño un poco más apretadamente en la toalla, asegurándose de que tiene los brazos tapados. Póngale las piernas entre su brazo y su costado, para poder sujetarlas bajo la axila. Deje reposar su cuerpo a lo largo del antebrazo y apoye su cabeza en una mano. Sosténgala encima de la bañera. Utilice la mano libre para echarle un poco de agua por el pelo. Póngale un poco de champú para bebés. Aclárelo echándole agua con la mano **(2)**.

Séquele el pelo. Hágalo dándole palmaditas, en lugar de frotar, con el extremo de una toalla suave **(3)**. No apriete las fontanelas demasiado y evite taparle la cara porque puede asustarse y romper a llorar.

LA SEGURIDAD ES LO PRIMERO

Quédese con el bebé. Báñelo en una bañera para bebés hasta que pueda sentarse solo. No lo deje nunca solo, ni siquiera un minuto; los bebés pueden ahogarse en solo unos centímetros de agua. Si tiene que salir de la habitación, envuélvalo bien y lléveselo con usted.

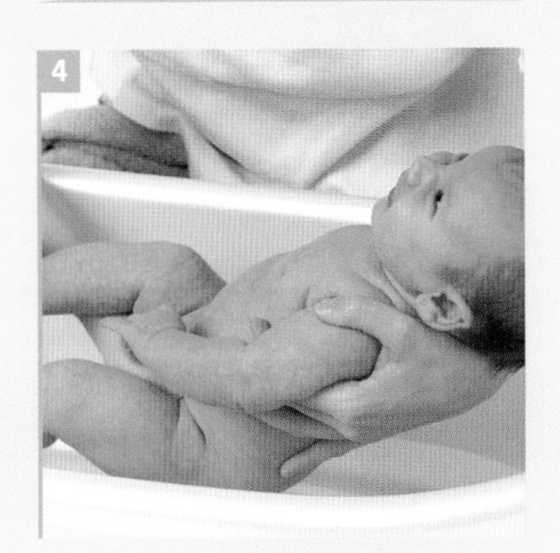
4

Métalo en la bañera. Quítele la ropa. Pásele el brazo por la espalda y cójale el brazo que queda más lejos de usted. Sujétele las piernas y las nalgas con la otra mano y bájelo despacio hasta meterlo en la bañera **(4)**.

Lávele el cuerpo. Mientras le sostiene la cabeza y los hombros con una mano, lávele el cuerpo con la otra **(5)**. Preste una atención particular a las zonas de debajo de los brazos y la parte superior de las piernas. No obstante, con el tiempo que tiene no necesitará un aseo profundo. Cuando crezca, tendrá que moverlo más y asearlo más a fondo.

Sáquelo de la bañera. Para sacar al bebé de la bañera, mantenga un brazo alrededor de los hombros y deslice la otra mano debajo de las nalgas. Sáquelo del agua de la misma postura en la que lo metió.

6

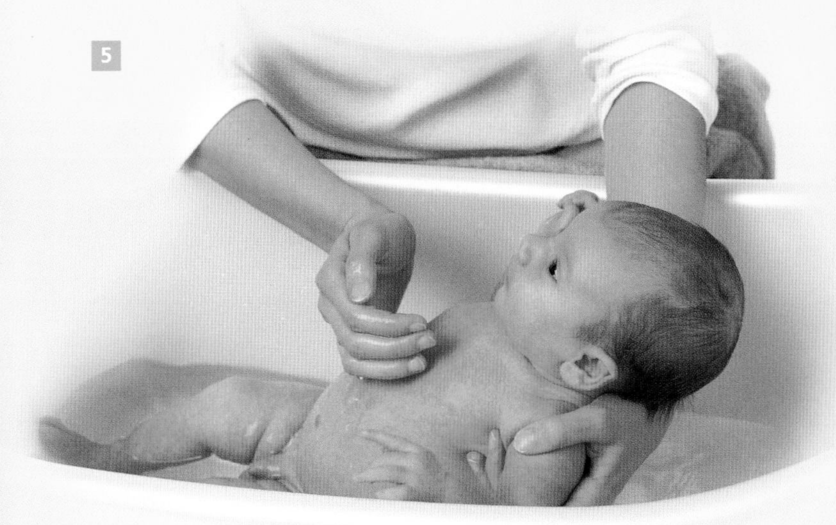
5

Séquelo. En cuando lo haya sacado del baño, envuélvalo en una toalla grande y suave. Dóblela por encima del bebé, primero un lado y luego el otro, pero no le tape la cara. Séquelo dándole palmaditas **(6)**, con especial atención a su cuello, bajo los brazos y alrededor de las piernas, los genitales y el culito.

Vístalo. Cuando esté seco, póngale un pañal limpio. Luego vístalo, manteniendo las partes expuestas del cuerpo cubiertas con la toalla.

CÓMO PONERLE EL PAÑAL

Para impedir las escoceduras y lograr que su hijo esté cómodo, procure cambiarle el pañal en cuanto esté mojado o sucio. Puede cambiárselo sentada en el suelo o encima del cambiador. Si usa el cambiador, mantenga siempre una mano encima del bebé y nunca lo deje solo.

Cuando quite un pañal sucio, utilice la parte de delante para limpiar la suciedad todo lo posible. Una vez quitado, limpie al bebé a fondo igual que haría durante el aseo (véase p. 312).

Los pañales de tela pueden doblarse de diversas maneras para que se adapten al bebé; el plegado en rectángulo que mostramos a la derecha es adecuado para un recién nacido.

Doble el pañal. Forme un rectángulo doblando el pañal por la mitad. Doble un tercio de uno de los lados cortos hacia abajo. Para una niña, ponga esta sección más gruesa debajo de las nalgas **(1)**. Para un niño, ponga la parte más gruesa delante. El borde superior debe quedar a la altura de la cintura del bebé.

Doble el pañal entre las piernas. Lleve los extremos del pañal hacia arriba, entre las piernas del bebé **(2)**.

Sujete los lados. Sujete con un imperdible un lado de la tela, poniendo una mano debajo del pañal para proteger la piel del bebé. Ajústelo y luego sujete el otro lado **(3)**. Como los pañales de tela no son impermeables, necesitará ponerle encima unas braguitas de plástico.

CÓMO LAVAR LOS PAÑALES

Llene dos cubos con una solución esterilizadora. Sumerja los pañales mojados de orina en uno de los cubos y los sucios de heces en el otro. Déjelos en remojo durante, al menos, seis horas.

Cuando vaya a lavarlos, sáquelos de los cubos con pinzas. Aclárelos y luego lávelos en la lavadora, siguiendo las instrucciones del fabricante. Séquelos al aire libre o centrifúguelos para que se conserven suaves.

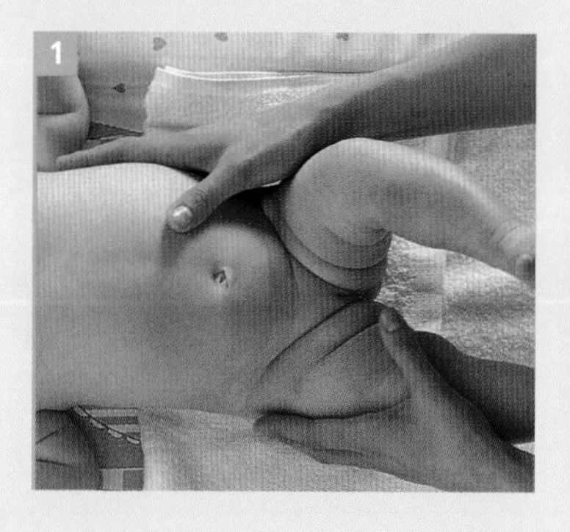
1

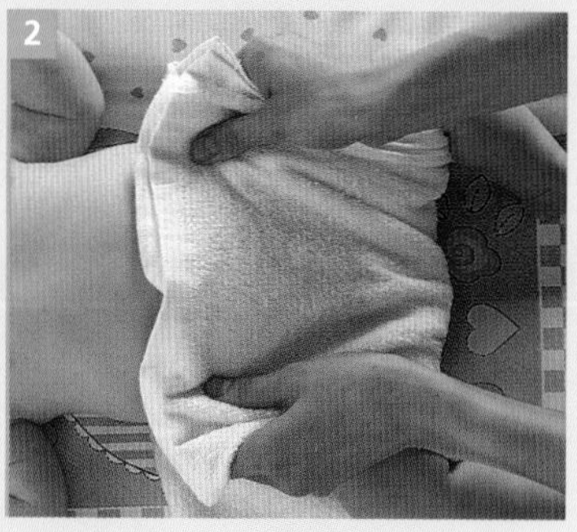
2

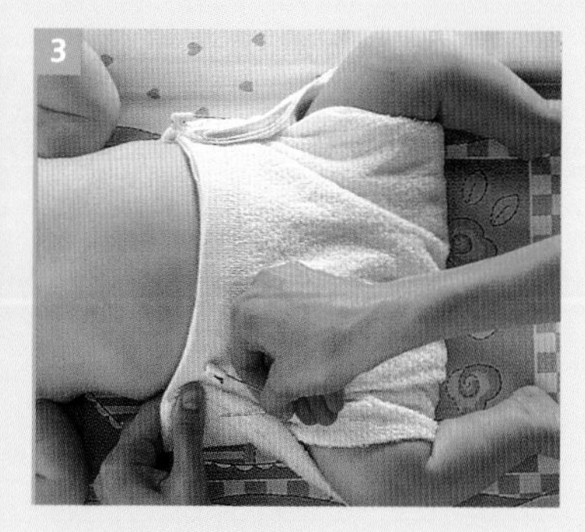
3

CÓMO USAR UN PAÑAL DESECHABLE

Los pañales desechables son rápidos y fáciles de poner. Aunque el diseño varía, la mayoría puede ponerse de la manera siguiente:

Coloque el pañal debajo del bebé. Deslice el pañal abierto por debajo del cuerpo del bebé, levantándole las piernas por los tobillos.

Doble y sujete. Suba la parte delantera del pañal entre las piernas del bebé. Quite la protección de las bandas adhesivas, lleve los lados hacia delante y péguelas.

CÓMO PONER UNA CAMISETA

Seguramente, al bebé le gustará el contacto con usted mientras lo viste. Si se muestra menos colaborador, haga que vestirlo sea divertido con sonrisas y mimos. Ahorre tiempo poniendo toda la ropa a mano antes de empezar. Cuando le ponga una camiseta, procure que la tela no le roce la cara.

Abra el cuello. Estire la abertura del cuello para ensancharla y ponga la parte de atrás en la coronilla del bebé **(1)**.

Bájela por la cabeza del bebé. Pásele la camiseta por encima de la cara, con cuidado para no estirarle la nariz ni las orejas. Alísela **(2)**.

Métale las mangas. Meta la mano por el agujero de la manga. Coja la muñeca del bebé y hágala pasar a través de la manga. Estire la manga hacia abajo con la otra mano **(3)**. Haga lo mismo con la otra manga y estire la camiseta.

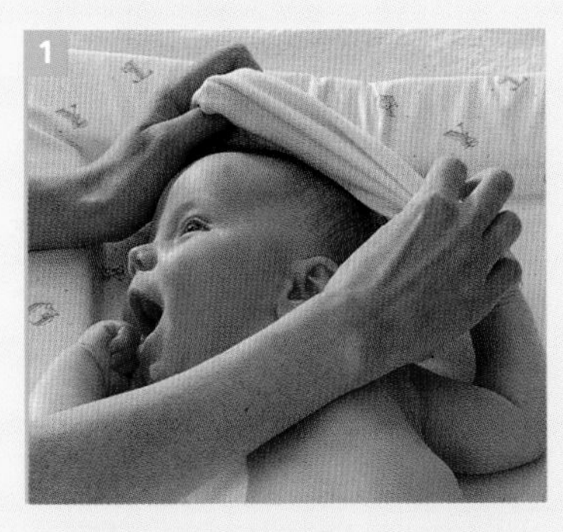

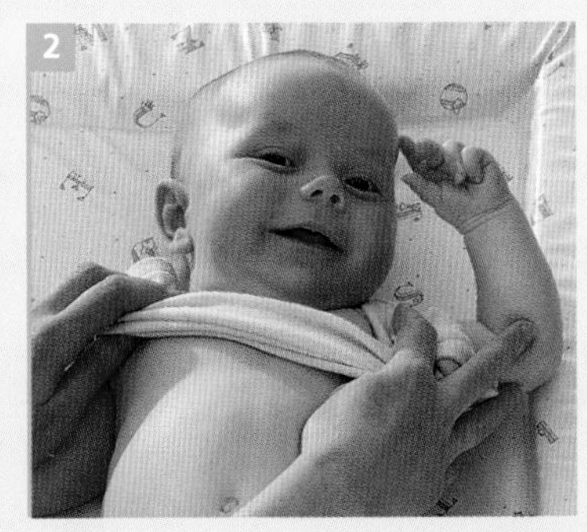

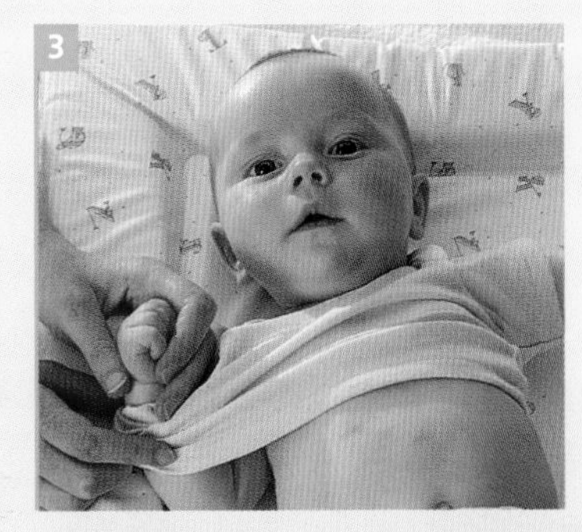

CÓMO PONER UN PELELE

Abra todos los cierres antes de empezar, luego ponga al bebé encima del pelele abierto.

Meta las piernas del bebé. Coja la tela de las piernas y deslícela por encima del pie **(1)**. Súbala hacia arriba. Haga lo mismo con la otra pierna.

Meta los brazos del bebé. Recoja una manga y deslícela por encima de la muñeca **(2)**. Haga lo mismo con el otro brazo.

Cierre el pelele. Enderece los lados **(3)** y luego abroche los cierres, empezando desde abajo.

EN EL COCHE

Las sillas especiales para el coche proporcionan la mejor protección al bebé cuando viaja. No obstante, estudios recientes han demostrado que la mayoría de sillas para bebés está mal adaptada. Siga atentamente las instrucciones del fabricante y asegúrese de que la silla es adecuada para su marca de coche, ya que algunas requieren un sistema de anclaje especial.

Adapte el asiento del coche. El mejor lugar para poner la silla para el bebé es el asiento de atrás, pero algunas son adecuadas para el asiento frontal del pasajero, siempre que no lleve *airbag*. El bebé debe mirar hacia atrás hasta que tenga la edad y la fuerza suficientes para controlar el cuello; es decir, alrededor de un año de edad. Sujete el asiento en su sitio, comprobando que los tirantes no están retorcidos. La hebilla del cinturón no debe apoyarse en el armazón. Compruebe que los tirantes están lo suficientemente ajustados como para impedir un movimiento excesivo.

Sujete al bebé en el asiento. Colóquelo en la silla y cierre bien los tirantes. Mientras conduce, compruebe con frecuencia si el bebé está bien. Si la silla está atrás, piense en la conveniencia de instalar otro retrovisor para verlr sin necesidad de girar la cabeza.

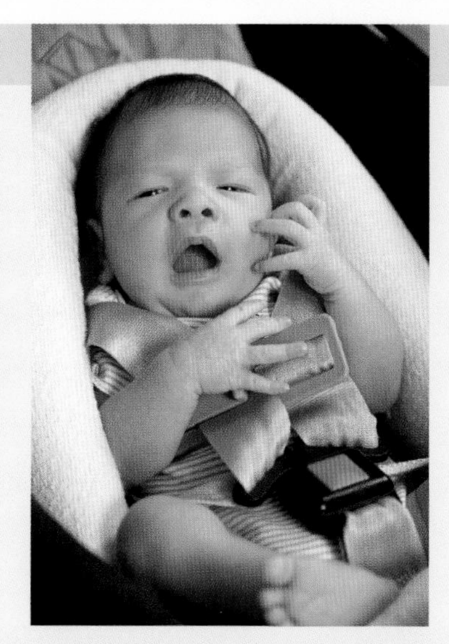

En el interior de los coches puede llegar a hacer mucho calor. Compruebe regularmente que el bebé no tiene demasiado calor y utilice una pantalla parasol en la ventana, si es necesario. No debe dejar nunca solo al bebé en el coche.

CÓMO USAR UN PORTABEBÉS

Hasta los cuatro meses de vida, coloque al bebé en un portabebés de cara a su pecho, para que la cabeza esté apoyada y pueda sentir el latido de su corazón. A un bebé de más tiempo le gustará mirar hacia delante para observar nuevos ambientes.

No importa los refuerzos que lleve el portabebés; proteja siempre la cabeza del bebé con la mano cuando se incline hacia delante o hacia un lado. No dejé nunca al bebé solo en la mochila ni la utilice como cuna.

Si utiliza una bandolera, asegúrese de sostener el bebé hacia arriba, como si lo tuviera en brazos, y de no cubrirle la cabeza para que pueda respirar libremente.

Póngase el portabebés. Póngase los tirantes, siguiendo las instrucciones del fabricante **(1)**. Abroche uno de los lados.

Meta al bebé dentro. Sosténgale la cabeza y métalo dentro del portabebés. Sostenga su peso con una mano mientras le mete las piernas dentro de los agujeros con la mano libre. Abroche los tirantes y las hebillas; luego ajústelos para que el peso del bebé quede equilibrado **(2)**. Cuando haya acabado de usar la mochila, saque siempre al bebé y póngalo en un lugar seguro antes de quitarse el portabebés.

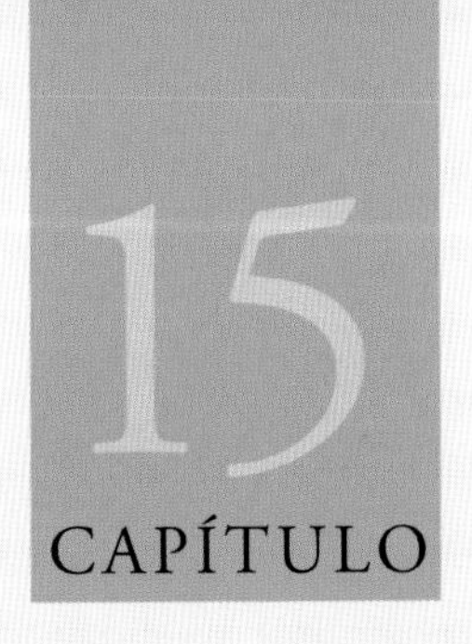

CÓMO CUIDARSE DE SÍ MISMA

Por fin ha nacido su hijo y usted está eufórica, aunque un poco exhausta. Quizá se sienta inesperadamente incómoda, incluso un poco decaída. Pero la relajación, una dieta nutritiva y un poco de ejercicio suave ayudarán a su organismo a recuperarse de los meses de embarazo y del parto, y le proporcionarán la energía para concentrarse en ser madre.

SU CUERPO DESPUÉS DEL ALUMBRAMIENTO

Sin duda, durante los últimos nueve meses se habrá acostumbrado a estar embarazada y ahora quizá se sienta un poco extraña, tanto física como emocionalmente. Cuídese mucho hasta que se recupere del todo y luego podrá empezar a concentrarse en ponerse de nuevo en forma.

Los cambios físicos que se experimentan después del alumbramiento pueden ser un auténtico choque; tendrá contracciones uterinas y fuertes hemorragias, probablemente acompañadas de un perineo entumecido y dolorido y unos pechos duros como piedras. El mero esfuerzo de dar a luz puede dejarla como si acabara de boxear diez asaltos contra un peso pesado. Aunque ya habrá perdido bastante barriga, todavía puede ser muy decepcionante; la tendrá fláccida y colgante y se preguntará cómo volverá a recuperar el tono muscular. Al mismo tiempo, los niveles hormonales en caída libre —ya no son necesarios para mantener el embarazo— pueden hacer que sus reacciones emocionales sean imprevisibles. Si se siente ansiosa y deprimida, procure recordar que todos esos síntomas pasarán conforme su organismo se recupere del parto. No obstante, es vital buscar ayuda si hay algo que no va bien o que la preocupa.

DOLORES POSPARTO

Una vez que haya nacido el bebé, notará unos fuertes dolores en el abdomen, parecidos a los del período. Llamados también entuertos o calambres uterinos posnatales, son provocados por la liberación de oxitocina, la hormona que inicia las contracciones del parto y que actúa para contraer y encoger el útero y reducir la hemorragia.

Señal de que el útero se contrae

Inmediatamente después de la expulsión de la placenta, el útero pesa alrededor de 1 kg. Al cabo de seis semanas, será un 95 % más ligero. Si amamanta al bebé, el útero disminuirá de tamaño más rápidamente, porque la succión del lactante libera más oxitocina. Al final de la primera semana, la parte superior del útero estará a medio camino entre el ombligo y la parte superior del hueso púbico. Dos semanas después del parto, no debería notar la parte superior del útero en absoluto. En un proceso asombroso, considerando lo grande que era el útero al final del embarazo cuando contenía el bebé, la placenta y el líquido amniótico. Aunque siempre seguirá siendo más grande que antes del embarazo, una vez que haya recuperado la fuerza abdominal nadie lo sabrá, ni siquiera usted.

Cómo aliviar el dolor

La incomodidad producida por las contracciones posnatales deben disminuir de día en día. Si cree que necesita algún medicamento para aliviar el dolor, el ibuprofen y el paracetamol son seguros, incluso si está amamantando. No es recomendable tomar aspirina, ya que puede aumentar la hemorragia; además puede pasar a la leche y ser perjudicial para el bebé. Si esos medicamentos no le alivian el dolor, dígaselo al médico.

Los baños calientes también pueden calmarla, pero quizá prefiera esperar a que haya disminuido la hemorragia.

LOQUIOS

Después del parto, tendrá una pérdida formada por sangre, mucosidad y tejido procedente el útero. Conocida como loquios, está hemorragia puede ser particularmente intensa, dado que procede principalmente del lugar donde estaba adherida la placenta. Será de un color rojo oscuro, bastante espesa y quizá contenga grandes coágulos de sangre. Puede ser más copiosa al levantarse de la cama o al amamantar al bebé.

Cambios en la hemorragia

Los loquios pueden durar hasta seis semanas, pero serán cada vez más ligeros y el color cambiará a marrón rojizo y luego a amarillento para, finalmente, volverse casi transparente. Para absorber la hemorragia use compresas higiénicas especiales extragrandes para maternidad, no tampones. Al principio quizá tenga que cambiarse cada vez que vaya al baño.

Dígaselo al médico inmediatamente si la hemorragia aumenta de repente, si se vuelve de color rojo vivo, si contiene coágulos inusualmente grandes o si tiene un olor desagradable. Podría ser una señal de infección (véase p. 356).

DOLOR E HINCHAZÓN

Después del parto, la zona genital estará hinchada, dolorida y tensa. Si ha tenido un parto largo y difícil, le han dado puntos o le han hecho una episiotomía, tendrá muchas molestias y dolores y el perineo (la zona entre la vagina y el ano) puede estar muy entumecido. Los ejercicios de Kegel (véase p. 122), desde el primer día, la ayudarán a recuperar el tono muscular, favorecerán la cicatrización al estimular la circulación de esa zona y

6 maneras de aliviar las molestias perineales

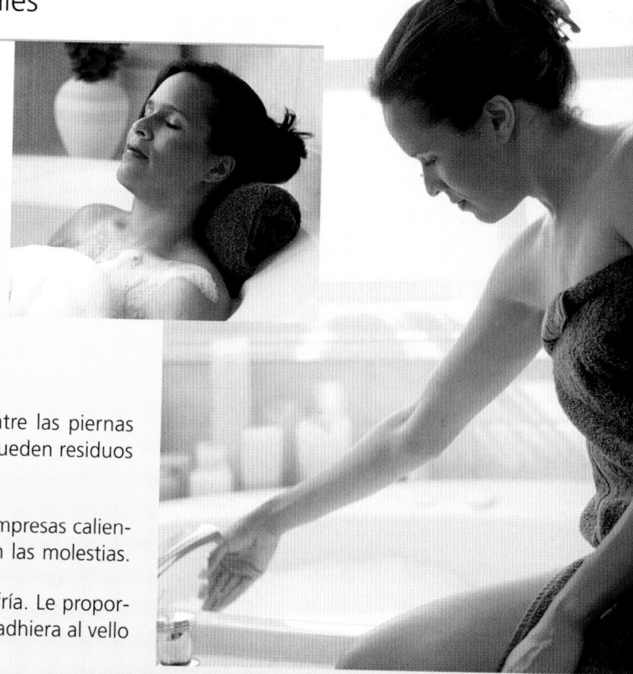

1. Beba mucho líquido para diluir la orina y que no queme tanto, y vacíe la vejiga con regularidad.
2. Pruebe a ponerse una bolsa de hielo o un pequeño paquete de guisantes congelados, envuelta en un paño suave, en el perineo para disminuir la hinchazón y aliviar las molestias. Hágalo durante cinco minutos, cada dos horas, durante las primeras 24 horas.
3. Pruebe a ponerse en cuclillas en la taza del váter en lugar de sentarse. Incline el trasero para que la orina no toque el punto sensible.
4. Tenga un jarro de agua fresca en el baño y viértasela entre las piernas mientras orina y cuando haya terminado, para que no le queden residuos en la piel.
5. Dese un baño de asiento con agua caliente o aplíquese compresas calientes durante unos 20 minutos, tres veces al día. Le aliviarán las molestias.
6. Pruebe a empapar una compresa con agua de hamamelis fría. Le proporcionará sensación de frescor e impedirá que la sangre se le adhiera al vello púbico.

reducirán el dolor perineal. Puede que tenga algunas escoriaciones alrededor de la zona de la uretra como resultado del estiramiento durante el parto. Se curarán rápidamente y no suelen necesitar puntos, pero pueden escocer al orinar. Si tuvieron que darle puntos después de la episiotomía (véase p. 187) o de un desgarro, no será necesario quitarlos, sino que se caerán solos al cabo de unas semanas. Cuando vacíe la vejiga, la orina que pase por esa zona hará que le escueza.

Una buena higiene

Es vital mantener la zona genital escrupulosamente limpia para evitar infecciones. Cuando se lave la zona perineal o después de ir al lavabo, límpiese siempre de delante hacia atrás para impedir la transferencia de bacterias desde el recto a la uretra. Cámbiese la compresa cada cuatro o seis horas, por lo menos, para mantener la zona limpia y para comprobar la cantidad de hemorragia. Lávese siempre las manos antes y después de limpiarse la zona perineal y después de cambiarse la compresa.

LA SALUD ES LO PRIMERO

***Hinchazón persistente.* Conforme su cuerpo se libre del exceso de líquidos después del parto, la hinchazón del embarazo debería disminuir. No obstante, si no es así o si le duele mucho la espalda o las piernas, llame al médico, ya que son señales de tensión alta (véase p. 253). Si se le hincha una pierna y le duele mucho, esto podría indicar una trombosis en vena profunda (véase p. 252), así que debe ir al médico.**

Dificultades para orinar

Quizá le cueste orinar después del parto, en especial durante las primeras 24 horas. Puede que no tenga ganas de ir en absoluto o que quiera ir pero no pueda. Es esencial que vacíe la vejiga al cabo de seis u ocho horas después del parto para evitar infecciones del tracto urinario (véase p. 259) y para impedir que la vejiga se distienda, lo cual podría provocar una pérdida de tono muscular. Beber mucho líquido y levantarse y andar tan pronto como se lo permitan la ayudará a poner en movimiento la vejiga. Si no ha orinado a las ocho horas del parto, el médico le prescribirá poner un catéter (un tubo insertado en la uretra) para vaciar la vejiga. Después de 24 horas orinará copiosamente y con frecuencia, cuando expulse el exceso de líquidos corporales del embarazo.

Defecación

La primera evacuación después del parto puede causarle cierta ansiedad. Si lleva puntos, quizá le preocupe que se abran o tal vez tenga miedo de empeorar las hemorroides (véase p. 69). Los músculos abdominales, que usa para eliminar los residuos, pueden ser temporalmente ineficaces porque se han distendido durante el parto.

Cuanta más presión sienta para evacuar, menos probable es que lo logre. Así que lo mejor que puede hacer es no preocuparse. Aunque es probable que las primeras evacuaciones le causen molestias, los puntos no se abrirán y todo volverá a la normalidad al cabo de unos días. Tome fibra —cereales integrales, fruta fresca y verduras— y beba líquido en abundancia; le ayudará a poner los intestinos en movimiento de nuevo. Los ejercicios de Kegel y una gimnasia suave le aliviarán las molestias. No obstante, si tiene estreñimiento, el médico puede prescribir un producto para ablandar las heces o un laxante.

MOLESTIAS EN EL PECHO

Incluso si ha decidido no dar el pecho, los cambios hormonales que preparan a los pechos para la lactancia tendrán lugar igualmente. La glándula pituitaria inicia el proceso de lactogenesis (producción de leche) produciendo y liberando la hormona prolactina. Una vez iniciado el proceso, el bebé estimula la producción de leche con su frecuente succión. Tanto si da de mamar como si no, entre dos y cuatro días después del parto sus pechos aumentarán de tamaño y se volverán más firmes y quizá le duelan mientras se preparan para suministrar leche. Esto se denomina congestión.

Cómo aliviar las molestias de los pechos

Mientras tenga los senos congestionados, llevar un sujetador bien adaptado, que ofrezca buen apoyo, hará

CÓMO masajear unos pechos congestionados

Si da el pecho, la frecuente succión del bebé ayudará a disminuir la congestión, pero en algunos países se anima a las mujeres a darse masaje en los senos para aliviar las molestias. Pruebe esta técnica de masaje japonesa para aliviar el dolor.

Empiece masajeando la base de los pechos. Sosténgalos desde abajo, con las manos ahuecadas. Empuje el pecho hacia fuera mientras junta sus pechos con las manos. La leche de la base fluirá más libremente. Sostenga el pecho izquierdo y pase las manos por encima, en un movimiento circular rodeando el pezón. Haga lo mismo con el pecho derecho. Realizar este masaje diariamente, mientras dure la congestión, debería aliviar las molestias. Más abajo explicamos otras técnicas.

que se sienta mucho más cómoda. Algunos expertos recomiendan llevar el sujetador las 24 horas al día durante el período de congestión. Antes de amamantar, puede resultar de gran utilidad darse una ducha caliente o ponerse compresas calientes sobre el pecho. El calor húmedo dilatará los conductos de la leche y cuando el bebé succione, esta fluirá más libremente y se le aliviará la presión en los senos.

Si no va a dar el pecho, pruebe a ponerse una compresa fría y tomarse un analgésico como el paracetamol o el ibuprofen. No estimule los pechos ni intente extraer la leche para aliviar la presión, ya que esto solo hará que su cuerpo produzca más leche. La congestión dura aproximadamente entre dos y cinco días; la falta de estimulación proporcionada por la succión del bebé hará que la producción de leche disminuya gradualmente y, al final se detenga.

No hay necesidad de cuidados especiales para los pechos que están completamente sanos. Lo único necesario es lavárselos con un jabón suave y luego aclararlos bien. Si los pechos se inflaman, le molestan mucho o si tiene grietas en los pezones, véanse las instrucciones de la página 358.

PÉRDIDA DE PESO

Por término medio, al dar a luz se pierden unos 5 kg, lo cual suena fantástico, hasta que usted comprueba su imagen en el espejo y ve unos pechos enormes, una barriga dilatada y una piel con bolsas. No obstante, ese es exactamente el aspecto que debe tener un cuerpo después del parto. Los pechos se están preparando para alimentar al bebé, la barriga está hinchada debido a la retención de líquidos y a que el útero todavía no se ha contraído hasta su forma original, las bolsas son causadas por una piel estirada en exceso y la pérdida de tono muscular. Con el tiempo, su cuerpo recuperará la forma física que tenía antes del embarazo. Puede que la cintura sea un poco más ancha, pero una dieta sana y nutritiva y unos ejercicios adecuados harán maravillas. Sin embargo, ahora no es, en modo alguno, el momento de ponerse a dieta (véase p. 333).

CAMBIOS EN LA PIEL Y CAÍDA DE CABELLO

La alteración de los niveles hormonales después del parto puede afectar a su piel, llenándola de manchas, haciendo que se reseque y que se vuelva sensible. Las pig-

La recuperación de una cesárea

Una cesárea es una operación de cirugía mayor, por tanto es inevitable que sienta algún dolor después del parto; notará las molestias de la incisión, así como las contracciones del posparto. Los cuidados después de una cesárea difieren ligeramente de los dispensados después de un parto natural. Por ejemplo, le ofrecerán inyecciones, medias de sujeción y movilización temprana para evitar la formación de coágulos.

Cuando puedan trasladarla, la llevarán a la unidad de maternidad. Puede que la animen a levantarse ese mismo día, con ayuda. Moverse un poco la ayudará a sentirse mejor y a recuperarse antes.

Alivio para el dolor. Le ofrecerán medicación después de la operación y durante los días siguientes. Dependiendo del protocolo de alivio del dolor que haya en su hospital, quizá reciba analgésicos de forma continuada por un gotero intravenoso especial, denominado analgesia controlada por el paciente. No se preocupe por tomar la medicación que le prescriban. Los medicamentos posnatales de corta duración no afectarán de forma significativa al bebé y podrán ayudarla a moverse más y más temprano, acelerando así su recuperación. Por otro lado, una analgesia inadecuada —y un dolor constante— pueden interferir con la lactancia materna.

Si le pusieron la epidural o la peridural, a veces, podrán administrarle la analgesia a base de morfina a través del mismo catéter durante las primeras 24 horas. También pueden ponerle inyecciones de un narcótico. Después del primer día, quizá le den medicación oral o, en algunos hospitales, supositorios, durante 12 y 18 horas.

Comer y beber. Durante las primeras 24 horas llevará un gotero intravenoso a través del cual le administrarán líquidos. Puede que tome una dieta líquida el día de la operación y pase luego a los sólidos dependiendo de su estado y de la opinión de su médico.

Ir al baño. Puede que lleve un catéter para vaciar la vejiga. Al segundo o tercer día después de la operación puede tener dolores debido a los gases, ya que sus intestinos tardan unos días en empezar a funcionar normalmente. Esto puede aumentar sus molestias, pero pasear un poco por la habitación o por los pasillos ayudará a que su función se regularice más rápidamente.

Cuidado de la incisión. Usar una almohada o un cinturón abdominal puede aliviar las molestias debidas a la incisión. Cuando camine, manténgase lo más erguida posible y haga que la acompañe alguien por si se marea. Apoyar la barriga, sosteniéndola con las manos puede reconfortarla.

La incisión de la piel debe cicatrizar en una semana. Usted o su pareja deben mirarla cada día para asegurarse de que está cicatrizando bien. Si se le inflama o secreta cualquier secreción purulenta, consulte con el médico.

Una vez le quiten el vendaje, puede lavarse la zona con un jabón suave, aclararla bien y secársela dándose golpecitos con la toalla. Durante unos meses después de que haya cicatrizado la herida notará que tiene menos sensibilidad en la cicatriz o cerca de ella. La sensibilidad volverá en su mayor parte y la cicatriz se hará menos visible conforme aumente su fuerza abdominal. Tampoco es raro experimentar una sensación de hormigueo cuando los nervios de la piel empiezan a regenerarse. Se cree que la incisión uterina interna cicatriza en seis semanas.

Su médico le quitará los puntos o grapas antes de que vuelva a casa o en una visita a su consulta entre cuatro y siete días más tarde.

La vuelta a casa. Después de una cesárea, la mayoría de mujeres permanece en el hospital tres o cuatro días. Cuando esté en casa, no levante objetos pesados ni vuelva al trabajo hasta después de la visita de control, por lo general al cabo de cuatro o seis semanas. Tiene que organizarse para que la ayuden con sus otros hijos, con las tareas domésticas y con la cocina.

mentaciones, como la línea nigra y el cloasma (véase p. 66) deben irse borrando gradualmente, pero algunas quizá no desaparezcan nunca por completo. Para evitar que las zonas oscuras se oscurezcan más, no se exponga mucho al sol y protéjase la piel con una buena crema solar.

Las estrías desaparecerán con el tiempo. Una crema o gel Retin-A y el tratamiento por láser pueden reducirlas ligeramente, pero antes de embarcarse en cualquier tratamiento, si está dando el pecho asegúrese bien de que es seguro.

Sudor excesivo

Lo habitual es que sude mucho después del parto, cuando el cuerpo se libre de los líquidos extra acumulados durante el embarazo. Esto puede prolongarse hasta seis semanas. Transpirará más si da el pecho, ya que su sistema metabólico se acelera. Asegúrese de tomar mucho líquido para ayudar a que el proceso vaya más rápido. Vista fibras naturales, como algodón y lana; permitirán que su piel respire. Si le preocupa sudar tanto, tómese la temperatura. Si está por encima de los 37° C, hable con el médico, ya que podría tener una infección.

Caída del pelo

Algunas mujeres se alarman al ver que se les cae el pelo a puñados después del parto. Es algo perfectamente normal y no hay de qué preocuparse. Durante el embarazo, las hormonas detienen el ciclo normal de caída y crecimiento. Cuando los niveles hormonales caen en picado después del parto, la fase de punto muerto pasa a funcionar rápidamente, y el resultado es lo que parecería una pérdida enorme de pelo. No obstante, esta cantidad de pelo no es más que lo que habría perdido usted, normalmente, durante los nueve meses de embarazo.

Al cabo de seis meses su cabello debería haber vuelto a su ritmo normal de crecimiento y caída. Entretanto, tome alimentos sanos y cuídese mucho el cabello. Láveselo solamente cuando sea necesario, con un champú suave y un acondicionador nutritivo. Procure no emplear rulos calientes, secadores ni planchas para estirarlo, ya que pueden ser perjudiciales para su cabello. También sería mejor evitar los tratamientos a base de sustancias químicas, como las permanentes o los alisadores, hasta que el pelo vuelva a la normalidad.

Cuando coja a su bebé del suelo, sitúese cerca de él, póngase en cuclillas y contraiga el estómago y los músculos del suelo pélvico para alzarlo.

DOLOR DE ESPALDA

Es algo muy corriente después de un parto y puede durar meses. Durante el embarazo, la espalda ha tenido que soportar el peso, cada vez mayor, del bebé, así como compensar unos músculos abdominales más débiles. La presencia de relaxina ha hecho que los ligamentos y las articulaciones se hayan debilitado, volviéndola más propensa al dolor de espalda.

Además, el embarazo desplaza su centro de gravedad, lo cual hace que usted tienda a inclinarse hacia atrás y a empujar la barriga hacia delante. Dar a luz puede hacer aumentar los problemas de espalda, especialmente si el parto es largo y agotador. Si le pusieron la epidural, puede sentir dolor en la parte inferior de la espalda, donde le inyectaron el anestésico. Una vez ha nacido el bebé, doblarse para cogerlo o dejarlo o estar sentada durante muchas horas mientras lo amamanta puede empeorar las cosas.

Estirar la columna

Cuánto le durará el dolor de espalda dependerá de sus circunstancias individuales, pero iniciar un programa de ejercicios suaves para tonificar los músculos del abdomen (véase p. 336) y la espalda le ayudará a aliviar un montón de problemas. No obstante, hable con su médico o con un fisioterapeuta para saber cuándo puede empezar a hacer gimnasia. Quizá quieran comprobar que el dolor no se debe a una enfermedad subyacente más grave; por ejemplo un cóccix contusionado o incluso roto.

Para comprobar su postura cuando está de pie, imagine que un alambre le tira de la cabeza hacia el techo. Relaje los hombros para que el pecho no esté demasiado tenso. Meta el vientre hacia dentro, despacio, y estire la columna. Si permanece sentada mucho tiempo, asegúrese de que la parte inferior de la espalda está siempre apoyada. Haga girar el cuello hacia delante y hacia los lados para aliviar la tensión de los hombros.

LA VUELTA DEL PERÍODO

Si no está amamantando, el período volverá al cabo de cuatro o seis semanas. Si da el pecho, puede que recupere la menstruación alrededor de ese tiempo, que tenga unos períodos irregulares o que no vuelva a tenerlos hasta que deje de dar el pecho; cada mujer es diferente. Al igual que muchas mujeres, quizá observe que los calambres menstruales son menos fuertes que antes de quedarse embarazada. No está claro por qué sucede esto, pero no hay duda de que es un cambio para bien.

Durante los primeros ciclos, la cantidad de flujo menstrual puede pasar de ligero a bastante fuerte, pero pronto debería regularizarse. Puede resultarle útil anotar en un calendario la fecha del período y el tipo del mismo —abundante, ligero o con manchas— para enseñárselo al médico. También debe describir cualquier calambre o molestia que tenga.

Control de natalidad

Empezará a ovular antes de tener su primer período, así que tener relaciones sexuales sin protección puede traer como resultado otro embarazo. Para prevenirlo, tiene que usar algún tipo de anticonceptivo en cuanto empiece a tener relaciones sexuales de nuevo. Si no da el pecho, puede empezar a tomar píldoras anticonceptivas dos o tres semanas después del parto. Si lo da, piense que las píldoras a base de estrógeno pueden afectar a la producción de leche, en cuyo caso quizá pueda tomar una píldora con progesterona. Evite los anticonceptivos internos si le han dado puntos o hasta que el cérvix esté totalmente curado. Su médico podrá aconsejarla detalladamente sobre el control de natalidad.

CONTROLES POSNATALES

Después de dar a luz, es necesario que concierte una visita con el médico para asegurarse de que se está recuperando bien. Esto suele tener lugar unas seis semanas después del parto, pero quizá quiera ver antes al médico si tiene algún problema, si padece depresión o si le han hecho una cesárea y tienen que quitarle los puntos o las grapas.

Cómo será la visita

El propósito del control posnatal es averiguar cuál es su estado y examinar cualquier cambio físico. El médico comprobará el peso y la presión sanguínea y le hará un examen pélvico para ver si el útero se ha reducido hasta cerca de su tamaño de antes del embarazo. Si no se ha hecho un frotis del cérvix en los últimos tres años, le aconsejarán que se lo haga tres meses después del parto. Se comprobará cualquier incisión —cesárea o episiotomía— para ver si cicatriza bien. Le preguntarán por el funcionamiento de los intestinos y la vejiga, los cambios en los senos, cualquier dolor que haya podido sentir y cómo se alimenta el bebé.

Haga una lista de cosas para preguntar en la visita. También es el momento de hablar de cómo se siente emocionalmente, en especial si está demasiado cansada o triste, si ha experimentado un cambio significativo de apetito o si no se encuentra como esperaba.

Asimismo, puede consultar cuál es su sistema anticonceptivo adecuado. Esta visita es otra oportunidad para aclarar cualquier duda que tenga y volver a hablar de su bienestar físico y emocional. Saque el máximo partido de estar frente a su médico.

CÓMO DISFRUTAR DE LA MATERNIDAD

Ser madre es uno de los cometidos más importantes qué tendrá en la vida y la llenará de una manera que nunca habría siquiera imaginado antes de que naciera su hijo. Aunque el bebé ocupará una gran parte de su tiempo y energía, sin embargo debe encontrar tiempo para usted.

Un recién nacido es una responsabilidad que dura las 24 horas del día, lo cual puede ser un choque al principio. En las primeras semanas, muchas madres primerizas empiezan a pensar que están perdiendo su identidad y llegan a verse solo como una extensión de ese niño, diminuto pero muy exigente. No obstante, también es importante que encuentre tiempo para usted y para su pareja. Así pues, disfrute de toda la felicidad que acompaña a la maternidad, pero no permita que ser madre absorba por completo su vida; recuerde que sigue siendo una persona por derecho propio.

El recién nacido absorberá mucho de su tiempo, pero no se olvide de encontrar un espacio para usted. Las amigas la mantendrán en contacto con el mundo exterior.

Después del nacimiento quizá quiera pasar unos días a solas con su nueva familia, antes de que su madre, su padre u otros miembros de la misma vayan a visitarla. Usted y su pareja son quienes mejor pueden juzgar la dinámica de la familia, así que hablen de si quieren recibir visitas o no, quiénes quieren que les visiten, cuánto tiempo pueden quedarse y en qué pueden ayudar. Si, antes del parto dicen a su familia y amigos lo que piensan y dejan muy claro lo que quieren y necesitan, será más improbable que haya tensiones.

Tanto sus familiares como sus amigos mostrarán un gran entusiasmo por echarle una mano en cuanto llegue el bebé y puede que ese entusiasmo le resulte un poco abrumador. Déjeles que la ayuden a cuidar al bebé, pero no se sienta obligada a hacer de anfitriona; debe descansar todo lo posible. Puede acordar que su madre o una amiga vayan durante una hora o dos durante los primeros días para ayudarla con los trabajos domésticos, como lavar, limpiar y cocinar. También puede contratar a una *doula* posnatal (véase p. 184).

No intente que el bebé se adapte a la fuerza a sus horarios; le resultara menos frustrante adaptarse usted a los de él, al menos durante las primeras semanas. Procure dormir cuando él duerme para no acabar tan agotada.

APRENDA A RELAJARSE

Al tratar de averiguar qué la ayuda a relajarse, no olvide lo que le funcionó durante el embarazo: masaje, meditación o respiración, por ejemplo (véase p. 124). Puede modificar esas técnicas para que le vayan bien ahora; elija un *mantra* diferente que encaje en la manera en que se siente, por ejemplo «silencio» o «energía».

Hacer ejercicio de forma regular la ayudará a relajarse con más facilidad. Pero no haga nada demasiado enérgico antes de irse a la cama; puede resultarle difícil dormirse. Todavía tendrá que contar con sus reservas de fuerza para el bebé, así que no escoja un tipo de ejercicio que absorba demasiada energía. Utilice ese tiempo para apartar su mente de las tareas diarias y concentrarse en usted y en cómo se siente.

LA SALUD ES LO PRIMERO

La depresión posparto. **Si sufre depresión es importante por el bien de su hijo que busque ayuda. Se han realizado muchos estudios sobre los efectos de la depresión posparto en los bebés. A corto plazo se vuelven retraídos y dejan de esperar o exigir atención de la madre. Otros se esfuerzan cada vez más para llamar su atención, llorando incesantemente y mostrando su cólera por verse desatendidos. Entre los efectos más graves a largo plazo está una relación difícil e insegura entre la madre y el niño y que posteriormente este tenga problemas de conducta. También se cree que hay relación entre la depresión posparto y un bajo coeficiente intelectual, que parece afectar más a los niños que a las niñas.**

Fortalecer relaciones

Otra manera de relajarse es cultivar sus relaciones. Su tiempo y energía serán limitados, así que quizá no sea este el mejor momento para hacer nuevas amistades, pero puede recuperar el contacto con viejos amigos. No trate de hacer demasiadas cosas; concéntrese en la amistad, no en las actividades. Esto puede significar llamar con más frecuencia, escribir cartas o invitar a viejos amigos a tomar un tentempié y charlar. Disfrutar de unas relaciones afectuosas la ayudará a superar los momentos de estrés.

Quizá no quiera dejar al bebé mucho tiempo con una canguro, pero a medida que pasen los días y las tomas sean menos frecuentes, puede ser bueno para usted y su pareja salir algún rato. Busque medios de divertirse entre toma y toma; por ejemplo, vayan a un café o a dar un tranquilo paseo por el parque; siempre pueden mantenerse en contacto con la canguro por el móvil, así que no se preocupe.

LA DEPRESIÓN DESPUÉS DEL PARTO

El desánimo posnatal y la depresión posparto no son lo mismo: el primero es algo corriente y de corta duración; el otro puede debilitar emocionalmente y tener efectos duraderos tanto en la madre como también en el niño. Es vital distinguir entre las dos afecciones.

Hasta un 85 % de mujeres padece de desánimo posnatal y muchos lo consideran algo normal. Los síntomas pueden incluir cambios de humor, irritabilidad, ansiedad, confusión, crisis de llanto y trastornos del apetito que aparecen uno o dos días después del parto y duran entre 10 y 14 días. Aunque no se sabe cuáles son sus causas, se cree que son los rápidos cambios hormonales y la falta de sueño, razón de más para que haga una siesta siempre que pueda y procure poner en práctica algunas técnicas de relajación. Cuando el bebé sea un poco mayor y establezca una rutina para alimentarse, dormirá seguido más tiempo.

Cómo reconocer la depresión posparto

Entre el 10 % y el 20 % de mujeres que dan a luz, el desánimo posnatal se convierte en depresión. En más de la mitad de los casos esta empieza en las primeras semanas y alcanza su punto máximo 10 semanas después del parto. Entre los síntomas comunes están la pérdida de interés por las actividades habituales, dificultad en concentrarse o tomar decisiones, fatiga, sentimientos de falta de valía, ideas recurrentes de muerte o suicidio, pérdida o aumento de peso significativos, alteraciones en el apetito o el sueño y una excesiva ansiedad sobre la salud del pequeño.

El personal sanitario y los médicos suelen identificar la depresión posparto cuando la madre les consulta respecto al bebé en lugar de respecto a sí misma. No vacile en hablar con su médico de cabecera si cree que está deprimida, porque no solo corre usted el riesgo de una depresión crónia más adelante, sino que su estado puede tener efectos a largo plazo en el desarrollo y conducta de su hijo. Existe ayuda especializada disponible en unidades maternoinfantiles asociadas a consultas psicológicas y es posible que, si se solicita, acuda un consejero a su casa.

¿Qué causa la depresión posparto?

Existen diversas teorías sobre las causas de la depresión posparto. Una de las más comunes es la alteración en los niveles hormonales que se produce después del embarazo. Hasta el momento, nadie ha identificado su base biológica, pero las mujeres pueden experimentar cambios en la tiroides durante el embarazo los cuales, si se tratan, ayudarán en las depresiones. Su médico le puede proponer una prueba de la tiroides si sospecha

COMPRUEBE SI TIENE DEPRESIÓN POSPARTO

Quizá no esté segura de si está deprimida o no. Responda a las siguientes preguntas del test de depresión posparto de Edimburgo, un cuestionario especialmente ideado para detectar esa dolencia. Lo ideal es responder a este cuestionario seis u ocho semanas después del nacimiento de su hijo. Durante la semana pasada:

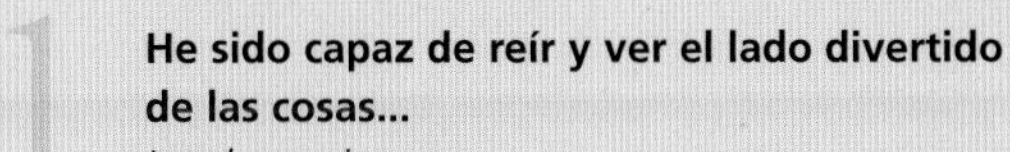

1 **He sido capaz de reír y ver el lado divertido de las cosas...**
Igual que siempre.
Un poco menos que antes.
Mucho menos que antes.
No, en absoluto

2 **He esperado con ilusión las cosas...**
Igual que siempre.
Bastante menos que antes.
Mucho menos que antes.
Apenas nunca.

3 **Me he culpado innecesariamente cuando las cosas iban mal.**
No, nunca.
No con mucha frecuencia.
Sí, algunas veces.
Sí, casi todo el tiempo.

4 **Me he sentido asustada o preocupada sin ninguna razón.**
No, en absoluto.
No, no mucho.
Sí, a veces.
Sí, con mucha frecuencia.

5 **Me he sentido asustada o presa del pánico sin ninguna razón.**
No, en absoluto.
No, no mucho.
Sí, a veces.
Sí, mucho.

6 **Me he sentido agobiada.**
No, me las he arreglado igual de bien que siempre.
No, la mayoría de veces me las he arreglado bastante bien.
A veces no me las he arreglado tan bien como siempre.
Sí, la mayoría de veces no me las he arreglado en absoluto.

7 **Me he sentido tan desdichada que me ha costado dormir.**
No, en absoluto.
No con mucha frecuencia.
Sí, con bastante frecuencia.
Sí, casi todo el tiempo.

8 **Me he sentido triste o abatida.**
No, en absoluto.
No con mucha frecuencia.
Sí, con bastante frecuencia.
Sí, casi todo el tiempo.

9 **Me he sentido tan infeliz que me he echado a llorar.**
No, nunca.
Solo ocasionalmente.
Sí, bastante a menudo.
Sí, casi todo el tiempo.

10 **Me ha pasado por la cabeza la idea de hacerme daño.**
Nunca.
Casi nunca.
A veces.
Sí, con bastante frecuencia.

Las cuatro respuestas posibles tienen una puntuación de 0, 1, 2, 3, según la gravedad creciente del síntoma. Si elije la primera respuesta, anótese 0 puntos, y si es la última, 3 puntos. Sume su puntuación de las 10 preguntas. Si suma 12 o más, hay una clara posibilidad de que sufra una depresión y tiene que consultar con el médico lo antes posible.

que existe una depresión. Se está más expuesta a sufrir una depresión posparto si se padece trastorno bipolar o si se tiene un historial familiar de depresiones, si se ha tenido una después de un parto anterior o si se sufre estrés por causas externas, como problemas económicos o falta de apoyo familiar. Esta es una información que debe dar a su médico; identificar los síntomas permite adelantar el tratamiento, cosa que le ayudará a acortar el curso de esta enfermedad.

¿Cuáles son los tratamientos disponibles?

Quizá le resulte difícil hablar de sus sentimientos con su médico o incluso con un miembro de su familia, sobre todo porque existe la creencia generalizada de que las mujeres que acaban de ser madres tienen que ser felices. Pero no se sienta avergonzada. La depresión posparto es una enfermedad y por lo tanto debe comunicárselo a su médico; él puede aconsejarle la visita a un especialista y la medicación adecuada. Hay varias cosas que puede hacer por sí misma, como algunos ejercicios suaves (véase p. 334) y los consejos que damos más abajo. No se olvide de informar a su médico, en el caso de de que esté amamantado a su hijo, para asegurar que le recete los medicamentos adecuados. En algunos casos basta con el consejo profesional o la medicación, pero lo más habitual es que se recomiende una combinación de ambos.

9 maneras que le ayudarán a superar la depresión posparto

1. Procure no sentirse culpable o incapaz. No existe la madre perfecta o el niño perfecto. Como todas las madres, tendrá que aprender sobre la marcha; incluso después de aprender, no espere la perfección.
2. Coma de forma sana y evite el azúcar, el chocolate y el alcohol, porque todos pueden provocar efectos depresivos.
3. Resérvese un tiempo para las cosas que la hacen reír, como ver sus comedias favoritas. La risa hace milagros en la depresión.
4. Pruebe la meditación o cualquier otra técnica de relajación (véase p. 124)
5. Preste atención a su aspecto físico: si está satisfecha con él, se sentirá mucho mejor.
6. Salga. Lleve a su bebé a dar un paseo, o deje que su pareja cuide del bebé mientras usted sale con una amiga.
7. Únase a algún grupo de apoyo de madres primerizas o asista a alguna clase de ejercicios posnatales. Compartir experiencias puede ayudarle a levantar los ánimos.
8. No se fuerce a hacer cosas que de verdad no quiere hacer o que la alteran. Trátese con un poco más de afecto y haga cosas que no le causen ansiedad.
9. No deje de lado a su pareja. La comunicación es muy importante para ambos durante el período inmediatamente posterior al parto. Si él comprende cómo se siente usted, estará en condiciones de darle su apoyo.

UNA DIETA POSNATAL SANA

Usted necesitará continuar comiendo bien y de forma sana después del embarazo. Es vital que recupere su equilibrio nutricional y que refuerce su salud y bienestar general; esto es especialmente importante si amamanta al bebé.

A menos que haya estado comiendo excepcionalmente bien durante el embarazo, las exigencias de la gestación y el nacimiento la habrán dejado baja en nutrientes. Quizás haya tenido que soportar un parto muy largo o puede que haya perdido mucha sangre. Una dieta equilibrada es vital para mantener su salud y darle la energía que necesita para cuidar de su hijo.

Sin embargo, las exigencias de su bebé pueden significar que usted no tenga tiempo para cocinar o comer de la misma manera que hizo durante el embarazo. Si este es el caso, tenga siempre a mano algún bocado sano al que pueda recurrir cuando se presente la ocasión (véase recuadro de la página 332). Si tiene la oportunidad de cocinar, prepare comida suficiente para varias noches y congélela, de forma que solo tenga que descongelarla cuando la necesita. Quizá valga la pena añadir un buen suplemento multivitamínico y de minerales.

LA NUTRICIÓN DE LAS MADRES QUE AMAMANTAN

Si amamanta a su bebé, ya se habrá dado cuenta de lo muy exigente que es esta actividad. Su dieta, a través de la leche, tiene que proveer la energía suficiente para cubrir las necesidades de crecimiento del bebé. Además, esa dieta tendrá que contener las vitaminas y minerales necesarios para asegurar su bienestar y el de su bebé.

Sus necesidades energéticas

Durante el embarazo, la mayoría de las mujeres acumulan entre 2 y 4 kilos de grasa, que es un soporte a las mayores necesidades energéticas de amamantar. Incluso si tomamos eso en cuenta, también será necesario un aumento en su aportación energética durante la lactancia. El apetito durante las primeras semanas después del parto será su mejor guía sobre cuánto debería comer, pero es probable que ronde las 500 calorías, que debe añadir a la cantidad básica de 1.950 a 2.100 calorías al día recomendada para una mujer no embarazada.

Vitaminas básicas en la lactancia

La concentración de vitaminas en la leche materna está influida en gran medida por lo que usted consume. Las vitaminas a las que debe prestar una atención especial son las siguientes

- *Vitamina A.* Como ocurre con la mayoría de los nutrientes, la demanda de vitamina A aumenta durante la lactancia para cubrir la cantidad que usted suministra a su bebé. La mayoría de las personas ya ingiere una cantidad relativamente elevada de vitamina A, así que no es necesario que tome un suplemento, pero procure mantenerlo en el nivel más alto de su dieta. Algunas buenas fuentes de vitamina A son: el pescado, los aceites, los productos lácteos, la yema de huevo, las frutas y las verduras.

¿SABÍA QUE...?

Los carbohidratos no engordan. Alimentos como las patatas y la pasta no contienen cantidades elevadas de calorías: la adición de grasas como la mantequilla, el aceite y la crema es lo que puede aumentar radicalmente la cantidad de calorías. Si usted intenta perder peso —al tiempo que mantiene la energía— los carbohidratos complejos no refinados serán su mejor fuente de energía. Por ejemplo, 170 gramos de patatas le proveerán de mucha y muy diferente cantidad de energía, según la forma de prepararlas: las patatas hervidas contienen 130 calorías; las patatas asadas 268 calorías y las fritas suben a 430 calorías. Opte por las opciones más sanas y con menos calorías, y perderá peso más rápidamente.

- *Las vitaminas B.* Las vitaminas de esta familia son solubles en el agua, lo cual significa que su organismo no hace acopio de ellas, así que tiene que procurar comer, cada día, alimentos que las contengan. Entre otras fuentes, puede encontrarlas en el pan y los cereales integrales, las carnes magras, los cereales del desayuno enriquecidos, el pescado y los huevos.
- *Vitamina C.* Al igual que las vitaminas B, también es soluble en el agua, así que tiene que comer alimentos ricos en vitamina C regularmente. Entre ellos están la fruta y los zumos cítricos, el kiwi, fresas, frambuesas, moras, etc., hortalizas verdes y patatas y pimientos rojos y verdes.
- *Vitamina D.* Como la fuente principal de esta vitamina es la luz del sol en la piel, no es de extrañar que los bebés criados al pecho muestren variaciones estacionales en los niveles de vitamina D en la sangre. Para los bebés nacidos en otoño, la concentración puede descender hasta niveles muy bajos porque la leche en invierno contiene poca vitamina D. Por esta razón, el Ministerio de Sanidad recomienda que las madres lactantes tomen un suplemento de hasta 10 mcg al día.

Principales minerales para la lactancia

Si su ingesta de minerales, en especial el hierro y el calcio, es baja, las reservas naturales de su organismo servirán para mantener sus niveles de leche materna. Por supuesto, esto hace que bajen más aún de lo que están después del embarazo, así que es sensato procurar que su ingesta de esos minerales sea adecuada para que usted y su bebé estén sanos.

Una dieta bien equilibrada puede satisfacer esas necesidades. El hierro se encuentra en la carne roja magra, el pescado, los cereales integrales, las espinacas, los cereales del desayuno enriquecidos y las legumbres. Entre los alimentos ricos en calcio están los lácteos, el tofu y las hortalizas de hoja verde. No obstante, si no tolera la lactosa piense en tomar suplementos de calcio para evitar la descalificación de los huesos.

Mantenga su ingesta de líquidos

Asegúrese de que toma muchos líquidos, entre seis y diez vasos de 250 ml al día. Beber es especialmente importante mientras dé el pecho, ya que proporciona al bebé entre 0,5 y 0,6 litros al día. Tenga siempre un vaso de agua al lado mientras lo amamanta y tome frecuentes sorbos. No obstante, no se fuerce a beber demasiada agua; en realidad, beber más de doce vasos al día frenará su producción de sangre.

El alcohol que beba pasará a la leche; le alterará el sabor y puede sentarle mal al bebé. El consumo excesivo de alcohol puede causar somnolencia, irritabilidad y un crecimiento más lento del bebé. Por esas razones, es mejor evitar el alcohol mientras esté dando el pecho. Si bebé algo, limítelo a un vaso de vino al día, después de la toma.

Cuando toma una taza de café o cola, el nivel de cafeína en la leche alcanza su punto máximo una hora más tarde. Al bebé le cuesta bastante más eliminar la cafeína que a usted, por tanto se puede acumular en su sistema. Se han observado pautas de alteración del sueño e irritabilidad en recién nacidos cuyas madres consumen incluso niveles moderados de cafeína; trate de no tomar más de una taza de café o té al día y siempre por lo menos dos horas antes de dar el pecho.

6 tentempiés muy nutritivos

1. Los frutos secos, listos para comer, como los higos, los albaricoques y las pasas son una fuente de hierro y de energía.
2. Los plátanos son ricos en potasio, que controla el equilibrio del agua en el cuerpo.
3. El queso y la leche —bajos en grasas, si lo prefiere—, la ayudarán a recuperar sus niveles de calcio hasta el punto óptimo.
4. Los cereales enriquecidos para el desayuno son una buena fuente de muchas vitaminas B y, a veces, de hierro.
5. El girasol contiene zinc, un nutriente que la ayudará a cicatrizar.
6. Tiras de pimiento, ramilletes de brécol y tomates *cherry* elevarán sus niveles de vitamina C para ayudar a su cuerpo a luchar contra las infecciones.

REDUCIR CALORÍAS

Sin duda, tiene muchas ganas de recuperar su figura de antes y librarse de los kilos extra, pero no se apresure. Lanzarse de cabeza a una dieta estricta no solo no es sano, en especial si está dando de mamar al bebé, sino que es contraproducente. Si no toma suficientes calorías, corre el riesgo de no cubrir sus necesidades de vitaminas y minerales.

Si está dando el pecho, una reducción drástica de calorías pondrá en peligro su capacidad para producir leche. Una vez bien establecida la lactancia, puede empezar a perder peso de forma moderada, ya que no es probable que esto obstaculice la producción de leche. Pero tómeselo con calma y sensatez. No ingiera menos de 1.800 calorías al día y no lo haga antes de las seis u ocho semanas del nacimiento.

Aunque no esté dando de mamar, necesitará igualmente satisfacer sus necesidades de energía, pero puede empezar a reducir las calorías que toma hasta las 1.950 o 2.100 calorías diarias anteriores al embarazo. No obstante, hágalo gradualmente, a lo largo de varias semanas y no sea demasiado estricta consigo misma hasta que se haya recuperado por completo del parto.

Incluso si no da el pecho, vale la pena pensar en equilibrar las vitaminas y minerales que toma para mantenerse en forma y sana para su hijo. El embarazo habrá mermado sus reservas de nutrientes, así que tendrá que seguir una dieta equilibrada y rica en alimentos frescos para restablecer su estado nutricional anterior al embarazo.Procure vigilar las grasas, aceites y azúcares, y consuma mucha fruta fresca y hortalizas. Los hidratos de carbono no refinados como el arroz, el pan, los cereales y la pasta integrales, le darán energía y muchos nutrientes esenciales para ayudarla a cuidar de su hijo.

Plan de menús para la madre durante la lactancia

Incluimos algunas ideas para mantener las vitaminas y minerales esenciales para la lactancia de forma sana y deliciosa:

Desayuno

- Cereales del desayuno enriquecidos, con albaricoques y leche baja en grasas.
- Huevo hervido con tostada de pan integral y margarina baja en grasas.
- Vaso de zumo de naranja y un cuenco con fresas y plátanos.
- Gofres con azúcar quemado y trozos de fresa.

Almuerzo

- Patata al horno con atún y una ensalada verde.
- Sándwich de atún y espinacas tiernas con mahonesa baja en calorías.
- *Crêpes* rellenos de aguacate, pimiento rojo y queso feta.
- Torta de maíz con queso brie y lechuga romana.

Cena

- Filete de cordero a la plancha con zanahorias y judías verdes aliñadas con aceite de oliva.
- Tofu al vapor con espaguetis, tirabeques y pimientos amarillos.
- Pescado blanco en salsa de queso con patatas nuevas y brécol.
- Paella de pollo y marisco.

Postres

- Kiwi con yogur.
- Yogur o sorbete helado de arándanos.
- Nidos de merengue rellenos de albaricoques y nata baja en grasa.
- Pudin de *panettone* con mantequilla.

CÓMO RECUPERAR LA FORMA

La clave para recuperar su forma física de antes del embarazo es combinar una alimentación sana con un programa de ejercicios para reforzar y tonificar los músculos. Pero tómeselo con calma; su cuerpo ha pasado por una enorme perturbación y necesita tiempo para recuperarse.

Durante el embarazo es sano y necesario aumentar algo de peso para que el feto se desarrolle bien. Su cuerpo habrá creado depósitos de grasa como reacción a los mensajes primitivos de supervivencia que exigen que se prepare, por si hay hambruna, para responder a las exigencias de la lactancia. Por fortuna, las hambrunas son raras en los países desarrollados y, después del nacimiento de su hijo, le preocupará más eliminar esa grasa almacenada de una forma sana y segura. Es importante seguir una dieta equilibrada (véase p. 331) y no imponerse un plan drástico de reducción de peso. No obstante, el aumento de peso excesivo o la prolongada retención de ese peso extra después del parto puede ser perjudicial para su salud.

Compruebe si tiene diástesis de rectos presionando tres dedos por debajo del ombligo y levantando la cabeza. Si sospecha que lo tiene, consulte con su médico.

EMPIECE CON MODERACIÓN

Si da el pecho, su organismo continúa adaptándose a su nuevo cometido. Como madre, ese organismo sufre ya muchas demandas, así que no haga demasiado ejercicio y cuide de no deshidratarse.

Si todavía tiene loquios, no empiece a hacer ejercicio hasta que la hemorragia cese y su médico le dé el visto bueno, después de su primera visita posnatal. Hasta entonces, si se siente con ánimos y no hubo complicaciones en el parto, puede empezar a ir de paseo con el bebé.

Cuando se sienta preparada, puede empezar a hacer algunos ejercicios sencillos para zonas concretas de su cuerpo que se han debilitado especialmente durante los últimos nueve meses y necesitan el máximo trabajo para volver a la forma en que estaban antes. Pero no olvide escuchar a su cuerpo; cuando se note cansada, descanse.

Asegúrse de que está bien para hacer ejercicio

Antes de iniciar cualquier programa de ejercicios, tiene que asegurarse de que los dos músculos verticales del abdomen no se han separado durante el embarazo. Este problema común, denominado *diastasis recti*, se produce cuando los músculos de la pared abdominal se separan por la mitad durante el embarazo para que el útero tenga más espacio para ensancharse. Después de nacer el bebé, los músculos siguen muy distendidos.

Para comprobar si están separados, túmbese de espaldas con las rodillas dobladas. Ponga tres dedos horizontalmente sobre la barriga, por debajo del ombligo. Tenga un cuidado especial si le han practicado una cesárea. Si puede mover los dedos lateralmente hasta más de dos dedos de ancho, es evidente que tiene una separación. Compruébelo cada tres o cuatro días hasta que esa separación desaparezca. Si no lo ha hecho a las doce semanas del parto, acuda al médico para que la envíe a un especialista.

Entretanto, ejercite la «técnica del abrazo» para reforzar los músculos abdominales. Échese de espaldas

Ejercicios para después de una cesárea

Mientras esté todavía en cama, procure flexionar los pies o moverlos en círculo para mantener los músculos de las piernas tonificados e impedir los coágulos de sangre. Inmediatamente después de la operación puede empezar con las contracciones abdominales isométricas. Practique contrayendo el abdomen y combínelo con los ejercicios de Kegel para conseguir el máximo efecto; no se olvide de sostener la incisión con las manos o con una almohada. No haga abdominales completos ni levante las piernas, ya que podría abrirse la herida. Puede empezar a hacer ejercicios más avanzados unas cuatro semanas después, si su médico lo aprueba.

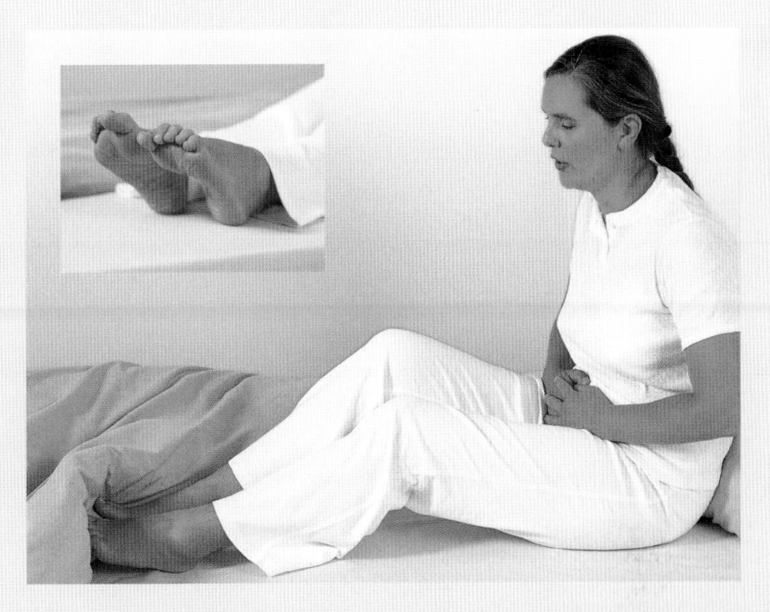

con las rodillas dobladas y, cruzando los brazos en la cintura, levante la cabeza y los hombros del suelo.

Otra técnica consiste en contraer los músculos abdominales mientras realiza sus actividades diarias, por ejemplo al tender la ropa.

Flexiones abdominales ligeras

Es importante hacer ejercicio para recuperar el tono de los músculos abdominales: fortalecerá su espalda y reducirá el riesgo de sufrir dolores lumbares. Un poco de tonificación le ahorrará muchos problemas en el futuro.

Puede empezar a hacer este suave ejercicio el día después del parto. Échese de espaldas y, despacio, levante y luego baje la cabeza, mirando al techo y manteniendo los hombros pegados al suelo. No lo haga en la cama, tiene que estar sobre una superficie firme. También puede probar con el ejercicio isométrico: contraiga los músculos abdominales y luego aflójelos. Este ejercicio es recomendable porque no fuerza los músculos.

Ejercicios de Kegel

Seguramente los músculos de la pelvis estarán bastante doloridos después del parto, pero en cuanto se sienta con ánimos, puede empezar con algunos ejercicios suaves. Cuanto antes empiece, antes se reforzarán sus músculos vaginales. Tense los músculos de la zona pélvica diez veces seguidas. Este ejercicio le resultará más fácil a medida que practique. Si siente dolores perineales, contraer estos músculos y mantener la tensión mientras se sienta hará que le resulte más cómodo sentarse. Los músculos perineales estarán metidos hacia arriba y hacia dentro y la presión de la silla o la cama pasará a las nalgas. La mayor parte de la hinchazón bajará al cabo de unos días y el dolor cesará en una semana.

Los ejercicios de Kegel deberían formar parte de su programa regular de gimnasia durante el resto de su vida; la ayudarán a reducir el riesgo de sufrir de incontinencia de orina ahora y en el futuro y también a mantener su tono vaginal después de la menopausia.

CÓMO RECUPERAR LA COSTUMBRE DEL EJERCICIO

Después de un parto normal, sin complicaciones, se suele poder empezar un programa de ejercicios aeróbicos entre 6 y 10 semanas después. Si le hicieron una cesárea puede necesitar, por lo menos 10 semanas para

Gimnasia con su bebé

Estos ejercicios la ayudarán a tonificar los músculos y poner su cuerpo en el buen camino para la recuperación. No obstante, no haga nada que crea que le pueda causar dolor.

Recuerde hacer un calentamiento de cinco minutos con ejercicios aeróbicos suaves, como caminar, antes de empezar a trabajar los músculos. Asegúrese de que respira durante toda la actividad; no aguante la respiración; beba sorbos de agua antes, durante y después del ejercicio.

Brazos. Ponga el bebé en el suelo. Arrodíllese delante de él y póngale una mano a cada lado **(1)**. Con los abdominales contraídos, doble los codos y baje lentamente la cara hacia él **(2)**. Enderécese, sin llegar a poner los codos totalmente rectos. Intente hacer una serie de 10 movimientos y luego descanse unos minutos. Repita la serie dos veces más.

Trasero. De pie, mirando la pared, apoye las manos contra esta **(1)**. Apriete las nalgas y luego, manteniendo la espalda recta y los abdominales tensos, levante la pierna derecha por detrás de usted lentamente **(2)**. Mantenga esa postura unos instantes, y luego vuelva a la postura inicial. Repita el ejercicio hasta que las nalgas empiecen a cansarse. Cambie de pierna.

Muslos. Échese en el suelo sobre un costado, junto a su bebé. Puede hacer ejercicios de estiramiento de pierna mientras el bebé duerme o la mira. Tumbada sobre el lado izquierdo, con la pierna izquierda doblada para sostenerla, levante la pierna derecha un poco, lentamente, 10 veces. Haga lo mismo con la pierna superior doblada y luego cambie de lado.

Abdominales. Es un ejercicio fabuloso para mejorar la fuerza de los músculos abdominales y el bebé disfrutará del contacto con usted. Túmbese de espaldas y con las piernas dobladas para sostenerle la cabeza, póngase al bebé con cuidado encima del abdomen. Cójase los muslos a cada lado del bebé y levante la cabeza y los hombros lentamente del suelo. Procure mantener el cuello recto y no meta la barbilla en el pecho. Repita el ejercicio 10 veces, descanse y haga dos series más de diez.

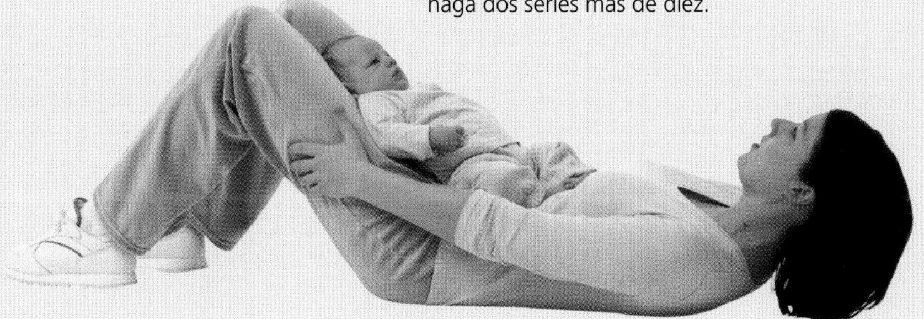

CÓMO USAR EL BEBÉ COMO «PESA»

Este ejercicio tonifica los músculos de los muslos, de la cintura y de los brazos. Su bebé disfrutará de los balanceos, pero tiene que poder sostener la cabeza. Sujételo por debajo de los brazos. Separe bien los pies y colóquelos mirando hacia fuera. Flexione las rodillas lentamente, echándolas hacia fuera en línea recta con los dedos del pie **(1)**. Cuando tenga las rodillas bien flexionadas, meta los músculos del estómago hacia dentro y utilícelos para girar y balancear a su bebé a un lado y a otro. Asegúrese de mantener las rodillas en línea con los dedos del pie. Estire las piernas y vuelva a repetir la operación **(2)**. Repita el ejercicio entre ocho y diez veces.

que cicatrice y no le duela la herida. Cuando el médico crea que está lista, puede empezar su programa de ejercicios.

Recuerde que debe empezar lentamente. Póngase un buen sujetador —no uno deportivo, ya que aprietan los pechos y pueden ser perjudiciales para la lactancia— o póngase dos sujetadores para que sus pechos pesados y, posiblemente, sensibles tengan una buena sujeción durante la actividad. Si está dando el pecho, quizá prefiera hacer ejercicio después de alimentar al bebé o de extraer la leche para que sus pechos no estén tan llenos. Procure no hacer nada agotador hasta que haya terminado la lactancia por completo, ya que se puede acumular ácido láctico —producido por el ejercicio— en la leche.

Calentamiento y enfriamiento

No olvide que toda actividad aeróbica debe incluir sus buenos 5 o 10 minutos de calentamiento y enfriamiento, así que debe adaptar el tiempo total en consecuencia. Puede realizar los ejercicios de estiramiento y relajación como calentamiento y enfriamiento para las actividades de preparación muscular o para los ejercicios aeróbicos.

Cómo aumentar la fuerza y la resistencia

La ventaja de los ejercicios de preparación muscular es que se pueden hacer en la intimidad de su propia casa. En las páginas siguientes recogemos ejercicios específicos para zonas concretas.

Si tiene una canguro y puede ir a un gimnasio, quizá prefiera hacer allí el programa de ejercicios. Incluso puede encontrar un gimnasio que ofrezca servicio de guardería mientras usted hace gimnasia y tenga algunos programas de ejercicios especiales para después del parto.

Si prefiere hacer un programa de levantamiento de pesos, sea con pesas o con máquinas, es importante trabajar con seguridad y con una técnica apropiada. Hable con un instructor cualificado para saber qué ejercicios puede hacer sin peligro. Use pesas de pocos kilos; debe poder levantarlas en dos series de 12 a 15 repeticiones cómodamente.

Cómo mejorar el estado del corazón y los pulmones

Igual que durante el embarazo, debe aplicar el principio FITT (véase p. 121) cuando prepare su programa de ejercicios aeróbicos. Dependiendo de cómo se sienta y de cuánto tiempo disponga, empiece haciendo ejercicio tres veces por semana. Luego puede ir aumentando lentamente hasta un máximo de cinco veces a la semana. Si ve que se cansa demasiado, redúzcalo a tres veces. Debe hacer ejercicio día sí y día no, para permitir que su cuerpo se recupere después del esfuerzo, especialmente si le está dando de mamar al bebé. Recuerde tomar sorbos de agua antes, durante y después de la actividad; si no repone líquidos, puede deshidratarse y ser incapaz de producir suficiente leche.

Empiece su primera sesión cardiovascular con 15 minutos de actividad a su ritmo cardíaco ideal (véase p. 121). Luego puede aumentar a razón de 5 minutos por semana. La mayoría fija entre 40 minutos y una hora como tiempo máximo para esos ejercicios. No obstante, si se cansa o solo tiene tiempo para 20 minutos de actividad a su ritmo cardíaco ideal, trabaje hasta alcanzar ese nivel y luego manténgalo.

Cuando elija usus ejercicios aeróbicos, puede recuperar su actividad favorita o empezar una nueva. Quizá prefiera empezar con una actividad que le ofrezca soporte para el cuerpo, como la bicicleta, la natación o las clases de *acuafit*. No obstante, no entre en el agua hasta que los loquios (véase p. 321) hayan cesado o la incisión de la cesárea haya cicatrizado. Sea cual fuere la actividad aeróbica que elija, no trate de esforzarse más de la cuenta antes de tiempo; déjese guiar por su cuerpo.

LA SEGURIDAD ES LO PRIMERO

***Señales de que debe parar*. Como sucede con cualquier ejercicio, quizá sufra ciertas molestias hasta que recupere la forma física. No obstante, nunca debe sentir dolor. Si lo hace o si se siente mareada o desfallecida, debe detenerse. Si el dolor o el mareo persiste, llame al médico.**

CÓMO DISFRUTAR DE LA PATERNIDAD

Ser padres nos afecta de maneras que no podemos imaginar y la curva de aprendizaje de las primeras semanas, mientras nos adaptamos a la realidad de tener un recién nacido en casa, es especialmente pronunciada. Todo el mundo tiene que aprender a ser padre o madre, pero si conserva la calma y permanece tan tranquilo y sereno como sea posible, pronto descubrirá que asume el papel con facilidad.

LOS PRIMEROS DÍAS COMO PADRES

Adaptarse a un nuevo miembro de la familia quizá no siempre funcione según lo tenían planeado; es necesario ir acostumbrándose a la vida con el recién nacido y no hay fórmulas universales para alcanzar el éxito.

Además de las secuelas físicas del parto, no podrá evitar sentir toda una serie de emociones, algunas de las cuales quizá no sean del todo las esperadas. Algunos padres, animados por unas emociones gozosas y por un bebé «fácil», se lanzan a la paternidad con gran entusiasmo y tranquilidad, mientras que otros son más cautos una vez que descubren la realidad de ser padres. Cada caso es diferente.

¿QUÉ PUEDEN DEPARARNOS LOS PRIMEROS DÍAS?

Además de soportar las molestias físicas, como los puntos de la episiotomía o la incisión de la cesárea (véase p. 324), su rutina habitual se verá afectada inmediatamente por lo siguiente:

- *Sentimiento de responsabilidad.* De repente se da cuenta de que ahora tiene a su cargo una criatura indefensa que depende totalmente de usted para que la alimente, la cambie, la bañe, la cuide, diagnostique cualquier problema y la quiera.
- *Falta de rutina.* Su jornada era razonablemente previsible antes del parto, pero ahora todo está patas arriba, mientras pasa de una toma o un cambio de pañal al siguiente. Pronto establecerá una nueva rutina en torno a las necesidades del bebé, pero, entretanto, acepte que su vida será caótica.
- *Nuevas exigencias.* Cuidar del recién nacido es agotador en extremo, tanto física como mentalmente. La falta de sus horas habituales de sueño, el esfuerzo de aprender cosas nuevas y las nuevas preocupaciones de la paternidad pueden someterla a usted y a su pareja a una considerable tensión mental y física.
- *Visitas.* Todo el mundo quiere ver al recién nacido y es probable que a usted le llene de alegría mostrarlo a sus amigos y parientes. No obstante, esto puede

significar que tenga poco tiempo libre para descansar y cargar baterías.

- *Cambio en el modo de vida.* Antes del nacimiento tal vez tenía un trabajo a jornada completa y es posible que saliera mucho con su pareja sin necesidad de planearlo por anticipado. Ahora han entrado en una nueva fase, en la cual ambos tienen que sacrificar su libertad personal porque hay que tener en cuenta a alguien más.
- *Período de adaptación.* Como todos los padres, querrán hacerlo lo mejor posible y conseguir que todo esté bien para el bebé. No obstante, sea paciente consigo misma y no deje que un pequeño problema de vez en cuando la haga dudar de su capacidad. Pronto se adaptará a los cambios que hay en su vida y, al cabo de pocas semanas, se preguntará qué hacía con todo ese tiempo libre que solía tener. Los «contras» de la paternidad pronto quedarán sumergidos por los «pros».

Altibajos

En un momento dado se sentirá entusiasmada porque el bebé se ha tomado toda la leche sin protestar y, al siguiente, puede estar al borde del llanto porque el pequeño llora y usted no sabe qué puede pasarle. A veces se sentirá insegura, vulnerable, incluso abrumada, pero no se preocupe; esos altibajos son corrientes.

No es de extrañar, pues, que casi cuatro de cada cinco mujeres —y algunos hombres— tengan ligeros sentimientos de depresión y ansiedad en las primeras semanas después del nacimiento del bebé. Conocidas como desánimo posparto (véase p. 328), esas emociones están tan extendidas que se consideran completamente normales. Los sentimientos de depresión pueden guardar relación con la enorme caída en los niveles de las hormonas del embarazo después del parto, pero también son una reacción previsible ante la enorme responsabilidad de criar a un recién nacido, además de ante otros cambios producidos en su cuerpo y modo de vida. Cualquiera que sea la causa, ese desánimo debe desaparecer pronto conforme aumente su confianza en sí misma como madre.

Para hacer frente mejor a sus cambiantes emociones, no se las guarde dentro, comparta sus sentimientos con su pareja o con una amiga. Por otro lado, procure pasar algo de tiempo haciendo cosas que le gustan; por ejemplo, ver una película divertida, leer un buen libro, charlar con una amiga o disfrutar de un buen baño caliente.

Reacciones al nacimiento

Muchas mujeres reaccionan ante el nacimiento del bebé de maneras que no esperaban. Algunas descubren que la experiencia no estaba a la altura de lo que habían pensado y esta reacción suele ser más marcada cuando el parto no fue del todo como estaba planeado; por ejemplo, si fue necesario usar fórceps. Cualquier alteración en un parto sin problemas puede ser traumática —incluso cuando el bebé llega bien y sano— y esto puede hacer que usted se sienta inquieta. Algunas mujeres creen que han fracasado si, por ejemplo, tuvieron que administrarles un anestésico cuando habían planeado tener un parto natural. Estas reacciones son normales y pronto desaparecerán. Le será de ayuda hablar con su pareja o con otras madres sobre cómo se siente. Si ve que no puede dejar de pensar en el parto, hable con el médico.

LA SALUD ES LO PRIMERO

La depresión posparto. Si continúa sintiéndose deprimida después de un par de semanas, es importante que hable con su médico, ya que quizá sufra una depresión posparto (véase p. 329). Puede tener otros síntomas, entre ellos letargo, dificultad para dormir o sentimientos de pánico, distanciamiento, incapacidad para hacer frente a las cosas, indiferencia hacia el bebé o incluso el temor de poder llegar a hacerle daño.

QUÉ SIGNIFICA SER PADRES EN LA PRÁCTICA

Tener un bebé desencadena todo tipo de nuevas experiencias y, en parte, por eso es tan apasionante ser padres. Pero junto a este sentimiento de euforia está la realidad, y la responsabilidad de cuidar de un recién nacido puede ser una tarea enorme; las restricciones con su tiempo libre comportarán que no podrá hacer lo que le gusta con tanta facilidad. Hay que tomar muchas decisiones cada día sobre todos los aspectos de la vida del bebé, que van desde la elección de un pelele hasta la frecuencia de las tomas. Por supuesto, habrá veces en que no estará segura de qué es lo mejor, pero lo más probable es que acierte casi siempre.

Ser padres también tiene que ver con el compromiso. En esos primeros meses, el bebé necesita que usted esté ahí, a su disposición. Si tiene hambre, está cansado, aburrido o enfermo, el hecho de que usted esté ocupada o extenuada no representa ninguna diferencia para él. Encontrar esa fuerza extra para cuidarlo cuando depende totalmente de usted fomentará un fuerte vínculo emocional entre usted y su hijo.

Junto a las tensiones y dificultades de ser padres por primera vez hay muchos momentos de diversión y satisfacción. Sostener en los brazos a nuestro hijo limpio, cálido y con aspecto satisfecho y ver cómo nos mira con interés, hace que todo valga la pena. Como también lo valen todas las nuevas y apasionantes habilidades que va adquiriendo con el tiempo. Es una sensación maravillosa saber que está feliz.

Quizá le sorprenda que la paternidad le haga descubrir características en usted mismo que no sabía que tuviera. Muchos padres descubren que pueden hacer mucho más en un día de lo que pensaban y que tienen una fuerza y una determinación ocultas que no habían aflorado antes. Con frecuencia se sorprenden de lo profundo que es el amor y el impulso protector que sienten por su nuevo hijo o hija.

Confiar en su pareja

Si hay otra persona en su vida, resístase a la tentación de guardárselo todo para usted. Al principio quizá quiera pasar todo el tiempo con el bebé o crea que sabe cuidarlo mejor que su pareja, pero pronto tendrá la sufi-

5 maneras para que el padre pueda participar

1. Dar de comer al bebé. Si sigue la lactancia natural, pídale a su pareja que, de vez en cuando, se extraiga un poco de leche del pecho para que usted pueda dársela al bebé en un biberón.
2. Cántele una nana cuando lo acueste para que haga la siesta o para que duerma por la noche.
3. Báñelo. Si al principio está nervioso porque no sabe cómo cogerlo, báñelo con su pareja hasta que consiga tener más confianza.
4. Participe en su hora de juegos. Siéntese y diviértase con él. La expresión de alegría de su cara será una recompensa maravillosa.
5. Vístalo. Ayude a prepararlo para el nuevo día o para irse a dormir. Cámbiele los pañales siempre que esté en casa.

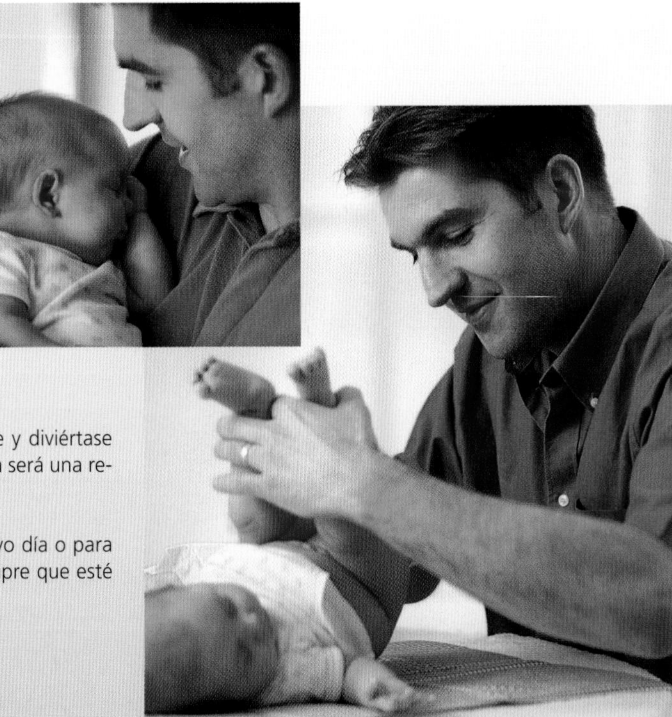

ciente confianza para compartir la atención del pequeño sin preocuparse por la pérdida de control. Insistir en hacerlo todo puede llevar a que el bebé dependa demasiado de su modo particular de hacer las cosas. Recuerde, también, que el bebé aprende cosas diferentes de cada uno. Tanto si le da el pecho como si le da biberón, usted y su pareja pueden participar. La leche materna puede ser extraída y tanto el padre como la madre son igualmente capaces de dar un biberón. Lo mismo puede decirse de las tareas cotidianas, como bañarlo, cambiarlo y vestirlo. El bebé disfrutará de la atención y el amor de sus padres; no tiene que ser solo uno el que se ocupe de el todo el tiempo.

CONSERVAR EL CONTROL

La realidad de la maternidad no siempre resulta ser como se pensaba y quizá llegue a la conclusión de que es más exigente de lo que esperaba. Puede resultar difícil estar siempre de guardia para responder a las necesidades del bebé, tanto si trata de alimentarlo como de cambiarle el pañal o mimarlo. Pero se puede ser una madre responsable sin perder el control, sin dejar que el bebé mande.

Para no perder el control, debe tener siempre confianza en usted misma y en su criterio. Esto no significa que no dude nunca o que nunca se equivoque. Por supuesto que lo hará, todo el mundo tiene momentos de vacilación y hay veces en que se desea haber hecho algo de otra manera. No deje que esos momentos afecten a su confianza en sí misma. Puede que llegue a pensar que todos los demás padres son más capaces que usted, pero tranquilícese, porque ellos seguro que piensan lo mismo.

No deje de compartir sus ideas y sentimientos con su pareja o con una amiga íntima. Explicar sus ideas a otra persona la ayudará a aclararlas, incluso si su interlocutor no le ofrece ningún consejo. Y si la aconseja, escuche lo que tiene que decirle y comenten la cuestión juntos. Aunque al final no cambie de opinión, tendrá más confianza en las decisiones que tome.

Seguir los consejos de los demás

No obstante, pueden surgir problemas si le llueven demasiadas opiniones, posiblemente contradictorias, de parientes y amigos bienintencionados, que están convencidos de que su modo de ver las cosas es el mejor. Solo quieren ayudarla, pero demasiados consejos pueden tener un efecto contraproducente y confundirla por completo. Si está luchando por comprender todos los consejos diferentes que le den sobre el cuidado de los bebés, puede resultarle útil pensar en lo siguiente:

- *Hay más de una manera «acertada» de criar a un niño.* Aunque hay principios que se pueden aplicar a todas las familias —por ejemplo, que todos los bebés deben recibir amor—, muchos aspectos se reducen a una opinión personal. La alimentación es uno de ellos. Algunos padres siguen unos horarios rígidos; otros prefieren un planteamiento más flexible sobre este y otros aspectos.
- *Lo que conviene al hijo de su amiga, quizá no le convenga al suyo.* Aunque el bebé de su amiga se quede dormido cuando lo llevan a dar una vuelta en coche, puede que a usted no le funcione la misma estrategia. Escuche las propuestas de otros padres, pero no dé por sentado, automáticamente, que esas ideas tendrán el mismo efecto en su bebé.
- *En la crianza de los hijos hay modas.* En épocas pasadas, era frecuente que se dijera que «a los niños hay que verlos, pero no oírlos», mientras que, en la actualidad, la mayoría de padres anima a sus hijos a expresar sus opiniones con claridad y confianza. No todo el mundo piensa lo mismo y esto puede generar conflictos entre usted y su familia o la familia de su pareja. Quizá crea que su familia la critica o le preocupe que piensen que rechaza sus consejos; por tanto, deles las gracias por su ayuda, pero explíqueles por qué ese sistema no le conviene.
- *No tiene sentido tratar de seguir unos consejos que no le gustan.* Supongamos, por ejemplo, que alguien le aconseja que dé de comer al bebé cada vez que llora, para poder disfrutar de paz y tranquilidad. Esto no le iría bien si es usted una persona a quien le gusta seguir una rutina más estructurada. Quizá siga el consejo al principio, pero no lo hará mucho tiempo. Pruebe solo aquello con lo que se sienta cómoda.

La mejor estrategia para capear los consejos —solicitados o no— de amigos y familiares es escucharlos atentamente, evaluar las propuestas con mucho cuidado, hablarlo con su pareja o con una amiga íntima y luego decidir qué quiere hacer.

Dé tiempo al tiempo para que las cosas funcionen
Cuando haya decidido un plan de acción para cuidar al bebé, por ejemplo, ayudarle a dormirse cantándole una nana, asegúrese de seguirlo. Si su estrategia no funciona de inmediato, quizá se sienta tentada a abandonarla y probar con otra cosa. Siga con su idea inicial durante unas semanas, por lo menos, antes de pensar en un cambio de táctica.

Acepte que es humana y que no siempre acertará a la primera. Esto no significa que sea una mala madre ni que no vaya a acertar nunca. Lo que importa es lo que aprenda de esa experiencia. No se olvide de aplaudirse cuando sus esfuerzos se vean coronados por el éxito.

BUSQUE TIEMPO PARA USTED

En su nueva vida puede haber muchos momentos libres, si sabe cómo buscarlos. Cuanto más pueda planificar, mejor, así que establezca una rutina diaria básica con el bebé: sacarlo a pasear por la tarde y bañarlo por la noche, por ejemplo.

Siempre que tenga un momento libre, aprovéchelo. Relájese y ponga los pies en alto; no hay ninguna ley que diga que tiene que estar en marcha todo el tiempo. No olvide tomarse 10 o 15 minutos de descanso varias veces al día, mientras el bebé duerme o su pareja se encarga de él. Utilice ese tiempo para hacer algo que de verdad le guste. O si el bebé está tranquilo después de comer y usted tiene ganas de echar una cabezadita mientras él duerme a su lado, adelante; luego se sentirá mucho mejor. Si tiene la oportunidad de practicar algunos ejercicios de relajación (véase p. 124) en su tiempo libre, se sentirá incluso mejor.

Repartan las tareas domésticas
Después del parto y con un recién nacido que cuidar, es probable que no pueda llevar a cabo tareas que antes atacaba con gran vigor. Procure no pensar que eso es una señal de que no va a poder arreglárselas. Puede que usted y su pareja necesiten replantearse las tareas domésticas y ver cómo pueden repartirlas. Estudien las de la lista siguiente y decidan quién las hará:

- Cocinar.
- Comprar.
- Limpiar.
- Lavar.
- Planchar.
- Dar de comer al bebé.
- Cambiarle los pañales.
- Bañar al bebé.
- Vestirlo.
- Cuidar del bebé por la noche.
- Cuidar de los hijos mayores.
- Cuidar del jardín.
- Cuidar de las mascotas.

Si creen que usted y su pareja no pueden arreglárselas y se sienten cansados y estresados, piensen en la conveniencia de conseguir que alguien les ayude. No tema aceptar las ofertas de ayuda de amigos o parientes: pídales que le hagan la compra o le planchen la ropa. Sopese también la posibilidad de contratar a una niñera o una asistenta, aunque solo sea un par de horas a la semana. Podría hablar con otros padres para ver cómo solucionaron esa carga extra de trabajo que acompaña a un recién nacido.

Y no se preocupe si tiene que ser menos meticulosa con el trabajo que no es tan esencial; nadie se dará cuenta si deja que los muebles tengan un poco de polvo durante unos días. Es mucho más importante que usted y su pareja tengan tiempo para adaptarse a la paternidad relajados.

CÓMO SUPERAR LOS PROBLEMAS

Un recién nacido pondrá constantemente a prueba los conocimientos recién adquiridos de sus padres. Hay tres campos —alimentación, llanto y sueño— que son de primordial importancia en la vida de su hijo —y en la suya— y la mayoría de problemas surgen de ahí.

En los meses que precedieron al parto le habrán dado un montón de información sobre diferentes sistemas de cuidar al bebé y, en el capítulo 14, recogemos algunas técnicas de gran eficacia. No obstante, tiene que estar segura de que los sistemas que elija no solo son buenos para su hijo, sino también para usted. Si no le parecen acertados, se convertirán en fuente de ansiedad para usted y, en consecuencia, para su hijo. Lo mejor es que siga su instinto. Si decide, por ejemplo, que prefiere dar el biberón y no el pecho a su bebé (véase p. 190) no se preocupe pensando que eso tendrá un efecto perjudicial en el vínculo emocional que establezca con su hijo; lo que importa es la sensación de sosiego y comodidad que le dé. Procure recordar que no se trata solo de alimento físico, sino también de alimento emocional.

AFRONTE RELAJADA LA ALIMENTACIÓN

Muchos problemas que los padres experimentan en el campo de la alimentación durante los primeros meses empiezan como dificultades menores; —al bebé quizá le cuesta agarrarse al pecho o regurgita algo de leche después de una toma—, pero pronto pueden convertirse en problemas mayores si los alimenta la ansiedad y la tensión de los padres.

El bebé es muy sensible y sabrá que usted está inquieta; además la tensión puede hacer que los músculos se contraigan y, si usted está tensa, puede producir menos leche que cuando está totalmente relajada, lo cual puede, a su vez, poner nervioso al bebé si no consigue leche al ritmo que quiere. De esta manera se establece un círculo vicioso, en el cual su ansiedad y la del bebé

CÓMO disfrutar alimentando al bebé

Si las tomas no van tan bien como usted quisiera, lo más importante es que confíe en sí misma. Tenga confianza en su capacidad y dígase que unas pequeñas dificultades no son el fin del mundo; pronto conseguirá establecer una buena pauta de comidas.

Reserve mucho tiempo para dar de comer al bebé, de forma que no tenga prisa; no programe ninguna otra tarea para poco después de una toma. Hasta que tanto usted como el bebé se acostumbren, puede resultar útil darle de comer en una habitación tranquila, donde nadie los moleste. Prepárese con calma y sin apresurarse, coja al bebé con cuidado y cariño. Luego póngase en una postura cómoda para usted y para el pequeño (véase p. 300). Asegúrese de que establece relación con el bebé durante las comidas, mirándole a los ojos, hablándole con voz queda y sosteniéndolo muy cerca de usted.

Si el bebé se toma su tiempo para alimentarse o no quiere agarrarse al pecho, tómese un descanso y vuelva a intentarlo al cabo de 5 o 10 minutos. Si nota que se está poniendo tensa, esto les proporcionará a los dos una ocasión para calmarse. Tanto si lo consigue como si se está poniendo nerviosa, pídale a su compañero que coja al bebé, de vez en cuando, para que usted pueda tomarse un descanso.

alteran cada vez más al otro, hasta que acabará temiendo el momento de darle de comer.

Dando por supuesto que el bebé goza de buena salud y que usted ha probado diferentes tácticas como cambiar la postura en que lo alimenta o, si le da el biberón, la fórmula —con el consejo del pediatra—, ¿qué puede hacer si las tomas continúan siendo un problema? Las soluciones prácticas no funcionarán a menos que aborde esa cuestión de forma relajada. Si la hora de las comidas se ha convertido en una lucha psicológica —por ejemplo, porque el bebé come demasiado despacio o demasiado deprisa y se duerme antes de acabar—, distánciese y mire objetivamente todo el proceso.

Hágase las siguientes preguntas: ¿espero con ilusión el momento de las comidas? ¿Disfruto teniendo al bebé en brazos mientras come? ¿Parece tranquilo y cómodo en mis brazos y cuando toma el pecho o el biberón? ¿Parece satisfecho cuando acaba? Si la respuesta a cualquiera de estas preguntas es que no, es hora de considerar el aspecto emocional de la alimentación. El cuadro de la página 345 recoge algunas ideas para crear un ambiente relajado y es útil tanto para la lactancia materna como para dar el biberón.

CÓMO HACER FRENTE AL LLANTO

En estos primeros meses se enfrentará a un gran reto: acostumbrarse al llanto de su hijo. Se sintió muy feliz al oírlo llorar cuando nació —era señal de que había llegado bien— pero ahora que está en casa, sus lloros constantes pueden agotarla. Procure recordar que el llanto es el principal medio que tiene su hijo para comunicarse; es su primera forma de lenguaje y una señal de que está sano. En realidad, es probable que usted se preocupara más si no llorara nunca.

Cómo aliviar el cólico

Cólico es el término usado para describir ese llanto penetrante que suele producirse cada tarde, más o menos a la misma hora y que alcanza su punto máximo cuando el bebé tiene alrededor de 12 semanas de vida. Nadie sabe con seguridad por qué un bebé tiene cólico; entre las explicaciones están la mala alimentación, la alergia a la leche, una mala digestión, los gases y el estrés que sufren los padres.

Si el bebé berrea como un poseso y parece inconsolable, no dude en llevarlo al pediatra. Pero si le dicen que «solo tiene cólico», el contacto físico cariñoso sigue siendo el mejor medio de aliviar sus molestias.

Una manera estupenda de aliviar la ansiedad del bebé es el masaje del «tigre en el árbol». Sosténgalo con la espalda apoyada en usted y pásele el brazo izquierdo a lo largo del pecho **(1)**. Póngale la mano derecha entre las rodillas con la palma en la barriga **(2)**. Sujétele un pie debajo del brazo y gírelo hasta apoyarlo encima de la mano **(3)**. Con la mano derecha, masajéele suavemente el vientr un buen rato.

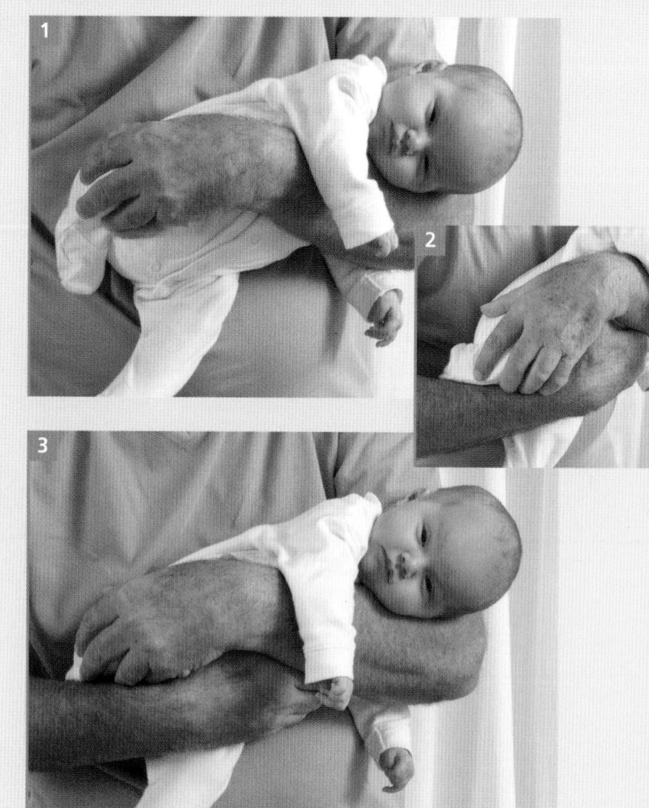

El llanto del bebé es algo natural y no significa que usted esté haciendo algo mal. Muchos padres tienen sentimientos de culpabilidad cuando los bebés lloran, especialmente al principio, como si fuera culpa suya que el recién nacido fuera tan llorón. Procure evitar esos pensamientos tan negativos.

Aprenda a comunicarse

Si el bebé parece llorar sin cesar, es fácil que acabe usted por alterarse y angustiarse. En la mayoría de casos, la principal razón de que se disguste es que no sabe qué significa ese llanto de su hijo. Siente frustración y preocupación al ver que él está mal y no saber al instante qué hacer para que se tranquilice. No obstante, una vez que sintonice con su llanto, llegará a saber qué está tratando de decirle. Busque siempre una explicación; es raro que un bebé llore porque sí.

Cuando los chillidos del bebé desgarren el aire, piense qué puede estar tratando de decirle y cómo puede usted responder:

- Tengo hambre. Dele de comer.
- Tengo frío/calor. Abríguelo o ajuste la temperatura de la habitación.
- Estoy incómodo. Cámbiele el pañal.
- Estoy aburrido. Juegue con él.
- Me siento solo. Préstele atención y dele cariño.
- Estoy cansado. Mézalo con suavidad para que se duerma.
- Estoy enfermo. Llévelo al pediatra.

Lo que tienen en común todas estas recomendaciones que le hacemos es el bebé la necesita. Por supuesto, su presencia no hará que deje de llorar si, por ejemplo, tiene hambre. Pero su contacto cariñoso y tierno debería aliviar su nerviosismo hasta que llegue la comida.

Tenga paciencia

Todos tenemos una «receta» favorita para conseguir calmar a un bebé que llora y, en la página 306, le damos algunas. Es mucho mejor probar un método nuevo para tranquilizar a un bebé que solloza que quedarnos ahí, sentados con él, impotentes.

¿SABÍA QUE...?

Hay pautas para el llanto. El período punta aparece en los tres primeros meses de vida y los bebés lloran con más frecuencia cuando tienen seis o siete semanas. El bebé típico llora mucho por la tarde, aunque también puede hacerlo en otros momentos del día. Los estudios han descubierto que casi una cuarta parte de los bebés tienen períodos de llanto constante sin que haya ninguna razón evidente para sus lágrimas. Finalmente, no hay diferencias de sexo cuando se trata del llanto: niños y niñas lloran por igual.

Cualquiera que sea la estrategia que aplique, siga con ella durante un par de semanas. A menos que tenga mucha suerte, no es probable que un nuevo sistema haga efecto de forma inmediata. Cambie de táctica solamente si, después de dos o tres semanas, no ha conseguido ningún resultado positivo.

Su seguridad en sí misma como madre también influye. Si está tensa o nerviosa cuando coge al bebé que llora —lo cual es probable que le suceda al principio—, él lo percibirá y también se pondrá más tenso. Llorará con más fuerza, lo cual, a su vez, aumentará la tensión que usted siente y la espiral de la ansiedad madre-hijo aumentará con gran rapidez. Por esa razón es importante que procure relajarse cuando quiera calmar a un bebé que llora. Recuérdese que sus sollozos son solo su manera de decirle que quiere que lo consuele y lo mime. Si nota que se está poniendo demasiado tensa, tómese un descanso. Comparta la carga con su pareja o una amiga, cuando sea posible; unos minutos de respiro pueden ser todo lo que necesita para que consiga un estado de ánimo más positivo.

Si el llanto se produce cada noche a la misma hora, puede que el bebé tenga cólico (véase el cuadro de la izquierda). No obstante, si está preocupada de verdad por el malestar de su hijo, llévelo al pediatra.

Cómo conseguir una buena noche de sueño

Desde que nace hasta los tres meses, los hábitos de sueño del bebé cambiarán constantemente. Seguramente añorará usted aquellos lejanos tiempos antes de que naciera su hijo cuando podía dormirse por la noche con la total confianza de que no se despertaría hasta que sonara el despertador a la mañana siguiente. Esos días se han terminado, por lo menos de momento. Durante los tres primeros meses, el sueño de su hijo y el suyo propio son impredecibles.

Según las investigaciones, el recién nacido provocará que usted pierda entre 400 y 750 horas de sueño en el primer año. Hasta su quinto mes, perderá alrededor de dos horas de sueño cada noche, que irán disminuyendo hasta alrededor de una hora hasta que cumpla los dos años de edad.

Tómeselo con filosofía y acepte que la falta de sueño es parte de la maternidad en esta etapa de la vida del bebé. No tardará mucho en aprender a echar cabezaditas siempre que pueda, lo que será un medio estupendo para recargar pilas. Si tiene pareja, considere la posibilidad de hacer turnos para que usted se encargue del bebé una noche y él la siguiente; de esa manera los dos conseguirán dormir bien, por lo menos, cada dos noches.

Su adaptación emocional y física a esta nueva situación será más rápida si comprende que buena parte de los cambios en el sueño del bebé forman parte de su desarrollo natural. Cuando tiene un par de semanas, quizá solo pase una o dos horas despierto cada día; alrededor de los 3 meses, pasa entre 14 y 16 horas de cada 24 dormido, pero distribuidas por igual durante el día y la noche; tardará aún un poco en dormir más durante la noche y menos durante el día. Además, las investigaciones revelan que dormirá un máximo de cuatro horas seguidas.

Esto significa que un gran número de sus siestas y de sus períodos de vigilia están esparcidos a partes iguales durante el día y la noche. El hecho de que usted quiera que duerma más por la noche no tiene ninguna importancia para él.

Aunque quizá no funcionen de forma inmediata, puede dar algunos pasos positivos para animarlo a dormir más profundamente durante la noche. Las siguientes medidas la ayudarán a crear un ambiente óptimo para que al fin el pequeño se quede tranquilamente dormido.

Póngalo cómodo. Es más probable que se duerma cuando esté limpio y seco con un pañal nuevo, bien arropado con las mantas y con una buena temperatura en el dormitorio; lo ideal es entre 16 y 20° C.

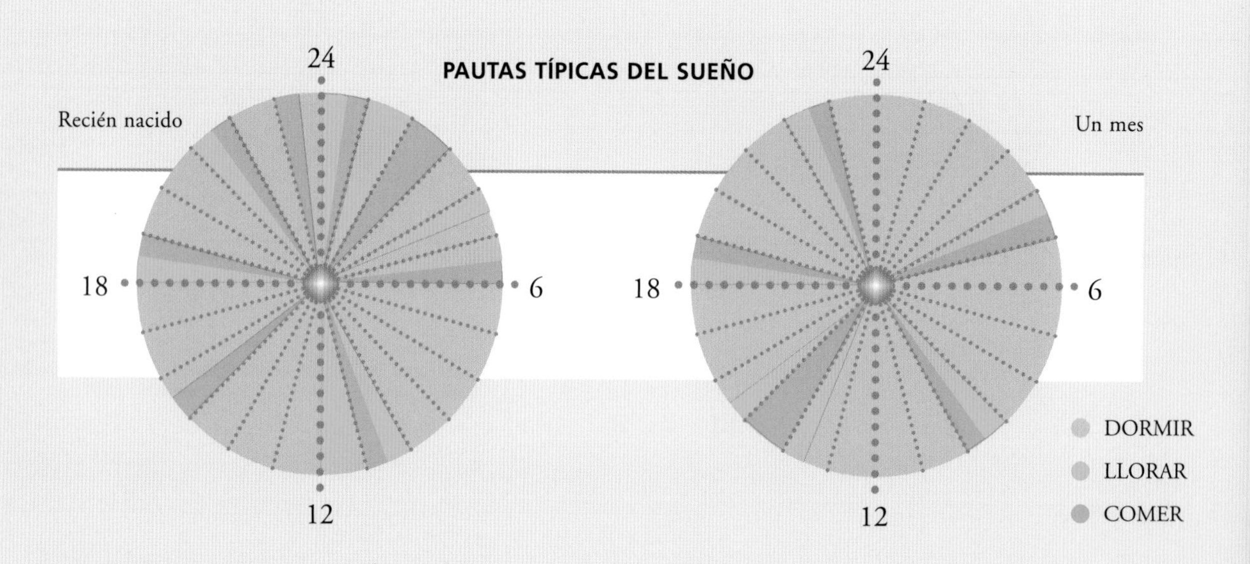

CÓMO RESPONDER AL LLANTO DE SU HIJO

Hay una considerable polémica entre los psicólogos sobre cuál es la mejor manera de reaccionar ante un bebé que no quiere dormirse. Algunos afirman que hay que cogerlo en brazos y mimarlo hasta que se ha calmado lo bastante como para cerrar los ojos. Otros argumentan que cogerlo una vez hará que permanezca despierto la siguiente, ya que aprenderá que llorar es la mejor manera de conseguir la atención de sus padres.

El reto al que se enfrenta usted es hacer que el pequeño se sienta relajado y seguro con usted, de forma que esté dispuesto a dormirse, pero no tan cómodo que prefiera quedarse despierto en su compañía. Si lo coge en brazos cada vez que llora y se niega a dormir, llorará mucho más. Sin duda tiene que tranquilizarlo cuando quiere permanecer despierto, pero piense en cómo hacerlo sin cogerlo en brazos. La solución puede ser tan simple como tocarle la barriguita para ver si tiene demasiado calor y adaptar la ropa de la cama en consecuencia **(1)** o consolarlo poniéndole el chupete, jugando con el móvil de la cuna o cantándole bajito **(2)**.

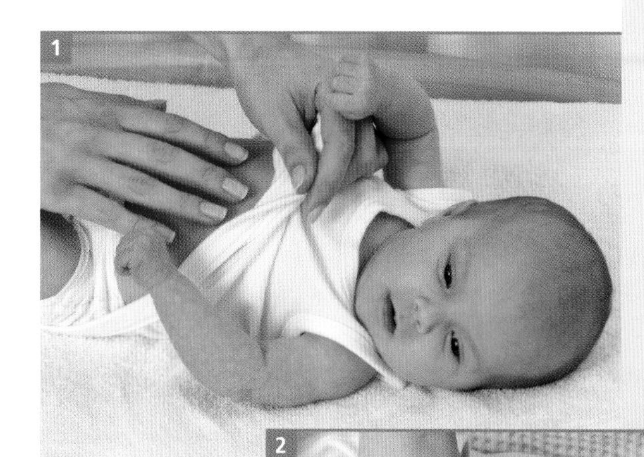

Cree un entorno sosegado. Se sentirá mucho menos inclinado a dormirse si hay ruidos fuertes y esporádicos en casa. Aunque no es necesario que anden de puntillas, procure que haya una relativa paz y tranquilidad. Un ambiente tranquilo y agradable en el dormitorio induce al sueño.

Sea fiel a una rutina. Puede que el bebé solo tenga unos pocos meses, pero reacciona a la costumbre. Procure seguir los mismos pasos cada noche antes de meterlo en la cuna. Por ejemplo, puede darle de comer, bañarlo, tenerlo en brazos y luego leerle un cuento o cantarle una nana.

Procure estar relajada y tranquila. Así fomentará las probabilidades de alcanzar su meta. Cuando usted lo anima a quedarse dormido, el bebé responde a su estado emocional, tanto positiva como negativamente.

Estudie las horas para alimentarlo. El bebé querrá dormir poco después de haber comido por la noche. Por eso, piense en darle de comer después de haberlo bañado, cambiado y preparado para ir a la cama.

Fomente las costumbres reconfortantes. Desde muy temprano, muchos bebés empiezan a asociar ciertos artículos o actividades con la hora de dormir. Un móvil musical, un chupete o una lamparilla pueden ser la señal de que tiene que dormirse y, además, reconfortarán cuando esté solo.

CÓMO ACOSTUMBRARSE A LA VIDA FAMILIAR

Cuidar del bebé puede ser totalmente absorbente, pero es importante no olvidarse de usted como persona. También es importante que se mantengan otras relaciones familiares: entre usted y su pareja y entre su hijo y los abuelos.

Después de un tiempo relativamente corto, puede tener ganas de restablecer su propio modo de vida, volver al trabajo o dedicarse a otros intereses. No se sienta culpable por pensar en sí misma. Su pareja o alguien en quien confíe puede cuidar del bebé durante un par de horas para que usted disfrute de un tiempo para sí misma, relajándose o saliendo con amigos.

¿TRABAJAR O NO TRABAJAR?

Seguramente la decisión más importante que tendrá que tomar en los próximos meses será si ha de volver al trabajo o no. Tómese tiempo para pensar en ello y decida lo mejor para usted y para su pareja.

Quedarse en casa

Si opta por cuidar del bebé a jornada completa, puede que esto le aporte toda la satisfacción que antes le daba su trabajo. No obstante, algunas mujeres temen que, si se quedan en casa, de alguna manera, perderán su individualidad. Si empieza a sentirse así, concéntrese en el hecho de que el trabajo que hace ahora —criar a su bebé— es igualmente o quizá más importante que el anterior.

Si puede quedarse en casa, quizá descubra una persona totalmente nueva en usted. Muchas mujeres señalan lo mucho que disfrutaron aprendiendo cosas con sus bebés y observando los increíbles cambios que experimentaban. Además, puede compartir todas estas cosas con otras madres primerizas que podrían llegar a ser nuevas amigas.

Volver al trabajo

Lo primero que tiene que sopesar si decide volver a trabajar es cuándo. Esto dependerá de cómo se sienta y de las medidas que haya tomado para la baja por maternidad (que en España es de cuatro meses). Además, tendrá que tomar una decisión respecto al cuidado del pequeño: una niñera o canguro o la guardería si es necesario (véase p. 193).

Cuando llegue el momento de volver al trabajo, hay muy pocas mujeres que no se sientan un poco tristes y culpables y pensando en las preciosas horas que podrían estar pasando con su hijo o preguntándose qué pasaría si el bebé tuviera un accidente. No deje que esos sentimientos la desanimen. Concéntrese en la idea de que se sentirá más independiente y realizada mientras trabaja y que le transmitirá esas cualidades al pequeño. Su trabajo también beneficiará al bebé proporcionándole estabilidad económica. Además, evite pensar que nadie puede cuidarlo tan bien como usted. Si encuentra una buena cuidadora o una guardería de confianza, el bebé estará perfectamente.

El pequeño desarrollará un estrecho vínculo con quien le cuide, pero esto no afectará a su relación con usted. Por supuesto, es necesario que encuentre tiempo para estar a solas con él e incorporar ese tiempo a su jornada habitual. Cuando llegue a casa, puede darle de comer y luego meterlo en la cama; serán momentos reconfortantes para los dos.

No se sorprenda si le resulta muy difícil volver al trabajo. En la actualidad, muchas mujeres sienten la presión de ser supermamás, pero asimile que estará cansada y que le llevará un tiempo acostumbrarse a su carga de trabajo y a las responsabilidades en casa. Ahora no es un buen momento para coger más trabajo ni hacer horas extra; decida qué tareas domésticas puede delegar.

SEGUIR SIENDO UNA PAREJA

En medio del ajetreo de este nuevo modo de vida más ocupado, también es necesario mantener la relación con su compañero. Después de todo, no son solo los padres del bebé; los dos tienen sus propias necesidades emocionales.

Vivir con un bebé afecta a cada persona de manera diferente. Ahora uno de los dos tal vez se queda en casa, cuando antes tenía un trabajo a jornada completa o, quizá, uno de los dos siente celos por la atención que el otro presta al pequeño. Si no se expresan, estos sentimientos crean una barrera entre ambos. La mejor manera de mantener una relación estable y que evolucione conforme la familia crezca es una comunicación sincera.

Restablezca su vida social

Cuidar de un bebé no suele dejar mucha energía para la vida social, pero esfuércese para mantenerla, de todas maneras. Cuando se sienta preparada, deje el bebé con una canguro de confianza. No es necesario que pasen toda la noche fuera al principio; ir al cine o a ver a unos amigos será un respiro muy bienvenido.

Sean francos el uno con el otro

Compartan mutuamente sus ideas sobre la paternidad, así como cualquier cosa que les preocupe de su nuevo papel. Escuche las esperanzas y temores de su pareja y no deje de expresar los suyos. Recuerde, también, que ser madre por primera vez es como volver a enamorarse, salvo que la persona por quien siente una pasión tan desbordante es diminuta y depende totalmente de usted. Incluso si su pareja también siente pasión por el pequeño, el visible cambio en su afecto puede hacer que se sienta herido y olvidado, como si no existiera en esta nueva relación. El único medio de resolverlo es hablando. Los dos deben ser sinceros; lo peor que pueden hacer es pretender que todo va bien cuando no es así.

Vuelva a poner sexo en el menú

El sexo puede convertirse en una cuestión difícil en las primeras semanas. Exhausta, maltrecha y dolorida por el parto, puede ser lo último que le pase por la cabeza. No obstante, tal vez su pareja no piense lo mismo y

CÓMO disfrutar del sexo después del parto

Si lleva puntos y está dolorida, la idea de la penetración sexual puede ser inquietante. Pero hay muchas otras maneras de expresar el amor. Besarse y abrazarse suena a algo obvio, pero es sorprendente cómo se puede pasar por alto la necesidad que el otro tiene de intimidad cuando usted está tan volcada en el recién nacido. El masaje, la masturbación mutua y el sexo oral pueden ser satisfactorios hasta que se sienta preparada para la penetración.

Después del parto, cuando los niveles de estrógeno y la progesterona caen en picado, puede sufrir temporalmente una pérdida de lubricación vaginal, además de sofocos y sudores, todo lo cual puede prolongarse durante un tiempo. Por tanto, cuando se sienta dispuesta al coito o a la masturbación, utilice una crema lubricante vaginal compuesta de agua. No utilice gel con aceite, porque puede causar una infección.

Haga el amor en una postura en la que pueda controlar la profundidad de la penetración de su pareja —con usted encima o echados de lado— para que si la presión se vuelve incómoda, pueda apartarse. Evite la postura del misionero hasta que se sienta totalmente cómoda y no le duela nada.

Si siente alguna preocupación o temor respecto al sexo, no se avergüence por buscar el consejo de profesionales con experiencia; podrán ayudarla a decidir cuándo está lista para reanudar su vida sexual.

tenga ganas de que su vida sexual vuelva a la normalidad. También puede ser al revés, que usted desee reanudar las relaciones pero su pareja esté un tanto traumatizado por lo que usted pasó para tener al bebé.

Aunque muchos médicos aconsejan esperar hasta seis semanas antes de tener relaciones sexuales, en realidad depende de las circunstancias particulares y de cuándo se sienta usted dispuesta. Si tuvo un parto relativamente fácil y no siente ninguna molestia, no hay razón para esperar; si tuvo un parto difícil y tuvieron que darle puntos, seis semanas parecerán demasiado poco. Si tiene dudas, su médico puede ayudarla a decidirse.

Cuando llegue el momento, adopte su propio ritmo. Cuando estén juntos en la cama, explique, con tacto, qué le gusta y qué no. No es necesario que entre en detalles gráficos, quizá lo único que necesita es llevar la mano de su pareja a un determinado punto. Si se siente tensa al pensar en el coito, quizá prefiera empezar por acurrucarse el uno contra el otro. Es normal; ya irán más allá cuando esté dispuesta.

No se sienta culpable si no tiene ganas de hacer el amor. Es muy corriente que el deseo sexual decaiga después del parto y eso no es de extrañar, cuando su cuerpo está muy ocupado adaptándose a los aspectos físicos y si sufre de agotamiento, falta de sueño y esa enorme adaptación al cambio que exige un recién nacido. Debe aceptar, sencillamente, que con un bebé que necesita atención las 24 horas, el sexo quizá no sea algo tan espontáneo como antes.

¿SABÍA QUE...?

La diferencia de edad influye en la rivalidad entre hermanos. Los estudios han revelado que si la diferencia es menor de 18 meses, no es probable que su primogénito se sienta celoso, porque no comprenderá del todo lo que está pasando. Si esa diferencia es de dos años, la rivalidad suele ser extrema. El primero es lo bastante mayor como para saber que el recién nacido le afecta y quizá se sienta inseguro. No obstante, esta diferencia de edad es mejor desde el punto de vista de la madre. Con una distancia de tres o más años, los celos son menos probables. Su hijo mayor no se verá afectado de forma significativa por la presencia de un hermanito o hermanita y es probable que incluso se sienta orgulloso del nuevo miembro de la familia.

No se olvide de los anticonceptivos

La ovulación puede empezar de nuevo aunque esté dando el pecho y no le haya vuelto el período, así que tiene que utilizar algún método anticonceptivo cuando reanude las relaciones sexuales. Al principio probablemente los condones son la mejor solución. Si quiere usar otros métodos anticonceptivos es mejor que hable con el médico. No debe tomar píldoras con estrógeno si está dando el pecho, ya que pueden bloquear la producción de leche (véase p. 326). No obstante, suele ser seguro que tome la «minipíldora», que solo contiene progesterona. Si quiere que le pongan un DIU tendrá que esperar hasta que el cérvix se haya recuperado, es decir, unas seis semanas. Si antes usaba diafragma, tendrá que hacer que le pongan uno nuevo.

TENER EN CUENTA A SUS OTROS HIJOS

Si este es su segundo hijo, las primeras semanas serán diferentes que cuando tuvo el primero. En primer lugar, entonces no tenía otro niño que cuidar y, en segundo, usted y su pareja tendrán ya la experiencia de cuidar de un recién nacido. Esto les dará confianza, pero recuerde que, seguramente, se sentirá más cansada si tiene que cuidar a dos o más niños.

¿Familias felices?

Con un segundo hijo, surge la cuestión de la rivalidad entre hermanos (véase el cuadro a la izquierda). Es muy corriente que haya celos entre los hermanos, pero estos pueden ser perturbadores y hacer estragos en la vida familiar. Por fortuna, tiene usted medidas para resolver el problema.

El primer encuentro entre su hijo y el recién nacido necesita llevarse con cuidado. Deje que el hermano mayor le compre un regalo al pequeño y, cuando vaya a verla al hospital, hágale muchos mimos y procure que se sienta importante. Dígale lo mucho que le quiere el recién nacido.

Una táctica para fomentar la armonía cuando vuelva a casa es hacer que el mayor participe en el cuidado del

6 maneras de animar a los abuelos

1. Algunos abuelos se mantienen alejados de sus nietos por miedo a que se les considere demasiado dominantes. Un recibimiento acogedor y positivo les ayudará a sentirse cómodos.

2. Haga que participen en el cuidado del bebé. Si les preocupa que «hayan perdido práctica», pídales que hagan algo sencillo para empezar, por ejemplo leer un cuento al pequeño. Esto les ayudará a recuperar su confianza.

3. Pídales consejo. Aunque en general, quizá no estén de acuerdo con el punto de vista de sus padres se sentirán halagados si les pide su opinión.

4. Haga que se sientan queridos. Dígales lo mucho que les quiere su nieto y la ilusión que sus visitas les hacen a todos.

5. No dé nada por sentado. Es fácil dar por supuesto que sus padres harán de canguros, en cualquier momento, solo con pedírselo. Quizá necesiten que les avise con bastante tiempo y también se merecen que les agradezca su ayuda.

6. Con frecuencia surgen conflictos respecto a la disciplina y algunos abuelos son demasiado indulgentes. Por tanto, hable con ellos de dicha disciplina y deje claro lo que desea.

bebé; además, esto ayuda a forjar una relación entre ellos. Lo que su hijo mayor puede hacer dependerá de la edad, pero puede pedirle que le traiga los pañales, elija la ropa para el bebé o comparta juguetes con él. Además, pase por lo menos media hora cada día a solas con su hijo mayor, quizá cuando el bebé duerma. Este tiempo especial aumenta su autoestima. No cambie las costumbres de su hijo mayor, si es posible; cuanto menos cambios, mejor. Y no olvide pasar días fuera todos juntos, en familia.

INCLUIR A LOS ABUELOS

Los abuelos pueden ser muy importantes para un niño en sus años de formación. Aunque suele pensarse que malcrían a los nietos o que se inmiscuyen en su crianza, pueden ser unos amortiguadores ideales entre usted y sus hijos.

En la actualidad, es más probable que los abuelos sigan activos a una edad más avanzada y, por tanto, puedan participar más cuando llegan los nietos. El alcance de la participación de sus padres y suegros es algo que tendrá que decidir usted y, seguramente, le llevará algún tiempo conseguir el equilibro adecuado entre aceptar su ayuda e impedir cualquier interferencia. Probablemente los abuelos también son conscientes del problema, así que procure hablar del alcance de su ayuda abiertamente y con calma.

Los abuelos como cuidadores

Si sus padres o sus suegros viven cerca y están dispuestos a hacerlo, podrían ayudarla a cuidar del pequeño, algo especialmente útil si piensa volver al trabajo. Esta opción puede ahorrarle mucho dinero, pero es una gran responsabilidad para ellos y puede desestabilizar la armonía en la familia. Usted y su pareja deberían reunirse con sus padres y hablarlo a fondo, como una familia bien avenida, resolviendo cualquier posible problema —por ejemplo, cómo prefiere que se alimente o cuándo hay que acostar al bebé— antes de poner en marcha el acuerdo.

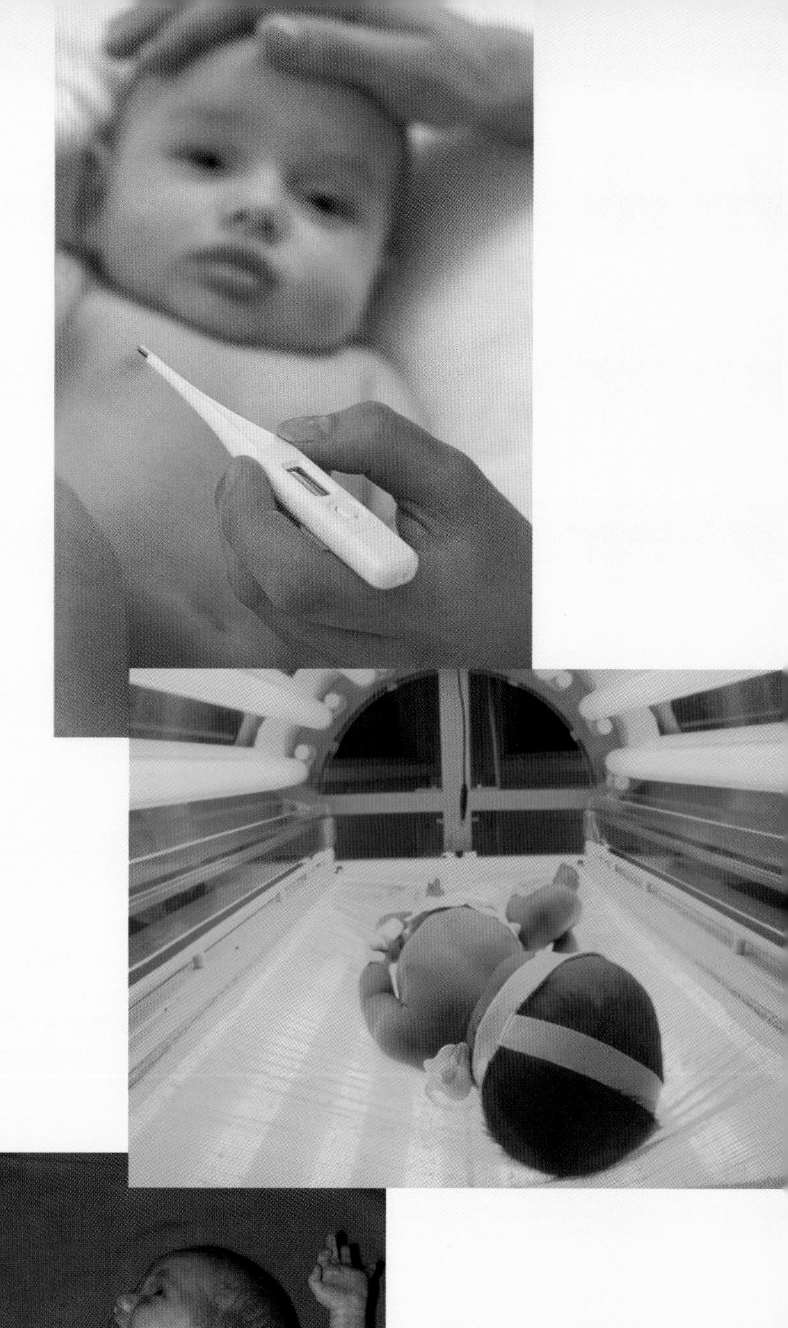

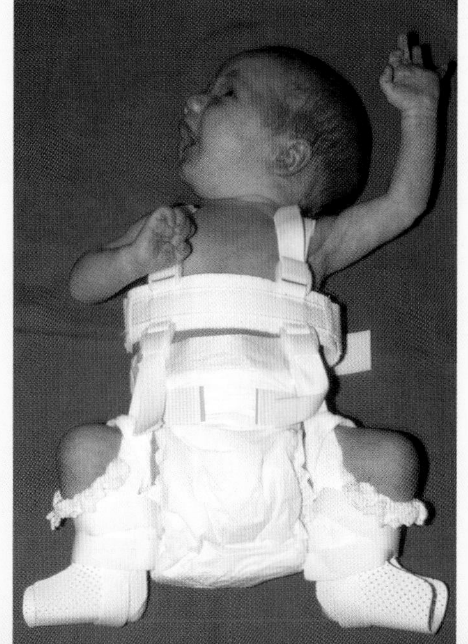

PARTE V

GUÍA POSNATAL

PROBLEMAS MATERNOS Y SU TRATAMIENTO

Después del parto, muchas mujeres sufren ciertas molestias debido a los puntos —si les han hecho una episiotomía o han tenido un desgarro— y hasta que la lactancia esté bien establecida, pueden tenerlos doloridos y sensibles, pero es raro que se produzcan problemas importantes. Siempre que le preocupe algo, consulte con el médico.

COMPLICACIONES DESPUÉS DEL PARTO

Infecciones posnatales

Se calcula que entre el 1 % y el 8 % de todos los partos van seguidos de una infección. Entre los factores que aumentan ese riesgo están los siguientes: rotura prematura de las membranas y parto prolongado, frecuentes exámenes internos, monitorización fetal interna, infección ya presente durante el embarazo, diabetes y sobrepeso. La infección más común, la endometritis, afecta al endometrio (el revestimiento del útero) pero también pueden aparecer infecciones en el cérvix, la vagina, la vulva y el perineo.

Síntomas

- Fiebre.
- Dolor abdominal.
- Secreción vaginal maloliente.
- Inflamación, enrojecimiento e hinchazón.

Tratamiento

La mayoría de infecciones que se presentan después del parto exigen tratamiento médico, por lo general con antibióticos. La endometritis puede requerir la hospitalización, durante la cual se administrarán antibióticos por vía intravenosa por un período de entre tres y siete días. Una vez tratada, suele solucionarse a los pocos días. Otras infecciones pueden variar en su respuesta al tratamiento, pero la mayoría desaparecerán al cabo de siete o diez días. Se puede continuar con la lactancia materna en la mayoría de tratamientos.

Hemorragia posnatal

Es normal que haya unas ligeras pérdidas vaginales, tanto si el parto ha sido vaginal como por cesárea, durante varias semanas después del parto (véase p. 321). Se habla de hemorragia posnatal cuando se sangra excesivamente después del parto. Hay muchas causas distintas para una hemorragia anormal. La más común es que el útero no se contrae bien. Otras son la retención de placenta (fragmentos de tejido placentario no expulsados) o laceraciones no detectadas en el cérvix o la vagina.

Aunque suelen producirse en los primeros días después del parto, también pueden aparecer varias semanas después, si quedan fragmentos de la placenta adheridos o si hay una infección interna.

Síntomas

- Pérdida abundante de sangre de color rojo intenso durante cuatro días o más.
- Expulsión de un gran número de coágulos.
- Flujo vaginal maloliente.
- Sensación de debilidad, falta de aliento y mareo.

Tratamiento

Algunas mujeres reciben medicación durante un par de días para estimular la contracción del útero. En ocasiones se necesita una intervención menor —llamada evacuación de productos de la concepción retenidos— para retirar cualquier resto de tejido que haya quedado en el útero. La anemia causada por la pérdida de sangre puede ser tratada con suplementos de hierro y una dieta que incluya alimentos ricos en ese elemento (véase p. 108).

Prolapso

Durante el embarazo y el feto, los músculos de la pelvis que sustentan los órganos pélvicos pueden debilitarse, ocasionando incontinencia (véase p. 359) y, en casos extremos, prolapso, es decir, los órganos del bajo vientre caen hacia abajo. La forma más corriente de prolapso es cuando el útero desciende a la vagina.

Síntomas

- Sensación de incomodidad y pesadez en la parte inferior del abdomen.
- Incontinencia de la orina al toser o estornudar.
- Dolor en la parte inferior del abdomen o de la espalda.
- Dolor o incomodidad al mantener relaciones sexuales.
- Estreñimiento

Tratamiento

Empezar los ejercicios de Kegel (véase p. 122) lo antes posible después del parto, puede ayudar a impedir el prolapso. Comer mucha fibra evitará el estreñimiento, y por tanto hacer esfuerzos que presionan en la zona pélvica. Un prolapso uterino moderado puede aliviarse con un pesario (un dispositivo parecido al diafragma anticonceptivo). Puede que una vez que la familia esté completa, sea necesaria una operación quirúrgica reparadora.

Complicaciones con los puntos

Es posible que los puntos de la episiotomía se infecten y causen muchas molestias. Las bacterias pueden invadir una herida pese a aplicar las máximas precauciones y medidas de higiene.

Síntomas

- Perineo rojo, doloroso e hinchado.
- Olor desagradable en la zona.

Tratamiento

Los puntos infectados suelen solucionarse con mucha higiene y baños frecuentes, pero una infección del perineo puede exigir un tratamiento con antibióticos, por lo cual debe consultar con el médico. En ocasiones los puntos se desprenden prematuramente. Puede que sea necesario poner nuevos puntos pero, con frecuencia, la simple higiene es suficiente para la cicatrización.

PROBLEMAS EN LOS PECHOS

Conductos de la leche obstruidos

Todo lo que restrinja el flujo de la leche en el pecho puede bloquear los conductos. Suelen padecerlo las mujeres que, por alguna razón, tienen una acumulación de leche. Puede estar causado por la producción de un exceso de leche o porque el bebé no se agarra correctamente, no vacía el pecho o no se despierta y se salta una toma.

Síntomas

- Sensibilidad.
- Enrojecimiento, con o sin calor.
- Aparición de un bulto que disminuye con el masaje o después de alimentar al bebé.

Tratamiento

Aplíquese calor, por ejemplo, una toallita empapada en agua caliente y luego bien escurrida, en la zona afectada; asimismo, dese masaje antes de cada toma

Puede que los músculos de la zona pélvica, debilitados por un parto rápido, un período de dilatación prolongado o un bebé grande, no tengan fuerza para mantener el útero en el sitio que le corresponde, por lo que cae en la vagina. Otros órganos —la vejiga, la uretra, el recto y el revestimiento abdominal— también pueden caer, presionando sobre la vagina y provocando el prolapso vaginal o descenso de la pared vaginal. Se pueden producir varios tipos de prolapsos.

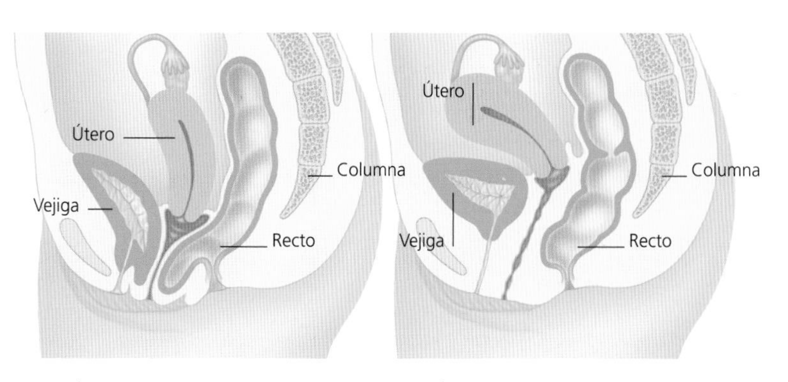

Órganos pélvicos prolapsados — *Órganos pélvicos normales*

para aliviar el problema. Alimente al bebé con frecuencia y use un sacaleches al final de cada toma si los pechos no han quedado completamente vacíos. Cambie de postura en cada toma y compruebe que el bebé se agarra como es debido (véase p. 301).

Mastitis

Si las bacterias llegan al interior de un conducto de la leche obstruido —con frecuencia a través de un pezón agrietado (véase más abajo)—, es posible que se infecte la leche y que el conducto se inflame. Se trata de la mastitis, que se produce más usualmente en el segmento superior externo del seno. Una mujer puede estar más predispuesta a la mastitis por la congestión, el estrés y un cambio en las pautas de alimentación; por ejemplo si el bebé empieza a alimentarse a intervalos más largos o está tomando algún biberón.

Síntomas

- Bulto doloroso e hinchado.
- Piel brillante y roja en la zona afectada.
- Fiebre y dolores musculares parecidos a la gripe.
- Náuseas.

Tratamiento

La mastitis exige tratamiento con antibióticos, analgésicos y medidas de autoayuda prescritas para la obstrucción de los conductos de la leche. Los fármacos recetados no serán peligrosos para el bebé, porque una parte importante del tratamiento es continuar dando el pecho. Si no mejora después de 24 horas con antibióticos, consulte con el médico, ya que existe el riesgo de que se produzca un absceso.

Pezones agrietados

Aunque es corriente que los pezones estén sensibles y doloridos durante los primeros días de la lactancia, una succión vigorosa, una postura incorrecta y que queden restos de leche en el pezón, pueden llevar a la aparición de grietas. Los pezones agrietados son muy dolorosos y pueden infectarse.

Debe tener cuidado con:

- Pequeñas grietas en el pezón, a veces sangrantes.
- Un dolor agudo y punzante al dar de mamar.

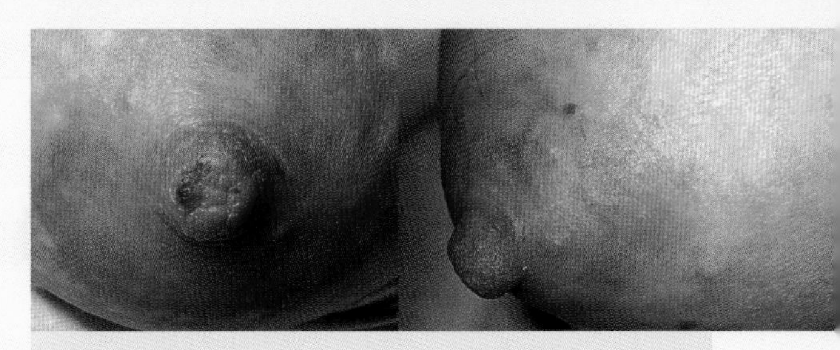

Un pezón agrietado (izquierda) y la mastitis (derecha) pueden hacer que amamantar sea muy molesto, pero ninguno de estos trastornos impide continuar dando el pecho. Las grietas en los pezones son más comunes en mujeres de piel clara, aunque no se sabe por qué razón.

Tratamiento

Continúe dándole el pecho, cuidando de que el bebé se agarre de forma correcta (véase p. 301). Vacíe sus pechos con un sacaleche si los nota llenos cuando su bebé haya acabado de mamar. Deje los pezones al aire un rato después de dar de mamar; lávelos con agua tibia —no use geles ni desinfectantes— y séquelos con suavidad. Las pruebas clínicas muestran que muchas cremas recomendadas para las grietas en los pezones tienen escaso valor curativo, aunque las que llevan lanolina alivian. Los protectores de pezones pueden ayudar.

Aftas

Con frecuencia los pezones agrietados se infectan con la levadura *candida albicans* que lleva a la aparición de aftas. Las mujeres que son propensas a las aftas vaginales, pero que no tienen problemas con la lactancia materna, pueden sufrir también esta dolencia, que además también la causan los antibióticos.

Síntomas

- Pezones rojos o enrojecidos, irritados y picor.
- Pequeños puntos blancos en los pezones.
- Intensas punzadas en el pecho afectado.

Tratamiento

Las aftas pueden contagiarse entre la madre y el bebé, así que es posible que tengan que ser tratados los dos, por lo general con una medicación antihongos. Aunque es probable que sea doloroso, debe continuar dando el pecho durante el tratamiento.

Fallo en la eyección de la leche

Si no puede producir una leche adecuada o si esta no fluye libremente, se trata de un fallo del reflejo de eyección, por lo general como resultado de una congestión no aliviada de los senos en la primera semana después del parto. A veces este fallo se produce si un bebé tiene problemas al nacer y permanece en la unidad de recién nacidos, o si es prematuro o muy pequeño y no puede succionar con fuerza. La depresión y los trastornos emocionales también pueden reducir la producción de leche.

Síntomas

- Los pechos no gotean entre toma y toma.
- No hay sensación de eyección (unas ligeras contracciones uterinas inmediatamente después del parto y luego hormigueo en los pechos al cabo de dos semanas).
- El bebé parece descontento y hambriento.
- El bebé no aumenta de peso lo suficiente.
- El bebé orina con poca frecuencia.

Tratamiento

Alimente al bebé con frecuencia y en un lugar tranquilo y relajado, sentada cómodamente con su hijo agarrado al pecho correctamente (véase p. 301). Use un sacaleches si el bebé no ofrece la suficiente estimulación en términos de presión o tiempo al pecho. Hable de la depresión o los problemas emocionales con el médico.

PROBLEMAS URINARIOS E INTESTINALES

Incontinencia de orina

Se cree que los cambios físicos que se producen en el organismo durante el embarazo —más que la debilidad de los músculos de la zona pélvica, como antes se pensaba— son los causantes de la incontinencia de orina. Se trate de un problema corriente después de un parto vaginal y puede durar algunas semanas o unos meses.

La incontinencia debida al estrés (provocada por la risa, la tos o los esfuerzos) es muy corriente y puede durar hasta un año después del parto. Por lo general, mejora con el tiempo.

Síntomas

- Salida de pequeñas cantidades de orina.
- Sensación de plenitud y una necesidad urgente de orinar.
- Incapacidad de controlar el flujo de la orina.

Tratamiento

Cualquiera que sea la causa, los ejercicios de Kegel (véase p. 122) son el mejor método para combatir la incontinencia. Puede que pasen algunas semanas antes de que se observe ninguna mejora en el control de la vejiga, pero se debe perseverar. Lleve compresas sanitarias o ropa interior con protección para prevenir accidentes.

Incontinencia de las deposiciones

Un parto con fórceps, un desgarro grave o una episiotomía pueden dañar los nervios y músculos responsables de abrir y cerrar el intestino. Esto puede llevar a la pérdida de control en las deposiciones. La duración de esa incontinencia depende del daño que se haya sufrido. Las mujeres afectadas pueden tardar entre seis semanas y cuatro meses o más en recuperar el control de los intestinos después del parto.

Síntomas

- Deposiciones involuntarias.
- Emisión excesiva de gases.

Tratamiento

Los ejercicios de Kegel (véase p. 122) pueden reforzar los músculos de la pelvis y estimularr la circulación de la sangre en el perineo, lo cual le ayudará a la recuperación. Si la incontinencia no mejora con estos ejercicios, es importante consultar el problema en su control posnatal. No tiene por qué sentirse avergonzada. Es mucho mejor que reciba tratamiento lo antes posible.

PROBLEMAS MÉDICOS DEL RECIÉN NACIDO

La mayoría de bebés nacen perfectamente sanos, pero hay veces que surgen problemas y es necesaria la intervención médica. Aunque sea motivo de preocupación, la mayoría de afecciones se pueden tratar con éxito. Les explicarán con todo detalle el tipo de tratamiento que su hijo necesita.

PROBLEMAS INTESTINALES

Estreñimiento

Es la producción de heces duras y secas, que son expulsadas con menos frecuencia de lo normal. Es muy raro que los bebés sufran estreñimiento en sus primeras semanas de vida. Si su bebé está estreñido, vomita o tiene distensión abdominal, quizá tenga una enfermedad del sistema digestivo.

Síntomas

- Heces duras y difíciles de expulsar.
- Defecación menos frecuente.
- Heces con rastros de sangre en el exterior.
- Dolor o molestias abdominales, que hacen que el niño llore mucho y encoja las piernas.

Tratamiento

A un recién nacido con un ligero estreñimiento hay que darle muchos líquidos. El estreñimiento que es consecuencia de cambios en la dieta, por ejemplo, una fórmula de leche diferente, se suele resolver en pocos días. Un estreñimiento más grave, con heces duras y con dolor en la expulsión, exige tratamiento médico. A los bebés nunca hay que darles laxantes, a menos que los prescriba el médico. También es preciso evitar el agua azucarada porque puede desarrollar el gusto por los dulces.

Diarrea

Se trata de un aumento súbito en la cantidad de heces, que son más sueltas y acuosas de lo habitual. Pueden tener un color verdoso y oler mal. A veces la diarrea va acompañada de vómitos.

La causa más común de diarrea es una infección vírica, aunque también puede ser debida a una bacteria, lo cual haría que apareciera sangre en las heces. La diarrea puede ir asociada a una infección urinaria, a una infección del tracto respiratorio superior —por ejemplo, una infección de oído o un resfriado— o a una enfermedad más grave. En estos casos, suele ir

CUÁNDO HAY QUE ACUDIR AL MÉDICO

Los recién nacidos pueden ponerse enfermos con mucha rapidez, así que es importante conocer los síntomas que pueden indicar una enfermedad. Si un bebé muestra alguno de los siguientes síntomas o parece estar mal, es preciso llevarlo al médico con urgencia.

- **Palidez o un color azulado en torno a la boca y en el rostro.**
- **Fiebre de 38º C o más.**
- **El cuerpo se desmadeja o se pone rígido.**
- **Los ojos están enrojecidos o inyectados de sangre, secretan una sustancia blanca y pegajosa o las pestañas se pegan.**
- **Manchas blancas en el abdomen.**
- **Enrojecimiento o sensibilidad en torno al ombligo.**
- **Nariz obstruida por mucosidad, que hace que le resulte difícil respirar mientras come.**
- **Diarrea. Más de seis u ocho deposiciones acuosas al día** **(véase p. 307).**
- **Vómitos violentos.**
- **Vómitos que duran seis horas o más o van acompañados de fiebre y/o diarrea.**
- **Rechazo a ser alimentados.**
- **Llanto durante períodos inusualmente largos.**
- **Heces con rastros de sangre.**

CÓMO ALIVIAR LAS MOLESTIAS ABDOMINALES

El masaje puede reconfortar a un bebé inquieto. Si sospecha que le duele el vientre, pruebe con el siguiente procedimiento, asegurándose primero de que la habitación donde le dé masaje esté caldeada y libre de corrientes de aire:

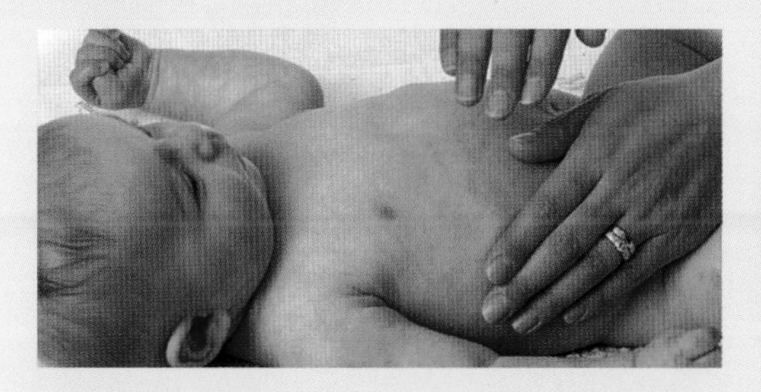

1 Masajee en sentido descendente, con una mano después de la otra, por el lado derecho del abdomen, desde la parte media entre la cadera y la costilla inferior hasta por debajo del ombligo. Haga lo mismo en el lado izquierdo.

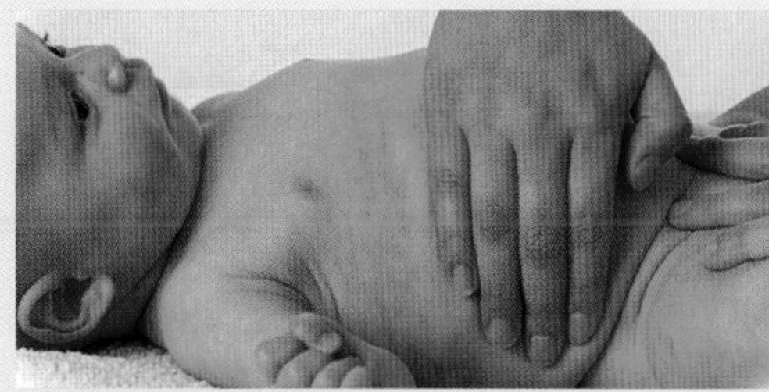

2 Con la mano ahuecada, masajee suavemente el vientre del pequeño de lado a lado. No empuje hacia abajo porque se tensará y él lo convertirá en un juego.

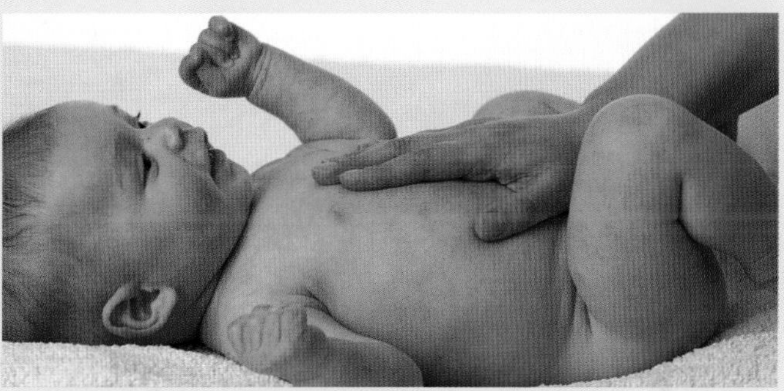

3 Con la mano ahuecada, dele un masaje circular en la barriga, siguiendo la dirección de las agujas del reloj, de su izquierda a su derecha. Si el vientre del bebé está duro, hágale cosquillas suavemente, para que se relaje antes de empezar.

acompañada de fiebre. Los problemas con la alimentación pueden provocar también unas heces sueltas. Entre otras causas de diarrea en los recién nacidos están la intolerancia a un tipo particular de fórmula láctea y al uso de antibióticos.

Síntomas

- Heces muy blandas, acuosas y malolientes.
- Vómitos.
- Dolor abdominal.
- Fiebre.
- Rechazo del alimento.
- Cuerpo desmadejado.

Tratamiento

Evite la deshidratación ofreciéndole más leche. Puede darle agua hervida y enfriada entre tomas. Si se deshidrata será necesario llevarlo al hospital para que pueden darle líquidos que sustituyan la sal, los electrolitos y el azúcar que ha perdido. Si la causa es una infección bacteriana, puede que le receten antibióticos. Si se sospecha que se trata de una alergia a la leche, pueden indicarle un cambio de fórmula.

La diarrea causada por una infección suele mejorar al cabo de aproximadamente una semana, más o menos. Encontrar la fórmula láctea adecuada suele exigir más tiempo.

CÓMO TOMAR LA TEMPERATURA AL BEBÉ

A los recién nacidos hay que tomarles la temperatura bajo el brazo. Si usa un termómetro digital, limpie debajo del brazo del bebé para retirar el sudor, luego colóquele el extremo del termómetro en la axila y sujétele el brazo contra el costado para mantener el termómetro en su sitio. Déjelo entre 3 y 4 minutos o hasta que suene la señal. Llame al médico si la temperatura ha subido a 38° C o más. Infórmele siempre de que se trata de una temperatura axilar (es decir, tomada bajo el brazo), ya que ahí tiene una lectura ligeramente más baja.

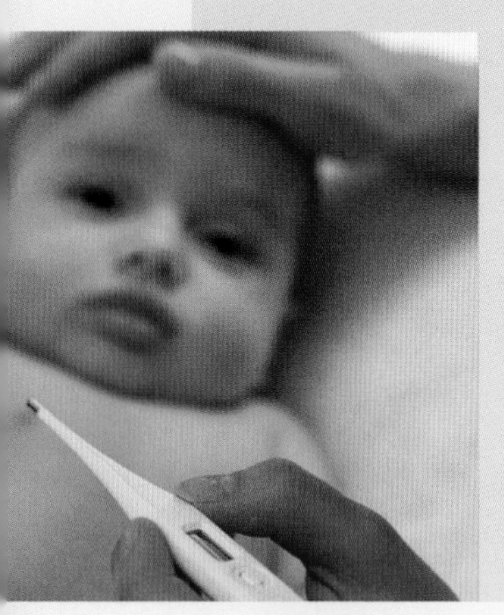

Vómitos

Muchos bebés expulsan cantidades relativamente pequeñas de leche mientras comen o poco después. Si, por lo demás, el bebé crece y se encuentra bien, es probable que esto esté relacionado por el reflujo de leche del estómago, que se solucionará a su tiempo. No obstante, cuando un bebé vomita, devuelve con fuerza grandes cantidades de leche y puede que lo haga de repente, esos vómitos pueden ser el resultado de una alergia a la leche. Anomalías anatómicas del intestino, por ejemplo la estenosis pilórica (véase p. 379) o un tracto digestivo estrecho, impiden que el bebé retenga la leche. Al igual que sucede con la diarrea, las bacterias y los virus pueden asimismo causar los vómitos. Si la causa es una infección, el bebé tal vez tenga fiebre.

Síntomas

- Expulsa mucha cantidad de leche.
- Fiebre y/o diarrea.
- Vómitos persistentes o violentos.
- Sangre en los vómitos

Tratamiento

Si el niño tiene alguno de estos síntomas, tiene que llevarlo al médico con toda urgencia, para que identifique la causa rápidamente. Si se sospecha que hay una infección, se harán pruebas y, si se confirma, le darán antibióticos. Si los vómitos están relacionados con una obstrucción intestinal, se llevará a cabo una radiografía o un examen ultrasónico y es posible que sea necesaria una intervención quirúrgica. Consulte inmediatamente con el pediatra si el bebé parece estar deshidratado, tiene la boca y los labios secos, está letárgico, tiene la fontanela hundida (véase p. 283) o el pañal está seco o manchado de una orina amarillo oscuro.

INFECCIONES Y PROBLEMAS DE LA PIEL

Fiebre

Si el bebé tiene menos de tres meses, la mayoría de pediatras opinaría que una temperatura superior a los 38° C es fiebre. Hay varias razones para que el bebé pueda tener fiebre justo después de nacer. Puede que la madre tenga una infección y se la haya transmitido al bebé. Aunque la madre tenga una temperatura normal, una infección puede provocar fiebre en el niño. Si bien es menos probable, una temperatura elevada puede guardar relación con el entorno del bebé; si la sala de partos o de recién nacidos está demasiado caliente, la temperatura del bebé puede subir.

Síntomas

- Piel caliente al tacto.
- Señales de una posible infección; por ejemplo, un resfriado.
- Falta de interés por comer.
- Letargo.

Tratamiento

Con independencia de la causa, si el bebé tiene la fiebre alta significa que le pasa algo y hay que llevarlo al médico; puede ser el primer indicio de que existe un problema más serio. En un recién nacido, una temperatura alta siempre señala una infección de algún tipo. Puede que haya cogido una infección bacteriana durante el parto o que se haya contagiado con un virus del resfriado de una visita. En cualquier caso, como decíamos, hay que llevar al bebé al pediatra si tiene fiebre, ya que puede ser necesario que siga un tratamiento.

Resfriados

Son infecciones de la parte superior del tracto respiratorio y casi siempre están causadas por virus. Los resfriados son corrientes en los bebés. Algunos son ligeros y duran solo uno o dos días; otros son más fuertes y duran varias semanas. A veces surgen complicaciones, como una infección de oídos o la garganta irritada.

Síntomas

- Nariz obstruida o que gotea.
- Secreción nasal clara, amarilla o verde.
- Estornudos.
- Ojos enrojecidos y llorosos.
- Tos.
- Fiebre.
- Falta de apetito.

Tratamiento

No hay ninguna cura para el resfriado. Los antibióticos no son efectivos contra los virus, aunque pueden usarse para combatir otras complicaciones. Una nariz obstruida hace que sea difícil succionar; por tanto, dele el pecho o el biberón con frecuencia. Debe darle más líquido, ya que ayudará a ablandar la congestión. Usar un vaporizador o humidificador en la habitación hará que el niño se sienta más cómodo. Si le cuesta respirar, puede que el resfriado se haya convertido en algo más serio; por tanto, póngase en contacto con el médico de inmediato.

Estreptococos del grupo B

Pueden causar una infección bacteriana muy grave en los recién nacidos. La bacteria se encuentra en la vagina de, aproximadamente, el 10 % de mujeres y un pequeño porcentaje de bebés se infectan durante el parto vaginal. En la actualidad, muchos médicos hacen una prueba para detectar la infección durante el embarazo. Cuando la infección aparece enseguida, el pequeño se pone enfermo a las pocas horas de nacer. Si se declara más tarde (una semana o más después del nacimiento), es frecuente que le siga una meningitis (véase a la derecha).

Síntomas

- Gruñidos.
- Inapetencia.
- Letargo o irritabilidad.
- Una temperatura anormalmente alta o baja.
- Ritmo cardíaco rápido.
- Respiración rápida.

Tratamiento

Esta enfermedad puede llegar a ser mortal, por lo cual el bebé necesita atención médica urgente. Si el resultado del test que le hicieron durante el embarazo fue positivo, probablemente le habrán dado antibióticos durante el parto para reducir el riesgo para el bebé. La enfermedad de aparición tardía exige una hospitalización inmediata. En ambos tipos de infección, el tratamiento intensivo temprano podría impedir consecuencias graves.

Meningitis

Es una inflamación de las membranas que revisten el cerebro y la médula espinal. Suele preceder de una infección vírica o bacteriana. La meningitis vírica puede ser causada por diversos virus y suele ser leve, sin efectos secundarios a largo plazo. En raras ocasiones revista gravedad y causa problemas serios.

En un recién nacido, la meningitis bacteriana suele ser causada por estreptococos del grupo B. En los niños de más de tres meses, las formas más comunes de meningitis son *haemophilus influenzae* del grupo B (Hib) y meningococos de los grupos A, B y C. El grupo B es el más corriente, pero el C es el más grave y exige una inmediata hospitalización, ya que puede ser mortal si no se trata enseguida.

Síntomas

- Llanto agudo.
- Sopor o letargo.
- Protusión de la fontanela.
- Vómitos.
- Negativa a comer.
- Piel pálida y extremidades frías.
- Sensibilidad a la luz.
- Fiebre y la mirada fija y vacía.
- Rigidez del cuello.
- Dificultades para respirar.
- Convulsiones con el cuerpo rígido y tembloroso.
- Puntos rojizos o púrpura que no desaparecen si se presionan con un vaso (véase p. 364).

Un posible síntoma de la meningitis es una erupción (izquierda), que puede empezar con puntos rojos, pequeños como cabezas de alfiler, y convertirse luego en grandes manchas púrpura. Si presiona con un vaso contra la erupción (arriba) y no desaparece ni se vuelve blanca, lleve al niño al médico o a un hospital de inmediato.

Tratamiento

Si sospecha la existencia de meningitis, llame a un médico de inmediato y lleve al bebé al hospital para un reconocimiento urgente. Puede resultar difícil diagnosticar esta enfermedad, por tanto el médico tal vez practique una punción lumbar para confirmar el diagnóstico. Se administrarán antibióticos si se sospecha que se trata de meningitis bacteriana. Se llevará a cabo una prueba de audición al cabo de cuatro semanas, ya que uno de los efectos secundarios más corrientes de la meningitis bacteriana es la sordera. Si la infección es vírica, el bebé debería recuperarse al cabo de pocos días.

Aftas en la boca

Son causadas por una levadura (hongo) llamada *candida albicans.* Este hongo también es la causa del eritema de las nalgas. Un bebé puede entrar en contacto con la infección cuando pasa por el canal del parto, si su madre tiene una infección vaginal por hongos.

Síntomas

- Puntos blancos en la lengua y en la parte interior de la boca.
- Incomodidad al comer.
- Fuerte eritema de las nalgas.

Tratamiento

Hay una serie de medicamentos suministrados por vía oral para combatir las aftas. Si está dando de mamar, tendrá que ponerse una pomada antihongos en los pezones. Todas las tetinas, chupetes y biberones deben esterilizarse a fondo cada vez que vayan a ser utilizados.

Eccema infantil

Conocido también como dermatitis atópica, es la forma más común de eccema en los niños menores de 12 meses. El eccema es una enfermedad alérgica relacionada con el asma y la fiebre del heno. Se puede heredar pero también existe aisladamente. Suele aparecer en la cara y el cuero cabelludo o detrás de las orejas. Puede que el bebé solo tenga unas pocas ronchas de piel reseca, pero si el eccema es muy fuerte, es posible que la piel esté irritada, inflamada y con secreción. El picor será insoportable y el bebé se rascará continuamente, dejando la piel abierta a la infección.

Síntomas

- Fuerte picor.
- Piel inflamada, con costras y supuración.
- Zonas de piel roja y seca.
- Piel escamosa y, en ocasiones, ampollas.

Tratamiento

Aunque solo puede controlarse, no curarse, en la mayoría de niños la dolencia desaparece cuando crecen. Es importante mantener un estricto régimen de cuidado de la piel bajo supervisión médica. Los emolientes impedirán que la piel del bebé se reseque demasiado y le pique. Las pomadas de esteroides pueden reducir la inflamación, pero solo suelen usarse si el eccema no ha respondido a los emolientes. En los casos graves, es posible prescribir antibióticos para descartar la infección.

Unos mitones impedirán que el bebé se rasque. La lactancia materna durante los primeros seis meses puede proporcionarle cierta protección contra las sustancias alérgenas.

PROBLEMAS EN LOS OJOS

Bloqueo del conducto lagrimal

Alrededor de un 5 % de niños nace con una obstrucción en los conductos lagrimales. Muchos recién nacidos tienen una obstrucción parcial que va desapareciendo gradualmente, de forma que cuando alcanzan los 18 meses, los conductos son normales. Unos conductos obstruidos predisponen al bebé a las infecciones oculares.

Síntomas

- Lagrimeo constante.
- El orificio nasal permanece seco cuando el bebé llora.

Tratamiento

Mantenga los ojos del bebé limpios, pasándole un algodón humedecido en agua hervida y tibia. Utilice un algodón limpio para cada ojo. Puede ser útil dar un masaje en la zona inferior del ojo, junto a la nariz, donde se localiza el conducto. Será necesario administrar antibióticos si se produce una infección. En raras ocasiones se necesita una intervención quirúrgica para limpiar y dilatar los conductos.

Conjuntivitis

Es una inflamación de la membrana que cubre el globo ocular y la parte interior del párpado. Suele estar causada por una infección vírica después de un resfriado, o también por una infección bacteriana. La conjuntivitis bacteriana se da con mayor frecuencia entre los bebés con los conductos lagrimales obstruidos (véase arriba). En raros casos, la conjuntivitis es un síntoma de gonorrea o de infección por clamidia, contagiada al bebé.

Síntomas

- Mucosidades o pus en los ojos.
- Secreción ocular descolorida, amarilla o verde.
- Párpados pegados.
- Aversión a las luces brillantes.
- Párpados hinchados y rojos.

Tratamiento

Mantenga los ojos del bebé limpios, eliminando cualquier secreción pegajosa con agua hervida y tibia, y usando un algodón limpio para cada ojo. Consulte al pediatra si los ojos siguen estando rojos e hinchados durante más de tres días o los párpados se quedan pegados. Puede que sea necesario administrarle antibióticos.

El eccema se diagnostica si el bebé tiene la piel inflamada, roja y escamosa. Esta afección provoca un intenso picor y, el rascarse constantemente, puede hacer que la piel se abra, dejándola vulnerable a la infección. Las zonas más comúnmente afectadas son la cara, el tronco, las ingles, las rodillas, las manos y las axilas.

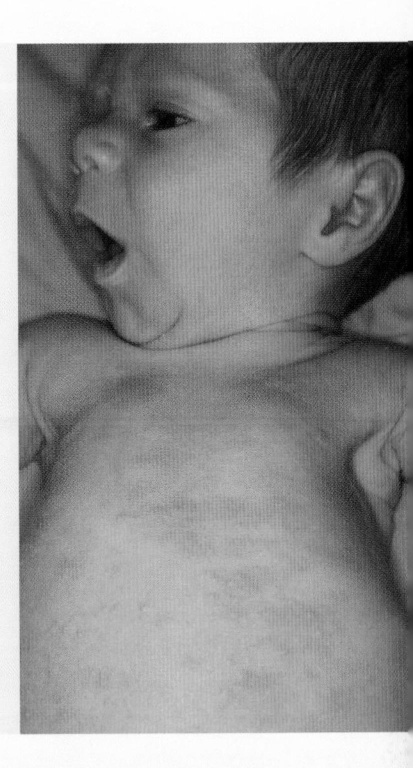

ENFERMEDADES DE LA SANGRE

Ictericia del recién nacido

Un 50 % de bebés tiene ictericia al nacer. Suele ser debido a que el hígado del bebé no puede procesar la bilirrubina (una sustancia de desecho natural de la sangre) con la suficiente rapidez, lo cual tiene como resultado la acumulación de pigmentación amarilla en la piel. El color amarillo aparece primero en la cabeza y pasa luego al cuerpo, cuando el nivel de bilirrubina aumenta.

Los bebés magullados durante el parto pueden llegar a tener ictericia, ya que se descompone más sangre en la magulladura y se forma más bilirrubina. En los bebés prematuros la ictericia es más frecuente, porque el hígado no ha madurado todavía. Entre otras causas menos comunes de ictericia se encuentran las infecciones, afecciones del hígado e incompatibilidad del Rh.

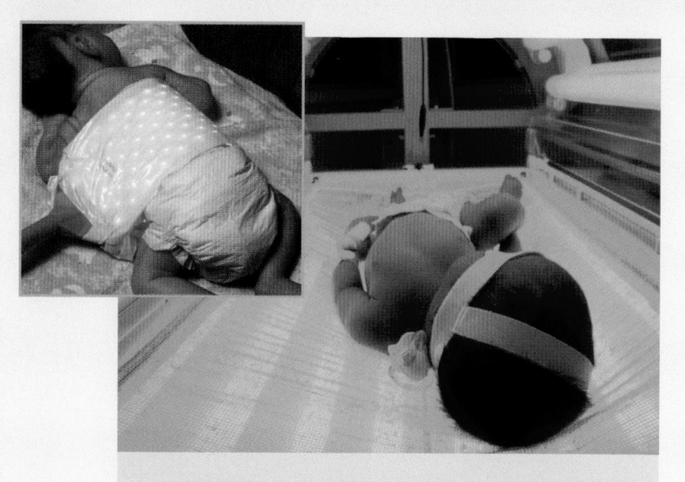

La ictericia se puede tratar con fototerapia con el bebé en una incubadora (arriba). Hay un nuevo tratamiento que consiste en un cobertor antibilirrubina (arriba izquierda) con el cual el bebé puede permanecer en su cuna.

Síntomas

- Tinte amarillento en la piel.
- El blanco de los ojos se vuelve amarillo.
- Pérdida de peso excesiva.
- El bebé parece muy adormilado y tener mala capacidad de succión.

Tratamiento

Se controlará el nivel de bilirrubina del bebé para estar seguros de que no sube de forma peligrosa, lo cual podría dañar su sistema nervioso. La sangre se extraerá de la vena o del talón del bebé. Entre los nuevos métodos existentes para analizar los niveles de bilirrubina sin extraer sangre, está un sensor de luz especial que puede ponerse en la piel del bebé.

La ictericia del recién nacido suele desaparecer por sí misma al cabo de unos días o semanas, pero si sus niveles se mantienen altos, es posible que se trate mediante fototerapia. Es un tratamiento muy seguro, durante el cual se expone al bebé a una cantidad controlada de luz ultravioleta, pero no del tipo que quema. La luz ultravioleta descompone el exceso de bilirrubina para que pueda ser excretada a través del hígado. Se colocará al bebé en una incubadora bajo luces durante un par de días, vestido solo con el pañal y con los ojos debidamente cubiertos por una máscara protectora.

Hay unos nuevos cobertores o mantas que permiten que el bebé duerma en una cuna normal, permanezca en la habitación del hospital con su madre y no tenga que llevar los ojos tapados, ya que la luz no brilla directamente desde arriba. En la mayoría de casos, la ictericia desaparece para siempre.

Si la ictericia aparece cuando el pequeño ya tiene unos meses, puede ser una enfermedad grave y de diferente naturaleza.

Hipoglucemia

Es una enfermedad en la cual la cantidad de glucosa (azúcar) en la sangre es menor de lo normal. Aunque bastante corriente entre los recién nacidos, hay ciertos bebés con más probabilidades de tener problemas. Los bebés nacidos de madres que tienen diabetes durante el embarazo pueden tener problemas para controlar sus niveles de azúcar en la sangre. Tanto los bebés especialmente grandes como los que son pequeños para su edad son más susceptibles de tener dificultades en este terreno. Los bebés prematuros, los que no comen durante un largo período después de nacer y los que tienen infecciones bacterianas pueden, igualmente, tener problemas.

Síntomas

- Sudor.
- Piel pálida.
- Respiración rápida.
- Ritmo cardíaco acelerado.
- Nerviosismo y movimientos espasmódicos.

Tratamiento

Quizá lo único que se necesite para mejorar los niveles de azúcar en la sangre del bebé sea alimentarlo. En ocasiones, si el bebé no responde se le puede administrar agua azucarada por vía intravenosa para alcanzar los niveles adecuados.

LA SALUD Y EL DESARROLLO DEL BEBÉ

Si lleva un registro del progreso del bebé durante los primeros meses de su vida podrá ver cuánto crece y se desarrolla durante este período crucial. Tal vez quiera, también, anotar las fechas importantes, como la primera sonrisa o el primer diente, junto con información médica importante como las vacunas que le ponen o las enfermedades que tiene.

EL CRECIMIENTO DEL BEBÉ

La circunferencia craneal, el peso y la estatura son buenos indicadores de su estado general de salud y bienestar durante el primer año. Aunque el índice de «normalidad» es muy amplio en cualquier edad, hay unos índices «medios» en los cuales entran la mayoría de niños (véase p. 368). Se tendrá especialmente en cuenta si el bebé es prematuro.

En cada control medirán al bebé y anotarán el resultado en un gráfico donde se recogen los promedios nacionales para los niños de la misma edad y sexo. Luego les dirán en qué grupo porcentual está su hijo. Por ejemplo, si el bebé de dos meses de edad está, por su peso, en el grupo porcentual 75, eso significa que el 75 % de los niños de dos meses de edad del país pesa menos y el 25 % pesa más.

A veces los padres se preocupan en exceso por esos porcentajes. Recuerde que su hijo es un ente individual y que se desarrollará a su propio ritmo. Esas mediciones solo sirven de orientación general para evaluar el progreso que hace su hijo en su desarrollo. Lo más importante es vigilar que el pequeño crezca a un ritmo constante.

Cómo se toman las mediciones

- *Circunferencia craneal.* A diferencia de otros órganos vitales, que están plenamente formados al nacer, el cerebro del bebé —y, por tanto, la cabeza— continúa creciendo durante el primer año. El pediatra del bebé le medirá la cabeza rodeándosela con una cinta métrica justo por encima de las cejas y las orejas, y alrededor de la parte posterior, donde la cabeza empieza a inclinarse hacia la nuca.
- *Peso.* Una vez esté completamente desnudo, lo pondrán en una báscula (sea un modelo tradicional o uno electrónico). Ambas clases deben ponerse a cero antes de colocar al bebé.
- *Longitud/estatura.* Hasta que pueda tenerse de pie solo, medirán al bebé tumbado. A veces se utiliza un instrumento especial con un tope para la cabeza y otro movible para los pies, a fin de estar seguros de que los resultados son precisos.

Tomar las medidas ustedes mismos

El pediatra puede darles gráficos porcentuales para llenar en casa. No obstante, es importante recordar que sus mediciones quizá no sean tan exactas como cuando él las toma. Cuando haya anotado las medidas en el gráfico, podrá ver cómo crece el bebé y lo podrá comparar con los demás de su edad.

Si le preocupa algo

A veces un bebé tiene problemas de alimentación o usted teme que no esté tomando lo suficiente en cada comida. Si lo pesa regularmente y anota el aumento de peso en el gráfico, pronto verá si hay algún problema. Si le preocupa algún aspecto del desarrollo del bebé, debe hablar de ello con el médico.

GRÁFICO DEL CRECIMIENTO DEL BEBÉ

ESTATURA DE UN NIÑO

82
78
74
70
66
62
58
54
50
46
42
cm

0 1 2 3 4 5 6 7 8 9 10 11 12
Edad en meses

La línea continua en el centro de la banda gris indica el ritmo medio de crecimiento durante el primer año. La banda gris muestra los límites de las mediciones normales.

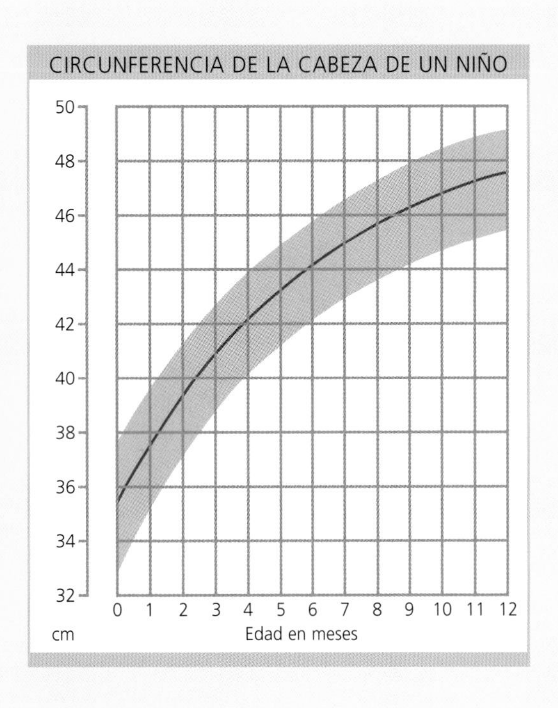

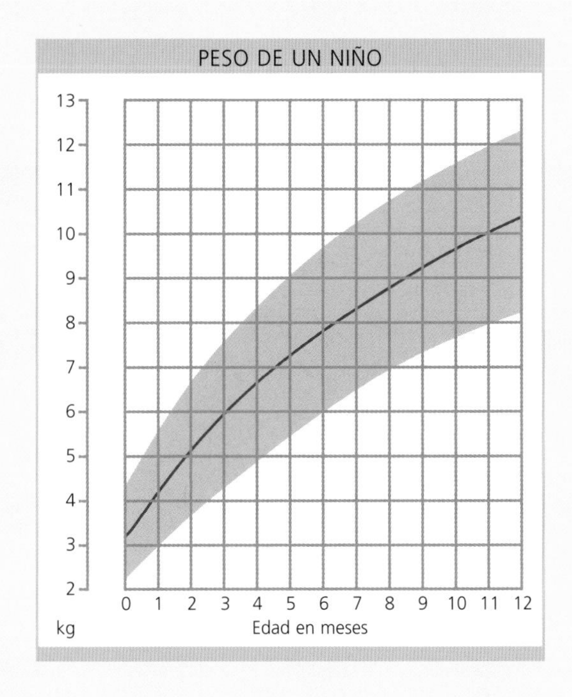

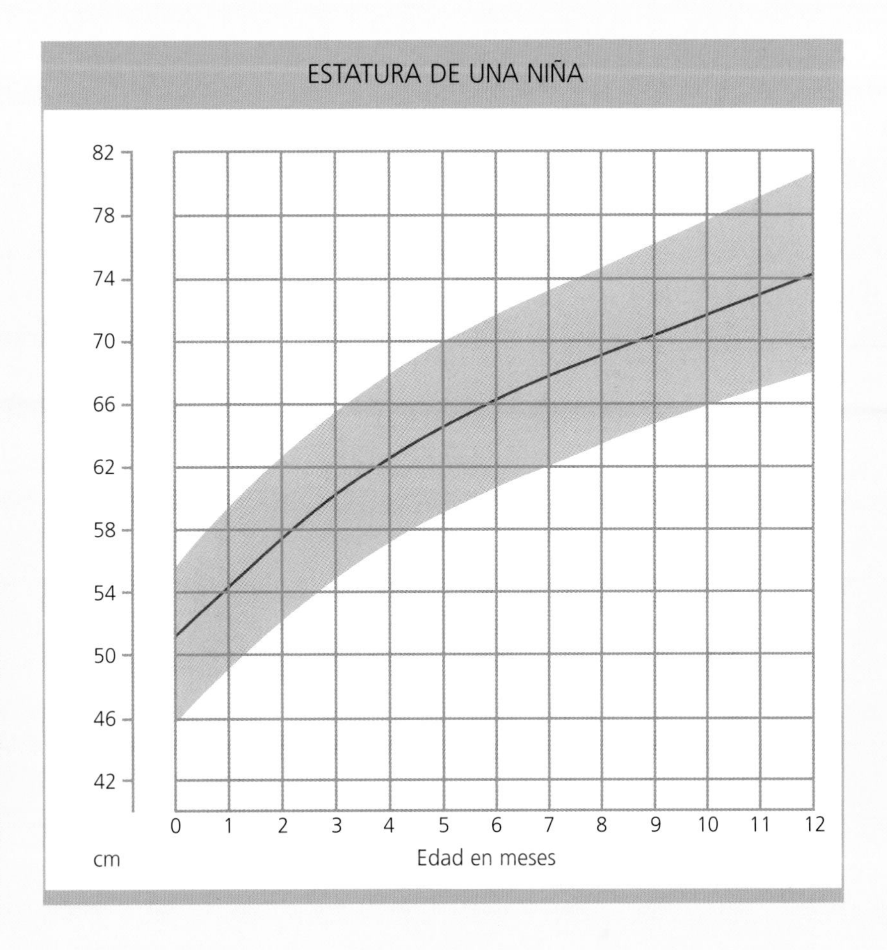

Las curvas de crecimiento de su hija deberían estar en algún punto dentro de la banda gris y seguir la curva de la línea continua.

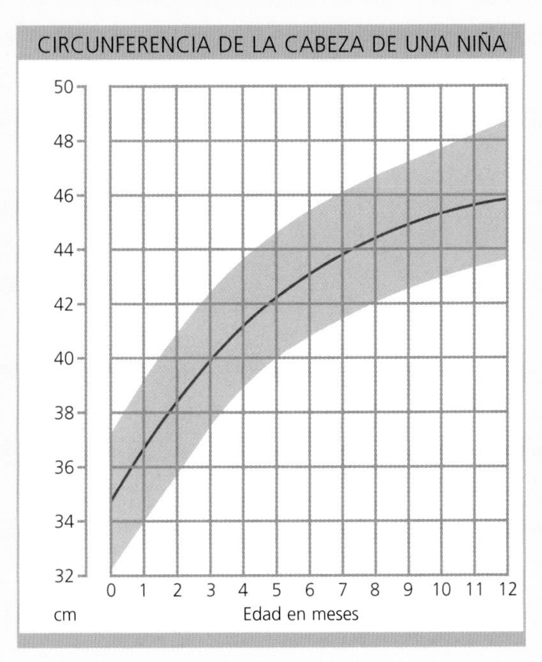

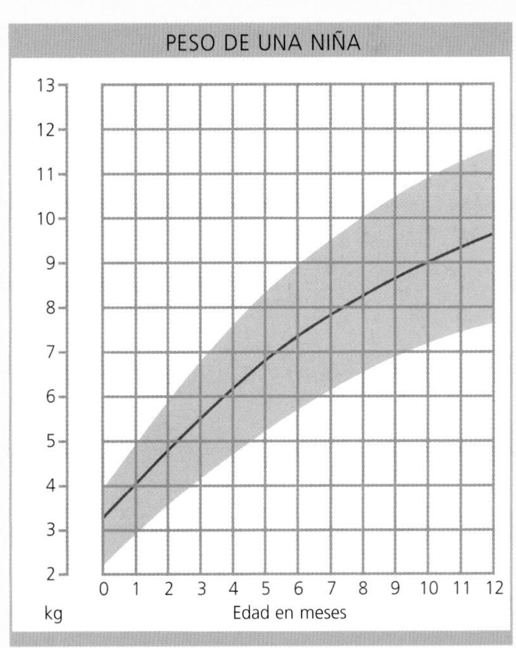

PROGRAMA RECOMENDADO DE VACUNAS

La vacunación se retrasará si el niño está enfermo, salvo si se trata de un ligero resfriado, o si su sistema inmunológico está debilitado por medicamentos inmunosupresores.

EDAD	VACUNA	ADMINISTRACIÓN
2, 3 y 4 meses	Poliomielitis	Oral
	DTP-Hib *Haemophilus influenzae* B, difteria, tétanos y *pertussis* (tos ferina)	Inyección combinada
	Grupo C Meningococcal	Inyección
Entre 12 y 18 meses	SPR Sarampión, paperas y rubéola (triple vírica)	Inyección combinada
De 3 a 5 años	SPR Sarampión, paperas y rubéola	Inyección combinada
	DTPa Difteria, tétanos y *pertussis* acelular (tos ferina)	Inyección combinada
	Poliomielitis	Oral
De 10 a 14 años	Tuberculina	Inyección
De 13 a 18 años	Tétanos y difteria (Td)	Inyección combinada
	Poliomielitis	Oral

PROTECCIÓN CONTRA LAS ENFERMEDADES

La vacunación es uno de los pasos más importantes que puede dar para garantizar la salud presente y futura de sus hijos. Desde que se inventaron, las vacunas han salvado cientos de miles de vidas infantiles. Este simple procedimiento usa vacunas que protegen a los niños de enfermedades infecciosas graves y a veces mortales fortaleciendo su inmunidad (la capacidad del cuerpo para luchar contra ellas).

Inmunidad natural

Los niños nacen con un grado de inmunidad congénita natural, que adquieren antes del nacimiento. Esa inmunidad se refuerza si el niño es alimentado al pecho, ya que la leche materna es rica en anticuerpos, especialmente en los primeros días después del parto. Pero ese tipo de inmunidad pasiva, heredada, solo es temporal; se pierde durante el primer año de vida, dejando al niño vulnerable frente a una gran cantidad de enfermedades graves. Las vacunas protegen a su hijo inmunizándolo contra ellas.

Por lo general, las vacunas no encierran riesgos y son muy efectivas. Los beneficios de la inmunización pesan mucho más que cualquier riesgo. Entre los posibles efectos secundarios puede haber una ligera fiebre o una leve erupción, dependiendo de la vacuna. Es raro que se presenten reacciones más graves, pero si la fiebre es alta, consulte con el médico.

El carnet de vacunación

Es buena idea anotar las vacunas que recibe el niño. Los médicos suelen proporcionar un carnet, que es también muy útil si se trasladan o cambian de médico o si necesita la prueba de que su hijo está protegido contra ciertas enfermedades infecciosas, por ejemplo si viaje al extranjero. El carnet de vacunación debe especificar el tipo de vacuna y el médico del niño debe anotar la fecha y firmarlo, cada vez que le administre una vacuna.

CÓMO EVITAR QUE UN BEBÉ SE ATRAGANTE

Los niños suelen atragantarse porque han absorbido o tragado un objeto extraño. Si el bebé no puede llorar ni toser, es probable que algo le esté obstruyendo las vías respiratorias y es preciso extraerlo de inmediato. Si sospecha que el bebé se está ahogando, pero puede llorar y toser, déjelo que continúe tosiendo y obsérvelo atentamente, pero no le dé golpes en la espalda ni agua.

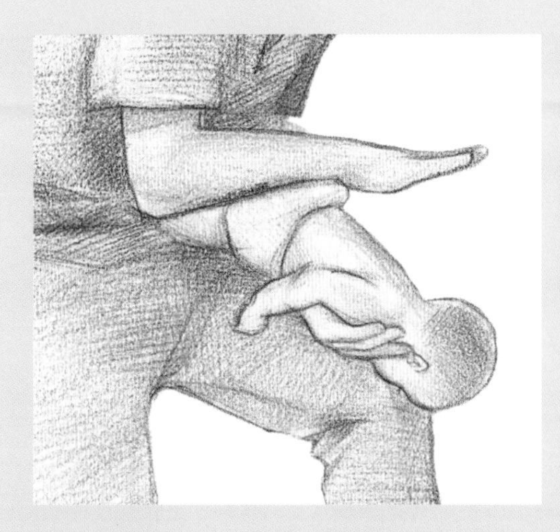

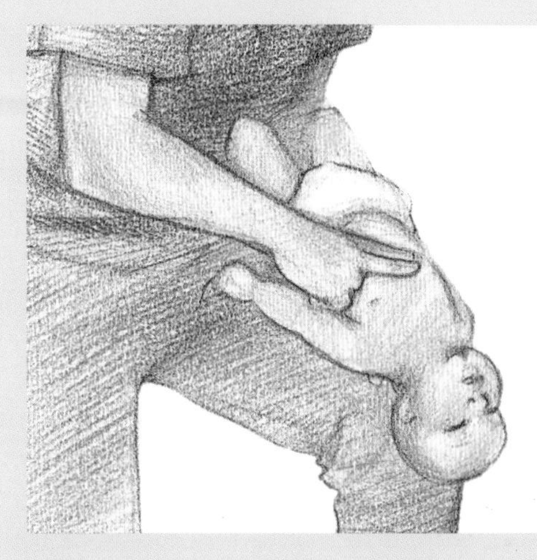

1 Si no puede llorar, toser ni respirar o si emite ruidos agudos, póngase de pie y sosténgalo, boca abajo, encima del antebrazo. Doble una rodilla y apoye el antebrazo encima de la parte superior del muslo, con la cabeza del bebé sobresaliendo más allá de la rodilla doblada. Dele cinco golpes con la base de la otra mano entre los omóplatos. Cada golpe debe ser un intento independiente de desalojar el objeto.

2 Si el bebé sigue ahogándose, dele la vuelta con cuidado y coloque dos o tres dedos en el centro del esternón. Comprima el pecho cinco veces. Cada presión debería penetrar uno o dos centímetros y ser un intento independiente de desalojar el objeto. Continúe alternando ciclos de golpes en la espalda y compresiones en el pecho hasta que salga el objeto y el bebé empiece a respirar por sí mismo o se desmaye.

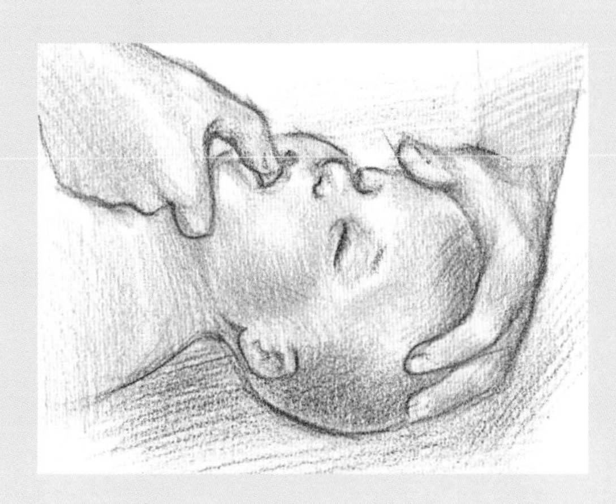

3 Si el bebé pierde el conocimiento pero sigue respirando, túmbelo de espaldas en el suelo, inclinando la cabeza ligeramente hacia atrás, y usando solamente un dedo palpe con cuidado y retire cualquier obstrucción que haya en la boca. Si el bebé sigue inconsciente y deja de respirar, busque ayuda y practíquele la respiración cardiopulmonar (RCP). Si hay pulso, pero no respiración, utilice la respiración boca a boca. Para hacerlo, incline la cabeza del bebé ligeramente hacia atrás con una mano y levántele la barbilla con la otra para abrir las vías respiratorias. Aplique su boca sobre la boca y la nariz del pequeño. Insufle aire cada tres segundos hasta que el niño empiece a respirar por sí mismo.

CÓMO DESPEJAR UNA VÍA RESPIRATORIA BLOQUEADA Y REALIZAR LA REANIMACIÓN CARDIOVASCULAR (RCP) A NIÑOS MENORES DE UN AÑO

Siempre es mejor hacer un cursillo de primeros auxilios para aprender la RCP y otras técnicas para salvar vidas. Los siguientes pasos solo se realizarán si el bebé no respira. Llame al servicio de urgencias o pida que alguien lo haga por usted.

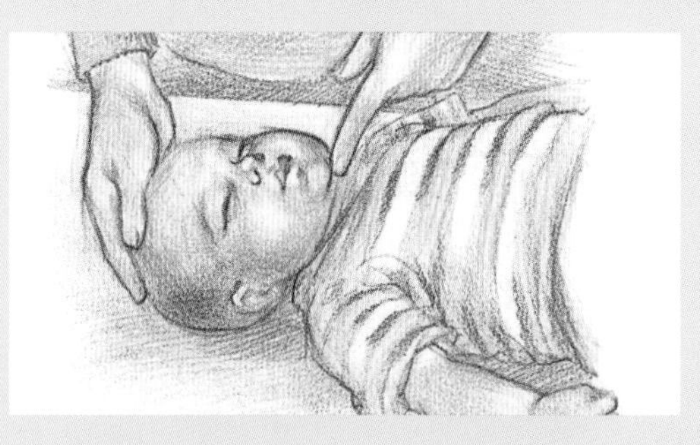

1 Tumbe al niño sobre una superficie lisa y firme, por ejemplo el suelo o una mesa. Luego inclínele suavemente la cabeza hacia atrás con una mano y levántele la barbilla con la otra para abrir las vías respiratorias. Es importante no inclinarle la cabeza demasiado hacia atrás ya que esto podría doblarle la vía respiratoria. Acerque la oreja a su boca y nariz; mire y compruebe si respira

2 Si el bebé no respira, mantenga las vías respiratorias abiertas y aplique su boca a la boca y la nariz del niño. Insúflele aire dos veces, cada una de un segundo de duración. Tome aliento entre respiración y respiración. A un bebé solo hay que insuflarle pequeñas cantidades de aire porque tiene unos pulmones muy pequeños y demasiado aire podría dañárselos.

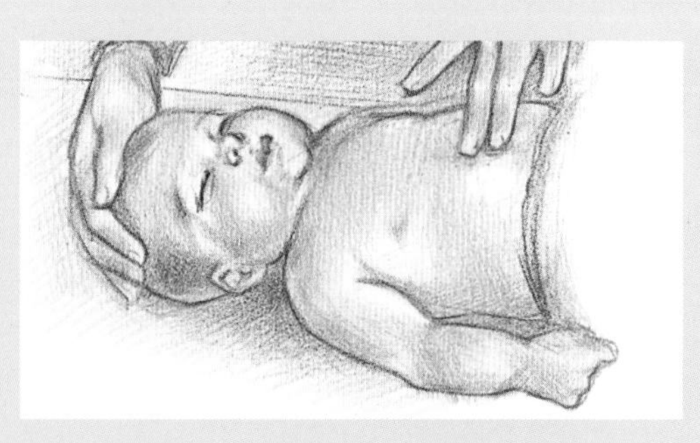

3 Con los dedos índice y corazón, compruebe si hay pulso en la parte interior del brazo y si hay otros signos de vida, como movimientos de brazos o piernas. Si no hay señales de circulación, comprima el pecho: imagine una línea que une los pezones del bebé y ponga dos dedos justo por debajo del punto central de esa línea. Aplique cinco compresiones de uno o dos centímetros en unos tres segundos.

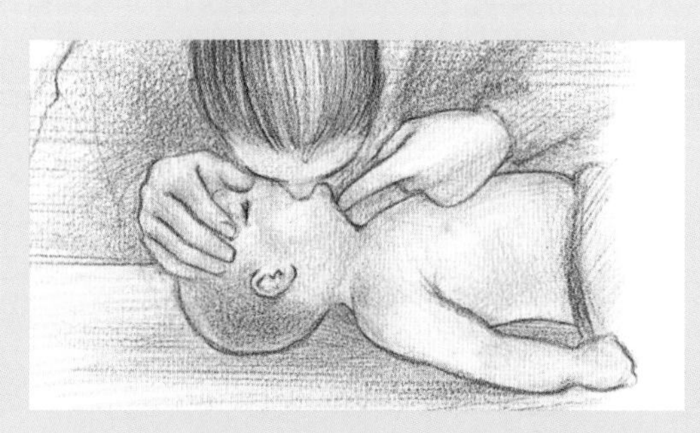

4 Después de cinco compresiones, selle sus labios encima de la boca y la nariz del niño e insufle aire una vez. Repita el ciclo de cinco compresiones y una respiración diecinueve veces más y busque señales de circulación. Si no hay ninguna, repita el ciclo de cinco compresiones y una respiración hasta que llegue ayuda o alguien la sustituya. Compruebe si hay señales de circulación cada cinco minutos.

LOS BEBÉS QUE NECESITAN CUIDADOS ESPECIALES

La mayoría de bebés que son demasiado pequeños, es decir, que pesan menos de 2,5 kg al nacer o que nacen prematuramente, necesitarán algunos cuidados especiales para permitirles compensar la diferencia. Seguramente, un bebé prematuro será tratado en una unidad de cuidados intensivos neonatales.

Se dice que un bebé es prematuro si nace antes de las 37 semanas. Los bebés nacidos después de las semanas 24 o 25 de gestación pueden estar lo bastante maduros para sobrevivir, pero estarán bajo cuidados intensivos durante un tiempo. Los bebes nacidos con menos de 23 semanas de gestación no suelen estar lo bastante maduros para sobrevivir. Aparte del tiempo que se hayan adelantado, hay otros factores que favorecen un buen resultado para un bebé prematuro, entre ellos ser niña y afroamericana.

Aunque los bebés prematuros se enfrentan a dificultades tempranas, es importante recordar que casi dos tercios de los niños prematuros que sobreviven crecerán hasta ser totalmente normales o solo tendrán problemas leves o moderados.

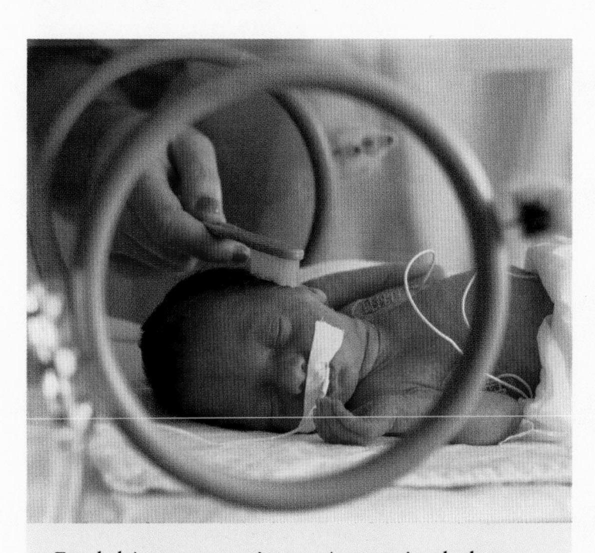

Este bebé prematuro, visto aquí en una incubadora, es tan pequeño que usan un cepillo de dientes de cerdas suaves para peinarlo. Lleva adheridos electrodos para monitorizar el latido del corazón y la respiración.

¿QUÉ CUIDADOS RECIBIRÁ EL BEBÉ?

Un bebé prematuro puede tener que recibir ventilación asistida, porque sus pulmones no estarán maduros. Como las infecciones suelen causar la muerte prematura, al bebé le administrarán antibióticos y líquidos intravenosos, sea a través de un gotero intranovenoso o una vía umbilical central. Puede que lo pongan en una cama especial con un calefactor radiante para conservar la temperatura del cuerpo, y con una envoltura de celofán para minimizar la pérdida de calor y líquidos a través de la piel. Seguramente, también llevará un monitor cardiorrespiratorio con un oxímetro pulsar para medir el oxígeno en la sangre y, si es lo bastante maduro para comer, puede que lleve un tubo para alimentarlo.

A menos que el bebé tenga más de 32 o 34 semanas, es probable que no puede alimentarse al pecho ni tomar un biberón, sino que llevará un tubo en la boca o la nariz que baja hasta el estómago. La madre de un bebé prematuro puede extraerse leche y guardarla en la unidad de cuidados intensivos neonatales hasta que el bebé pueda tomarla.

La mayoría de bebés prematuros no recibe el alta hasta alrededor de la fecha original de término del embarazo. Para un bebé nacido a las 26 semanas, eso puede significar permanecer tres meses en el hospital. Por lo general, será necesario que esté aumentando de peso, respirando bien sin ayuda —aunque quizá necesite oxígeno— y comiendo para poder dejar la unidad de cuidados intensivos neonatales. Posteriormente, un equipo de médicos especialistas comprobará sus progresos regularmente.

ENFERMEDADES CONGÉNITAS

Aunque la gran mayoría de bebés es normal, alrededor de un uno por ciento padece alguna malformación congénita. Los bebés pueden verse afectados por una gran cantidad de dolencias durante su desarrollo en el útero y muchos de los trastornos resultantes pueden ser tratados antes o después del nacimiento.

PROBLEMAS CARDÍACOS CONGÉNITOS

El corazón es un órgano complejo y buena parte de su desarrollo estructural se produce entre las 3 y las 7 semanas después de la concepción. Las cardiopatías congénitas son el grupo de dolencias más corriente y afectan a casi uno de cada cien niños nacidos. La gama de trastornos es muy amplia.

Una madre con un una dolencia cardíaca congénita o que ha tenido otro hijo con ese tipo de enfermedad, tiene un riesgo algo mayor de tener un bebé con un problema cardíaco. Muchos problemas de corazón van asociados a otros trastornos congénitos, como el síndrome de Down (véase p. 249) y es posible que le propongan hacer pruebas para detectarlas si se descubre una dolencia cardíaca.

Cómo se diagnostica

La mayoría de problemas se detectan con un examen ultrasónico entre las 18 y las 22 semanas. Muchas cardiopatías no son visibles antes de esas fechas. Si hay un historial de problemas cardíacos, se llevarán a cabo ecografías de forma regular durante el embarazo. No obstante, algunos de esos problemas no se observan en un examen con ultrasonidos, aunque se tenga experiencia; es posible pasar por alto hasta un 40 % de anomalías.

Tratamiento

Se están desarrollando ya técnicas quirúrgicas intrauterinas, de forma que en el futuro algunas dolencias podrán ser tratadas antes del nacimiento. El control de una afección cardíaca después del nacimiento dependerá de la gravedad del diagnóstico. Si se trata de un problema leve, un recién nacido podrá permanecer con la madre y ser reconocido por un pediatra en el hospital. Si es un problema más grave, que puede acarrear falta de oxígeno, exigirá la atención por parte de un especialista. Esto significa que el nacimiento debe tener lugar donde puedan proporcionar esa atención especializada. Muchos problemas cardíacos se pueden tratar por medio de cirugía, aunque algunas dolencias muy graves hacen que el riesgo de que el bebé muera al poco de nacer sea muy alto.

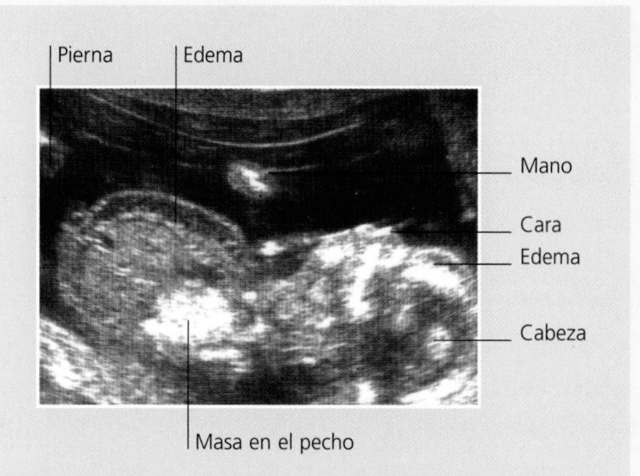

En un examen ultrasónico para detectar el hidrops fetal aparecen edemas por todo el cuerpo, debido a una acumulación de líquido en los tejidos. En este caso el edema es causado por una masa en el pecho que obstruye la circulación de la sangre.

Hidrops fetal

Es un fallo cardíaco en el bebé y en una ecografía la piel parece inflamada y hay evidencias de líquidos dentro del pecho y el abdomen. Las causas son muchas, entre ellas incompatibilidad del grupo sanguíneo, que puede ser diagnosticada durante el embarazo.

Cómo se diagnostica

Por medio de exámenes ultrasónicos.

Tratamiento

El tratamiento dependerá de la gravedad y la causa de la enfermedad. Algunas causas, como por ejemplo la anemia, pueden ser tratadas, pero otras no, como las asociadas a afecciones cardíacas graves. Los bebés con incompatibilidad de grupo sanguíneo pueden ser tratados con transfusiones intrauterinas de sangre. Que un bebé con esta enfermedad sobreviva dependerá del diagnóstico y de lo enfermo que esté cuando se descubra. Todos los bebés que han alcanzado este estadio están gravemente enfermos y muchos no sobreviven.

Defecto septal

Se conoce generalmente como «agujero en el corazón». Puede producirse en el tejido que divide las cámaras menores o mayores del corazón. Si la afección es leve quizá no se detecte y, a veces, la enfermedad solo sale a la luz más adelante. Los defectos septales que se diagnostican durante el embarazo tienden a ser importantes o estar asociados con otras dolencias.

Cómo se diagnóstica

Por medio de pruebas ultrasónicas.

Tratamiento

Las dolencias leves no siempre exigen cirugía. Es muy probable que si se trata de una afección más grave haya que operar.

Problemas con la salida de sangre del corazón

Puede suceder porque los vasos sanguíneos no se hayan unido correctamente o las válvulas no estén bien formadas. Los problemas de esta clase suelen ser complejos y quizá vayan asociados a defectos septales (véase arriba).

Cómo se diagnostican

Por medio de pruebas ultrasónicas.

Tratamiento

En el caso de conexiones que no están en el lugar adecuado, la cirugía suele tener éxito. Si las válvulas no se han desarrollado adecuadamente, la cirugía es más difícil y es menos probable que tenga éxito a largo plazo. Muchos de estas afecciones son extremadamente complicadas. Al igual que con cualquier dolencia del feto, es importante que los padres hablen con un especialista durante el embarazo para estudiar cuál es el mejor tratamiento para el bebé.

PROBLEMAS DE LA COLUMNA Y LA CABEZA

Defectos del tubo neural

Uno de los problemas de desarrollo más comunes se produce cuando el cerebro y la médula espinal no se desarrollan adecuadamente durante las cuatro primeras semanas del embarazo. En Gran Bretaña, por ejemplo, afecta a uno de cada 2.500 nacimientos y tiene como resultado daños de diversa envergadura para el niño. Son muchos más los embarazos afectados, pero debido a la gravedad de la enfermedad, la mayoría de padres optan por el aborto.

La espina bífida oculta es la forma más leve; en ella una o dos vértebras están malformadas. En la espina bífida oculta, la médula espinal está cubierta de piel, así que no suele causar problemas. A veces solo se descubre más adelante, al hacer una radiografía. En ocasiones puede haber un mechón de pelo o un hoyuelo en la zona afectada.

El mielomeningocele es una forma más grave de espina bífida. Hay una lesión en la columna, que puede ser del tamaño de una naranja, donde quedan al descubierto los tejidos nerviosos, los músculos y el líquido espinal. La lesión causa daños en los nervios, que llevan a problemas con el control muscular y de la vejiga y los intestinos. La hidrocefalia es una afección relacionada (véase p. 376).

La anancefalia en el defecto más grave del tubo neural. Una abertura en el extremo superior de ese tubo tiene como resultado que partes del cráneo o del encéfalo no se formen. Los bebés con esta dolencia no sobreviven después del nacimiento.

Cómo se diagnostican

La espina bífida puede detectarse a las 16 semanas por medio de un análisis serológico (véase p. 241), porque hace que los niveles maternos de alfafetoproteína sean muy altos. No obstante, los ultrasonidos aplicados a la busca de posibles afecciones (véase p. 238) son muy eficaces para detectar bebés con defectos del tubo neural significativos.

Tratamiento

El tratamiento dependerá del tamaño y clase de la afección y su gravedad, que se determinarán por ultrasonidos e imágenes por resonancia magnética (IRM) después del nacimiento. Si el bebé tiene un defecto abierto, esto exigirá una operación para cerrar la columna. Aunque la operación cerrará el defecto, no restaurará los nervios, que quizá no se habrán desarrollado adecuadamente.

La hidrocefalia exigirá también una operación para aliviar el problema después del nacimiento.

Prevención

Aunque la causa de las anomalías en el tubo neural no están claras, hay bastantes pruebas de que el ácido fólico, una vitamina que se encuentra en las hortalizas de hoja, tiene que estar presente al principio del embarazo para permitir que la columna se cierre adecuadamente. Como es difícil alcanzar la dosis recomendada solo por medio de la dieta, ahora se aconseja tomar un suplemento de ácido fólico antes de la concepción y hasta la semana 12 del embarazo. Los expertos recomiendan que todas las mujeres en edad de concebir tomen 400 microgramos de ácido fólico al día. Las madres que ya han tenido un bebé con espina bífida o anancefalia o siguen un tratamiento con ciertos fármacos, por ejemplo los usados para controlar la epilepsia, tienen que tomar una dosis mayor de ácido fólico (5 mg). Pueden conseguirlo con receta o comprarlo directamente en las farmacias o parafarmacias.

Hidrocefalia

Es una acumulación de líquido cerebroespinal en la cabeza y su causa es una obstrucción del sistema de drenaje alrededor del cerebro. A veces la cabeza del bebé se agranda mucho. El nacimiento prematuro es la causa más común, debido a un mayor riesgo de hemorragia cerebral, que impide la absorción del CSF. También puede darse en niños con una dolencia congénita como la espina bífida. Algunos casos son heredados y diversas infecciones pueden tener ese efecto. Los bebés con este trastorno tal vez deban nacer por cesárea. El grado en que el bebé se verá afectado dependerá de la causa subyacente. Algunos bebés crecerán y tendrán una inteligencia normal, mientras que otros pueden estar profundamente discapacitados. No obstante, esto no se puede predecir antes del nacimiento.

Cómo se diagnostica

Durante el embarazo, la hidrocefalia puede diagnosticarse por ultrasonidos. Después del nacimiento, la medición de la cabeza que se hace a todos los bebés puede indicar si existe esa anomalía. Un diagnóstico y tratamiento tempranos mejoran los resultados.

Tratamiento

Después del nacimiento suele practicarse una operación para permitir que el CSF se drene, por medio de una derivación a la corriente sanguínea. Esa derivación permanece instalada para toda la vida. A veces se practica una intervención para instalar una derivación temporal antes del parto. Luego, después del nacimiento, se instala una derivación permanente. Algunas técnicas quirúrgicas recientes, en las cuales se hace una abertura en el cráneo, son adecuadas para varias formas de hidrocefalia.

Parálisis cerebral

Este término se usa para describir un grupo de trastornos que afectan a la coordinación y al movimiento. Puede haber dificultades de aprendizaje asociadas en uno de cada cuatro niños afectados. La causa puede ser un desarrollo anormal del cerebro antes de nacer, la privación de oxígeno, una infección, una hemorragia cerebral o una herida física durante el parto. Los síntomas físicos van desde debilidad y flaccidez de los músculos a tics nerviosos como espasmos y rigidez.

Cómo se diagnostica

No es posible hacer un diagnóstico fiable hasta que el niño tiene, por lo menos, un año, porque muchas partes del sistema nervioso no se han desarrollado del todo hasta entonces. Las pruebas de diagnóstico pueden incluir EEG, IRM, CT y pruebas de visión y audición. En algunos casos, también se pueden realizar análisis de sangre para evaluar las enfermedades heredadas.

Tratamiento

No hay cura para la paralisis cerebral, pero hay tratamientos que pueden ayudar a paliar sus efectos y aumentar las capacidades del niño. Entre ellos están las terapias físicas, las terapias complementarias y los tratamientos con fármacos. A veces, la cirugía puede ser útil para tratar las deformidades de las extremidades.

PROBLEMAS GENITOURINARIOS

Obstrucción del tracto urinario

Se produce cuando el flujo de orina entre el riñón y la vejiga se obstruye parcial o totalmente, ocasionando hidronefrosis (inflamación del riñón), que puede causar la pérdida de función del riñón. Esta dolencia puede detectarse en el feto desde las 15 semanas. La hidronefrosis leve —también conocida como dilatación pélvico renal— puede mejorar espontáneamente hacia el final del embarazo y sin necesidad de tratamiento.

Cómo se diagnostica

El diagnóstico durante el embarazo se hace por ultrasonidos. En un recién nacido se realizará una ecografía renal para determinar la gravedad de la obstrucción. Puede que sean necesarias otras pruebas para evaluar el funcionamiento de los riñones.

Tratamiento

En los casos muy graves, cuando los dos riñones están afectados, puede considerarse la cirugía fetal. Para que sea eficaz, tiene que hacerse antes de que haya un daño importante en los riñones que se están desarrollando. Después del nacimiento, puede ser necesaria una intervención quirúrgica para aliviar la obstrucción. Se prescriben antibióticos para impedir que el bebé contraiga una infección de las vías renales.

Riñón multiquístico

Cuando el cuerpo del riñón no se funde con éxito con el sistema de drenaje, esto puede lleva a un riñón que funcione mal o no funcione y que en las ecografías se vea grande y quístico. Todo el mundo puede arreglárselas con un único riñón que funcione y, para desarrollarse en el útero, un bebé no necesita ningún riñón funcional, ya que la placenta se encarga de la eliminación de residuos. No obstante, cuando nazca, el bebé necesitará esa función renal, por lo menos en un riñón. A veces el desarrollo anormal afecta solo a un riñón y, por lo general, el bebé no tendrá problemas graves, aunque otras veces, haya que extirpar el riñón que no funciona en la infancia. Pero si ambos riñones están afectados, la cantidad de líquido que rodea al bebé disminuirá y los pulmones no crecerán adecuadamente. Al nacer, el bebé tendrá dificultades para respirar, así como un mal funcionamiento renal. Por esta razón, los riñones multiquísticos bilaterales (de los dos lados) son una enfermedad mortal.

En ocasiones aparece en el feto una afección que se denomina enfermedad renal poliquística adulta, que no provoca problemas hasta la vida adulta. Por lo general, uno de los padres tiene esa dolencia, aunque quizá sin saberlo.

Cómo se diagnostica

Durante el embarazo, el diagnóstico se hace por medio de ultrasonidos. En un recién nacido puede usarse una ecografía renal o una CT para detectar los quistes en el riñón.

Tratamiento

Dependiendo de la gravedad del problema, puede ser necesaria una intervención quirúrgica cuando el niño sea mayor. Si existe un factor hereditario quizá se realicen otras pruebas.

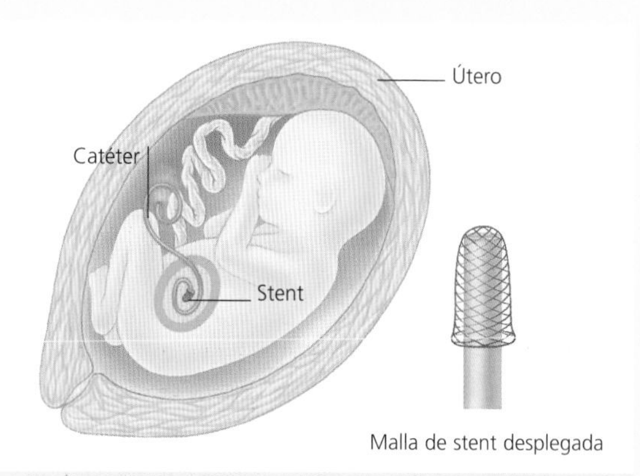

El tratamiento más reciente para la obstrucción del tracto urinario se lleva a cabo mientras el bebé está en el útero. Se coloca un stent (derecha), por un fino tubo hueco (catéter) y a través del abdomen de la madre, en la vejiga fetal, para permitir la salida de orina.

Hypospadias

Alrededor de uno entre 300 niños nacen con esta enfermedad. La abertura de la uretra, el tubo que lleva la orina desde la vejiga al exterior, normalmente en la punta del pene, se desarrolla en el lugar equivocado, en la mayoría de casos en su parte inferior. Esto causa problemas al orinar y también puede hacer que el pene se curve hacia abajo, lo cual puede afectar a la actividad sexual cuando se llega a la edad adulta.

Cómo se diasnostica

- Incapacidad para expulsar un chorro normal de orina.
- Pene curvado.
- Prepucio caído.

Tratamiento

En casos muy leves, no se tomará ninguna medida. En casos más graves, será necesaria una intervención quirúrgica para alargar la uretra. Los niños con hypospadias no deben ser circuncidados, ya que es probable que el prepucio se utilice como parte de la cirugía de reparación.

Testículo no descendido

Normalmente, durante el desarrollo fetal los testículos pasan del abdomen al escroto a través de un canal. En algunos casos esto no sucede antes del nacimiento sin que suela saberse la causa exacta. Este trastorno se produce con frecuencia en los bebés prematuros, mientras que los bebés nacidos a término no es tan probable que tengan este problema. Los testículos suelen descender hacia la semana 28 del embarazo; por ello, si un bebé nace antes, quizá no hayan tenido tiempo para hacerlo. A veces solo desciende uno de los dos testículos o el descenso es incompleto.

Síntomas

- El escroto parece pequeño o con un desarrollo desigual.
- No se notan los testículos en el escroto.

Tratamiento

Por lo general, los testículos descenderán por sí mismos durante el primer año. A veces una testículo que está en el canal inguinal y que no ha acabado de descender, lo hará de forma espontánea. Si sigue sin descender, se pueden administrar hormonas para ayudarlo a caer o quizá sea necesario practicar una operación.

Si no se trata, el niño tendrá una probabilidad mayor de la media de ser estéril y de desarrollar cáncer testicular cuando sea adulto.

PROBLEMAS DEL TRACTO DIGESTIVO

Obstrucción intestinal

Se puede producir una obstrucción en cualquier parte de los intestinos, desde el esófago al ano. Los bloqueos en la parte superior pueden llevar a la acumulación de líquido amniótico y suelen diagnosticarse durante el embarazo. Al bloqueo justo por debajo del estómago se le conoce como atresia duodenal. Esta clase de bloqueo suele encontrarse en bebés con el síndrome de Down (véase p. 249) y a los padres les propondrán una prueba para detectarlo. Los bloqueos inferiores tal vez sean reconocibles hasta después del nacimiento.

Cómo se diagnostica

Se utiliza la ecografía para identificar la causa del bloqueo.

Tratamiento

Si un feto tiene una obstrucción, será necesaria una intervención quirúrgica después del nacimiento, para colocar un *bypass* que permita al bebé comenzar a alimentarse.

Aplicaciones de la pared abdominal

Se producen cuando una parte de la pared abdominal no se ha desarrollado, dejando un agujero. El contenido del abdomen puede salir de la cavidad. En algunos casos, hay una membrana que cubre el contenido. Se llama onfalocele o exonfalos y puede ir asociado a otros problemas genéticos. Le propondrán hacer algunas pruebas. Si el intestino no está cubierto, este trastorno recibe el nombre de gastrosquisis y no va asociado a ningún otro problema de desarrollo del bebé. Si el bebé sigue sano, debería ser posible un parto vaginal. A veces, si el bebé no está bien en otros aspectos o tiene un exonfalos grande, propondrán a la madre un parto por cesárea.

Cómo se diagnostica
Un bebé con una de estas dolencias probablemente será pequeño, de forma que se necesitará un estrecho control durante el embarazo. Los defectos de la pared abdominal pueden detectarse por medio de un examen con ultrasonidos.

Tratamiento
El bebé necesitará una operación para reparar la malformación. Por lo general, esta se puede hacer en una intervención única. En otras ocasiones solo será necesario retirar pequeñas cantidades de intestino si están dañadas o bloqueadas. Se irá introduciendo la alimentación lentamente y el bebé tendrá que pasar bastante tiempo —entre dos y cuatro semanas— hospitalizado hasta que se establezca la toma de alimentos.

Estenosis pilórica
Se produce cuando el píloro (un anillo muscular que une el duodeno con el estómago) aumenta tanto su masa muscular que impide el paso de alimentos. Los síntomas suelen producirse entre las 3 y las 12 semanas. Este trastorno es más común en los niños que en las niñas y parece ser hereditario.

Cómo se diagnostica
Se realiza un examen físico y se utilizan ultrasonidos para confirmar el problema.

Tratamiento
Esta afección se trata con cirugía menor, haciendo un pequeño corte en el píloro. Después de la operación el bebé se alimentará normalmente y el aumento de peso será rápido.

Hernia diafragmática
El diafragma es un músculo que separa los órganos del abdomen de los del pecho. En las primeras etapas de desarrollo del feto en el útero hay un agujero en el diafragma, que suele cerrarse antes de que acabe el tercer mes. Si ese agujero permanece abierto, el contenido del abdomen, por ejemplo los intestinos, puede ser empujado a la cavidad pectoral. Si esto sucede, se podrían desplazar el corazón y los pulmones e impedirles crecer normalmente.

Cómo se diagnostica
Este problema se puede detectar por medio de ultrasonidos. Con frecuencia los bebés que lo padecen tendrán problemas respiratorios cuando nazcan.

El diafragma impide que los órganos que hay en el abdomen entren en la cavidad torácica (derecha). Cuando hay un agujero en el diafragma, los intestinos entran en ella e impiden que el corazón y los pulmones crezcan adecuadamente (derecha).

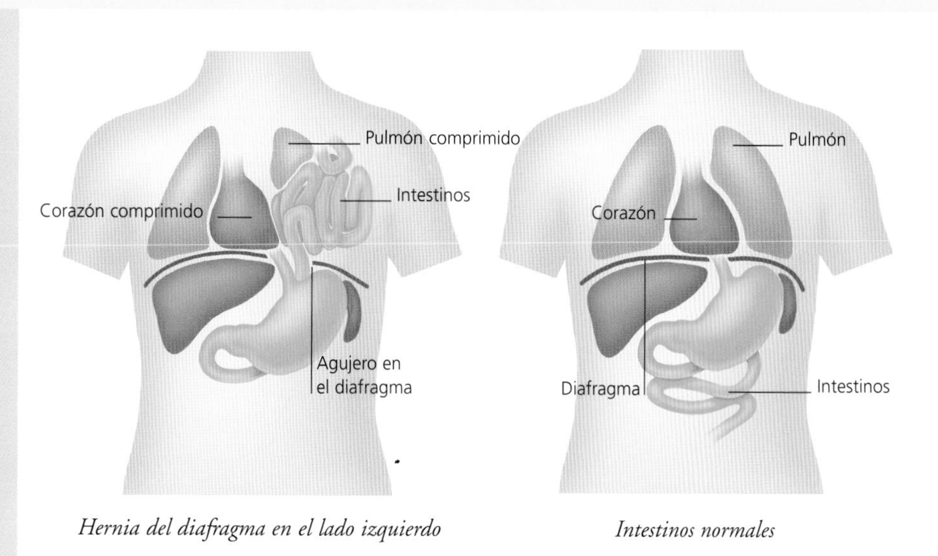

Hernia del diafragma en el lado izquierdo

Intestinos normales

Tratamiento
Un bebé nacido con hernia diafragmática puede ser operado para cerrar el fallo en el diafragma. No obstante, en los casos más graves los pulmones no son lo bastante grandes para permitir que el bebé sobreviva. No hay medios fiables de predecir cuáles de estos bebés tendrán un crecimiento pulmonar adecuado antes de nacer.

Si el bebé ha sido intervenido con éxito de una hernia, puede esperar llevar una vida normal. A veces la hernia diafragmática se asocia a un problema genético y a usted se le propondrá hacer una prueba para descartarlo.

PROBLEMAS MUSCULARES O DEL ESQUELETO

Labio leporino y paladar hendido

Estos trastornos están entre los más comunes que afectan a los bebés y se pueden producir solos o a la vez. La malformación se produce cuando el labio superior y/o el paladar el bebé no se cierran adecuadamente antes del nacimiento. En muchos casos la causa es desconocida, aunque en otros la malformación puede ser hereditaria. Si la afección es grave, el bebé puede tener dificultades para alimentarse.

Cómo se diagnostican
En la mayoría de unidades con equipo ultrasónico muy especializado, el labio leporino y/o el paladar hendido pueden ser diagnosticados prenatalmente por medio de una ecografía a medio trimestre. De lo contrario, se verá en el momento del nacimiento.

Tratamiento
El labio leporino se suele reparar quirúrgicamente hacia los 3 meses y el paladar hendido entre los 6 y los 15 meses de edad. Si la alimentación resulta un problema, puede colocarse una placa en el paladar el bebé antes de esas fechas. La cirugía plástica proporciona buenos resultados (véase la imagen a la derecha) y permite que el habla se desarrolle normalmente.

Pie deforme

Algunos bebés tienen un trastorno llamado pie deforme que afecta, aproximadamente, a uno de cada mil. Significa que un pie o los dos están torcidos, apartándose del eje normal. A veces se trata de un trastorno genético, pero es más frecuente que se produzca porque el pie se ha visto constreñido en el útero o bien porque los huesos no se han desarrollado adecuadamente.

Cómo se diagnostica
Por lo general, una ecografía de rutina detecta cualquier malformación en las extremidades. Será seguida por otras ecografías para comprobar el desarrollo del bebé.

Tratamiento
Si el problema es causado por el constreñimiento en el útero, lo único que será necesario después del nacimiento serán ejercicios de fisioterapia para enderezar el pie. Si los huesos no se han desarrollado adecuadamente puede ser necesaria una intervención quirúrgica durante la infancia.

Problemas de la columna

En ocasiones puede faltar una parte de una vértebra o no haberse formado bien, lo cual produce una mala

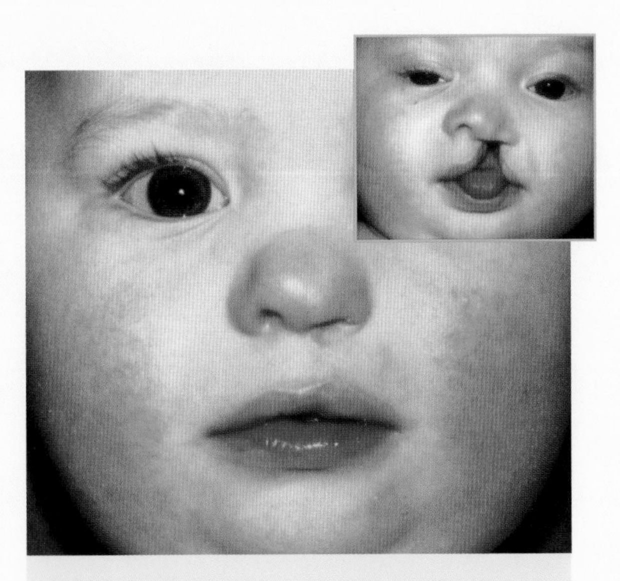

El labio leporino (arriba) suele repararse por medio de una intervención quirúrgica cuando el bebé tiene alrededor de 3 meses. El resultado suele ser muy bueno.

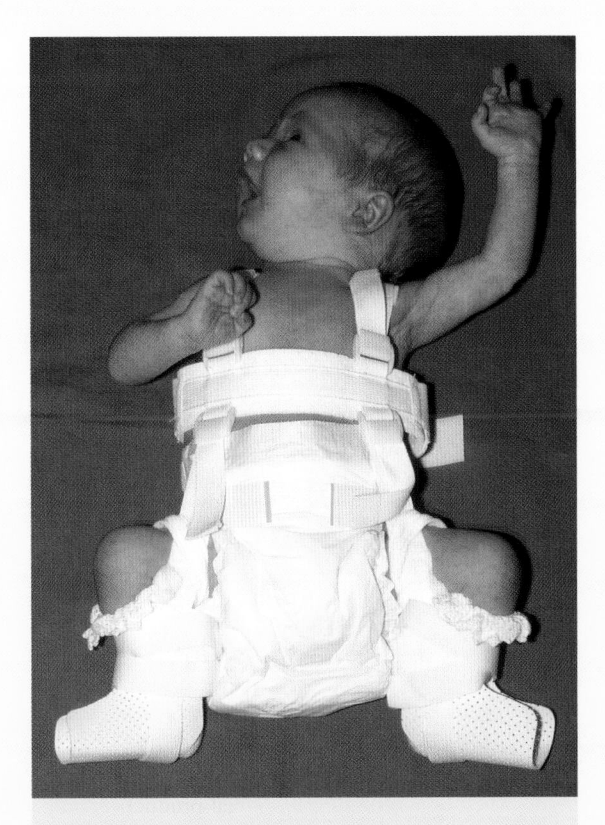

Se reconoce a todos los recién nacidos para ver si sufren luxación de cadera y, si es así, con frecuencia se usa un arnés de Palvick para mantener las caderas en la posición correcta. El pequeño llevará el arnés entre dos y cuatro meses, y es muy efectivo.

alineación de la columna. Puede ser debido a problemas hereditarios o también cuando hay trastornos cromosómicos. Siempre es difícil juzgar qué efectos tendrá a largo plazo.

Cómo se diagnostica

Lo problemas de columna se pueden identificar por medio de una ecografía.

Tratamiento

El tratamiento dependerá de la gravedad del problema. Algunos niños pueden llegar a tener una acentuada escoliosis (desviación de la columna), que necesite una intervención quirúrgica.

Luxación congénita de la cadera

Es relativamente corriente y se produce cuando la articulación de una cadera mal formada permite que la bola del fémur se deslice fuera de la cavidad del hueso pélvico. No se conoce la causa de la luxación; quizá sea hereditaria. Se produce diez veces más en las niñas y también en los primogénitos y en los niños nacidos de nalgas. Es también muy más probable en mellizos y puede ir asociada a otros problemas congénitos como la espina bífida o el síndrome de Down. Es más probable que afecte a la cadera izquierda, aunque en el 25 % de casos se encuentra en las dos.

Cómo se diagnostica

Durante el control pediátrico neonatal normal doblarán y flexionarán las caderas del bebé. Un «clic» podría ser señal de luxación; entonces a las seis semanas se hace otra prueba para confirmar la dolencia. Entre otros síntomas citaremos unos pliegues asimétricos en la parte superior de las piernas y la incapacidad de abrir estas por completo durante el cambio de pañales.

Tratamiento

Un tratamiento temprano con un arnés especial (véase a la izquierda) aumenta las probabilidades de que la cadera evolucione normalmente. El arnés se puede quitar fácilmente para cambiar el pañal y no molesta para dar de comer, bañar o dormir al bebé. Si se necesita tratamiento después de los seis meses, puede usarse una escayola. Muy raras veces, se practica una operación quirúrgica para agrandar la cavidad y esa intervención se suele practicar antes de que el niño empiece a andar.

LA PÉRDIDA DE UN BEBÉ

Tanto si la pérdida se produce antes de nacer como después, es algo devastador. Aceptar la muerte de un bebé tan deseado y ser capaz de seguir adelante puede parecer imposible, pero, como muchas parejas saben, llorar esa pérdida es una parte esencial del proceso curativo.

Al perder un hijo, es natural sentirse conmocionado y negarse a aceptar lo sucedido. Muchos padres sienten que están viviendo una pesadilla, que lo que les está pasando no es real y que, cuando despierten, su bebé seguirá allí, con ellos.

Cuando la realidad se impone, pueden aflorar sentimientos de rabia y profundo dolor. El llanto constante, la pérdida de apetito y la falta de sueños forman parte de esta situación. Los sentimientos de la mujer se ven intensificados por la enorme caída de los niveles hormonales, cuando su organismo vuelve a su estado anterior al embarazo.

Hay una necesidad desesperada de ver y coger en brazos al bebé y muchos padres pueden sentirse desgarrados por un sentimiento de culpa de que no hicieron lo suficiente por su hijo. Los sentimientos de ira y la necesidad de culpar de la muerte a alguien, a cualquiera —el hospital, el personal médico, al cónyuge—, pueden ser abrumadores.

Cuando la ira y el profundo dolor disminuyen, aparece la depresión. ¿Para qué continuar cuando la vida ha sido tan injusta?

La aceptación es la etapa final del proceso del duelo y llegará con el tiempo. Aceptación no quiere decir que el dolor y la ira hayan desaparecido, sino que es el momento de dejarlos de lado y seguir viviendo. La muerte de un bebé lo ha cambiado todo y para siempre, pero es posible continuar y ser aún más fuerte con el tiempo.

AYUDA

La experiencia de la pérdida es única para cada padre y cada madre. Para algunos, la herida tardará mucho en cicatrizar, mientras que otros estarán ansiosos por volver a la «normalidad» para intentar dejar atrás el triste suceso. Lo importante es que cada uno actúe según lo que siente, en lugar de pensar que tienen que comportarse como los demás creen que deberían hacerlo.

Perder un hijo también puede someter la relación de pareja a una fuerte tensión. Los hombres tienden a encerrar sus emociones en su interior y mientras que un padre afligido sentirá la pérdida tanto como su compañera, quizá no pueda expresar su dolor abiertamente. Ella podrá interpretar su reserva como indiferencia y sentirse terriblemente herida y sola. La única manera de pasar la terrible experiencia es que ambos expresen sus sentimientos de la forma más abierta y sincera posible.

Es vital que ambos acepten toda la ayuda y el apoyo posibles. Hay muchos grupos de apoyo para las familias que han perdido un bebé y estos pueden ser de mucha ayuda.

Muchos padres encuentran consuelo si tienen una fotografía de su bebé o si pueden tenerlo un instante en brazos al nacer. Datar la vida del bebé, por breve que haya sido, por medio de algún tipo de servicio religioso también puede ayudar a sobrellevar su muerte.

¿POR QUÉ MUEREN LOS BEBÉS?

Gracias a los avances de la ciencia médica, el número de niños que mueren en el útero —llamados mortinatos cuando tienen más de 24 semanas de edad gestacional— es enormemente bajo. Cuando sucede, con frecuencia no se sabe por qué un bebé ha muerto antes de nacer, pero entre las causas están un desarrollo anómalo o una placenta defectuosa. La madre puede observar que algo no va bien —el bebé ya no se mueve— o el médico no puede oír el latido del corazón del bebé. Se hará un examen ultrasónico para comprobar si el corazón late.

Si un bebé muere en el útero, la madre tiene la difícil tarea de pasar por un parto normal, sabiendo que su hijo no estará vivo al nacer.

Es mejor tratar de evitar una cesárea, ya que podría acarrear más complicaciones para la madre y afectar a un futuro parto.

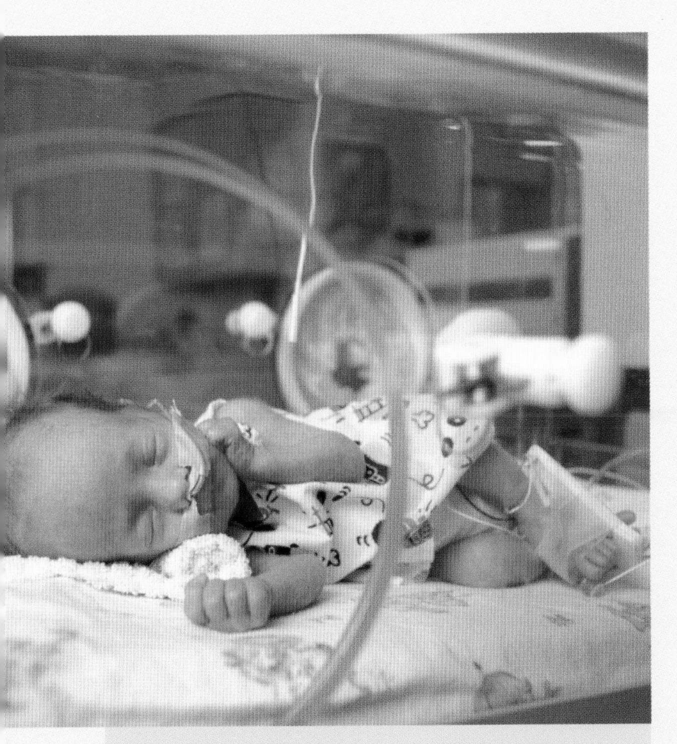

En ocasiones, en un embarazo múltiple, uno de los bebés no logra sobrevivir. Perder un mellizo o un trillizo puede ser especialmente difícil. Los padres se sienten divididos entre llorar a su bebé perdido y celebrar la vida del superviviente o supervivientes. Es un vaivén emocional que puede poner a prueba la relación más fuerte. Existe la desafortunada tendencia por parte de otras personas a minimizar la pérdida, pensando que, como hay un bebé vivo, los padres tendrían que sentirse agradecidos. El dolor por la pérdida de un ser querido no funciona de esa manera.

Muy raramente un bebé muere durante el parto. Cuando esto sucede, suele deberse a la falta de oxígeno. Hay muchas razones para que esto suceda, entre ellas la insuficiencia de la placenta, la toxemia del embarazo y que el cordón umbilical esté enrollado apretadamente en torno al cuello.

Cuando un recién nacido muere —muerte neonatal— suele ser debido a problemas respiratorios, especialmente si el bebé es prematuro o tiene graves problemas de desarrollo.

Síndrome de muerte súbita del lactante (SMSL)

Conocido también como «muerte en cuna», se define como la muerte súbita e inesperada de un bebé de menos de un año, que no puede explicarse después de una minuciosa investigación, que incluye autopsia, examen del escenario de la muerte y revisión del historial clínico. Nueve de cada diez muertes suceden durante los seis primeros meses de vida, y los niños tienen más riesgos que las niñas. Los riesgos también son mayores para los bebés que hayan nacido prematuros o con bajo peso. El riesgo de que el bebé sufra muerte súbita aumenta considerablemente con la exposición prenatal y posnatal al humo del tabaco.

Las causas del SMSL son múltiples, pero desde que se aconseja a los padres que acuesten a sus bebés boca arriba (véase p. 309), el número de muertes atribuidas al SMSL ha caído en picado. En la Unión Europea el SMSL ha sido la causa más común de muerte entre los bebés sanos de más de un mes, aunque su incidencia ha ido disminuyendo de forma constante desde principios de los años noventa, en todos los países en que se han realizado campañas de prevención. El SMSL todavía es muy raro y es muy pequeña la posibilidad de que un bebé muera debido a ello.

GLOSARIO

Nota: las palabras en cursiva tienen una entrada separada en el glosario

Aborto: pérdida del bebé antes de la semana 24 de embarazo:

- Amenaza: cuando hay sangrado vaginal pero la ecografía muestra que el corazón del *feto* está latiendo.
- Completo: cuando el útero ha expulsado todo el embarazo y la ecografía muestra que el útero está vacío.
- Incompleto: cuando el útero no expulsa todo el embarazo y retiene trozos de tejido.
- Pasado por alto: cuando no se ha desarrollado el *feto* y puede apreciarse un saco vacío en la ecografía.

Aborto incompleto: véase *aborto.*

Ácido fólico: suplemento vitamínico que debe tomarse durante las primeras 12 semanas de embarazo, ya que se ha demostrado que reduce el riesgo de *espina bífida* y otros *defectos del tubo neural.*

ADN: Ácido desoxirribonucleico, la estructura que contiene nuestros genes y que está organizado en *cromosomas* en nuestras células.

Agarrar: término utilizado para indicar que durante la lactancia el bebé tiene que tomar en su boca todo el pezón y la mayor parte de la areola.

Agentes tocolíticos: fármacos utilizados para contener un parto prematuro.

Agujero en el corazón: también conocido como *defecto septal,* se trata de un hueco en la pared que separa las cámaras superiores e inferiores del corazón.

Alivio natural del dolor: formas de aliviar los dolores de *parto* sin utilizar fármacos.

Almorranas: véase *hemorroides.*

Altura uterina: distancia del hueso pélvico hasta el fondo del útero. Puede comprobarse palpando con cuidado el abdomen; se mide para evaluar el tamaño del *feto.*

Amniocentesis: procedimiento diagnóstico que se realiza generalmente entre las semanas 14 y 18 del embarazo para descartar la presencia de ciertos defectos. Para ello se extrae una muestra del *líquido amniótico* que rodea el *feto.* Se efectúa insertando una aguja en el *saco amniótico* y para ello se utiliza la guía de una *ecografía.* El líquido puede ser analizado para obtener información sobre ciertas enfermedades entre las que se incluyen anomalías cromosómicas como el *síndrome de Down* y trastornos genéticos como la *fibrosis quística.*

Amnios: una de las dos membranas del *saco amniótico* que rodea el *feto*; el amnios es la membrana interna, la externa es el *corion.*

Analgésicos: medicamentos que se toman para reducir el dolor; pueden utilizarse algunos durante el *parto.*

Análisis de vellosidades coriónicas: extirpación de un pequeño trozo de tejido (vellosidades coriónicas) que se examina para comprobar si hay alguna anomalía genética en el *feto* (las vellosidades y el feto tienen los mismos genes y *cromosomas*), como el *síndrome de Down* y la *fibrosis quística.* Generalmente se realiza entre las semanas 10 y 12 de embarazo.

Anancefalia: defecto que se presenta durante el nacimiento y que consiste en la ausencia total o parcial del cerebro y de la corteza cerebral. Se trata de un grave *defecto del tubo neural.* Los bebés que padecen este tipo de malformación pueden nacer muertos o sobrevivir solo durante unas horas.

Anemia: enfermedad de la sangre debido a la disminución de la cantidad de *hemoglobina,* la proteína de la sangre de color rojo característico que transporta el oxígeno alrededor del cuerpo.

Anestesia epidural: introducción de anestésico en las raíces nerviosas que salen de la médula espinal y que alivia el dolor por debajo del nivel de la inyección.

Anestesia general: fármacos que mitigan el dolor en el cuerpo y hacen que la persona caiga en estado de inconsciencia.

Anestesia regional: fármacos que se administran para reducir o anular el dolor de una zona en particular mientras la persona permanece despierta. La *anestesia epidural* es un ejemplo.

Angioma aracniforme: puntos diminutos de color rojo en la piel, conocidos también como nevus araña.

Anomalía fetal: malformación del *feto.*

Anomalías congénitas: enfermedades presentes en el momento del nacimiento.

Ardor de estómago: sensación como de quemadura en el pecho causado porque los ácidos del estómago suben por el esófago (garganta). Se trata de algo muy común durante el embarazo ya que la válvula de sentido único entre el estómago y el esófago puede no funcionar adecuadamente. El problema tiende a agravarse al final del embarazo.

Bebé prematuro: bebé nacido antes de las 37 semanas de embarazo.

Bilirrubina: pigmento biliar de color amarillo anaranjado que se produce cuando el hígado rompe la *hemoglobina* de los glóbulos rojos de la sangre. Los niveles altos de bilirrubina causan *ictericia.*

Blastocisto: grupo de células originadas a partir del huevo fecundado que se convierten en el *embrión.*

Bloqueo pudendo: tipo de analgesia que se inyecta en la vagina durante el parto. El dolor se alivia localmente por lo que todavía se pueden sentir las *contracciones,* pero las molestias relacionadas con la utilización de fórceps o la extracción al vacío serán menores.

Borramiento del cuello uterino: adelgazamiento del cérvix durante la primera fase del parto.

Calendario de vacunación: programa de vacunas que se ponen para proteger contra una o más infecciones. El calendario de vacunación en España incluye la vacuna contra la *difteria* y el *tétanos.*

Calostro: primera leche que produce la madre.

Cambios en la pigmentación: alteraciones en la coloración de la piel que pueden darse durante el embarazo, por ejemplo la *línea nigra.*

Canal de parto: otro nombre para la vagina, a través del cual pasa el bebé durante el *parto.*

Candida albicans: esta infección provocada por hongos suele afectar a la vagina, a menudo causando picores, flujo vaginal blanco y espeso, y ardor o dolor al orinar.

Candidiasis: véase *candida albicans.*

Caput succedaneum: inflamación en el cuero cabelludo del recién nacido ocasionada normalmente por la presión del útero o pared vaginal durante un *parto* con presentación cefálica.

Cariotipo: esquema, foto o dibujo de los *cromosomas* de una persona: número, tamaño y forma.

Cefalohematoma: leve hinchazón en la cabeza del recién nacido ocasionada por la fricción del cráneo del bebé con los huesos pélvicos de la madre durante el *parto.* La inflamación, causada por la acumulación de sangre debajo del cuero cabelludo, desaparece gradualmente en unos días o semanas.

Cerclaje cervical: sutura de un *cérvix incompetente,* cuya finalidad es prevenir un aborto o nacimiento prematuro.

Cérvix incompetente: véase *incompetencia cervical.*

Cesárea: tipo de parto en el que se practica una incisión en la pared abdominal. Esta operación puede ser electiva (planificada) o urgente (practicada de urgencia porque haya un problema con la madre o con el bebé).

Ciclo menstrual: ciclo mensual de las mujeres que supone, debido a los cambios en varias hormonas, el engrosamiento del *endometrio,* la liberación de un óvulo y la eliminación de ambos si no se ha fecundado el óvulo.

Cigoto: se forma cuando el espermatozoide fecunda el óvulo.

Cistitis: inflamación de la vejiga, que puede ser causada por una infección bacteriana.

Citomegalovirus: infección viral que acostumbra a ser asintomática. Sin embargo, una mujer infectada se la puede pasar al bebé, lo que puede provocar defectos de nacimiento.

Clamidia: infección bacteriana que generalmente no presenta ningún síntoma pero que puede afectar a las *trompas de Falopio* y causar problemas de fertilidad.

Cloasma: trastorno bastante común durante el embarazo. Se trata de la aparición de manchas marrón clarito en la frente, la nariz y las mejillas. Las manchas suelen desaparecer con el tiempo, aunque a veces pueden volver a aparecer.

Compresión del cordón: presión sobre el *cordón umbilical* durante el *parto* que puede afectar al suministro de oxígeno del bebé.

Congestión mamaria: cuando las mamas se inflaman, se endurecen y duelen durante los primeros días de la lactancia.

Conjuntivitis: inflamación de la conjuntiva (membrana que cubre el globo ocular). Puede ser causada por una infección.

Conjuntivitis neonatal: enfermedad común en los recién nacidos; uno de los síntomas es la aparición de una secreción amarillenta alrededor de los párpados.

Contracciones: espasmos de las paredes musculares del útero durante el *parto* que expulsan el *feto* a través del cuello del útero.

Contracciones de Braxton Hicks: *contracciones* indoloras del útero que pueden sentirse alrededor de la semana 20 de embarazo (a veces antes).

Cordocentesis: extracción de una *muestra percutánea de sangre* del *cordón umbilical* durante el embarazo. La prueba se realiza con la guía de una *ecografía.* También se conoce como muestra de sangre fetal.

Cordón umbilical: la conexión entre el *feto* y la placenta que transporta la sangre entre la madre y el *feto.*

Cordón umbilical prolapsado: cuando lo primero que sale por el canal vaginal es el cordón.

Corea de Huntington: enfermedad hereditaria causada por un defecto en el cromosoma 4. Se produce un lento deterioro de las células del cerebro y los síntomas suelen aparecer después de los 30 años. Se pueden desarrollar varios problemas como demencia, confusión y movimientos compulsivos.

Corion: una de las dos envolturas del *saco amniótico* que rodea el *feto*; el corion es la membrana externa, la interna es el *amnios.*

Coronación: cuando la cabeza del bebé asoma por el orificio vaginal.

Costra láctea: trastorno inofensivo que aparece en forma de escamas grasientas, blancas o amarillentas, en la cabeza del bebé.

Cromosomas: las diminutas estructuras de las células que llevan nuestro *ADN* en forma de genes. Tenemos 23 pares de cromosomas, dos de ellos son los *cromosomas sexuales* que determinan si somos hombres o mujeres.

Cromosomas sexuales: los *cromosomas* que determinan el sexo de una persona (las hembras tienen dos X y los machos uno X y uno Y).

Cuerpo lúteo: pequeño quiste que se desarrolla en los ovarios tras la *ovulación*, después de que el ovocito salga del folículo. El cuerpo lúteo segrega la hormona *progesterona* que hace que se espese el recubrimiento del útero, listo para acoger un ovocito fecundado. Si no está fecundado, el cuerpo lúteo disminuirá hasta desaparecer.

CVS: abreviación de *muestra de vellosidades coriónicas* (por sus siglas en inglés).

Defecto septal: véase *agujero en el corazón.*

Defectos del tubo neural: malformaciones congénitas del cerebro y la médula espinal, debido a que no se han desarrollado correctamente al principio del embarazo. La *anancefalia* y la *espina bífida* son tipos de defectos del tubo neural.

Deficiencia de hierro: falta de hierro en el cuerpo. Es una causa de *anemia.*

Deformación craneal: forma anormal de la cabeza de un bebé debido a la presión sobre la cabeza durante el *parto.*

Depresión posparto: depresión de moderada a intensa en una mujer después de haber dado a luz que comienza entre los seis meses después del *parto.*

Desánimo posnatal: cambios de humor y crisis de llanto comunes durante los primeros días después del *parto.*

Desgarro perineal: daños del tejido perineal durante el *parto.*

Desproporción fetopélvica: cuando la cabeza del bebé es demasiado grande para pasar a través de la pelvis durante el *parto.*

Diabetes gestacional: forma de diabetes que se desarrolla durante el embarazo, cuando el cuerpo no puede producir suficiente insulina para hacer frente a los altos niveles de azúcar en la sangre.

Difteria: infección bacteriana que puede provocar fiebre y dolor de garganta. También puede causar complicaciones potencialmente serias, por lo que la *inmunización* contra esta enfermedad forma parte del calendario de vacunación.

Dilatación del cuello uterino: ensanchamiento del cuello uterino durante el *parto* para permitir que el bebé pueda pasar.

Dislocación de cadera: *anomalía congénita* en la que la cabeza femoral se desprende desde la parte superior del fémur y el receptáculo que sale de la pelvis.

Dispositivo intrauterino o DIU: pequeño dispositivo que se introduce en el útero a través del cérvix para prevenir la *implantación* del embrión.

Distocia: cuando los hombros del bebé quedan atrapados tras haber salido la cabeza. Es algo muy raro pero serio y necesita tratamiento urgente.

Dolores posparto: *contracciones* del útero después del parto. Normalmente desaparecerán pocos días después del *parto.*

Ductus arterioso: vasos sanguíneos que ayudan a desviar la sangre rica en oxígeno de la placenta desde el corazón del feto a la aorta (la arteria principal que lleva la sangre del corazón al cuerpo) bordeando los pulmones. Durante el embarazo, el oxígeno procedente de la circulación materna se suma a la fetal a través de la placenta, de modo que la sangre no necesita pasar por los pulmones del *feto.* El ductus se cierra poco después de que nazca el bebé.

Eclampsia: extraña complicación de la *preeclampsia* que aparece durante las últimas semanas de embarazo, durante el *parto* o poco después. La presión arterial de la mujer es muy alta y puede haber convulsiones. Requiere rápido tratamiento por el bien de la madre y de su bebé.

Ecografía: prueba que se realiza a las embarazadas para comprobar que ni *feto* ni la madre tengan ninguna anomalía, o identificar el riesgo de que la sufran. Se utilizan ondas sonoras y el eco de las mismas para formar imágenes del útero y del *feto.*

Ecografía de las 20 semanas: ecografía detallada que suele hacerse alrededor de la semana 20 de embarazo, cuyo objetivo es descartar malformaciones y examinar la posición de la *placenta* en el útero.

Ecografía Doppler: variedad de ultrasonido que mide el flujo sanguíneo del feto, por ejemplo en el *cordón umbilical.* Las conclusiones se utilizan para evaluar el bienestar del bebé durante el embarazo.

Ecografía para datar la edad gestacional: ecografía que suele realizarse entre las semanas 10 y 14 de embarazo, en la que se mide el *feto* para confirmar de cuánto tiempo se está y calcular la fecha estimada de *parto.*

Ecografía transvaginal: ecografía en la que el *transductor* se coloca en la vagina.

Ectropion cervical: trastorno común en el que la mucosa endocervical sobresale a través del exocérvix, por lo que puede verse desde la vagina.

Edema: acumulación de líquido que puede causar inflamación, a veces alrededor de los tobillos.

Ejercicios de Kegel: ejercicios cuyo objetivo es fortalecer los músculos del *suelo pélvico* para mejorar la incontinencia urinaria.

Ejercicios del suelo pélvico: véase *ejercicios de Kegel.*

Embarazo ectópico: cuando el embarazo no transcurre dentro del útero, como debería ser, sino en algún otro lugar del abdomen o la pelvis. El sitio más común es en las *trompas de falopio.*

Embarazo gemelar: embarazo con dos *fetos.* El embarazo gemelar sucede de forma natural en 1 de cada 80 nacimientos.

Embarazo molar: trastorno extraño en el que un óvulo fertilizado produce un crecimiento deforme de la *placenta,* por lo que no puede desarrollarse un *feto* normal.

Embarazo prolongado: embarazo que continúa más allá de la *fecha estimada de parto.*

Embolia: cuando un fragmento de tejido, a menudo procedente de un coágulo de sangre de las venas profundas de las piernas, viaja a través del sistema circulatorio y bloquea un vaso sanguíneo en otra parte del cuerpo, como los pulmones (embolia pulmonar).

Embrión: término utilizado para denominar el bebé durante las primeras ocho semanas de su desarrollo. Después se le llamará *feto.*

Encajamiento: descenso de la cabeza fetal dentro de la pelvis materna.

Endometrio: membrana que tapiza la cavidad uterina.

Endometritis: inflamación del endometrio, la membrana que recubre la cavidad uterina.

Endorfinas: sustancias que reducen el dolor producidas de forma natural por el cuerpo.

ENET (estimulación nerviosa eléctrica transcutánea): método analgésico que utiliza impulsos eléctricos suaves emitidos por una unidad aplicada en la zona.

Enfermedad autosómica dominante: causada por un *gen dominante* que se impone al *gen recesivo.* Solo se necesita un gen dominante para desarrollar la enfermedad, mientras que para que se desarrolle una *enfermedad autosómica recesiva* los dos genes de un par tienen que ser recesivos.

Enfermedad autosómica recesiva: enfermedad autosómica causada por un *gen recesivo* defectuoso. Tienen que estar presentes dos copias del gen para que se desarrolle la enfermedad.

Enfermedad de la membrana hialina: también conocida como *síndrome de dificultad respiratoria,* puede afectar a los bebés prematuros. Los pulmones inmaduros no producen suficiente surfactante, sustancia necesaria para que los pulmones funcionen con normalidad.

Enfermedad de Rhesus: enfermedad en la que los anticuerpos en la sangre de la mujer Rh negativo atacan los glóbulos rojos de su bebé Rh positivo (véase *incompatibilidad Rhesus*).

Enfermedad de Tay-Sachs: enfermedad hereditaria en la que sustancias químicas nocivas se acumulan en el cerebro causando un grave, y a veces mortal, daño en el cerebro.

Enfermedades de transmisión sexual: enfermedades infecciosas que se transmiten por contacto sexual.

Enfermedades genéticas: enfermedades causadas por la anomalía de un gen, como por ejemplo la *fibrosis quística.*

Enfermedades tiroideas: enfermedades en las que la glándula tiroides produce demasiadas o demasiadas pocas hormonas, y/o en las que la glándula se dilata. Las hormonas tiroideas regulan muchos procesos del cuerpo, por lo que una producción anómala puede causar diversos síntomas que afecten, por ejemplo, los niveles de energía, el peso corporal, la función intestinal y enfermedades en la piel.

Enfermedades vinculadas al cromosoma X: enfermedad hereditaria causada por una anomalía del cromosoma X. La *hemofilia* es una de ellas.

Envolver al bebé: puede calmar al bebé cuando está llorando.

Episiotomía: corte en los tejidos cercanos al orificio vaginal para que el bebé tenga más espacio para salir.

Eritema palmar: enrojecimiento de las palmas de las manos, que puede estar causado por cierto número de enfermedades y que puede darse durante el embarazo.

Eritema tóxico: afección cutánea común en los recién nacidos que suele aparecer unos dos días después del nacimiento. Se trata de granitos de color amarillo a blanco que suelen localizarse en el torso del bebé.

Eructo: método utilizado para hacer que el bebé expulse gases durante o después de mamar.

Espéculo: instrumento utilizado para separar las paredes de la vagina con el fin de que el médico tenga una imagen clara del cérvix.

Espina bífida: tipo de *defecto del tubo neural* en el que la médula espinal no se desarrolla de forma adecuada. Las lesiones pueden ser de distinta gravedad.

Estación fetal: término utilizado para describir la posición del *feto* en la pelvis durante el parto.

Estenosis pilórica: engrosamiento del píloro (anillo muscular situado a la salida del estómago) que estrecha la salida y evita que la comida pase del estómago al duodeno.

Estreptococos B: véase *estreptococos del grupo B.*

Estreptococos del grupo B: infección bacteriana presente en la vagina de muchas embarazadas que normalmente es inocua, pero que puede ser muy grave si la infección pasa al recién nacido durante el *parto.*

Estrías: líneas causadas por el rápido estiramiento de la piel del abdomen durante el embarazo.

Estrógenos: hormonas sexuales femeninas esenciales para el normal funcionamiento del sistema reproductivo de la mujer.

Extracción al vacío: método para ayudar a la mujer durante el *parto* aplicando un dispositivo en forma de taza en la cabeza del bebé y succionando.

Extracción de leche: extraer leche del pecho usando las manos o con un sacaleches manual o eléctrico.

Factor Rhesus: es una proteína que puede encontrarse en la superficie de los glóbulos rojos (si está presente, se dice que una persona es Rh positiva; si no está, Rh negativa).

Falso parto: cuando se confunden las *contracciones* con las del comienzo del *parto.* En el falso parto, las contracciones no son regulares ni se vuelven más intensas con el tiempo. El cérvix no se dilata.

Falta de progresión: cuando el *parto* es largo y el cérvix dilata muy despacio, por lo que el bebé no puede salir.

Fase de transición: el período del *parto* en el que acaba de dilatarse el cérvix, pasando de 8 a 10 cm.

Fecha estimada de parto: el día que se espera el bebé, calculado a partir del primer día de la última menstruación.

Fenilcetonuria: error congénito causado por la carencia de la enzima fenilalanina, lo que se traduce en la incapacidad de metabolizar el aminoácido tirosina. Tendrá que excluirse la fenilalanina de la dieta o se acumulará, dando como resultado problemas de aprendizaje.

FEP: abreviación de *fecha estimada de parto.*

Fertilización: cuando se unen un óvulo y un espermatozoide.

Feto: bebé nonato a partir de la semana 9 de embarazo hasta su nacimiento.

Fibrosis quística: *enfermedad genética* en la que las secreciones del cuerpo se vuelven espesas y pegajosas, afectando a los pulmones y a la absorción de alimentos en el intestino.

Fiebre reumática: enfermedad inflamatoria poco común que puede presentarse después de una infección bacteriana y afectar las válvulas del corazón y las articulaciones.

FIV (Fertilización in vitro): tratamiento de fertilidad en el que se unen espermatozoides y óvulos fuera del cuerpo con la esperanza de que fertilicen para, de este modo, transferir el *embrión* al útero.

Fontanela: espacios membranosos entre los huesos del cráneo del bebé. Estos espacios se cierran de forma gradual.

Fototerapia: tratamiento por medio de luz que puede utilizarse en el tratamiento de la *ictericia neonatal.*

Gas y aire (Entonox): se respira a través de una mascarilla o tubo en la boca y se utiliza como *analgésico* durante el *parto.*

Gemelos dicigóticos: gemelos no idénticos producto de la fertilización de dos óvulos. Tienen *placentas* separadas y su *ADN* no es más parecido que el normal entre dos hermanos.

Gemelos idénticos: véase *gemelos monocigóticos.*

Gemelos monocigóticos: gemelos idénticos resultado de la partición de un óvulo fecundado. Comparten *placenta* y tienen el mismo *ADN.*

Gemelos no idénticos: véase *gemelos dicigóticos.*

Gemelos siameses: gemelos conectados por alguna parte del cuerpo como por ejemplo la cabeza, el pecho o el abdomen. Hoy día se consigue separar a la mayoría de los siameses, con técnicas quirúrgicas cada vez más sofisticadas, para que puedan vivir de forma independiente. Sin embargo, puede que los bebés compartan algún órgano, lo que hace que el proceso de separación sea aún más complejo y difícil.

Genes dominantes: nuestro material genético se transmite en forma de genes pares: cada uno de los genes se hereda de cada uno de los padres. Los genes pueden ser dominantes o recesivos. Un gen dominante pasará por encima del equivalente *gen recesivo.*

Genes recesivos: nuestro material genético se transmite en forma de genes pares: cada uno de los genes se hereda de cada uno de los padres. Un gen recesivo será anulado por un *gen dominante.* Dos copias de un gen recesivo anómalo pueden provocar una *enfermedad autosómica recesiva.*

Genoma humano: la secuencia entera de *ADN* de un ser humano.

Glándula pituitaria: glándula del tamaño de un guisante situada en la base del cerebro que produce diferentes hormonas.

Glucosuria: azúcar en la orina; puede indicar diabetes.

Gonadotropina coriónica humana (GCh): hormona producida por la *placenta* que ayuda a llevar adelante el embarazo. Las pruebas de embarazo caseras miden y analizan esta hormona en la orina.

Gonorrea: enfermedad de transmisión sexual que puede causar problemas graves en el *feto.*

Grávida: término utilizado para designar una mujer embarazada. La *primigrávida* es una mujer embarazada por primera vez; una multigrávida ya ha tenido por lo menos un bebé.

Haemophilus influenzae tipo b (Hib): infección bacteriana que puede ser causa de graves enfermedades como la meningitis. La *inmunización* a la Hib forma parte del calendario de vacunación.

Hemofilia: enfermedad hereditaria caracterizada por la deficiencia en los mecanismos de coagulación de la sangre; es el resultado de una anomalía genética y hace que las hemorragias sean copiosas y difíciles de detener.

Hemoglobina: proteína de la sangre de color rojo que transporta el oxígeno.

Hemorragia posparto: sangrado excesivo después del parto.

Hemorroides: dilatación varicosa de las venas del ano. Son un problema muy común durante el embarazo.

Hepatitis B: inflamación del hígado provocada por una infección vírica.

Hernia: protrusión de un órgano o tejido a través de una zona o músculo debilitado.

Hernia diafragmática: defecto en el diafragma, membrana muscular que se encuentra entre el pecho y el abdomen, que permite que una parte del contenido del abdomen ascienda a la cavidad torácica.

Hernia uterina: desgarrón de la pared del útero durante el embarazo o el *parto.*

Hidramnios: cantidad excesiva de líquido en el *saco amniótico.*

Hidrocefalia: cantidad excesiva de líquido dentro del cráneo. Puede afectar a los bebés prematuros o también estar asociada con ciertas enfermedades como las relacionadas con los *defectos del tubo neural.*

Hidrocele: ligera inflamación del escroto causada por la acumulación de líquido en el espacio que rodea los testículos.

Hidrops fetal: *edema* (acumulación de líquido) grave en un *feto* o recién nacido que constituye un peligro para la vida, y que puede tener varias causas entre las que se incluyen la *enfermedad de Rhesus* y *trastornos cromosómicos.*

Hiperemesis gravídica: vómitos que evolucionan de manera severa a principios del embarazo.

Hipertensión: tensión excesivamente alta de la sangre.

Hipoglucemia: nivel de azúcar en la sangre inferior al normal.

Hipospadias: anomalía del pene en el que la abertura del mismo se localiza en algún lugar de la parte inferior en vez de en la punta. Se corrige con cirugía.

Hormona folículo-estimulante: hormona femenina, producida por la *glándula pituitaria* que estimula la producción de óvulos.

Hormona luteinizante: hormona que controla la *ovulación.*

Ictericia: coloración amarillenta de la piel y de las conjuntivas, provocada por un aumento de la *bilirrubina* en la sangre. A menudo se debe a problemas en el hígado. Puede afectar a los bebés incapaces de procesar la bilirrubina suficientemente rápido. Es algo temporal en la mayoría de los casos y se trata con luz (*fototerapia*).

Ictericia neonatal: *ictericia* durante las primeras cuatro semanas de vida.

Implantación: fijación del huevo fecundado en la pared del útero.

Incompatibilidad Rhesus: cuando una mujer embarazada es Rh negativo y el feto Rh positivo. Generalmente no supone ningún problema durante un primer embarazo, pero si la mujer entra en contacto con las células fetales Rh positivas se sensibilizará, lo que significa que creará anticuerpos a los glóbulos rojos. Estos anticuerpos pueden atravesar la *placenta* en un embarazo posterior, atacar los glóbulos rojos de un feto Rh positivo y causarle un grave trastorno llamado enfermedad hemolítica del recién nacido.

Incompetencia cervical: debilidad del cérvix que puede dar lugar a un *aborto* o a un *parto prematuro* si el cérvix comienza a ensancharse durante el embarazo a medida que aumenta la presión ejercida por el *feto.* Puede recomendarse un *cerclaje cervical.*

Incontinencia: expulsión involuntaria de orina o, menos común, heces. La incontinencia urinaria de esfuerzo sucede al aumentar la presión abdominal (por ejemplo, al reír), y es común después de un parto vaginal.

Incubadora: cuna de cristal en que se mete a los niños prematuros o a los que no se encuentran bien. Se controla la temperatura, la humedad y el oxígeno.

Índice de masa corporal: medida en la que se asocia el peso y la altura, que indica si una persona pesa menos de lo debido, si tiene sobrepeso o si el peso es el adecuado para su altura.

Indigestión: dolor o molestias en la parte superior del estómago y el pecho, normalmente después de comer. La indigestión es muy común durante el embarazo, especialmente hacia el final.

Infección por levaduras: otro nombre para las infecciones por hongos como la *candidiasis.*

Infecciones urinarias: infecciones que afectan a la vejiga, la uretra o el riñón, como la *cistitis.*

Inmunización: proceso utilizado para protegerse de las enfermedades infecciosas. Puede ser pasiva, en la que los anticuerpos están presentes de manera natural o activa cuando se inoculan sustancias para que el sistema inmunitario forme los anticuerpos (vacunas). La mayoría de las vacunas se dan mediante inyecciones.

Insulina: hormona producida por el páncreas que regula la cantidad de azúcar existente en la sangre.

Inversión uterina: proceso muy raro pero grave en el que la *placenta* no se separa de la pared del útero tal como debiera después del nacimiento del bebé, dándose la vuelta al intentar sacarla. El fondo uterino, o todo el útero, puede aparecer a través del canal de parto.

Labio leporino y paladar hendido: malformación presente en el nacimiento cuyo resultado es una hendidura o separación en el labio y/o en el paladar del bebé.

Lactógeno placentario humano: hormona producida por la *placenta* encargada de descomponer grasas de la proteína materna para proporcionar alimento al *feto* en proceso de crecimiento.

Lanugo: fina capa de vello que aparece en el cuerpo del *feto* a partir de la semana 15 de embarazo.

Leche final: la leche que sale después de que el bebé lleve un rato succionando.

Ligamento redondo: bandas de tejido fibroso que discurren a cada lado del útero.

Línea nigra: línea oscura que va desde el hueso púbico hasta el ombligo y que puede aparecer durante el embarazo.

Líquido amniótico: el líquido que rodea el *feto.*

Listeriosis: infección debida a una bacteria que puede encontrarse en ciertos alimentos, como la leche y los quesos sin pasteurizar. Los casos severos durante el embarazo pueden ocasionar graves complicaciones, entre las que se incluyen el *aborto,* que el bebé nazca muerto (*mortinato*) y la *meningitis* del recién nacido.

Macrosomia: término médico para designar un bebé grande.

Maduración cervical: adelgazamiento del cérvix que sucede a medida que se acerca el *parto.*

Malacia: deseo compulsivo de comer sustancias extrañas e impropias para la nutrición. Puede suceder durante el embarazo.

Manchas de vino de Oporto: marcas permanentes en la piel de color rojizo violáceo.

Manchas fresa: marcas rojas y protuberantes en la piel del bebé causadas por grupos de capilares (vasos sanguíneos diminutos).

Manchas mongólicas: manchas azuladas en la piel del bebé. Son más comunes en los bebés de piel oscura.

Manchas salmón: manchas rojas de la cara que desaparecen con el tiempo.

Mareos matutinos: náuseas y vómitos comunes durante el embarazo, especialmente al principio. Los síntomas pueden aparecer en cualquier momento del día.

Mastitis: inflamación de la mama.

Meconio: sustancia viscosa, espesa y oscura que expulsan los recién nacidos durante un día o dos después de nacer. También puede expulsarlo el *feto* al final del embarazo, lo que puede asociarse con el *sufrimiento fetal.*

Medición de la longitud cráneo caudal: la longitud del bebé al principio del embarazo se mide desde la coronilla hasta las nalgas.

Meningitis: inflamación de las membranas que recubren el cerebro y la médula espinal (las meninges). La causa puede ser bacteriana o vírica.

Meningocele: tipo de *espina bífida* en la que las meninges (las capas de tejido que recubren la médula espinal) sobresalen a través de un defecto óseo en la columna vertebral.

Meningomielocele: tipo de *espina bífida* en la que hay una malformación de la médula espinal quedando expuesto el tejido de la médula.

Milia (sarpullido de leche): se presenta en forma de puntos blanquecinos y amarillentos en la cara del bebé, especialmente en la nariz.

Mioma: tumor benigno en la pared del útero.

Moco cervical: fluido producido por el cérvix que cambia de consistencia durante el *ciclo menstrual.*

Mola hidatiforme: véase *embarazo molar.*

Monitorización fetal: evaluación continua o frecuente del corazón y de los movimientos del bebé para comprobar que todo esté bien.

Mortinato: bebé que muere a partir de la semana 24 de embarazo y antes de que comience el *parto.*

Mórula: bola de células que se forma cuando el óvulo fertilizado comienza a dividirse.

MPSCU: abreviación de *muestra percutánea de sangre del cordón umbilical.*

Muestra de sangre fetal: véase *cordocentesis.*

Muestra percutánea de sangre del cordón umbilical: véase *cordocentesis.*

Mutación genética: anomalía de un gen que puede provocar una *enfermedad genética.*

Neonatal: el primer mes que le sigue al *parto.*

Neonato: el recién nacido durante las primeras cuatro semanas de vida.

Neonatólogo: pediatra especializado en el cuidado de los bebés durante sus primeras cuatro semanas de vida.

Oligohidramnios: cuando hay poco *líquido amniótico* alrededor del *feto.*

Ombligo: punto por el que entraba el *cordón umbilical.*

Onfalocele: defecto raro en el que parte del intestino del bebé, cubierto por una capa de membranas, sobresale a través de un orificio en la zona del cordón umbilical. Está causado por la debilidad de la pared abdominal y requiere cirugía.

Osificación: formación de nuevo material óseo.

Ovulación: Expulsión de un óvulo del ovario que pasa a través de las *trompas de Falopio* hasta llegar al útero.

Óvulo malogrado: huevo fertilizado que se ha adherido a las paredes del útero pero no se ha desarrollado. Este tipo de aborto puede detectarse mediante una *ecografía* temprana si se aprecia un *saco amniótico* sin *embrión.*

Oxitocina: hormona producida en la glándula pituitaria, del tamaño de un guisante y situada en la base del cerebro; estimula las *contracciones* del útero de cara al *parto* y la salida de la leche al dar de mamar.

Paperas: enfermedad vírica que causa la inflamación de una o ambas glándulas parótidas a cada lado de la cara así como posibles complicaciones entre las que se incluye la *meningitis* vírica. La *inmunización* contra las *paperas* forma parte del calendario de vacunación infantil.

Parálisis cerebral: trastorno que afecta a la psicomotricidad, originado por la lesión del cerebro del bebé durante el embarazo o el *parto,* o poco después de su nacimiento.

Parto: El proceso de parto se divide en tres etapas. La primera termina con la completa dilatación del cérvix; la segunda consiste en la expulsión del *feto* y la tercera en la expulsión de la *placenta.*

Parto con fórceps: parto asistido en el que se utilizan fórceps (semejantes a unas pinzas de ensalada) para ayudar a sacar al bebé a través del canal vaginal.

Parto natural: dar a luz sin medicamentos ni ningún otro procedimiento invasivo.

Parto prematuro: nacimiento de un bebé antes de las 37 semanas de embarazo.

Parto prolongado: parto largo que progresa muy lentamente, o nada.

Parvovirus: virus que causa la «quinta enfermedad». Sobre todo afecta a los niños y puede causar un sarpullido, enrojecimiento de las mejillas y fiebre. A veces los adultos afectados pueden sufrir dolor prolongado e inflamación de las articulaciones.

Pelvimetría: medición del diámetro de la pelvis para comprobar si el bebé podrá pasar durante el *parto.*

Perinatal: que precede o sigue inmediatamente al nacimiento.

Periné: espacio entre la abertura vaginal y el ano.

Pertussis: otro nombre para la tos ferina que afecta a los niños pequeños y a jóvenes, causando ataques de tos y otras complicaciones entre las que se incluye la neumonía y convulsiones. La *inmunización* contra esta enfermedad forma parte del calendario de vacunación.

Petidina: analgésico que puede utilizarse durante el *parto.*

Picotazos de cigüeña: marcas rojas en la nuca del bebé causadas por unos grupos de vasos sanguíneos dilatados.

Placenta: órgano adherido por un lado a la pared del útero y por el otro al feto a través del *cordón umbilical,* que conecta la circulación de la madre y del *feto.*

Placenta acreta: cuando la placenta se une demasiado firmemente a las paredes uterinas.

Placenta previa: cuando la *placenta* se implanta en la porción inferior del útero. Puede cubrir total o parcialmente el cérvix.

Placenta retenida: cuando la *placenta* queda pegada al útero después del parto y no se puede expulsar tal como debiera.

Plan de parto: lista de preferencias que pueden preparan las embarazadas antes de tener el bebé, para que las comadronas y los médicos sepan qué atención les gustaría recibir durante el *parto.* Puede incluir, por ejemplo, el tipo de analgesia farmacológica que se prefiere.

Polihidramnios: excesiva cantidad de *líquido amniótico* alrededor del *feto.*

Poliomielitis: infección vírica que suele ser leve pero que tiene el potencial de afectar al cerebro y a la médula espinal, causando parálisis e incluso la muerte. La *inmunización* contra la polio forma parte del calendario de vacunación.

Posición vértice: cuando el feto se encuentra colocado cabeza abajo en el útero.

Preeclampsia: complicación del embarazo cuyos síntomas son una elevación de la presión arterial, *edema* en los pies y piernas y proteína en la orina.

Presentación de nalgas: cuando el feto está posicionado de nalgas y no de cabeza. La mayoría de los bebés se habrán dado la vuelta antes de que comience el *parto.*

Presentación podálica: cuando lo primero que se presenta son los pies del bebé.

Presentación transversal: cuando el *feto* está atravesado en el útero.

Primigrávida: mujer en su primer embarazo.

Progesterona: hormona normalmente presente en las mujeres pero que alcanza niveles muy superiores durante el embarazo. Tiene varias funciones clave en el mantenimiento del embarazo como reforzar las paredes de la pelvis y mantener la *placenta* funcionando con eficacia.

Prolactina: hormona que aumenta la secreción de leche en la glándula mamaria.

Prolapso del cordón umbilical: cuando el cordón sale por la abertura cervical antes que el bebé. Puede ser muy serio ya que puede provocar *compresión del cordón.*

Prostaglandinas: sustancia producida por el cuerpo que tiene varias funciones, entre ellas estimular las *contracciones* del útero.

Provocación del parto: utilización de métodos para desencadenar el *parto* cuando continuar el embarazo puede suponer un riesgo para la madre o el *feto.* Puede que se introduzca un pesario para que el cérvix dilate (se ensanche) o si ya está abierto, se puede utilizar un instrumento para romper aguas. Tal vez se utilice un medicamento que contenga la hormona *oxitocina* para provocar las *contracciones* del útero.

Prueba combinada: prueba que se realiza entre las semanas 11 y 14 de embarazo, que combina la prueba de *translucencia nucal* y un análisis de sangre para comprobar el riesgo de que el bebé tenga *síndrome de Down* u otros *trastornos cromosómicos.*

Prueba de embarazo: prueba de orina (más común que la de sangre) que se hace para comprobar si una mujer está embarazada.

Prueba de la glucosa: prueba que se hace para saber si existe exceso de azúcar en la sangre; no se puede comer ni beber nada (excepto agua) ocho horas antes de hacerse la prueba.

Prueba de translucencia nucal: esta prueba, que se realiza mediante una *ecografía* durante las semanas 11 y 13 de embarazo, evalúa el grosor de la nuca del bebé. El resultado se utiliza para evaluar el riesgo de que el bebé sufra *síndrome de Down.*

Prueba integrada: la *prueba combinada* más un análisis de sangre adicional entre las semanas 15 y 20 de embarazo, que se hace para evaluar los riesgos de que el bebé tenga *síndrome de Down* o alguna otra anomalía cromosómica.

Pruritus gravidarum: picazón durante el embarazo que suele afectar a las palmas de las manos y a veces las del pie. De vez en cuando los picores son signo de un problema hepático llamado colestasis.

Reflejo de agarre: reacción temprana normal del bebé que agarrará cualquier objeto que se le ponga en la mano.

Reflejo de búsqueda: respuesta automática del recién nacido; el bebé se volverá hacia el pecho o el biberón si le tocan la mejilla.

Reflejo de Moro: respuesta natural e involuntaria de un recién nacido a los ruidos fuertes o a un movimiento inesperado.

Reflejo de sobresalto: véase *reflejo de Moro.*

Reflejo de succión: reacción natural del bebé a succionar aquello que se le pone en la boca.

Regurgitación: pequeñas cantidades de leche que los bebes echan después de mamar.

Relaxina: esta hormona relaja los ligamentos de la pelvis y ayuda al útero a prepararse para el *parto.*

Retinopatía del prematuro: malformación ocular que puede darse en los *bebés prematuros* y que puede acabar en discapacidad visual o en ceguera.

Retraso del crecimiento intrauterino: (IUGR por sus siglas en inglés) quiere decir que el *feto* no está creciendo de forma adecuada.

Retraso en el desarrollo: la expresión indica que un niño está creciendo o desarrollándose un poco más tarde de lo habitual.

Rozadura ocasionada por el uso de pañal: rozadura en la zona del pañal que sobre todo surge cuando hay un contacto prolongado con la orina o las heces.

Rubéola: enfermedad vírica que puede causar serias malformaciones en el feto si una mujer la coge cuando está embarazada. Por esta razón, la *inmunización* a la rubéola forma parte del calendario de vacunación.

Ruptura de membranas: cuando se rompe el *saco amniótico* que rodea el *feto* liberando el líquido amniótico en su interior. Se conoce como «romper aguas».

Saco amniótico: la bolsa que contiene el *feto* y el líquido que lo rodea. La bolsa está compuesta por dos capas, el *amnios* y el *corion.*

Salmonelosis: intoxicación alimentaria originada por la bacteria de la salmonella, que puede estar presente en aves de corral.

Sarampión: infección vírica que produce fiebre y sarpullido. Puede desarrollarse una serie de complicaciones entre las que se incluye una enfermedad rara pero capaz de poner en peligro la vida del bebé cuando afecta al cerebro. La *inmunización* contra el sarampión forma parte del calendario de vacunación.

Secundinas: *placenta* y membranas que envuelven el *feto*; se expulsan después del *parto.*

Separación prematura de la placenta: cuando la *placenta* se despega total o parcialmente de la pared del útero antes del *parto.*

Signo de Chadwick: coloración violeta del cérvix, la vagina y la *vulva.* Se puede observar a partir de la semana 8 de embarazo.

Síndrome alcohólico fetal: serie de defectos de nacimiento asociados a la ingesta de cantidades excesivas de alcohol durante el embarazo.

Síndrome de dificultad respiratoria: véase *enfermedad de la membrana hialina.*

Síndrome de Down: *trastorno cromosómico* que se produce por la aparición de tres copias del cromosoma 21 en lugar de los dos que debería haber. (También se conoce como trisomia 21). Los niños con síndrome de Down tienen un aspecto característico, dificultades de aprendizaje y un riesgo grande de sufrir ciertas enfermedades, entre las que se incluyen los problemas de corazón.

Síndrome de Edwards: enfermedad caracterizada por la presencia en las células de un cromosoma adicional en el par 18. También se conoce como trisomía 18. Los bebés con síndrome de Edwards presentan poco peso al nacer, así como otros tipos de dificultades entre los que se incluyen problemas de corazón y de riñón. Muchos de los bebés que nacen con esta enfermedad solo viven durante unos pocos días.

Síndrome de muerte súbita del lactante: también conocido como «muerte de cuna»; cuando un bebé muere repentinamente sin razón aparente.

Síndrome de Patau: enfermedad genética que resulta de la presencia de un cromosoma 13 suplementario. Pueden presentarse varios problemas entre los que se incluyen bajo peso neonatal y deformidades, como el *paladar hendido* así como órganos mal desarrollados (por ejemplo, defectos del corazón).

Síndrome de varicela congénita: defectos de nacimiento causados por padecer varicela durante el embarazo.

Síndrome del túnel carpiano: neuropatía que deriva de la compresión del nervio mediano a nivel de la muñeca. Los síntomas son adormecimiento y picores en partes de las manos. Es relativamente común durante el embarazo.

Síndrome HELLP: seria variante de la *preeclampsia* en la que los glóbulos rojos se rompen excesivamente, se elevan las enzimas del hígado y los niveles de plaquetas (necesarias para una correcta coagulación de la sangre) bajan. Esta enfermedad requiere un parto urgente.

SMSL: abreviación para *síndrome de muerte súbita del lactante.*

Sonograma: imagen producida por ecografía.

Suelo pélvico: músculos que cierran la parte inferior del abdomen que van desde el hueso púbico enfrente, al extremo de la columna vertebral detrás; y que soportan la vejiga y la uretra, el tubo que saca la orina de la vejiga.

Sufrimiento fetal: cuando se ve comprometido el bienestar del *feto.* Un cambio en los movimientos del feto o en el latido de su corazón son posibles signos.

Syntocinon: forma sintética de la *oxitocina* que puede administrarse para ayudar a que progrese el proceso de *parto,* incrementando la intensidad de las *contracciones.* También puede suministrarse después para mantener el útero contraído.

Tabla de recuento de patadas: registro del número de movimientos que siente una mujer embarazada. La tabla ayuda a controlar el bienestar del *feto.*

Tablas de percentiles: tablas que muestran la media nacional de peso, circunferencia craneal y estatura. Miden al bebé durante el primer año y se comparan los números con el de las tablas para comprobar si sus medidas están dentro de la media.

Talasemia: enfermedad hereditaria en la que la *hemoglobina* no se produce correctamente, lo que provoca *anemia.*

Tapón mucoso: tapón que bloquea el cérvix durante el embarazo.

Teratogénico: que produce malformaciones en el *embrión* o *feto.*

Terminación del embarazo: detener la continuación de un embarazo mediante tratamiento médico o quirúrgico.

Test de Apgar: prueba que se realiza a todos los bebés nada más nacer y que permite valorar el estado general del mismo. Se evalúa el color del bebé, su respiración, el pulso, el tono muscular y la respuesta a la estimulación un minuto después del *parto,* y al cabo de cinco minutos.

Test de tolerancia oral a la glucosa: análisis de sangre cuyo objetivo es diagnosticar o excluir la *diabetes gestacional.* Se toman dos muestras de sangre, la primera después de pasar una noche sin comer ni beber (excepto agua), y la segunda después de beber un líquido con cierta cantidad de glucosa.

Tétanos: enfermedad infecciosa seria y potencialmente mortal que afecta al sistema nervioso. La *inmunización* contra esta enfermedad forma parte del calendario de vacunación.

Tos ferina: véase *pertussis.*

Toxoplasmosis: infección que puede causar malformaciones fetales si la madre la sufre durante el embarazo. Puede cogerse la infección al comer carne cruda o poco hecha y vegetales sin lavar.

Transductor: parte del equipo utilizado en las *ecografías.* El transductor se mueve sobre la piel, o contra la pared vaginal en las *ecografías transvaginales.* Emite ondas sonoras y recibe los ecos de las mismas que el ordenador convierte en imágenes.

Translocaciones (de cromosomas): cuando dos *cromosomas* diferentes se rompen e intercambian el material genético.

Transferencia intratubárica de gametos: (o GIFT por sus siglas en inglés) tratamiento de fertilización apropiado para las mujeres que tengan las *trompas de Falopio* normales, ya que el esperma y el óvulo se colocan en una de las trompas con la esperanza de que ocurra la *fertilización* y de que el óvulo fecundado pase al útero y se adhiera a la pared con normalidad.

Trastorno cromosómico: enfermedad que resulta de la presencia de muchas o pocas copias de cierto *cromosoma* o de una anomalía en la estructura de un cromosoma (puede que falte parte de un cromosoma o que esté pegado a otro).

Trillizos: Tres bebés nacidos de un mismo embarazo. El embarazo de trillizos sucede de forma natural en 1 de cada 6.400 nacimientos.

Trimestre: uno de los tres períodos del embarazo.

Triple test: análisis de sangre que mide tres sustancias con el fin de identificar riesgos de malformaciones cromosómicas y *defectos del tubo neural.*

Trisomía: *trastorno cromosómico* en el que hay tres copias de un *cromosoma* específico en lugar de los dos que tendría que haber. El ejemplo más común es el *síndrome de Down.*

Tromboflebitis: inflamación de las venas superficiales de la piel que puede causar enrojecimiento y dolor.

Trombosis venosa profunda: cuando se forma un coágulo en una de las venas profundas —normalmente en la pierna— que devuelve sangre hacia el corazón. La zona afectada se puede inflamar, calentar y enrojecer. Debe tratarse de inmediato ya que hay riesgo de que los fragmentos de un coágulo viajen por los vasos sanguíneos y lleguen al corazón o al cerebro (véase *embolia*).

Trompas de Falopio: conductos que conectan los ovarios con el útero. Los óvulos liberados por los ovarios viajan a través de las *trompas de Falopio* hasta el útero.

Útero atónico: trastorno ocasionado porque el útero no se contrae como es debido después del parto. Si no se trata de forma adecuada puede ocasionar hemorragias.

Útero prolapsado: cuando el útero desciende hasta la vagina.

Vaginosis bacteriana (VB): incremento excesivo de las bacterias que habitualmente están en la vagina, y que causa un flujo vaginal anormal. VB no es una *enfermedad de transmisión sexual*, pero es más común en aquellas mujeres sexualmente activas. Suele tratarse con antibióticos.

Varices: venas dilatadas visibles justo por debajo de la piel. Suelen afectar a las venas de las piernas y pueden desarrollarse durante el embarazo debido a la presión que el *feto* va ejerciendo sobre las venas de la pelvis.

Vellosidades coriónicas: pequeñas protuberancias esponjiformes que se ramifican desde el *corion* hasta los márgenes de la *placenta*.

Vérnix: sustancia blanca, espesa y grasienta que recubre la piel del recién nacido. El vérnix protege y aísla la piel.

Versión cefálica externa: método utilizado por los médicos para intentar cambiar desde fuera la posición del bebé, cuando está ubicado de nalgas, para colocar la cabeza hacia abajo.

VIH (**virus de la inmunodeficiencia humana**)**:** infección vírica que puede derivar en sida (síndrome de inmunodeficiencia adquirida) en la que la inmunidad queda reducida, por lo que el cuerpo tiene dificultades para luchar contra infecciones y ciertos tipos de cáncer. Se hace una prueba de VIH de forma rutinaria a todas las mujeres embarazadas.

Virus del herpes simple: infección vírica que puede presentarse de dos formas distintas, tipo 1 que suele causar pupas o erupciones cutáneas alrededor de los labios, y tipo 2 que afecta a los genitales.

Vitaminas: Trece sustancias necesarias para que el cuerpo de la madre funcione correctamente y el bebé se desarrolle con normalidad.

Vulva: parte externa de los genitales femeninos.

ÍNDICE

D

E

F

G

H

I

J

L

M

N

P

Q

R

S

T

U

V

Y

Z

AGRADECIMIENTOS

CARROLL & BROWN DESEAN AGRADECER A LAS SIGUIENTES PERSONAS:

Dr. Richard Wilson, por sugerir el glosario.
Asesores adicionales: Dr. Penny Preston, Dr. Lesley Hickin y Michael Janay, especialista en seguridad infantil, de Child Protection Network, Inc.
Colaboración adicional en el diseño: Emily Cook, Evelyn Bercott, Anna Pow y Peggy Sadler.
Director de producción: Karol Davies.
Gestión de informática: John Casey.
Iconografía: Sandra Schneider.
Ilustraciones: Peter Sutton, Halli Marie Verrinder y Amanda Williams.
Elaboración del índice: Hilary Bird.
Corrección de textos: Geoffrey West.
Pies de las fotografías: BabyBjörn AB.
Modelos: Becky Alexander, Jocelyn Best, Michael y George McEhearney, Frankie Dixon, Donae y Kyle Hurst, Evie Loizides-Graham, Racquel Milan, Jason y Bella Moy, Alison y Joseph Potter, Sally Somers.
Maquillaje: Toka Hombu y Jeseama Owen.

Créditos fotográficos:
OSF = Oxford Scientific Films
SPL = Science Photo Library
Mother & Baby PL = Mother & Baby Picture Library
Prof. S. Campbell = Profesor Stuart Campbell, Create health Clinic
CLAPA = Cleft Lip and Palate Association

Portada LWA-Dann Tardif/Corbis; 6 (arriba) Powerstock (abajo) Walter Hodges/Corbis; 8 (arriba) Mother & Baby PL; 10 Francis Leroy, Biocosmos/SPL; 15 Profesor P. M. Motta y otros/SPL; 17 Getty Images; 20 BSIP, LA/SPL; 21 (arriba) Adrian Weimbrecht/Practical Parenting/IPC Syndication; 24 (arriba) Mother & Baby PL (abajo) Mother & Baby PL/Dan Stevens; 25 (arriba) Mother & Baby PL/Ian Hooton (abajo) Mother & Baby PL/Dan Stevens; 26 (arriba) Saturn Stills/SPL (abajo) Mother & Baby PL/Dan Stevens; 27 (arriba) Mother & Baby PL/Ian Hooton (abajo) Mother & Baby PL/Dan Stevens; 28 (arriba) Rick Gomez/Corbis (abajo) Mother & Baby PL/Dan Stevens; 29 (arriba) Mother & Baby PL/Ruth Jenkinson (abajo) Mother & Baby PL/Dan Stevens; 30 Andy Walker, Midland Fertility Services/SPL; 31 (arriba) Petit Format/Nestle/Photo Researchers, Inc. (abajo) Petit Format/Nestle/SPL; 32 (arriba) OSF/Science Pictures (abajo) Edelmann/SPL; 33 (arriba) Prof. S Campbell (abajo) SPL; 34 Powerstock; 35 (arriba) Edelmann/SPL (abajo) Prof. S. Campbell; 36 (arriba) Powerstock (abajo) Edelmann/SPL; 37 (arriba) Tissuepix/SPL (abajo) James Stevenson/SPL; 38 Edelmann/SPL; 39 (arriba) Prof. S. Campbell (abajo) BSIP DR LR/SPL; 40 OSF/Neil Bromhall; 41 (arriba) OSF/Dr. Derek Bromhall (abajo) Baby Bond; 42 (arriba) Neil Bromhall/Genesis Films/SPL (abajo) Edelmann/SPL; 43 Prof. S. Campbell; 45 Simon Fraser/Royal Victoria Infirmary Newcastle upon Tyne/SPL; 46 (arriba) Prof. S. Campbell (abajo) BSIP, ATL/SPL; 47 (arriba) Prof. S. Campbell (abajo) Innerspace Imaging/SPL; 48 (arriba) Simon Fraser/SPL (abajo) Edelmann/SPL; 49 (arriba) Prof. S. Campbell (abajo) Simon Fraser/SPL; 52 (arriba) Mother & Baby PL (abajo) Mother & Baby PL/Dan Stevens; 53 (abajo) Mother & Baby PL/Dan Stevens; 54 (arriba) Mother & Baby PL/Ian Hooton (abajo) Mother & Baby PL/Dan Stevens; 57 Mother & Baby PL/Ruth Jenkinson; 84 Mother & Baby PL/Ian Hooton; 86 Simon Fraser/SPL; 87 Mother & Baby PL/Ian Hooton; 91 Rick Gomez/Corbis; 110 Imagestate; 120 Getty Images; 135 Jo Jo Maman Bebe; 136 Powerstock; 138 Ariel Shelley/Corbis; 143 Photolibrary.com; 144 (arriba) Retna/Luci Pashley; 152 (arriba) Camera Press/Ian Boddy; 172 Mother & Baby PL/Ruth Jenkinson; 175 Mother & Baby PL/Moose Azim; 176 Jose Luis Pelaez, Inc/SPL; 178 Getty Images; 179 BSIP, Laurent/SPL; 182–183 Mother & Baby PL/Ruth Jenkinson; 184 Camera Press/Ian Boddy; 190 Getty Images; 191 Getty Images; 193 Mother & Baby PL/Ruth Jenkinson; 195 Powerstock; 199 (abajo) Getty Images; 206 (arriba) Mother & Baby PL/Ian Hooton (abajo) Powerstock; 210 Mother & Baby PL/Ruth Jenkinson; 213 Juliette Antoine/Oredia/Retna; 214 Photolibrary.com; 217 Ruth Jenkinson/Midirs/SPL; 219 Mother & Baby PL/Indira Flack; 222–223 Mother & Baby PL/Ruth Jenkinson; 224 Walter Hodges/Corbis; 225 James King-Holmes/SPL; 227 Mother & Baby PL/Indira Flack; 230 Michael Donne/SPL; 234 (arriba) Mehau Kulyk/SPL (centro) GJLP/SPL (abajo) BSIP, Veronique Estiot/SPL; 237 Photolibrary.com; 239 GCa/SPL; 241 Alfred Pasieka/SPL; 242 Saturn Stills/SPL; 245 Colin Cuthbert/SPL; 249 BSIP Vem/SPL; 250 BSIP, Veronique Estiot/SPL; 251 SPL; 253 SPL; 255 GJLP/SPL; 256 Custom Medical Stock Library/SPL; 257 CNRI/SPL; 259 Dr. P. Marazzi/SPL; 260 Mehau Kulyk/SPL; 262 Mother & Baby PL/Ruth Jenkinson; 264 Damien Lovegrove/SPL; 265 Photolibrary.com; 267 Dr. P. Marazzi/SPL; 272 Wellcome Trust Medical Photographic Library; 274 CNRI/SPL; 275 SPL; 280 (arriba) Powerstock (abajo) BabyBjorn; 282 Getty Images; 285 (arriba) SPL (centro) Mike Devlin/SPL (abajo) Dr. I. Williams/SPL; 290 BabyBjorn; 294 Sandra Lousada/Retna; 297 Rick Gomez/Corbis; 303 Juliette Antoine/Oredia/Retna; 320 Getty Images; 323 Powerstock; 325 Getty Images; 327 John Henley/Corbis; 334 Getty Images; 340 Powerstock; 354 (arriba) BSIP, Chassenet/SPL (centro) BSIP Astier/SPL (abajo) Dr. P Marazzi/SPL; 358 (izquierda) John Radcliffe Hospital/SPL (derecha) Dr. P. Marazzi/SPL; 362 BSIP, Chassenet/SPL; 364 Meningitis Research Foundation (inserción) Dr. P. Marazzi/SPL; 365 Dr. I. Williams; 366 (inserción) Aaron Haupt/SPL (derecha) BSIP Astier/SPL; 373 Joseph Nettis/SPL; 374 Mediscan; 380 Clapa; 381 Dr. P. Marazzi/SPL; 383 Hank Morgan/SPL.